KARL MAY

KLASSISCHE MEISTERWERKE

KARL MAY

SAND DES VERDERBENS

REISEERZÄHLUNGEN

KARL-MAY-VERLAG · BAMBERG
in Zusammenarbeit mit dem
VERLAG CARL UEBERREUTER · WIEN

INHALT

DIE GUM

CHRISTUS ODER MOHAMMED

DER KRUMIR

DER „SAND DES VERDERBENS"

DER RAUBZUG DER BAGGARA

Herausgegeben von Dr. E. A. Schmid

Diese Ausgabe erscheint in enger Zusammenarbeit
mit dem Verlag Carl Ueberreuter, Wien.
Der Inhalt dieses Buches entspricht dem Band 10
der grünen Originalausgabe „Karl Mays Gesammelte Werke".
© 1952 Karl-May-Verlag, Bamberg / Alle Urheber-
und Verlagsrechte vorbehalten.

ISBN 3-7802-0510-6
Gesamtherstellung: Ebner Ulm

DIE GUM

1. Dschessâr Bei, der Menschenwürger

Afrika! —

Sei mir gegrüßt, du Land der Geheimnisse! Ich soll auf edlem Roß deine kahlen, leeren Steppen, auf flüchtigem Kamel deine gluterfüllte Hammada durchreiten, soll unter deinen Palmen wandeln, deine Spiegelung schauen und auf grünender Oase an deine Vergangenheit denken, deine Gegenwart betrauern und von deiner Zukunft träumen.

Sei mir gegrüßt, du Land des Sonnenbrandes, des tropischen Pulses und der riesenhaften Ausmaße! Ich habe im eisigen Norden deine Wärme gefühlt, dem wunderbaren Klang deiner Märchen gelauscht und das ferne Rauschen der Palmen vernommen, die deine überwältigende Natur zum Himmel braust. Da brandete das Meer der Springböcke über die Ebene; das Flußpferd tummelte sich im tiefen Wasser; der Wald brach unter den Tritten des Elefanten und des Nashorns; im Schlamm wälzte sich das Krokodil, und unter stacheligen Mimosen röchelte der schlafende Löwe. Mein Fuß war gefesselt, aber meine Seele eilte zu dir. Da donnerte die Büchse des Buren; da erklangen die Speere der Hottentotten und Kaffern; schwarze Gestalten wanden sich im Ringen; Ketten rasselten, Sklaven heulten, und schwer beladen zog die Karawane nach Osten, das Schiff aber dem Westen zu. Im einsamen Duar erscholl der schmetternde Chor der Hariri[1]; vom hohen Minarett rief der Mueddin zum Gebet; die Söhne der Wüste wandten ihre Augen gen Aufgang, und der Dschellab sang sein frommes ,Lubbekka Allah hümeh — hier bin ich, o mein Gott!'

Sei mir gegrüßt, du Land meiner Sehnsucht! Jetzt endlich sehe ich deine Küste winken, atme die Flut deiner reinen Luft und trinke den süßen Hauch deiner Düfte. Deine Zungen sind mir nicht fremd, doch will kein Angesicht mir entgegenlächeln und keine Hand die meinige erfassen, aber vom grünen Strand herüber neigen sich die Palmenwedel, und die Höhen strahlen

[1] Musikanten

im freundlichen Glanz mir zu ihr ‚Habakek — sei uns willkommen, o Fremdling!‘ — — —

Drüben im ‚far west‘ hatte ich einen Mann getroffen, der sich ebenso wie ich aus reiner Abenteuerlust ganz allein in die ‚finstern und blutigen Gründe‘ des Indianergebiets gewagt hatte und mir bei allen Fährlichkeiten ein treuer Freund geblieben war. Sir Emery Bothwell war ein Mann, wie man ihn selten findet, stolz, edel, kalt, wortkarg, kühn bis zur Verwegenheit, geistesgegenwärtig, ein starker Ringer, ein gewandter Fechter, ein sicherer Schütze und dabei voller Aufopferungsfähigkeit, wenn sein Herz einmal freundschaftlichen Regungen zugänglich geworden war.

Neben diesen zahlreichen Vorzügen besaß der gute Sir Emery allerdings einige kleine Eigentümlichkeiten, die ihn sofort als Angelsachsen kennzeichneten und einen Fremden gar wohl abzustoßen vermochten. Mir aber hatten sie keinerlei Störung, sondern im Gegenteil öfters eine kleine, allerdings heimliche und unschuldige Belustigung gebracht, und wir waren schließlich in New Orleans als die besten Freunde geschieden. Wir hatten uns das Versprechen gegeben, uns wiederzusehn. Die Begegnung sollte — in Afrika stattfinden.

Daß wir uns für Algier entschieden, geschah nicht ohne Gründe. Mein braver Bothwell war ebenso wie ich das, was man einen ‚Weltläufer‘ zu nennen pflegt. Er hatte fast alle Winkel der Erde durchkrochen, von Afrika aber im Süden nur die Kapstadt gesehen und im Norden das ‚Gharb‘[1], wie der Araber die Küstenstrecke von Marokko bis Tripolis nennt, bereist. Natürlich lag ihm da der Wunsch nahe, auch das Innere dieses Erdteils, vor allem die Sahara, den Sudan, kennenzulernen; über Dar Fur und Kordofan wollte er dann auf dem Nil zur Zivilisation zurückkehren. In Algier lebte ein Verwandter von ihm, ein Onkel mütterlicherseits, bei dem er früher einmal längere Zeit gewesen war, um das Arabische zu lernen. Dieser Franzose namens Latréaumont war Leiter eines Handelshauses, das sehr fruchtbringende Beziehungen zum Sudan unterhielt. Bei ihm wollten wir uns treffen.

Was mich anlangt, so hatte ich mich bereits in früherer Zeit aus besondrer Liebhaberei mit der arabischen Sprache beschäftigt. Unser Beisammensein in der Prärie hatte treffliche Gelegenheit geboten, beiderseits in Übung zu bleiben, und so ging ich

---

[1] Unter ‚Gharb‘ (= der Westen) versteht man heute nur das Mündungsgebiet des Sebu in Marokko, eine etwa 4000 Geviertkilometer große, sehr fruchtbare Ebene.   Der Herausgeber

mit dem Dampfer Vulkan, der der Messagerie Impériale gehörte, in der beruhigenden Überzeugung von Marseille ab, es werde mir nicht schwerfallen, mich mit den Kindern der Sahara in ihrer Muttersprache zu verständigen.

Afrika galt uns, wie ja auch einem jeden andern, als das Land großer, noch ungelöster Rätsel, die uns genug des Merkwürdigen und wohl auch Gefährlichen bieten würden. Doch erfüllte uns besonders eins mit erwartungsvoller Begeisterung: wie wir den grauen Bären und den Büffel getötet hatten, so wollten wir unsre Büchsen auch an dem schwarzen Panther und dem Löwen versuchen. Emery Bothwell hatte mit einer Art von Eifersucht die Berichte über Gérard, den kühnen Löwenjäger, vernommen und war fest entschlossen, sich auf alle Fälle einige Mähnenhäute zu holen.

Es waren bereits drei Monate seit unsrer Trennung vergangen, doch kannte er ungefähr die Zeit meines Eintreffens, und da er ebenso wußte, daß ich mit dem französischen Dampfer kommen würde, so fühlte ich mich einigermaßen enttäuscht, als ich ihn beim Landen nicht unter der bunten Menge erblickte, die auf dem Kai die Ausschiffung der Fahrgäste erwartete oder in Booten herbeigeeilt kam, um Bekannte in Empfang zu nehmen.

Algier ist an der Westseite eines halbmondförmigen Golfs gelegen. Die Stadt kehrte dem Schiff ihre ganze Stirnseite zu und gewährte ein sonderbares, fast geisterhaftes Bild. Eine an dem grünen Gebirge aufsteigende, kreideweiße und ineinanderfließende Häusermasse ohne Dächer und Fenster starrte herab in den Hafen und sah beinahe aus wie ein Kalksteinfelsen, eine riesige Gipsgruppe oder ein Gletscher bei Sonnenbeleuchtung. Hoch oben auf dem Gipfel des Gebirges erschienen die Bollwerke des Kaiserforts, und an seinem Fuß zogen sich außer der Festung Mersa Edduben verschiedene Befestigungen hin.

Auf dem Kai bewegten sich Gruppen weißer Burnusgestalten, Neger und Negerinnen in den buntesten Gewändern, Frauen, vom Kopf bis zum Fuß in weiße Wollschleier gehüllt, Mauren und Juden in türkischer Tracht, Mischlinge aller Farben, Herren und Damen in europäischer Kleidung und französische Soldaten aller Grade und Truppenteile.

Ich ließ mein Gepäck nach dem Hotel de Paris in der Straße Bab-el-Oued schaffen, stärkte mich dort nach Bedürfnis und begab mich dann in die Straße Bab-Azoun, wo die Wohnung Latréaumonts lag.

Meine Karte wurde abgegeben, und sofort erschien der Hausherr unter der Tür seines Arbeitszimmers.

„Soyez le bienvenu, monseigneur, aber nicht hier, nicht hier! Bitte, kommen Sie mit mir, damit ich Sie Madame und Mademoiselle vorstelle! Wir haben seit langem mit Schmerzen auf Sie gewartet!"

Dieser unerwartete Empfang mußte mich überraschen. Mit Schmerzen hatte man auf mich, den Unbekannten, gewartet? Aus welchem Grund?

Latréaumont, ein kleiner, beweglicher Mann, hatte die breiten, marmornen Stiegen erklommen, noch ehe die Hälfte hinter mir lag. Das Haus war früher der Palast eines reichen Muselmanen gewesen, und die Vereinigung arabischer Baukunst mit französischer Ausstattung brachte eine eigentümliche Wirkung hervor. Ich wurde durch den glänzend eingerichteten Empfangsraum ins Familienzimmer geführt, eine Auszeichnung, die mit dem Schmerz, womit man mich erwartet hatte, in Verbindung stehen mußte.

Madame saß, in einem Roman blätternd, auf einem niedrigen Stuhl; sie war nach europäischem Schnitt in schwarze Seide gekleidet. Mademoiselle lag auf einem samtenen Diwan und trug das bequeme, morgenländische Gewand. Ein weites, seidenes Beinkleid reichte vom Gürtel bis zum Knöchel herab, während der nackte Fuß in blauen, goldgestickten Pantoffeln steckte. Feine Spitzeneinsätze, mit Gold und Silber durchwirkt, bedeckten Hals und Brust, und darüber trug sie eine samtne türkische Jacke, die mit kostbaren Schnörkeln verziert und mit Reihen wertvoller Knöpfe besetzt war. Das dunkle Haar war von Gold- und Perlenschnüren durchflochten und in blaue und rosa indische Seide eingebunden.

Beide Damen erhoben sich bei unserm Eintritt. Sie konnten ihre Überraschung über den gesellschaftlichen Fehler kaum verbergen, den der Hausherr dadurch beging, daß er einem Fremden so ohne vorherige Anmeldung Zutritt in diesen Raum gestattete. Kaum aber hatten sie meinen Namen gehört, so machte diese Überraschung dem Ausdruck unverhohlener Freude Platz.

Madame eilte auf mich zu und ergriff meine Hand.

„Welch ein Glück, monseigneur, daß Sie endlich kommen! Unsre Sehnsucht nach Ihnen ist grenzenlos gewesen. Nun aber dürfen wir ruhiger sein, denn Sie werden unserm wackeren Bothwell nacheilen und ihm helfen, Renaud zu finden!"

„Gewiß, Madame, werde ich dies tun, wenn Sie es wünschen. Nur bitte ich Sie, mir zu sagen, wer Renaud ist, und was für eine Bewandtnis es mit ihm und Emery hat, den ich hier zu treffen hoffte!"

„Sie wissen es noch nicht, wirklich noch nicht? Mon dieu, die ganze Stadt weiß es ja schon längst!"

„Aber, Blanche", fiel Latréaumont ein, „magst du nicht bedenken, daß monseigneur jedenfalls soeben erst mit dem Schiff angekommen ist?"

„Vraiment, das ist wahr! Sie können noch nichts wissen. Bitte, nehmen Sie Platz, und Clairon, begrüße doch unsern Gast!"

Die junge Dame verneigte sich, und ich wurde von der Mutter zu einem Sitz geleitet. Der Empfang war geheimnisvoll, und ich sah dem Kommenden mit Erwartung entgegen.

„Sie finden uns in einer Lage", begann Latréaumont, „die uns gebietet, von den gewöhnlichen Formen abzusehen. Emery hat uns sehr viel von Ihnen erzählt, was bei seiner verschlossenen Art für uns eine Veranlassung ist, Ihnen unser ganzes Vertrauen zu schenken."

„Ja, unser unerschütterliches Vertrauen, monseigneur", bekräftigte Madame, nach dem höflichen Gebrauch des Südens das monseigneur an Stelle des einfachen monsieur setzend. „Sie haben so viel Schlimmes mit unserm neveu gewagt, daß Sie wohl auch nicht von der Erfüllung unsrer Bitte zurückschrecken werden."

Ich mußte über die rasche Art und Weise lächeln, womit diese liebenswürdigen Leute über mich verfügten. Den Grund dafür kannte ich zwar noch nicht, nach den Worten der Dame aber schien die Sache offenbar mit irgendeiner Gefahr für mich verbunden zu sein.

„Mesdames und monseigneur, gestatten Sie mir, mich Ihnen für alles, was Sie von mir wünschen, zur Verfügung zu stellen!"

„Eh bien! Nach dem, was wir von Ihnen hörten, konnten wir nichts andres erwarten, obgleich ich Ihnen der Wahrheit gemäß sagen muß, daß uns unsre Bitte von Bothwell vorgeschrieben wurde."

„Liegt es in meiner Macht, so wird sie erfüllt!"

„Ich danke Ihnen, monseigneur", sagte Latréaumont. „Wir haben einen großen Verlust, ein fürchterliches Unglück erlitten — — —"

„Ja, ein gräßliches Unglück, monseigneur", fiel Madame ein, während ihr die Tränen in die Augen traten.

Auch Clairon, die Tochter, zog ihr Taschentuch, um ein Schluchzen zu verbergen.

„Bitte, sprechen Sie, Madame!"

»Nein, ich kann es nicht erzählen. Der Kummer raubt mir die Worte."

Die kleine, zarte Dame zeigte auf einmal eine Erschütterung, die so tief war, daß sie mich beinah beängstigte.

„Monseigneur, lassen Sie mich hören!" bat ich darum Latréaumont.

„Kennen Sie die Imoscharh?" fragte er, fügte aber sofort in der lebhaften Weise des Südländers hinzu: »Doch nein, Sie können sie ja nicht kennen, da Sie erst heut hier ankamen. Aber ich sage Ihnen, diese Imoscharh oder Tuaregs sind ein fürchterliches Volk, und die Karawanenstraße von Aïn es Salah nach Dschenneh, nach Aïr und Sokoto, auf der ich meine Güter nach dem Sudan schicke, geht gerade durch ihr Gebiet. Mein Haus ist das einzige in Algier, das unmittelbare Beziehung nach Timbuktu, Haussa, Bornu und Wadaï unterhält, und da wir fern von jeder Straße liegen und leider erst in Aïn es Salah oder Ghadames und Ghat Anschluß finden, so ist die Unterhaltung so unsicherer Handelsverbindungen oft mit schweren Opfern und Verlusten verbunden. Das Schwerste aber ist uns mit der letzten Kâfila[1] widerfahren." :

„Sie wurde von den Tuareg überfallen?"

„Sie raten richtig, monseigneur. Die Gum[2] griff sie auf und machte alles nieder. Nur einer entkam; er hatte sich gleich bei Beginn des Kampfes totgestellt und brachte mir die Nachricht von dem fürchterlichen Schlag, der meine Familie betroffen hat."

„Ihr Haus wird sich davon erholen, monseigneur."

„Mein Haus, ja, aber meine Familie nie! Der Verlust der Güter ist zu verschmerzen, doch Renaud, mein Sohn, mein einziger Sohn, befand sich bei der Kâfila und ist nicht zurückgekehrt!"

Jetzt konnten die Damen ein lautes Weinen nicht länger zurückhalten, und auch Latréaumont gab sich rückhaltlos seinem Schmerz hin. Ich ließ sie einige Zeit gewähren und fragte dann:

„Erhielten Sie keine bestimmte Nachricht über sein Schicksal? Die Räuber der Wüste pflegen niemanden zu verschonen."

„Er lebt noch!"

„Ah! Das müssen Sie als ein Wunder betrachten, wenn nicht ein Irrtum vorliegt!"

„Er lebt sicher, denn wir bekamen Nachricht von ihm."

„Durch wen?"

„Durch einen Targi[3], der von dem Aguid[4] abgeschickt worden war. Er verlangte ein Lösegeld."

---

[1] Handelskarawane   [2] Raubkarawane   [3] Targi = Einzahl von Tuareg
[4] Anführer der Gum

„Das Sie bezahlten?"

„Ich mußte; ich konnte nicht anders."

„Worin bestand es?"

„In Waren, die ich nach Ghadames zu schicken hatte."

„Und Ihr Sohn?"

„Kehrte dennoch nicht zurück. Die treulosen Räuber traten mit einer neuen Forderung auf."

„Die Sie auch befriedigten?"

„Ja."

„Und mit demselben Erfolg?"

„Kann ich noch nicht sagen. Als der zweite Bote kam, war Bothwell eben eingetroffen. Das war vor ungefähr acht Wochen. Hélas, er kam zur rechten Zeit!"

„Ich ahne das Weitere, monseigneur. Die Regierung mit all den ihr zu Gebote stehenden Mitteln konnte Ihnen nichts nützen. Sie waren auf sich selber angewiesen, und da hat sich unser Emery erboten, die Sache in die Hand zu nehmen."

„So ist es."

„Welche Maßregeln traf er?"

„Er ließ die verlangten Waren abgehen, folgte aber heimlich nach."

„Ein kühnes Unternehmen! Mit welcher Begleitung reiste er?"

„Nur mit einem Führer und einem einzigen arabischen Diener."

„Wohin ging der Weg?"

„Diesmal waren die Güter nach Aïn es Salah bestimmt."

„Welche Waren wurden verlangt?"

„Fertige Burnusse und Kopftücher, lange Flinten, Messer, Decken, weit ausgeschnittene Schuhe, wie sie die Araber zu tragen pflegen, und eine Menge für uns allerdings beinahe wertloser Zeltgegenstände."

„Ich sehe, die Gum will sich eine vollständige Ausstattung erpressen und wird dann Ihren Sohn doch nicht herausgeben. Der Araber hält es für keine Sünde, einen Ungläubigen zu betrügen, und muß, wenn man ihn sicher haben will, bei gewissen empfindlichen Punkten gefaßt werden. Aber, monseigneur, Emery hat sämtliche Waren zeichnen lassen?"

„Woher wissen Sie das?" fragte er überrascht.

„Ich hörte es von niemandem. Er handelt hier als Westmann, und von dieser Seite kennen wir uns genau. Wer unter den Indianerstämmen des wilden Westens jahrelang fast jeden Augenblick in Todesgefahr schwebte, hat sich an Scharfsinnigkeiten gewöhnt, die ihm wohl auch in der Sahara von Nutzen sein können. Wie war das Zeichen?"

„Es bestand in den Anfangsbuchstaben meines Namens André Latréaumont, also in einem A. L. Ich ließ es in die Kolben und Griffen der Flinten und Messer einbrennen und nebst einer Verschnörkelung in den Kragenteil der Burnusse und die Ecken der Kopftücher und Decken einsticken."

„Emery wird die Räuber daran erkennen. Haben Sie keine Nachricht von ihm?"

„Eine sehr bestimmte. Ich erhielt sie vor zwei Wochen und erwarte seitdem sehnlichst Ihre Ankunft, denn die Nachricht bezieht sich zumeist auf Sie, monseigneur."

„Ich soll ihm folgen, nicht?"

„Allerdings. Hier sind die Zeilen, die er von Sinder aus sandte."

Das Papier lag auf dem Tisch, ein Zeichen, wie oft während dieser vierzehn Tage die Augen der drei Personen darauf geruht hatten. Bothwell schrieb nur wenige Worte. Er hatte zwar noch keinen Erfolg zu verzeichnen, bat aber dennoch, die Hoffnung nicht sinken zu lassen, und knüpfte hieran die Bitte, mich ihm nach meiner Ankunft sofort nachzusenden.

„Wer brachte diesen Brief?" erkundigte ich mich.

„Ein Araber vom Stamm der Kababisch, der den Befehl hat, auf Ihre Ankunft zu warten und Ihnen als Wegweiser zu dienen."

„Wo befindet er sich?"

„Hier im Haus. Befehlen monseigneur, ihn rufen zu lassen?"

„Ich bitte darum!"

Ich mußte mich im stillen ein Glückskind nennen, denn kaum hatte mein Fuß die afrikanische Erde betreten, so wurde ich in eine Angelegenheit gezogen, die mir eine reiche Aussicht auf die merkwürdigsten Erlebnisse eröffnete. Latréaumont klingelte nach dem Araber, und die Damen vergaßen in Erwartung der kommenden Verhandlung für kurze Zeit den Schmerz, der sie bewegte.

Der Kabbaschi[1] trat ein. Die Araber überragen nur selten die Mittelgröße und sind meist von schlanker, hagerer Gestalt. Dieser Mann aber war fast ein Riese zu nennen. Er war so hoch und breit gewachsen, daß mir beinah ein Ausruf des Erstaunens entfahren wäre, und sein langer, dichter Vollbart, sowie die Tatsache, daß er bis an die Zähne in allen möglichen Waffen steckte, gaben ihm ein höchst kriegerisches Aussehen. Das war jedenfalls ein Begleiter, wie ich mir keinen besseren wünschen konnte, denn schon sein bloßer Anblick mußte dem Feind Furcht einjagen.

[1] Einzahl von Kababisch

12

Er verbeugte sich mit über die Brust gekreuzten Händen bis nah hinab zur Erde, und mit tiefer, dröhnender Baßstimme erklang sein ‚Es-salâm ‘aleïkum — Friede sei mit euch!"

„Marhaba, du sollst willkommen sein!" antwortete ich ihm. „Du bist ein Sohn der tapferen Kababisch?"

Ein stolzer Blick seines dunklen Auges blitzte mir entgegen.

„Die Kababisch sind die berühmtesten Kinder des großen Abu Zett, Sihdi[1]; ihr Stamm umfaßt mehr als zwanzig Afrâk[2], und der tapferste ist En Nurab, zu dem ich gehöre."

„Und wie ist dein Name?"

„Mein Name ist schwer für die Zunge eines Inglis. Er lautet Hassan Ben Abulfeda Ibn Haukal al Wardi Jussuf Ibn Abul Foslan Ben Ishak al Duli."

Ich mußte lächeln. Hier stand einer jener Araber vor mir, die ihrem einfachen Namen den ganzen Stammbaum beifügen, teils um ihre Ahnen zu ehren, meist aber um auf den Hörer Eindruck zu machen. Ich entgegnete daher:

„Hassan Ben Abulfeda Ibn Haukal al Wardi Jussuf Ibn Abul Foslan Ben Ishak al Duli. Die Zunge eines Franken vermag einen Namen auszusprechen, der, wenn er niedergeschrieben wird, von Bengasi bis nach Katsena reicht; dennoch aber werde ich dich nur Hassan nennen, weil Mohammed sagt: ‚Spricht nicht zehn Worte, wo ein einziges genügt!‘ "

„Mein Ohr wird verschlossen sein, wenn du mich Hassan rufst, Sihdi. Die mich kennen, nennen mich Hassan el Kebîr, Hassan den Großen; denn du mußt wissen, daß ich Dschessâr Bei, der Menschenwürger, bin!"

„Allah akbar — Gott ist groß; ihn kennt jedes Geschöpf, aber von Dschessâr Bei, dem Menschenwürger, habe ich noch nie ein Wort vernommen! Wer hat dich so genannt?"

„Ein jeder, der mich kennt, Sihdi!"

„Und wieviel Menschen hast du bereits erwürgt?"

Er schlug verlegen die Augen zu Boden.

„Die Steppe bebt und die Sahel[3] erzittert, wenn Dschessâr Bei erscheint, Sihdi; aber sein Herz ist voll Gnade, Langmut und Barmherzigkeit, denn ‚deine Hand sei stark wie die Tatze des Panthers, doch lind wie der Halm des Grases auf dem Felde‘, lehrt der fromme Abu Hanifa, dem jeder Gläubige gehorcht."

„So ist dein Name makasch[4], und ich werde ihn erst dann gebrauchen, wenn ich überzeugt bin, daß du ihn verdienst."

Ich begann zu ahnen, daß der gute Hassan el Kebîr trotz sei-

---

[1] Anrede: Mein Herr   [2] Unterabteilung, Mehrzahl von Ferkat   [3] Flache Wüste   [4] nichts

ner riesigen Gestalt und des Waffenlagers, das er um sich hängen hatte, ein höchst unschädliches Menschenkind sei. Die Wüste hat ihre Aufschneiderei ebenso wie die Bierbank oder das Gesellschaftszimmer.

„Ich habe ihn verdient, sonst hätte ich ihn nicht, Sihdi", antwortete er stolz. „Sieh diese Flinte, diese Pistolen, diese Musra[1], dieses Kussa[2] und dieses Abu-Thum[3], vor dem selbst der kühne Uëlad Sliman flieht! Und du willst mir meinen Namen verweigern? Selbst Sihdi Emir hat ihn mir gegeben."

Sihdi Emir? Verwandelte er vielleicht das englische Emery in das morgenländische Emir?

„Wer ist Sihdi Emir?" fragte ich ihn.

„Rabbena chaliëk — Gott erhalte dich, Sihdi, und deinen Verstand! Kennst du nicht den Namen dessen, der mich zu dir sendet?"

Wahrhaftig, er hatte aus unserem Emery einen Emir gemacht! Der liebenswürdige Wunsch, womit er seine Verwunderung aussprach, mußte mich belustigen, doch nahm ich einen ernsteren Ton an, um ihn in die gebotenen Schranken zurückzuweisen.

„Erzähle mir von Sihdi Emery!"

„Ich war in Bilma, von wo aus ich eine Kâfila nach Sinder geleitete. Du mußt nämlich wissen, Sihdi, daß Hassan el Kebîr ein berühmter Chabir[4] ist, der alle Wege der Sahara kennt und ein Auge besitzt, dem nicht die geringsten Durûb und Asâr[5] entgehen!"

War dies wirklich so, dann mußte mir seine Begleitung allerdings von großem Vorteil sein. Ich beschloß, ihn sofort auf die Probe zu stellen.

„Sagst du die Wahrheit, Hassan?"

Er nahm die stolzeste Haltung an, die ihm möglich war.

„Weißt du, was ein Hafis ist, Sihdi?"

„Einer, der den Koran auswendig kennt."

„Du bist klug, obgleich du aus dem Land Almanja stammst. Nun wohlan, Sihdi! Hassan Ben Abulfeda Ibn Haukal al Wardi Jussuf Ibn Abul Foslan Ben Ishak al Duli ist ein Hafis, der dir alle hundertvierzehn Suren und alle sechstausendsechshundertsechsundsechzig Ajât des Koran hersagen kann; du aber bist ein Giaur. Willst du an dem Wort eines echten Muslim zweifeln?"

„Hüte deine Zunge, Hassan, denn ich bin nicht gewohnt, mich von jemandem beschimpfen zu lassen, und wenn er zehnmal ein Hafis und hundertmal ein Muslim ist! Strenge dein Gedächtnis

---

[1] Messer [2] Zweihändiges Schwert [3] Lanze [4] Karawanenführer
[5] Spuren und Fährten

an, so wirst du dich entsinnen, daß die Christen nicht ungläubig sind, denn sie haben ebenso wie ihr ein ‚heiliges Buch' empfangen; so sagen alle weisen Lehrer von dem ersten Emir al mu 'minîn an bis herab zu deinem frommen Abu Hanifa. Du hast den Koran gelernt; aber kennst du auch den Ilm Tefsîr al Kurân[1]? Dort heißt es, daß nur ein Parsi und ein Götzendiener ein Giaur ist."

„Du bist weise wie ein Softha[2], Sihdi; noch weiser aber wärst du, wenn du glaubtest, was ich dir sage."

„Ich will es glauben, wenn du mir sagst, welche Oasen den Schlüssel zur nordafrikanischen Küste bilden."

„Aïn es Salah, Ghadames, Ghat, Mursuk, Audschila und Siut."

„Und zum Sudan?"

„Agades, Bilma, Berber, Khartum und Dongola."

„Wie reist man von Kordofan nach Kaïro?"

„Von El Obeïd über Kursi nach Khartum. Die Reise dauert zehn Tage. Oder von El Obeïd nach Debbeh über Bara, Kagmar, Dschebel Harasa und Um Bellila. Dieser Weg ist um acht Tage länger, aber besser als der vorige."

„Wie lange braucht man, um von Suakin nach Berber zu kommen?"

„Der Weg geht über den berühmten Brunnen von Rauai und durch das Gebiet der Amerar, Hadendoa und Omarab, die sämtlich nubische Hirten sind. Du kannst ihn in zwölf Tagen zurücklegen, Sihdi."

Er gab seine Antworten schnell, richtig und mit einer Miene, worin sich eine sichtbare Genugtuung über die glanzvolle Art und Weise aussprach, mit der er die kurze Prüfung bestand.

„Ich glaube dir, Hassan", entschied ich jetzt einfach. „Jetzt erzähle weiter! Also du geleitetest eine Kâfila nach Sinder."

„Von Bilma nach Sinder. Dort traf ich den Sihdi Emir. Er gab mir alles, was ich brauchte, und sandte mich hierher, wo ich einen tapferen Sihdi aus Almanja finden würde, den ich zu ihm bringen soll."

„Wo soll ich ihn treffen?"

„Beim Bab el Ghud[3], wo man aus den wandernden Sandhaufen in die Felsen des Serir[4] gelangt. Hast du gehört von den bösen Dschinnen[5] der Wüste, Sihdi?"

„Ich kenne sie. Hast du Angst vor ihnen, Hassan?"

„Angst? Hassan el Kebîr, der große Hassan, fürchtet weder die Schejatin[6] noch die bösen Dschinnen. Er weiß, daß sie

[1] Erläuterung zum Koran   [2] Student der Theologie   [3] Dünentor   [4] Steinwüste   [5] Geister   [6] Teufel

fliehen, wenn er die Surat en nas und die Surat el falak betet. Du aber bist ein Christ und kannst keine Sure beten, deshalb werden sie dich verschlingen, wenn du in das Serir kommst, wo sie wohnen."

„Warum hast du da den Sihdi Emir nach dem Bab el Ghud gehen lassen? Sie werden ihn verschlungen haben, ehe wir ihn erreichen."

Diese unerwartete Entgegnung brachte ihn in einige Verlegenheit, aber er wußte sich zu helfen.

„Ich werde für ihn beten!"

„Für einen Ungläubigen? Gut, Hassan, ich sehe, daß du ein frommer Sohn des Propheten bist; bete auch für mich: für ihn die Surat en nas und für mich die Surat el falak, dann brauchen wir uns vor den Dschinnen der Wüste nicht zu fürchten. Ich werde morgen aufbrechen, wenn die Sonne sich erhebt."

„Allah akbar — Gott ist groß, Sihdi! Er kann alles und darf alles; der Mensch aber muß ihm gehorchen und darf keine Reise antreten zur Zeit der Morgenröte. Die Zeit des Aufbruchs ist drei Uhr nachmittags oder das heilige Asr, zwei Stunden vor dem Abend."

„Du vergißt, Hassan, daß diese Zeit nur den Karawanen gilt. Der einzelne Reisende aber kann gehen, wann es ihm beliebt."

„Sihdi, du bist wirklich ein gelehrter Fakîh[1], und ich beklage die Stunde, die dir einen Franken zum Vater und eine Christin zur Mutter gegeben hat. Ich sehe, daß du ein Hafis bist, der nicht allein den Koran, sondern auch den Ilm Tefsîr al Kurân auswendig kennt. Ich werde dir treu und gehorsam sein und dich führen, wohin du willst."

„Was für Tiere hast du?"

„Keins, Sihdi. Ich ritt mit zwei Dschemâl[2] von Sinder ab. Das eine stürzte mir in der Tehama[3], und das andre war, als ich hier anlangte, so abgetrieben, daß ich es verkaufen mußte."

„So werden wir mit der Steppenpost von hier nach Batna fahren und von dort mit der Wüstenpost nach den achtzehn Oasen des Siban, wo wir uns in Biskra mit guten Hudschîn[4] versorgen können. Also halte dich bereit, früh mit der Sonne aufzubrechen, und überzeugst du mich bis Bab el Ghud von deiner Tapferkeit, so werde ich mich nicht weigern, dich Dschessâr Bei und el Kebîr zu nennen!"

„Meinst du vielleicht, Sihdi, daß ich ein Tuschan[5] bin? Ich fürchte weder den Löwen noch den Samûm[6]; ich fange die

---

[1] Gesetzeskundiger   [2] Kamele, Mehrzahl von Dschemel   [3] Flache Wüste
[4] Reitkamele: Mehrzahl von Hedschîn   [5] Hasenfuß   [6] Wüstenwind

Assaleh[1] und den Vogel Strauß; ich jage die Gazelle und das Gnu, und ich töte den Panther und den Skorpion. Wenn meine Stimme erschallt, so zittert jedermann, und auch du wirst mir den Namen nicht versagen, der mir gebührt. Es-salâm 'aleïkum, Friede sei mit euch!"

Nach einer tiefen Verbeugung verließ er das Zimmer.

Madame Latréaumont trat abermals auf mich zu und faßte meine Hand.

„Also wirklich, Sie erfüllen unsre Bitte, monseigneur, obgleich sie so groß und so kühn ist? Und schon morgen wollen Sie fort, ohne zuvor unsre Gastfreundschaft zu genießen?"

„Madame, wir befinden uns in einer Lage, die schnelles Handeln erfordert, und wenn Sie mir erlauben, werde ich nach unsrer Rückkehr Ihre Gastfreundschaft in Anspruch nehmen. Vielleicht gestatten Sie mir, bis dahin mein Gepäck, das ich nicht mitnehmen kann, bei Ihnen einzustellen?"

„Sûr, assurement, monseigneur! Ich werde sofort nach dem Schiff senden, um alles, was — — —"

„Pardon, Madame, ich stieg bereits im Hotel de Paris ab."

„Wirklich, das taten Sie? Wissen Sie, monseigneur, daß dies eine Beleidigung für uns ist?"

Ich bekam einige freundliche Vorwürfe zu hören, dann wurde die Angelegenheit einem Diener übergeben. Eben war ich bereit, mich in das mir angewiesene Zimmer zurückzuziehen, als ein Araber gemeldet wurde, der mit dem Hausherrn zu sprechen wünsche. Der Mann wurde in meiner Gegenwart empfangen.

Er war von hagerer und sehniger Gestalt. Sein Burnus war arg mitgenommen. Die aufgefransten Kamelhaarschnüre hingen ihm in Fetzen um die Kapuze, und jeder Zollbreit an ihm zeigte den echten Wüstensohn, der vor keiner Gefahr zurückbebt und alle Entbehrungen mit Gleichmut zu ertragen weiß.

„Sal — 'aleïk —!" grüßte er mit stolzer Abkürzung der beiden Worte. Nicht die leiseste Neigung seines Hauptes ließ sich bemerken. Der Kolben seines langen Gewehrs polterte rücksichtslos auf die Marmorfliesen, und sein dunkles Auge flog mit einem Blick, worin sich die Überlegenheit des freien und rechtgläubigen Mannes aussprechen sollte, von einem zum andern.

„Reden Sie mit ihm, monseigneur!" raunte mir Latréaumont zu. „Es ist der Targi, der wegen Renaud bereits bei mir war."

Nichts konnte mir lieber sein, als daß der Bote grad heute noch kam.

„Sal — 'al —!" antwortete ich noch kürzer. Der Beduine

[1] Schlangenart

gibt durch diese Art der Ausdrucksweise gern den Grad der Achtung zu erkennen, die er dem andern widmet. „Was willst du?"

„Du bist nicht der, mit dem ich zu sprechen habe."

„Du hast mit keinem andern als mit mir zu reden!"

„Ich komme nicht zu dir."

„So kannst du wieder gehen!"

Ich drehte mich um. Auch die andern wandten sich dem Ausgang zu.

„Sihdi!" sagte er.

Ich schritt weiter.

„Sihdi!" rief er dringlicher.

Ich wandte bloß den Kopf. „Was noch?"

„Ich werde mit dir sprechen."

„So bemühe dich, höflich zu sein, sonst schicke ich dich wieder auf die Straße. Wie ist dein Name?"

„Ich heiße Mahmud Ben Mustafa Abd Ibrahim Jaakub Ibn Baschar."

„Dein Name ist länger als dein Gruß. Euer Prophet, der große Mohammed Ibn Abdallah el Haschemî, sagt: ‚Seid höflich auch mit den Ungläubigen und Feinden, damit sie euern Glauben und die Kaaba achten lernen!' Merke dir das! Du bist ein Targi?"

„Ein Targi und Imoscharh."

„Von welchem Stamm?"

„Hedschân Bei, der Karawanenwürger, erlaubt seinen Kriegern nicht, den Franken ihren Stamm zu nennen."

Beinah hätte mich ein kleiner Schreck erfaßt. Also Renaud war Gefangener des berüchtigten Hedschân Bei! Das war das Schlimmste, was ich erfahren konnte. Ich hatte selbst in der Ferne von diesem ebenso grausamen wie verwegenen Wüstenräuber gehört und wußte, daß er der Schrecken aller Karawanen sei. Niemand vermochte zu sagen, zu welchem Stamm er eigentlich gehöre; die ganze, weite Wüste war sein Jagdgebiet. Von der algerischen Steppe bis hinunter zum Sudan und von den ägyptischen Oasen bis hinüber nach Wadan und Walata in der westlichen Sahara war sein Name bekannt. Bald hier, bald dort auftauchend, war er stets ebenso schnell verschwunden, wie er gekommen war; doch überall kostete sein Erscheinen Opfer an Gütern und Menschenleben. Er mußte geheime Aufenthaltsorte haben, die über die ganze Sahara zerstreut lagen. Er mußte Helfer besitzen, die ihm von jeder bedeutenden Kâfila Nachricht gaben und ihm behilflich waren, die geraubten Güter an den Mann zu bringen. Aber seine Person und seine Taten waren in so geheimnisvolles Dunkel gehüllt, daß eine Aufklärung bisher unmöglich gewesen war. — Gleichwohl hielt ich es für geraten, gegen seinen Boten so zu tun, als hätte ich noch nichts von ihm gehört.

„Hedschân Bei? Wer ist das?"

„Kennst du den Karawanenwürger nicht? Ist dein Ohr taub, daß du noch nichts von ihm vernommen hast? Er ist der Herr der Wüste, fürchterlich in seinem Zorn, gräßlich in seinem Grimm, schrecklich in seinem Haß und unüberwindlich im Kampf. Der junge Ungläubige ist sein Gefangener."

Ich lachte.

„Unüberwindlich im Kampf? So kämpft er wohl nur mit dem kleinen Schakal und der feigen Hyäne? Kein Franke fürchtet sich vor ihm und seiner Gum. Warum gibt er den Gefangenen nicht frei? Hat er nicht zweimal Lösegeld erhalten?"

„Die Wüste ist groß, und der Hedschân Bei hat viele Männer, die Kleider, Waffen und Zelte brauchen."

„Der Karawanenwürger ist ein Lügner und Betrüger. Sein Herz kennt nicht die Wahrheit, und seine Zunge ist falsch; sie hat zwei Spitzen wie die Zunge der Schlange, der man den Kopf zertritt. Mit welcher Botschaft sendet er dich?"

„Gib uns Burnusse und Schuhe, Waffen und Pulver, Spitzen für unsre Speere und Tücher für unsre Zelte!"

„Ihr habt bereits zweimal erhalten, was du begehrst. Du wirst nicht den Zipfel eines Tuchs und nicht ein Körnchen Pulver mehr bekommen!"

„So stirbt der Gefangene!"

„Der Hedschân Bei gibt ihn nicht los, auch wenn er erhält, was er von uns fordert."

„Er wird ihm seine Freiheit schenken. Der Würger der Karawanen ist gnädig, wenn er den Preis empfängt."

„Wieviel fordert er?"

„So viel, wie er bereits erhalten hat."

„Das ist beträchtlich. Du willst die Waren mitnehmen?"

„Nein. Du wirst sie ihm senden wie die beiden andern Male."

„Wohin?"

„Nach dem Bab el Ghud."

Das war ja derselbe Ort, wohin mich Emery bestellt hatte! Sollte ihm bekannt sein, daß der Räuber sich dort aufhalten würde?

„Werden wir den Gefangenen dort treffen und gegen das Lösegeld erhalten?"

„Ja."

„Du hast bereits zweimal ja gesagt, und doch gelogen. Schwöre es mir!"

„Ich schwöre es!"

„Bei der Seele deines Vaters?"

„Bei — der Seele meines — Vaters!" stieß er zögernd hervor.

„Und beim Bart des Propheten!"

Jetzt wich er mir verlegen aus.

„Ich habe geschworen, das ist genug!"

„Du hast geschworen bei der Seele deines Vaters, die nicht mehr wert ist als die deinige. Schwörst du beim Bart des Propheten?"

„Nein."

„So ist dein Wort abermals Lug und Trug, und du wirst die Sterne der Wüste nicht wieder sehen."

Sein Auge leuchtete auf.

„Wisse, Ungläubiger, daß die Seele des Gefangenen zur Dschehennem[1] fahren wird, wenn ich nicht zur rechten Zeit beim Hedschân Bei eingetroffen bin. Das schwöre ich dir allerdings beim Bart des Propheten, der seine Gläubigen zu schützen weiß!"

„Dann wird deine Seele ihr vorangehen, und die Gebeine des Karawanenwürgers und seiner Gum werden bleichen im Sonnenbrand, das schwöre nun ich dir. Und du darfst versichert sein, daß ein Franke seinen Schwur hält!"

Er warf den Kopf empor und fuhr sich mit den Nägeln der geöffneten Rechten rasch unter den Bart, bei den Beduinen die Gebärde der Verachtung.

„Ihr werdet alles bringen, was wir verlangen. Ich war zweimal bei euch, und ihr habt es nicht gewagt, eure Hände an den Gesandten des Hedschân Bei zu legen; ihr werdet es auch heut nicht tun. Hundert Männer wie du vermögen nicht, ihn zu besiegen, und tausend Männer deinesgleichen werden seine Gum nicht überwinden, denn du bist — ein Giaur!"

Ich trat mit erhobener Faust auf ihn zu.

„Ist dein Kopf leer und dein Geist verdorrt, daß du es wagst, mir dieses Wort zu sagen, du, der du nichts bist als ein Schakal, den man mit einem Fußtritt verjagt?"

Er ließ sofort die Flinte zur Erde gleiten und hob die beiden Arme. An jedem Handgelenk hing ihm eine scharfe, spitze

[1] Hölle

Kussa[1] von wohl zwanzig Zentimeter Klingenlänge. Während der gewöhnliche Beduine nur ein solches Messer trägt, führt der Wüstenräuber deren zwei, die er in der Weise gebraucht, daß er den Feind umarmt und ihm die beiden Klingen dabei in den Rücken stößt. Mein Targi hielt sich zu diesem angenehmen Verfahren bereit.

„Willst du das Wort widerrufen?" fragte ich.

„Ich sage es noch einmal — Giaur!"

„So falle nieder vor dem Giaur!"

Noch bevor er eine Bewegung machen konnte, traf ihn meine Faust an die Schläfe; er knickte zusammen und sank besinnungslos zu Boden. Es war dies derselbe Jagdhieb, dessentwegen man mich in der Prärie Old Shatterhand genannt hatte.

„O mon Dieu!" kreischte Madame auf. „Sie haben den Mann erschlagen; er ist tot!"

Mademoiselle lag in halber Ohnmacht auf dem Diwan, neben dem sie gestanden hatte, und Latréaumont machte ein Gesicht, als sei der Blitz gerade vor ihm in den Boden gefahren.

„Keine Sorge, Madame!" tröstete ich. „Dieser Geselle lebt noch, wenn ihm auch die Besinnung für einige Zeit abhanden gekommen ist. Ich kenne meine Faust genau. Wäre es meine Absicht gewesen, ihn zu töten, so hätte ich ein wenig weiter ausgeholt."

Diese Worte brachten den erschrockenen Franzosen wieder zu Atem.

„Aber Sie sind ja ein Riese, ein wahrer Goliath, monseigneur! Bei mir hätte es wenigstens einiger hundert Hiebe bedurft, um diesen Mann par terre zu bringen."

Das kleine Männchen, das mir kaum bis zur Schulter reichte und die Hände eines Kindes besaß, hatte recht. Er hätte wohl stundenlang auf dem Schädel des Targi herumhämmern können, ohne ihm einigermaßen weh zu tun.

„Bitte, monseigneur", erwiderte ich, „sorgen Sie dafür, daß dieser Beduine gebunden und der Polizei überliefert wird. Ihre Gewalt reicht zwar nicht bis in die Wüste; hier aber wird sie sich Ihnen gern zur Verfügung stellen."

Er sah mich überrascht an.

„Mon ciel, das dürfen wir doch nicht wagen, denn dann wird der fürchterliche Hedschân Bei unsern armen Renaud töten! Ich glaube vielmehr, daß dieser gräßliche Hieb schon ein ganz außerordentliches Wagnis ist!"

„Ich werde Ihnen meine Gründe erklären, ersuche Sie aber

[1] Messer

dringend, bis dahin so zu handeln, wie ich es von Ihnen erbitte. Oder sagten Sie nicht vorhin, daß ich im Besitz Ihres vollständigen Vertrauens sei?"

„Gewiß, gewiß, monseigneur. Ich stehe ja schon im Begriff. die Dienerschaft zu rufen."

Er eilte nach dem Klingelzug, und auf den ungewöhnlich lauten Ton der Glocke kam die ganze verfügbare Bedienung herbeigestürzt.

„Bindet diesen Menschen und schafft ihn in ein festes Gewölbe, bis die Polizei kommt, um ihn abzuholen!" befahl der Hausherr mit einer Miene, als sei er es gewesen, der den ‚gräßlichen Hieb' geführt hatte.

Man stürzte sich mit echt südlicher Lebhaftigkeit auf den Besinnungslosen, und in zwei Augenblicken war er mit allen möglichen Dingen, die einstweilen als Fesseln dienen konnten, so eng zusammengeschnürt, daß ihm nach seinem Erwachen sicherlich keine Bewegung möglich war. Dann faßten acht eifrige Hände den Gefangenen, um ihn fortzuschleifen.

Ein einziger von den Dienern war am Eingang stehengeblieben, ohne sich an den Bemühungen der andern zu beteiligen. Er war eine untersetzte, breitschultrige Gestalt und hatte ein Gesicht, das mir zu seiner morgenländischen Kleidung gar nicht recht zu passen schien. Als er den Aufwand von Kräften bemerkte, womit die andern vier den Targi nach der Tür zogen, trat er heran und schob sie beiseite.

„Maschallah, tausend Schwerebrett, is dös a Gezieh und a Gezerr! Packt euch fort, ihr Nixnutz ihr, denn dös bring ich ganz allein fertig!"

Ein Ruck, ein kräftiger Schwung, und er hatte sich den Targi auf die Schulter geworfen.

Vor Freude über die unerwarteten deutschen Laute ließ ich ihn fast aus dem Zimmer laufen, ohne ihn zurückzuhalten.

„Halt!" rief ich, als er bereits die Tür geöffnet hatte. „Du bist ein Deutscher?"

Im Nu hatte er sich trotz seiner Last zu mir herumgedreht.

Sein breites, ehrliches Gesicht glänzte von einem Ohr bis zum andern.

„Dös will ich wohl meinen, Herr! Sie wohl auch?"

„Jawohl. Wo bist du daheim?"

„Ich bin zu Haus in Kaltenbrunn bei Staffelstein."

„Also in Bayern. Aber deine Mundart ist eine andre als die der Gegend von Staffelstein, wo ich ein so gutes süffiges Bier getrunken habe!"

„Ja, Herr, dös is — — aber da habt's den Kerl wieder!
Schleift's ihn meinetweg'n, wohin ihr wollt!" unterbrach er sich,
indem er den Targi zur Erde gleiten ließ. Der Gebundene wurde
hinausgeschafft, der Landsmann aber wandte sich wieder zu mir
und reichte mir treuherzig die Hand. „So, jetzert hab ich meine
Händ' wieder frei. Grüß Gott, Herr, in Afrika! Ja, in Staffelstein, da gibts a Bier, a Bier, sag ich, dös rinnt ganz von selber
in d'Gurgel hinab. Also dort g'wes'n sind Sie? Na, dös is schön;
dös is prächtig! Und an meiner Sprach is' niemand schuld als
die Leut' aus Baden und der Rheinpfalz hier, die mir fast die
Staffelsteiner Sprach' verdorben hab'n."

„Es sind Süddeutsche hier?"

„Mehr als genug, Herr. Sie sind drauß'n auf'm Dorf Dely
Ibrahim bei El Biar, wo's Trappistenkloster geleg'n is. Aber wo
sind denn Sie zu Haus?"

„Ich bin ein Sachse."

„Maschallah, tausend Schwerebrett, a Nachbar von daheim!
Darf ich wohl frag'n, wie lange Sie noch hier bleiben werd'n?"

„Morgen früh reise ich wieder ab."

„Schon! Wohin denn, wenns erlaubt ist?"

„In die Sahara."

„In die Sand- und Mördergrube? A Stück bin ich scho drin
g'wes'n, nämlich in Farfar, und hab scho lang wieder mal hin-
eing'wollt. Maschallah, Herr, darf ich net mit?"

Diese Frage kam mir nicht unwillkommen. Einen Diener
mußte ich haben, und ein Deutscher war mir auf alle Fälle
lieber als jeder andre.

„Gingst du wirklich mit?"

„Auf der Stell' und mit Vergnüg'n!"

„Kannst du reiten?"

„Reiten? Wie der Teufel, Herr! Ich bin ja mit der Fremden-
legion herübergekommen und bin später bei den Chasseurs
d'Afrique gestand'n."

„Verstehst du Arabisch?"

„Grad was gebraucht wird, ja."

„Was warst du früher?"

„Schreiner. Hab auch was Tüchtiges gelernt, Herr, besonders
das Dreinschlag'n. Nachher bin ich halt in die weite Welt 'gan-
gen und unter die Legion gerat'n, hol sie der Kuckuck! Dann
hab ich in Dely Ibrahim gearbeitet, bis ich hier den Dienst er-
halt'n hab'. Fragen S' den Herrn; er wird zufried'n sein mit
mir!"

„Du gehst mit. Ich werde dir seine Erlaubnis erwirken!"

„Maschallah, tausend Schwerebrett, das is ja, als hätte heut das Christkind beschert! Geht auch der große Hassan mit, der den langen Namen hat?"

„Ja. Er wird unser Führer sein."

„Juhu. Der g'fällt mir! So lang er da is, hat's zwischen ihm und mir nix anders geb'n als Lust und Katzbalgerei. Ich geh mit; ich g'wiß, drauf können Sie sich verlassen, Herr. Juhu, Maschallah!"

Mit der Zunge und allen zehn Fingern schnalzend, fuhr er zur Tür hinaus. — —

2. Asad Bei, der Herdenwürger

Die Steppe! —

Im Süden des Atlas, des Gharian und der Gebirge von Derna liegt sie, von der Freiligrath so treffend sagt:

> „Sie dehnt sich aus von Meer zu Meere;
>   wer sie durchritten hat, dem graust.
> Sie liegt vor Gott in ihrer Leere
>   wie eine öde Bettlerfaust.
> Die Ströme, die sie jach durchrinnen,
>   die ausgefahrnen Gleise, drinnen
>   des Kolonisten Rad sich wand,
>   die Spur, in der die Büffel traben —
>   das sind, vom Himmel selbst gegraben,
>   die Furchen dieser Riesenhand."

Von dem Gebiet des Mittelmeers sich bis zur Sahara erstreckend, also zwischen dem Sinnbild der Fruchtbarkeit, der Gesittung, und dem Zeichen der Unfruchtbarkeit, der Barbarei, bildet sie eine breite Reihe von Hochebenen und nackten Höhenzügen, deren kahle Berge wie die klagenden Seufzer eines verzweifelten Gebets aus traurigen, öden Flächen emporsteigen. Kein Baum, kein Haus! Höchstens ein einsames, halb verfallenes Karawanserai bietet dem Auge einen wohltätigen Ruhepunkt, und nur im Sommer, wenn ein armseliger Pflanzenwuchs den dürren Boden durchdringt, wandern einige Eingeborenenstämme mit ihren Zelten und Herden zur Höhe, um ihren mageren Tieren eine kaum genügende Weide zu bieten. Im Winter aber liegt die Steppe vollständig verlassen unter der Decke des Schnees, der auch hier trotz der Nähe der glühenden Sahara mit seinen Flockenwirbeln über die erstorbene Einöde fegt.

Nichts ist rundum zu schauen als Sand, Stein und nackter Fels. Kieselbruch und scharfes Geröll bedecken den Boden, oder wandernde Ghuds[1] schleichen sich, vom fliegenden Sand genährt, Schritt um Schritt über die traurige Fläche, und zeigt sich einmal irgendwo ein stehendes Gewässer, so ist es doch nur ein lebloser Schott, dessen Wasser in einem Becken liegt wie eine tote Masse, aus der jeder frische, blaue Ton verschwunden ist, um einem starren, unbelebten und schmutzigen Grau zu weichen. Diese Schotts vertrocknen während der Sommerhitze und lassen dann nichts zurück als ein mit Steinsalz geschwängertes Bett, dessen stechender Widerschein dem Auge unerträglich ist.

Einst hat es auch hier Wälder gegeben. Aber sie sind verschwunden, und nun fehlen die segensreichen Vermittler der feuchten Niederschläge. Die Betten der Bäche und Flüsse, Wadis genannt, ziehen sich im Sommer als scharfe Einschnitte und wilde, felsige Schluchten von den Höhen herab, und selbst der Schnee des Winters vermag ihr grausiges Gewirr nicht gänzlich zu verhüllen. Schmilzt er aber unter der Wärme der plötzlich eintretenden heißen Jahreszeit, so stürzt sich die tobende Wassermasse unvermittelt mit weithin hörbarem Brausen zur Tiefe und vernichtet alles, was nicht Zeit findet, schleunigst die Flucht zu ergreifen. Dann faßt der Beduine an die neunundneunzig Kugeln seines Rosenkranzes, um Allah zu danken, daß er ihn nicht dem Wasser begegnen ließ, und warnt die Bedrohten durch den lauten Ruf: „Flieht, ihr Männer, der Wadi kommt!"

Durch diese zeitweilige Flut und die stehenden Wasser der Schotts werden an den Ufern der Seen und Wadis dornige Sträucher und stachlige Mimosen hervorgelockt, die die Kamele vermöge ihrer harten Lippen benagen können, unter deren Schutz aber auch der Löwe und der Panther schlafen, um von ihren nächtlichen Raubzügen auszuruhen. —

Wie vorher bestimmt, war ich am andern Morgen mit Hassan, dem Kabbaschi, und Josef Korndörfer, dem Staffelsteiner, von Algier abgereist. Wirklich hatten wir bis Batna die Steppenpost benützt. Hier aber stellte sich unsrer Weiterreise ein unerwartetes Hindernis entgegen.

Noch war mir die wahrhaft halsbrecherische Fahrt mit einem italienischen Vetturino von den Alpen nach Italien hinunter im Gedächtnis, noch klang mir das haarsträubende ‚Allegro, allegrissimo!‘, das er stets gerufen hatte, wenn ich ihn bat, lang-

[1] Dünen

samer und vorsichtiger zu fahren, in den Ohren, — die alte Karre wurde von den im Galopp bergab stürmenden Pferden am Rand grausiger Abgründe dahingejagt und um scharfe Felskanten gerissen, als hätte ich meine Reise nur unternommen, um in der Tiefe irgendeiner Gebirgsschlucht zerschmettert zu werden. Und als ich endlich wohlbehalten die Ebene erreichte, war es mir, als sei ich einer Gefahr entronnen, gegen die es für mich weder Wehr noch Waffe gegeben hatte.

Was aber war selbst diese ‚Allegrissimofahrt‘ gegen eine Reise mit der Steppenpost! Der Postwagen bestand aus Innenteil, Abteil und Schutzdecken und war mit acht Pferden bespannt, von denen zwei vorn und dann je drei nebeneinander gingen. Von einer Straße gab es keine Spur; die Fahrt ging immer in gestrecktem Lauf durch Löcher, über halsbrecherische Flußbetten, steile Pässe hinan, jähe Abhänge hinunter, und alle Augenblicke waren wir gezwungen auszusteigen, um in rührender Geduld unsre Kräfte mit denen der unglücklichen Pferde zu vereinen, wenn es galt, den Wagen aus einem Loch herauszuarbeiten oder über eine Steilung hinwegzubringen, die selbst für einen Fußgänger beschwerlich gewesen wäre. Ich fühlte mich schon nach den ersten Stunden wie gerädert, Korndörfer schimpfte ein ‚Maschallah‘ nach dem andern, und Hassan el Kebîr gab sich mit allen Kräften den unterhaltenden Zerstreuungen hin, die für gewöhnlich in Verbindung mit der Seekrankheit auftreten. Der gute Mann vom berühmten Stamm der Kababisch und der Ferkat en Nurab hatte noch nie in einem Wagen gesessen. Ich mußte unwillkürlich an seine großartige Versicherung denken: „Die Steppe bebt, und die Sahel erzittert, wenn Dschessâr Bei erscheint!" Jetzt bebte und zitterte er an allen Gliedern, und es war ihm anzusehen, daß es ihm hier in der Steppe fürchterlich ‚giaur‘ zumute sei.

Sein Grimm über diesen unwürdigen Zustand machte sich erst in Batna Luft:

„Allah kerîm — Gott ist gnädig, und ihm sei Dank, daß mich meine Haut zusammengehalten hat! Ist denn Hassan Ben Abulfeda Ibn Haukal al Wardi Jussuf Ibn Abul Foslan Ben Ishak al Duli ein Blutegel, daß er wieder von sich geben muß, was er genossen hat? Ich schwöre es beim Bart des Propheten, daß Hassan el Kebîr nie wieder in ein Räderhaus steigen wird! Dschessâr Bei, der Menschenwürger, hat seine Heimat im Serdsch[1]! Du wirst ihn nur nach Bab el Ghud bringen, Sihdi, wenn du ihm erlaubst, zu reiten!"

[1] Sattel

„Hassan hat recht", stimmte der Staffelsteiner bei. „Mach-allah, tausend Schwerebrett, war dös a Gerumpel und Gerassel in der alt'n Bud'n. Und so was schimpfen's Diligence! Ich fahr mit acht Pferden und soll mi auf d'Letzt selber auch noch vor-spannen? Das halt' aus wer mag. Ich war Chasseur d'Afrique und will lieber die ärgste Bestie reiten, als noch 'mal in die Bud'n nei'schau'n!"

Ich mußte den beiden erbitterten Fahrgästen recht geben, zu-mal da ich mich bereits entschlossen hatte, auf die weitere Be-nutzung der Post zu verzichten. Ein Aufenthalt in Batna war mir nicht gestattet, und so dingte ich einen Beduinen, mich und meine zwei Begleiter auf Pferden nach Biskra zu schaffen, wo ich mir Kamele zur Weiterreise kaufen wollte. Er aber riet mir, dies nicht zu tun, sondern mit ihm über das Auresgebirge nach einem arabischen Duar[1] zu gehen, wo ich bessere und zugleich billigere Kamele finden würde als in Biskra.

Ich ging auf seinen Vorschlag ein, behielt mir aber vor, das Gebirge über den Fam es Sahar[2] zu erreichen, um so lange wie möglich dem gewöhnlichen Reiseweg folgen zu können. Ich konnte mir allerdings denken, daß ich im Duar frischere und ungeschwächtere Tiere erhalten würde als in der Stadt, wo viel-leicht nur abgetriebene zu finden waren, die man notdürftig wie-der aufgefüttert hatte. Überdies gab es noch einen Grund, der mich bestimmte, der Ansicht des Führers zu folgen. In den wilden Tälern des Auresgebirges ist der Löwe keine Seltenheit, und wenn ich auch wegen der gebotenen Eile keine Hoffnung hatte, mit dem König der Tiere persönlich zusammenzutreffen, so war es doch möglich, seine Spur zu sehen oder gar seine Stimme zu hören. Übrigens war eine kleine Ewigkeit vergangen, seit ich den letzten Schuß getan hatte, und ich fühlte Sehnsucht, den Klang meiner Büchse wieder zu vernehmen und irgendein jagbares Geschöpf aufs Korn zu nehmen. Zwischen den Bergen bot sich dazu jedenfalls Gelegenheit, und ich suchte daher meinen Bärentöter und den Henrystutzen hervor.

Wir waren der Post voraus und gaben ihr auch keine Gelegen-heit, uns einzuholen. Die Pferde, die wir ritten, gehörten zu jener kleinen Berberrasse, deren Größe in keinem Verhältnis zu ihren braven Leistungen steht. Schon zwölf Stunden saßen wir im Sattel, und dennoch trabten sie in der Richtung, der wir noch vier volle Stunden zu folgen hatten, unverdrossen dahin. Selbst das Grauschimmelchen, von dessen niedrigem Rücken die unendlichen Beine des ‚großen Hassan' fast bis zur Erde nieder-

[1] Zeltdorf   [2] ‚Mund der Wüste'

hingen, schien sich aus seiner schweren Last nicht viel zu machen und blieb um keinen Schritt hinter uns zurück.

Vor und um uns lag die Steppe in gelblichem Licht. So weit das Auge reichte, war die Hochebene völlig kahl und leer, aber diese Landschaft zeigte heute ein lebensvolles Bild. Der Fam es Sahar, der Mund der Wüste, hatte sich geöffnet, um zahlreiche beduinische Hirten über die Steppe zu speien, die ihre Herden den Wadis und Schotts zutrieben, den spärlichen Pflanzenwuchs abzuweiden. Auf schnellen Pferden, mit wehendem Burnus und schimmernden Lanzen ihre Kamele und Schafe umreitend, zogen sie, gefolgt von ihren Frauen und Kindern, die auf bunt bedeckten Dromedaren saßen, nach allen Richtungen über die Ebene dahin und brachten auf das ungewohnte Auge den Eindruck eines Trugbilds hervor, das einen halb wachen und halb träumenden Geist gefangenhält.

Von jetzt an traten die Höhenzüge, die die weite Fläche begrenzten, näher aneinander und schoben sich endlich zu einem immer enger werdenden Felsental zusammen. Der Blick, der bisher in die unendlich scheinende Weite zu schweifen vermochte, wurde von kahlen, nackten Abhängen festgehalten, die beinahe senkrecht aus der Talsohle emporstiegen. Wir ritten zwischen Felswänden und Abgründen, in deren unterster Tiefe das Auge das graugelbe Wasser eines reißenden Bergstroms erblickte. Nach scharf abwärts gerichtetem Ritt erreichten wir ihn endlich und mußten nun viermal übersetzen. Es war der Wed el Kantara, in dessen Fluten Jules Gérard, der kühne Löwenjäger, seinen Tod gefunden hatte. An der Stelle, wo er in den Fluß gegangen war, hatte ihm eine vorüberziehende Abteilung französischer Truppen aus aufgehäuften Steinen ein einfaches Denkmal errichtet. Ich ließ halten.

„Hast du von Gérard, dem Löwentöter, gehört, Josef?" fragte ich den Staffelsteiner.

„Versteht sich, Herr!" antwortete er. „Er war a Franzos' und is endlich halt ins Wasser g'stürzt und drin elend ersoff'n."

„Kennst du den Emir el Areth, den ‚Herrn des Löwen', Hassan?" wandte ich mich an den Kabbaschi.

„Er war ein Ungläubiger, aber beinah so tapfer wie Hassan el Kebîr", erwiderte er stolz. „Er hat den ‚Herrn mit dem dicken Kopf'[1] des Nachts und ganz allein aufgesucht, um ihn zu töten. Aber der Wangil el Wâh[2] hat ihn doch noch zerrissen und verzehrt, denn er war kein Muslim, sondern ein Mann aus dem Dar el harb[3]."

---

[1] Löwe   [2] König der Oasen   [3] Nicht-muslimisches Land, wörtlich: ‚Haus des Krieges'

28

„Du irrst, Hassan. Der Emir el Areth wurde nicht von dem Löwen zerrissen, der eher hundert Muslimin als einen Christen erwürgt, sondern er starb hier in den Fluten des Wed el Kantara, und seine Brüder haben ihm dieses Denkmal erbaut. Nehmt eure Gewehre, ihr Männer! Ihre Stimmen sollen seinem Geist verkünden, daß sich der Wanderer des Gebieters über den ‚Herrn mit dem dicken Kopf' erinnert."

„Soll meine Büchse zu den Ohren eines Geistes klingen, der Er Raït[1] nicht kennt, Sihdi?" widersprach Hassan.

„Jeder Mensch lebt in Er Raït, wenn er gestorben ist, Hassan, denn Gott ist überall, auf allen Sternen und in allen Himmeln. Schau in den Koran und lies nach, was die weisen Ausleger des Wortes des Propheten lehren! Dann wirst du in Zukunft sachlicher und richtiger urteilen."

„Sihdi, warum bist du nicht ein Sajjid[2]! Du kennst den Fam el Kuran[3] wie ein Schriftgelehrter! Deine Stimme ist wie die Stimme des Chatib[4], die nur die Wahrheit spricht. Ich werde tun, was du von mir forderst!"

Aus vier Läufen erklang nun eine dreimalige Salve zu Ehren des Löwenjägers, ein von den Felswänden widerhallender Totengruß, den ein ‚Rifleman" dem andern brachte. Dann ging der Ritt weiter nach dem Paß von Kantara.

Hier traten die Steinwände bis an die Ufer des Flusses heran, der die ganze Breite des Engpasses ausfüllte. Wir mußten fast eine Viertelstunde in den schäumenden Wellen reiten und gelangten dann in einen Talkessel von wild-großartiger Prägung.

Steil, schroff und himmelhoch stiegen die schwarzgelben Schieferwände, an dem Fluß mit wirren Steinmuren bedeckt, ringsum empor und bildeten im Süden mit einer riesigen Felsmauer eine tiefe Schlucht, die einer klaffenden Wunde im Haupt des Gebirges glich.

Das war der Fam es Sahar. Er führte hinab nach den Oasen des Siban. Die schroffen Felsen zur Linken gehörten den Höhenzügen des Auresgebirges an. Die dunklen Schieferwände zur Rechten bildeten den Anfang des Dschebel Sultan. Zwischen ihnen lag das Karawanserai El Kantara, wo wir für die Nacht Einkehr hielten.

Der Seraidschi[5] bereitete uns einen echt türkischen Kahwe[6], und nachdem wir unser einfaches Abendbrot verzehrt hatten, wurden die Pfeifen angebrannt, und ich lehnte mich zurück, um den Gesprächen der anwesenden Reisenden zu lauschen. Sie

[1] Anblick Gottes   [2] Abkömmling von Hassan und Hosseïn   [3] Mund des Koran   [4] Vorbeter in der Moschee   [5] Wirt   [6] Kaffee

waren außer uns und zwei von Tolga kommenden Juden sämtlich Araber, deren Weg sich hier am ‚Mund der Wüste' begegnete.

Der Hauptsprecher war mein guter Hassan el Kebîr, der sich die größte Mühe gab, seinen Zuhörern einzuprägen, daß er Dschessâr Bei, der Menschenwürger, genannt werden müsse. Josef Korndörfer dagegen saß still neben mir und hielt gelangweilt seine Augen geschlossen. Nur zuweilen öffnete er sie, und dann vernahm ich entweder einen müden Seufzer oder ein zorniges Maschallah über die Selbstverherrlichung des Kabbaschi von der Ferkat en Nurab.

Da kam die Rede auf einen Gegenstand, der mich außerordentlich fesselte. Der Seraidschi besaß nämlich eine kleine Hammelherde, von der sich, obgleich der Wirt sie des Nachts in der Nähe des Hauses eingepfercht hielt, schon einige Nächte hintereinander ein Panther jedesmal ein Stück geholt hatte.

„Seraidschi!" rief ich.

„Sihdi!" antwortete er, nähertretend.

„Weißt du gewiß, daß es ein Panther war?"

„Ja, Sihdi. Ich habe seine Spur gesehen. Sie ist groß und scharf; es ist ein Weibchen, das Allah verdammen möge! Ich bin ein armer Kahwedschi[1] und habe nur dreiundzwanzig Schafe. Kann die Mörderin nicht zu einem Reicheren gehen? Ein Männchen würde die Herde eines Armen nicht berauben!"

Der zornige Muslim schien von dem Rechts- und Schicklichkeitsgefühl der weiblichen Wesen keine allzu gute Meinung zu haben.

„Warum tötest du sie nicht?" fragte ich ihn.

„Das Weib des schwarzen Panthers töten, Sihdi? Weißt du nicht, daß unter ihrem Fell der Scheitan wohnt, der jeden zerreißt, der es beschädigen will?"

„Und weißt du, daß unter deiner Haut el Schubak wohnt, der Satan der Angst, der dein Herz verschlungen und dein Blut getrunken hat? Du bist ein Mann und fürchtest dich vor einem Weib? Allah schütze dein Haus, sonst kommt die Sultana des Panthers ins Serai, um auf deinem Diwan zu schlafen und aus deinem Schädel Kahwe zu trinken!"

„Sie wird meine Herde verspeisen, aber meinem Haus fernbleiben, Sihdi! Weißt du nicht, daß vor jedem wilden Tier geschützt ist, wer täglich dreimal die Surat el ichlâß betet?"

„Die Surat el ichlâß ist gut für euch, denn der Prophet hat sie euch gelehrt, und solange du sie täglich dreimal betest, hat dich die schwarze Katze noch nicht gefressen. Ich aber habe

[1] Kaffeewirt

30

eine Surat, die mächtiger ist als alle Ajât eures heiligen Buches: sie vernichtet jeden Feind."

„Sag sie mir vor, damit ich sie beten lerne, Sihdi!"

„Nicht vorsagen, sondern zeigen werde ich sie dir!"

Ich nahm meine Büchse und schlug auf ihn an.

„Dies ist meine Surat gegen alle Feinde."

Er sprang erschrocken zur Seite.

„Bism illâhi, iâ ridschâl — um Gottes willen, auf, ihr Männer, flieht! Dieser Sihdi hat den Verstand verloren. Er hält seine Flinte für die Surat el ichlâß und will uns ermorden!"

Ich legte die Büchse wieder zur Seite.

„Bleibt ruhig sitzen, ihr Männer! Mein Verstand ist noch bei mir, denn ich halte das Weib des Panthers nicht für einen Scheitan, sondern für eine Katze, die ich mit meiner Surat töten werde." Und mich erhebend, fügte ich hinzu: „Seraidschi, zeige mir die Hürde, worin sich deine Schafe befinden!"

„Bist du toll, Sihdi, daß du verlangst, daß ich mit dir zur Hürde gehen soll? Die Nacht ist finster, und dieses Weib des Panthers kommt nicht gegen Morgen, wie die anderen Tiere, die Fleisch stehlen, sondern sie naht stets um Mitternacht. Sie mag meine Schafe fressen, mich aber soll sie nicht zerreißen!"

„So beschreibe mir den Ort, wo ich die Hürde finde!"

„Du findest sie hundert Schritt vom Haus, grad gegen Norden, wo die Steine liegen."

Ich hängte die Büchse über und griff zum Henrystutzen. Das Messer steckte bereits im Gürtel. Mit dem Stutzen hatte ich zwar keinen so weiten und sicheren Schuß wie mit dem Bärentöter, aber er war mir nötig, falls die beiden Büchsenkugeln nicht sofort tödlich wirken sollten.

Ich hatte kaum den Fuß erhoben, so sprang Hassan auf.

„Allah akbar — Gott ist groß, Sihdi; er kann den Löwen töten und den Panther vernichten. Du aber bist ein Mensch, dessen Fleisch den Katzen schmeckt. Bleib hier, sonst verzehren sie dich, und wir finden am Morgen nichts von dir als die Sohlen deiner Schuhe!"

„Du wirst am Morgen nicht nur die Schuhe, sondern auch den Mann, der sie trägt, unverletzt sehen. Nimm deine Waffen und folge mir!"

Der große Mann sprang erschrocken zurück. Er spreizte alle zehn Finger aus und hielt sie mir mit ausgestreckten Armen abwehrend entgegen.

„Hamdullilah — Preis sei Gott, daß ich am Leben bin; ich werde es nie einem wilden Tier schenken!"

„Fürchtet sich Hassan el Kebîr vor einer Katze?"

„Ich bin Dschessâr Bei, der Menschenwürger, aber nicht Hassan, der Pantherfresser, Sihdi. Verlange, daß ich gegen hundert Feinde kämpfe: ich werde sie alle schlachten! Aber der Gläubige verschmäht es, des Nachts mit einem Weib zusammenzukommen, das noch dazu die Sultana eines wilden Tieres ist."

„So bleib!"

Ich hatte ihn nur auf die Probe stellen wollen und schritt nun dem Ausgang zu. Da hörte ich, daß mir jemand folgte. Der Staffelsteiner war es.

„Darf ich mit, Herr?"

„Warum?"

„Warum? Maschallah, tausend Schwerebrett, soll ich vielleicht zuschaun, daß Sie von der Katz zerriss'n werd'n? Wozu hab ich Flint'n und Messer? Wo mein Herr is, dort bin ich auch, das versteht sich doch ganz von selber."

„Ich danke dir, Josef, aber ich kann dich nicht brauchen."

„Warum net, wenn ich fragen darf?"

„Weil du kein Jäger bist. Du würdest dich unnütz in Gefahr begeben und mir günstigenfalls nur das Tier verscheuchen."

Ich hatte wirklich Mühe, den treuen und beherzten Mann von seinem Vorhaben abzubringen, und trat dann in die Nacht hinaus, um die Hürde aufzusuchen.

In der angegebenen Richtung und Entfernung vom Karawanserai lag ein Gewirr hoher, gewaltiger Felsblöcke. An diese lehnte sich die Hürde. Sie bestand an den drei andern Seiten aus Pfählen, die durch Stricke, aus Leff[1] gedreht, verbunden waren. Die Schafe lagen ruhig innerhalb dieser einfachen Umzäunung und ließen sich auch durch mein Nahen nicht stören. Die Nacht war sternenhell, und ich konnte die Umrisse der Felsen deutlich erkennen. Zwischen zweien befand sich ein oben geschlossener Spalt, gerade so breit, daß ein nicht zu starker menschlicher Körper darin Platz finden konnte. Das war der geeignete Ort für mich, das Raubtier zu erwarten. Er bot mir von drei Seiten sicheren Schutz und gewährte mir nach der vierten hin freie Aussicht über die Hürde. Falls der Panther wirklich kam, so konnte ich ihn, ohne für mich viel befürchten zu müssen, hier in aller Gemütsruhe aufs Korn nehmen. Eine Heldentat war seine Erlegung jedenfalls nicht.

Ich nahm in dem Spalt Platz und machte es mir darin so bequem wie möglich. Mit der Büchse in der Hand und mit dem

[1] Dattelfaser

Stutzen am Knie wartete ich und horchte auf jedes Geräusch der schweigsamen Steppe. Mitternacht ging vorüber. Wenn das Tier heute kam, so mußte es bald erscheinen.

Da bemerkte ich eine Bewegung der Schafe. Sie steckten die Köpfe zusammen und krochen unter allen Zeichen der Angst so nahe wie möglich an den Felsen heran. Ich strengte mein Gesicht an, um die Ursache zu erspähen, konnte aber nichts bemerken. Doch plötzlich vernahm ich über mir ein schleichendes Geräusch. Das Tier befand sich auf dem Felsen, um von da aus seine Beute im Sprung zu erreichen. Jetzt hörte ich, wie es seine Kralle am Stein wetzte, dann — ein Satz — ein dunkler Körper schnellte herab unter die Schafe — ein kurzer, blökender Todesschrei — und der Panther stand hochaufgerichtet inmitten der Hürde, unter seiner rechten Vordertatze lag das getötete Schaf. Er war ein ungewöhnlich großes, gewaltiges Tier, und zwar tatsächlich ein Weibchen.

Den Kopf erhebend, stieß jetzt das Raubtier seinen Siegesruf aus, jenes in fürchterlichen Kehltönen erschallende, zusammengezogene A—uuhh—a—oorrr, das meist in einem tiefen, grollenden Schnurrlaut endet. Noch aber war der Ruf nicht ausgeklungen, so krachte meine Büchse. Die weit geöffneten, in grünlichem Licht rollenden Augen hatten mir ein sicheres Ziel geboten. Mit dem Schuß erstarb das Brüllen. Das Tier machte einen jähen Satz auf den Spalt zu und brach da hart vor meinen Füßen zusammen. Wie ich später sah, war ihm meine Kugel ins Auge gedrungen.

Der Schuß hatte aber noch einen andern Erfolg. In der Ferne ertönte ein heiserer, wilder Schrei und nach wenigen Sekunden ein kurzes abgerissenes Brüllen aus größerer Nähe. Das Männchen nahte, durch meine Büchse zur Hilfe herbeigerufen.

Ich hatte schon — der Vorsicht wegen — den Henrystutzen in die Hand genommen, um die zweite Kugel des Bärentöters für diesen Fall zu sparen. Rasch nahm ich die schwere Büchse nun wieder auf und legte an. Ein schlanker, geschmeidiger Tierkörper kam in langen Sätzen herbeigeschnellt und hielt außerhalb der Hürde, grad mir und dem gefallenen Weibchen gegenüber. Der Panther mußte uns beide trotz des zweifelhaften Sternenlichts bemerken, denn er duckte sich unter einem grimmigen Schnaufen zur Erde nieder, um zum Sprung auszuholen. Noch sah ich seine Augen glühen, im nächsten Augenblick mußten sie sich im Sprung schließen. Ich drückte los. Mitten in der blitzenden Beleuchtung des Schusses flog das Tier empor und kam hart am Spalt zum Boden nieder. Aber schon hatte ich den Stutzen ergriffen. Ich hielt die Mündung grad an den Kopf des Panthers und drückte ein-, zwei-, dreimal los. Schon der erste Schuß war tödlich gewesen; ein Zucken und Zittern ging durch den Körper des Tieres, dann lag es regungslos zu meinen Füßen.

Ich lud zunächst wieder und trat hinaus. Die beiden Raubtiere lagen aufeinander und waren, besonders das weibliche, so groß und schwer, daß ich sie nur mit Anstrengung zu bewegen vermochte. In einiger Entfernung bellte ein Schakal sein heulendes ‚Ja—ou, Ja—ou'. Er wußte die Panther in der Nähe und glaubte, sich Hoffnung auf den Nachtisch machen zu dürfen. Der Schakal ist ein treuer, aber furchtsamer Begleiter der großen Räuber des Tierreichs und nimmt gern fürlieb mit den Brosamen, die von des Reichen Tisch übrigbleiben.

Als ich im Karawanserai ankam, fand ich alle Gäste noch wach. Es war für sie ein unglaublicher Gedanke, daß sich ein einzelner Mann mitten in finsterer Nacht an den Panther wagen könne, der fast ebenso gefürchtet ist wie der Löwe. Die mit Angst gepaarte Neugier hatte sie nicht schlafen lassen, doch mußten sie meine Schüsse vernommen und daran gemerkt haben, daß ich mich wenigstens nicht ohne Gegenwehr von dem ‚fürchterlichen Weib' verschlingen ließ.

Bei meinem Eintritt sahen sie mich an, als sei ich ein Gespenst.

„Maschallah, tausend Schwerebrett, da is er, wie er leibt und lebt!" rief Josef Korndörfer, indem er voll Freude auf mich zukam.

„Marhaba, Sihdi — willkommen, Herr", meinte der große Hassan. „Du hast klug gehandelt. Wir haben deine Schüsse gehört, und die Frau des Panthers, die sie vernommen hat, wird heute nacht der Hürde fernbleiben:"

„Ich danke dir, Sihdi", stimmte auch der Seraidschi ein, „daß du meine Herde beschützt hast. Die Räuber werden heut nicht kommen, denn du hast dich in die Finsternis gewagt und sie durch die Stimme des Gewehrs gewarnt."

Man war also der Meinung, ich hätte geschossen, um die Raubtiere abzuschrecken.

„Die Frau des Panthers ist mit ihrem Mann erschienen, Kawedschi", antwortete ich, „und hat dir ein Schaf getötet. Du mußt es holen, denn der Schakal ist in der Nähe und wird es sonst verzehren."

„Er mag es verzehren, denn Allah behüte meinen Fuß davor, daß er hinaustrete ins Reich des Todes, wo ich zerrissen werde!"

„Du wirst nicht zerrissen werden, denn die Sultana des

schwarzen Panthers ist tot, und ihr Herr liegt bei ihr mit zerschmetterter Stirn."

„Allah kerîm — Gott ist gnädig! Sagst du die Wahrheit, Sihdi?"

„Mein Wort ist wahr. Sieh diese Schuhe, Hassan; sie sind unversehrt, und kein Haar ist mir gekrümmt. Aber meine Surat ist erklungen, und nun liegen die Panther niedergestreckt durch die Faust des Todes. Kommt, ihr Männer, und helft, sie herbeizuschaffen!"

Diese Worte brachten eine große Aufregung unter den Leuten hervor. Sie wollten mir nicht glauben, und es kostete mich nicht wenig Überredungsgabe, sie endlich zum Mitgehen zu bewegen.

Man brannte Fackeln aus Palmenfaser an und folgte mir. Als wir der Hürde nahten, drängten sich die Schafe, vom lodernden Brand erschreckt, ängstlich zusammen. Der jetzt folgende Auftritt ist unmöglich zu beschreiben. Kaum erblickten die Araber die beiden erlegten Tiere, so stürzten sie sich auf sie, schlugen sie mit den Fäusten, traten sie mit den Absätzen und schimpften sie mit allen möglichen Schandwörtern, deren die arabische Sprache einen beinah unerschöpflichen Vorrat besitzt. Hassan el Kebîr war der lauteste von allen. Er wandte sich schließlich auch an mich.

„Sihdi, du bist der größte Jäger, den meine Augen gesehen haben. Du bist noch größer als der Emir el Areth[1], der der Herr des Löwen war. Wenn ich singe von der Siret el mudschâhedîn[2], und wenn ich erzähle von der Siret el pehlewân[3], so werde ich deinen Namen nicht vergessen, sondern ihn rühmen vor den Ohren der Gläubigen!"

Der Araber spricht gern überschwenglich und liebt es, seine Gefühle im höchsten Steigerungsgrad auszudrücken. Auch der Staffelsteiner konnte sein Erstaunen nicht verbergen.

„Maschallah, tausend Schwerebrett, sin dös Schüß g'wes'n. Die eine Katz' is grad ins Aug' getroff'n, und die andre auch net schlechter! Ich hab' noch gar kein solches Viehzeug g'seh'n und net geglaubt, was der Panther für a Bursch' sein kann. Mei' Büchs'n hätt' wohl g'wackelt, wenn ich dabei g'wes'n wär!"

Die Tiere wurden unter Siegesjubel zum Haus geschleift, wo ich ihnen das Fell abstreifte. Dann gingen wir zur Ruhe.

Am andern Morgen erhob sich vor dem Aufbruch ein heißer Streit zwischen Hassan el Kebîr und dem Staffelsteiner, und ich eilte hinaus, um den Zank zu schlichten. Josef Korndörfer hatte das Fell des Pantherweibchens unter meinen und das des Männ

---

[1] Gemeint ist Gérard   [2] Taten der Kämpfer   [3] Taten der Helden

chens unter seinen Sattel gelegt, womit der Kabbaschi jedoch nicht einverstanden war.

„Du bist ein Franke, der noch nie eine Moschee betreten hat", zürnte er, „und willst mich um das Recht der Gläubigen betrügen? Hast du jemals einen Ungläubigen gesehen, der auf dem Fell des Panthers reitet?"

„Hast du ihn erlegt, Dschessâr Bei, du Menschenwürger?" lachte der frühere Chasseur d'Afrique.

„Der Effendi hat ihn erlegt, weil Hassan el Kebîr, vor dem die Tiere zittern, bei ihm war. Das Fell gehört unter meinen Sattel, denn was bist du gegen den Kabbaschi en Nurab? Bin ich nicht Diener gewesen an der berühmten Hochschule El Azhar zu Kâhira, das ihr Kairo nennt? Ich habe die weisen Männer gesehen, die dort ein und aus gingen. Wen aber hast du gesehen, und an welcher Schule bist du gewesen?"

„Ich habe unsern Effendi gesehen, in dessen Kopf mehr Weisheit steckt als in eurer ganzen El Azhar in Kairo, und war in der Schule zu Kaltenbrunn bei Staffelstein, wo deine gelehrten Männer auf die letzte Bank zu sitzen kämen", verteidigte sich der Bayer unter fortwährendem Lachen.

„Nun wohl! Aber kennst du meinen Namen? Ich heiße Hassan Ben Abulfeda Ibn Haukal al Wardi Jussuf Ibn Abul Foslan Ben Ishak al Duli. Wie aber heißt du? Mein Name ist lang wie der Fluß, der durch die Berge rollt; der deinige aber ist klein wie der Tropfen, der schmutzig vom Blatt fällt."

„Beschmutze meinen Namen nicht, denn er ist auch der deinige! Ich heiße Jussuf wie du."

„Weißt du, daß Jussuf nur ein Gläubiger heißen darf? Du bist ein Franke und wirst Jussef genannt. Merk dir das! Und du hast nur diesen einen Namen!"

„Oho! Hast du nicht gehört, daß ich auch Korndörfer heiße?"

„Aber wo bleibt der Name deines Vaters?"

„Der hieß auch Korndörfer."

„Und dessen Vater?"

„Auch Korndörfer."

„Und dessen Vater?"

„Immer wieder Korndörfer."

„Und wo lebte er?"

„In Kaltenbrunn."

„In Kah el brunn? So heißt du Jussef Koh er darb Ben Koh er darb Ibn Koh er darb Abu Koh er darb el Kah el brunn. Mußt du nicht lachen über deinen eignen Namen? Und du verweigerst mir das Fell? Gib es her!"

„Höre, Hassan! Jussef Koh er darb, Ben, Ibn und Abu Koh er darb aus Kah el brunn wird das Fell behalten. Dort kommt der Sihdi, wende dich an ihn!"

Der Kabbaschi tat dies auch. Der große Hassan wollte mit der Pferdedecke vor den uns Begegnenden glänzen. Das gab mir Gelegenheit, ihn für seine gestrige Feigheit zu strafen.

„Jussuf", entschied ich, absichtlich Jussuf statt Jussef sagend, „wollte mit mir den Panther schießen, du aber hattest Angst vor der Katze. Ihm gebührt das Fell und nicht dir!"

Murrend mußte er sich in diesen Bescheid ergeben, und murrend folgte er uns, als wir das Karawanserai verließen.

Wir befanden uns bald inmitten der Schluchten und Steinklüfte des Auresgebirges, dessen Längsrichtung wir bis gegen Abend einhielten, um dann über seinen Kamm in die Sahara hinabzusteigen. An seinem Fuß lag das Zeltdorf, das Ziel unsrer heutigen Wanderung. Wir wurden von den Leuten gastfreundlich aufgenommen, und noch bevor es Nacht ward, befand ich mich im Besitz von drei Reit- und ebenso vielen Packkamelen nebst allen Gegenständen und Vorräten, die zur Reise nach dem Bab el Ghud oder wenigstens nach Aïn es Salah erforderlich waren.

Am andern Morgen folgten wir dem Fuß des Gebirges, um, Biskra nun vermeidend, die Karawanenstraße von dort nach Aïn es Salah aufzusuchen.

Es war ein heißer Tag, und um die Mittagszeit brannte die Sonne mit solcher Vollglut auf uns nieder, daß ich beschloß, entgegen dem Brauch, für einige Zeit Rast zu halten. Wir suchten einen geeigneten, schattigen Ort. Da blieb der voranreitende Hassan, der mit Josef noch immer wegen der Decke schmollte, halten und deutete abwärts.

„Schau, Sihdi, eine Sobha[1]!"

Wir befanden uns noch immer auf den Ausläufern des Gebirges. Am Fuß eines solchen Höhenzugs glänzte von unten die blitzende Fläche eines Wassers zu uns herauf, an dessen Ufer ich einiges spärliches Lentiskengesträuch bemerkte.

„Das ist keine Sobha, Hassan, sondern ein Schott oder Birket[2], der hinter dem Hügel liegt, und von dem wir hier nur eine Bucht sehen können. Ich werde dir gleich seinen Namen nennen."

Ich schlug die stets bereite Karte auf und fand den See verzeichnet. Es war eins jener leblosen Gewässer ohne Farbe und Bewegung, die kein Fisch, kein Lurch durchrudert, und in deren

[1] Wasserlache   [2] See

Wasser man höchstens jene häßlichen Würmer zu Zehntausenden erblickt, die der Beduine Thud nennt.

„Es ist der Birket el Fehlatn[1]. Laßt uns zu ihm hinunterreiten!"

„Das ist ein Befehl, Sihdi, der mehr wert ist als der Preis von zehn Kamelen. Mein Serdsch, was du Sattel nennst, brennt unter mir, als säße ich auf einem abgerissenen Zipfel der Dschehennem. Ich werde mich entkleiden und meinem Körper durch ein Ghusl[2] neue Kräfte geben."

Wir hielten auf das Wasser zu und erreichten es nach einer Viertelstunde. Hassan war uns voraus; er konnte das Bad nicht erwarten. Aber am Ufer wandte er sich mit einer Gebärde der Enttäuschung zurück.

„Sihdi, das ist kein Wasser zum Ghusl, sondern ein Bahr ed Dîdân[3], und sieh, dort liegt ein Duar von über zwanzig Zelten, die uns Schatten geben werden!"

Wirklich erblickte ich zwischen dem oberen Teil des Sees und dem Hügel eine Reihe von Zelten, zwischen denen zahlreiche Pferde und Kamele lagen. Ein andrer Trupp von fünf Kamelen weidete seitwärts die fleischigen Blätter der Salzkräuter ab, die der dürftige Boden durch den Einfluß des Wassers hervorbrachte. Ich erkannte auf den ersten Blick, daß es nicht gewöhnliche Lastkamele waren, die man für vierhundert Piaster das Stück bekommt, sondern ohne Ausnahme Reitkamele, echte Hudschûn, die mit mehreren tausend Piastern bezahlt werden. Vielleicht waren es gar Bischarinhudschûn, diese edelste Rasse der Kamele, denen man bei aller Enthaltsamkeit wohl eine ganze Woche lang täglich einen Weg von vierzehn bis sechzehn deutschen Meilen zumuten kann. Ja, bei den Tuareg trifft man Kamele, die noch mehr zu leisten vermögen. Ich erkannte diese Rasse an den zierlichen Formen, dem verständigen Auge, der breiten Stirn, den herabhängenden Unterlippen, den kleinen, stehenden Ohren, dem kurzen, glatten Haar und ihrer Farbe, die bei dem Bischarin entweder weiß oder lichtgrau, manchmal auch falb und zuweilen gefleckt ist wie bei der Giraffe.

Diese kostbaren Tiere gehörten jedenfalls nicht in das arme Zeltdorf, sondern sie waren wohl das Eigentum von fremden Beduinen, die im Duar als Gäste weilten.

Wir eilten dorthin.

Es wäre eine unverzeihliche Beleidigung für den Besitzer des ersten Zeltes gewesen, wenn wir daran vorübergeritten wären, um in einem der folgenden Aufnahme zu suchen. Der Bewohner

[1] Toter See   [2] Bad   [3] Würmermeer

der Steppe ist ein geborener Dieb und Räuber, aber das Gastrecht hält er noch ebenso hoch und heilig, wie es den biblischen Erzvätern galt, von denen er ja seine Abstammung herleitet.

Als wir hielten, wurde das vielfach zerfetzte Tuch, das den Eingang bedeckte, beiseitegeschoben, und ein Mädchen trat heraus, um uns zu begrüßen. Sie war unverschleiert; die Frauen der Wüstenaraber sind unbekümmerter als die Weiber und Töchter der in Städten wohnenden Mohammedaner. Ihr Haar war in dichte Dschudûl[1] geordnet und mit roten und blauen Bändern durchflochten. Um die Hüften trug sie den Rahad, einen schmalen Gürtel, von dem eine große Anzahl Lederstränge bis über die Knie herabfiel und so einen Rock bildete, der mit Korallen, Bernsteinstücken und Kaurimuscheln verziert war. Um den Hals hing ihr der Charas, eine vielfache Schnur von Glasperlen und allerlei Münzen. Auf den Schultern ruhte ein leichter Überwurf. In den kleinen Ohren hingen übergroße goldene Ringe; an den Füßen oberhalb der Knöchel glänzten silberne Spangen, und um die Gelenke der feinen Händchen, deren Fingernägel mit Henna gefärbt waren, wanden sich starke Ringe von Elfenbein. Ihr weißer Glanz stach sehr hübsch gegen die warmen Töne der braunen Haut ab, die der schönsten, florentinischen Bronze nichts nachgab.

„Marhaba iâ Sihdi — du sollst willkommen sein, o Herr", klang ihr Gruß, und zugleich reichte sie zur Bekräftigung meinem Kamel eine Handvoll Waëdidatteln.

Hinter ihr kam ein alter Mann zum Vorschein, der uns mit neugierigen und verwunderten Blicken musterte. Sein sonngebräuntes Gesicht war voller Falten und seine ausgedorrte Gestalt tief gebeugt. Er mochte wohl an die neunzig Jahre zählen.

„Es-salâm, 'aleïkum", grüßte ich ihn, die Hand zur Brust erhebend. „Hast du ein wenig Raum für uns, wo wir das Haupt zu einer kurzen Ruhe niederlegen können?"

„Marhaba iâ Sihdi — willkommen, o Herr! Unser armes Zelt hat der Gäste bereits drei, doch ist noch Platz für dich. Steig ab und erlaube mir, dir einen Hammel zu schlachten!"

„Dein Herz ist voller Wohltat, und dein Zelt steht dem Wanderer offen. Du bist ein guter Sohn des Propheten und ein Liebling Allahs, der dir viele Jahre des Lebens geschenkt hat. Doch sollen deine Gäste die Güte deiner Seele ganz besitzen. Erlaube mir, zu einem andern Zelt zu gehen!"

„Willst du mich beschimpfen, Sihdi? Was habe ich dir getan, daß du mein Zelt verschmähst? Steig herab von dem Tier, das

---

[1] Haarflechten; Einzahl Dschedîl

bereits ein Gast der Tochter meines Sohnes ist, und lege dich bei mir zur Ruhe!"

Er ergriff das Halfter des Kamels und gebot ihm durch das gebräuchliche, kehllautende „khe, khe", niederzuknien.

Ich stieg ab und wurde ins Zelt geführt, wohin auch Josef und Hassan bald nachfolgten. Längs der Wand zog sich darin das Serir herum, ein nur wenig den Boden überragendes gitterartiges Gerüst aus leichtem Holz, das mit Matten und Hammelfellen bedeckt war. Das bildete den Diwan und das Bett für die ganze Familie nebst den etwaigen Gästen. Im Hintergrund des Zeltes waren Sättel und Schilde aufbewahrt. An den Pfählen hingen Waffen, Schläuche, lederne Eimer und allerlei Wirtschaftsgerät, und die Wände selbst waren mit kunstvoll geflochtenen Bechern, Giraffenhäuten, Bündeln von Straußenfedern und besonders mit Schellen und Klingeln geschmückt. Diese Schellen sind in arabischen Zelten sehr gebräuchlich und machen in stürmischen Nächten eine dem ermüdeten Wanderer sehr unwillkommene Musik. Der Wind bewegt das ganze Zelt, das Metall der Schellen erklingt und bildet die Begleitung zum Krachen des Donners, zu dem Stöhnen der Kamele, dem Blöken der Schafe, dem Gebell der Hunde und dem Heulen der wilden Tiere.

Ich nahm auf den Matten Platz. Der Alte hatte die Pantherfelle gesehen. Das Gesetz der Gastfreundschaft verbot ihm, nach meinem Namen und Herkommen zu fragen, aber wissen durfte er, wie ich in den Besitz dieser kostbaren Beute gekommen war. Mit der Schlauheit, die dem unserm Bildungsbegriff fernstehenden Menschen eigen ist, wußte er das Gespräch auf diesen Gegenstand zu bringen.

„Ruhe dich aus, Sihdi, bis Fleisch und Kuskusu bereitet sind."

Kuskusu ist ein aus grob gemahlenem Weizenmehl bereitetes Lieblingsgericht der Araber.

„Ich danke dir, Vater", entgegnete ich. „Ich esse Fleisch und Kuskusu nur des Abends, wenn ich die Reise des Tages beendet habe. Gib mir und meinen Dienern Wasser und ein wenig Bsissa[1]."

Das Mädchen brachte mir das Bsissa.

„Das Wasser des Birket ist schlecht, Sihdi. Willst du nicht einen Becher Kamelmilch oder Lagmi[2] trinken?" fragte sie.

„Eddini Lagmi, iâ Ambr el Banât — gib mir Lagmi, du Zierde der Mädchen!"

Sie brachte mir einen Lederbecher voll des erquickenden Ge-

[1] Brot aus Mehl und getrockneten Datteln gebacken   [2] Dattelsaft

tränks. Der Alte wartete, bis ich getrunken hatte, und fragte dann:

„Du wirst viele Tage in der Hütte deines Freundes bleiben?"

„Ich werde sie verlassen, sobald ich ausgeruht habe."

„So willst du des Nachts reiten, wenn die Stimmen der wilden Tiere erschallen und der Panther Mensch und Dschemel zerreißt? Bleib bei uns, Sihdi, denn dein Tod würde auf meine Seele fallen!"

Ich mußte dem guten Alten sein Verhör erleichtern.

„Der Panther wird mich nicht zerreißen. Hast du nicht sein Kleid auf meinen Tieren gesehen?"

„Ich habe es gesehen, das Kleid des Panthers und seiner Sultana."

„Nun wohl, ich habe ihn und sie getötet beim Sternenschein am Fam es Sahar."

„Den fürchterlichen Panther am Fam es Sahar, ihn, der schrecklicher war als alle Panther der Steppe! Sihdi, du bist ein Held, ein großer Krieger! Wie viele Männer waren bei dir?"

„Keiner. Ich habe allein mit dem Panther und seiner Frau gesprochen."

„Ganz allein? Allah akbar, Gott ist groß, und du bist ein Achu[1] des großen Emir el Areth, der im Wed el Kantara ertrank!"

„Ich bin ein Franke wie er und habe eine Büchse, die dieselben Worte spricht wie die seinige."

„Ein Franke bist du und ein Jäger, wie der Emir el Areth? Dann muß ich dir etwas sagen, was deine Seele erfreuen wird!"

Er war plötzlich sehr ernst geworden und trat mit geheimnisvoller Miene zu mir heran. Die zwei hohl gebogenen Hände wie ein Höhrrohr an meine Ohren haltend, legte er den Mund an sie und flüsterte leise:

„Kennst du Asad, den Aufruhrerregenden?"

Ich nickte und blickte ihn erwartungsvoll an.

„Du kennst Asad Bei, den Herdenwürger?" wiederholte er.

Ich nickte zum zweitenmal.

„Er ist unserer Herde schon lange Zeit gefolgt und hat uns die besten Tiere geraubt. Erst in der vergangenen Nacht holte er wieder ein Rind für sich und seine Frau; 'aïb 'aleïhu — Schande über ihn!"

Der Flüsterton war mir nicht unbegreiflich. Der Araber hat eine außergewöhnliche Scheu vor dem Löwen. Solange das gewaltige Tier noch lebt, nennt er es mit den hochtrabendsten und

_____
[1] Bruder, Genosse

ehrendsten Namen, um es ja nicht zu beleidigen und zur Rache herauszufordern. Ist es aber getötet, so bewirft er es mit den demütigendsten Schimpfworten und fügt ihm alle möglichen Beleidigungen zu. Er fürchtet die Stärke und Zähigkeit des Königs der Tiere und läßt sich lange Zeit von ihm berauben, bevor er sich zu einem Angriff entschließt, der bei der gebräuchlichen Weise der Araber meistens mehrere Menschenleben kostet.

Der sonst so tapfere und unerschrockene Sohn der Wüste wagt es nämlich nie wie der kühne europäische Jäger, den Löwen allein anzugreifen. Es treten vielmehr sämtliche waffenfähigen Männer des Duar oder der Dachera[1] zusammen, suchen das Lager des Tieres auf, locken es durch lärmendes Rufen, Brüllen, Pfeifen, Schießen und Klappern daraus hervor und jagen ihm, sobald es erscheint, aus ihren langen, unsicher treffenden Flinten so viele Kugeln wie möglich in den Leib. Selbst wenn es zum Tod verwundet ist, besitzt es meistens noch so viel Lebenszähigkeit und Kraft, sich auf einen oder mehrere zu werfen, um sich vor seinem Verenden blutig zu rächen.

Die Furcht, die man vor ihm hegt, geht sogar so weit, daß man bei dem Entschluß und der Vorbereitung eines Angriffs nur leise spricht. Man meint, der Löwe könne es hören und dem Angriff begegnen. Daher redete der Alte so heimlich. Asad Bei, der Aufruhrerregende, der Herdenwürger, hätte ja sonst seine Worte vernehmen können.

Jetzt fiel es mir auch auf, daß ich keinen einzigen waffenfähigen Mann im Duar bemerkt hatte. Nur einige neugierige Frauenköpfe waren zwischen den Vorhängen der Zelte zu sehen gewesen.

„Eure Männer sind gegangen, ihn zu töten?"

„Alle unsre Männer und Jünglinge samt unsern Gästen, die kühne Söhne der Uëlad Sliman sind."

Bei dieser Nachricht war alle Müdigkeit und Erschöpfung von mir gewichen.

„So werde auch ich gehen, um den Sâhib es selsele, den Herrn des Erdbebens, aufzusuchen." Ich wußte, daß der Löwe wegen der Macht seiner Stimme so genannt wird.

„Bism illâhi — um Gottes willen, sprich leise!" bat der Alte ängstlich. „Wenn er es hört, so bist du verloren. Er kommt herbei und reißt dich in Stücke."

„Bist du toll, Sihdi", klagte Hassan el Kebîr, „daß du dein Fleisch zerreißen und deine Knochen zermalmen lassen willst durch den ‚Herrn mit dem dicken Kopf', der mehr Kraft hat als

[1] Gebäudedörfer

zehn Scheitans zusammengenommen? Du hast den Panther und sein Weib getötet, Asad Bei aber spottet der Kugel und lacht deines Messers!"

„Aus deinem Mund spricht die Angst, und deine Rede trieft von Furcht, Hassan. Allah hat ein Weib geschaffen und ihm deine Gestalt gegeben!"

„Sihdi, wenn mir dies ein andrer sagte, so würde ich ihn auf der Stelle erwürgen. Hassan Ben Abulfeda Ibn Haukal al Wardi Jussuf Ibn Abul Foslan Ben Ishak al Duli kennt weder Angst noch Furcht, denn er ist Dschessâr Bei, der Menschenwürger. Aber er ist nicht jung und auch nicht fett genug; der Löwe mag ihn gar nicht fressen!"

„Er soll dich auch nicht fressen. Du bleibst mit Jussuf hier bei unsern Tieren", tröstete ich ihn.

Er schien mit diesem Befehl überaus zufrieden zu sein, nicht so aber der Staffelsteiner.

„Dös gibts nachher scho doch net, Herr", wandte er sich gegen meinen Bescheid. „Ich geh einfach mit. Ich hab net mit auf den Panther dürfen, drum will ich wenigstens heut mei' Büchs'n versuchen. Wenn der Löw' Sie net frißt, so mag er schaun, wie ich ihm schmeck'. Ich bin Ihr Diener und gehör dahin, wo mei' Herr is."

„So magst du mitgehen", entschied ich, erfreut über diesen Beweis von Mut.

Hassan suchte mich noch immer zurückzuhalten. Er erging sich in den kräftigsten Schilderungen der Gefahr, die uns erwartete. Es half ihm nichts.

„Hamdulillah — Preis sei Gott", meinte dagegen unser Wirt. „Allah ist barmherzig und gnädig. Er hat dich zu uns gesandt und wird deine Waffe segnen, daß du unsre Männer errettest vor den Klauen des Tieres, das der Herr des Erdbebens ist!"

Der Morgenländer hält jeden Franken, der ein Gewehr trägt, für einen ausgezeichneten Schützen, und die Freude des Alten gründete sich jedenfalls auch mit auf die stille Hoffnung, der Löwe werde statt einen der Seinigen mich und Josef zerreißen.

„Wo ist der Löwe?" fragte ich ihn.

„Komm heraus vors Zelt, Sihdi! Ich werde es dir zeigen!" Ich nahm meine Waffen und folgte ihm.

Vom See aus zog sich eine immer breiter werdende Vertiefung den Hügel hinan; es war ein jetzt trockenes Wadi. Noch immer flüsternd, wies der Alte auf die mit Felsen übersäte Rinne des Wadi.

„Ganz oben in diesem Batn el Hadschar, in diesem Bauch

der Steine, hat Asad Bei sein Lager. Die Männer sind hinauf, um ihn hervorzutreiben. Lauf schnell, Sihdi, daß du nicht zu spät eintriffst, ihn in die Dschehennem zu schicken!"

„Komm, Josef!"

Ich war meiner Büchse sicher. Noch niemals hatte sie versagt, und jedes der aus ihr gesandten kegelförmigen Geschosse hatte bisher seine Schuldigkeit getan. Ich war überzeugt, daß sie mich auch heute nicht verlassen würde.

Um den oberen Teil der Schlucht so bald wie möglich zu erreichen, vermied ich die Windungen, die sie machte, und schritt von den Zelten aus gleich unmittelbar den Berg hinan. Am oberen Wadi angekommen, vernahm ich einen ganz entsetzlichen Lärm, der aus der Tiefe der Schlucht emporscholl. Rasch eilte ich dem vor mir liegenden Rand zu, von wo aus ich die Lage vollständig überblicken konnte.

An der steilen Böschung grad mir gegenüber zog sich ein Gebüsch von Wacholder und stachligen Mimosen hinan, das von den Arabern umzingelt war. Es mußte den Löwen verbergen, denn die Männer oberhalb des Gestrüpps rollten große Steine hinein, um das Tier herauszutreiben. Die Eingeborenen schwangen ihre Flinten und tanzten vor Aufregung, wobei sie sich durch kreischende Zurufe zu ermutigen suchten. Ich empfing einen eigentümlichen Eindruck von dieser planlosen Art und Weise, ein Wild zu jagen, das sich am besten des Nachts, Auge in Auge und ohne Lärm erlegen läßt.

Da bemerkte ich inmitten des Gebüsches eine leise Bewegung. Sie wurde stärker, und jetzt trat er hervor, langsam, mit sicheren, hoheitsvollen Schritten. Die reiche, dunkle Mähne hing ihm wirr um Kopf und Vorderleib. Den stark bequasteten Schwanz zog er lang gestreckt hinter sich her. Es war wirklich ein prachtvoller Anblick, das edle Tier so selbstbewußt inmitten der auf seinen Leib gerichteten Gewehre stehen zu sehen und es wollte mir wirklich scheinen, als bemerkte ich ein verächtliches Funkeln der großen rollenden Augen. Ich hatte viel von dem Fürsten der Tiere gehört und gelesen, gesehen aber hatte ich nur einige Stücke in Tierbuden und Tiergärten. Sie alle hielten keinen Vergleich aus mit diesem machtvollen Sâhib es selselo. Dieser eindrucksvolle, hoch- und breitstirnige Kopf, dessen langsames Schütteln ein Zeichen der Verwunderung über das verwegene Beginnen der Araber zu sein schien; dieser ungebeugte Nacken, dieser kurze, breite Rücken, diese mächtigen Flanken, diese Pranken, denen man es ansah, daß ein einziger Schlag von ihnen genügen mußte, ein Rind niederzustrecken, dieses

drohende Öffnen der Lefzen — die Natur hatte hier alles vereinigt, um die wilde, körperliche Kraft in all ihrer Erhabenheit
zur Darstellung zu bringen. Und jetzt hob er den Kopf und ließ
jene furchtbaren Töne erschallen, deretwegen ihn der Sohn der
Wüste den ,Herrn des Erdbebens' nennt, und wovon der Dichter
schreibt:

Da liegt der Maure unter Palmen,
vom Sonnenbrand herbeigeführt,
das Dromedar nascht von den Halmen,
die noch der Samum nicht berührt;
da trinkt das Gnu sich an der Quelle,
der frischen, lebensvollen, satt,
da naht verschmachtend die Gazelle,
vom wilden Jagen todesmatt;
da geht der Löwe nach der Beute,
der König, kampfesmutig aus,
und in die unbegrenzte Weite
brüllt er den Herrscherruf hinaus.
Und Mensch und Tier, Gnu und Gazelle,
sie zittern vor dem wilden Ton
und jagen mit Gedankenschnelle,
entsetzt, von Furcht gepackt, davon.

Es war, als zittre der Boden bei dem leise beginnenden, dann
zu unbeschreiblicher Stärke anwachsenden und sich endlich in
einem grimmigen Rollen verlierenden Gebrüll, das der Araber
so treffend mit dem Worte ,Rad', Donner, bezeichnet.

Da blitzte es aus allen Läufen auf. Der Löwe wurde von mehreren Kugeln, aber nur leicht, getroffen. Er duckte sich nieder
und fuhr dann mit einem einzigen, weiten Satz mitten unter die
Angreifer hinein. Zwei von ihnen lagen unter seinen Tatzen.
Länger durfte ich nicht zögern. Mehr gleitend als steigend warf
ich mich, gefolgt von Korndörfer, den steilen Abhang des Wadi
hinunter. Die Araber, die ein betäubendes Geschrei erhoben, bemerkten mein Kommen nicht. Einer von ihnen hatte seine Flinte
noch nicht abgeschossen. Mutiger als die andern, deren größter
Teil sich nach der Salve zur Flucht gewandt hatte, blieb er
stehen, zielte und drückte los. Die Kugel traf, doch nicht tödlich. Das Tier zuckte zusammen, schnellte im nächsten Augenblick durch die Luft und riß den Schützen nieder. Ihm die beiden Vordertatzen auf die Brust setzend, stieß es ein zweites,
womöglich noch erschreckenderes Brüllen aus als vorher. Im
folgenden Augenblick mußte der Mann zerrissen sein.

In eiligen Sprüngen lief ich hinzu und kniete nur wenige Schritte von dem Löwen nieder. Er bemerkte mich und trat von seinem Opfer zurück, ein Umstand, der nur selten vorzukommen pflegt. Ich legte an. Es war nicht Furcht und nicht Angst, was ich in diesem Augenblick empfand; es gibt keine Bezeichnung für das Gefühl, das jede Faser in mir anspannte. Die rollenden Augen glühten mir vernichtend entgegen, der Schwanz krümmte sich verräterisch. Die kraftvollen Pranken zogen sich zum Sprung zusammen, ein kurzes Zucken ging über den sich niederduckenden Leib — da drückte ich los und sprang sofort zur Seite, das Messer aus der Scheide ziehend.

Der Löwe war gerade im Augenblick des Schusses emporgeschnellt. Er stürzte mitten im Sprung zur Erde, wälzte sich einige Male hin und her und blieb dann unbeweglich liegen. Meine Kugel war ihm ins Auge gedrungen — er war verendet.

„Hamdulillah, Allah akbar — Preis sei Gott, der Herr ist groß!" erscholl es aus allen Kehlen. „Hasa neßîb — das hat Gott geschickt! Er ist schmachvoll gefallen, gestürzt und gestorben wie ein Ungläubiger, ohne Ruhm und Ehre. El Thibb, der Schakal, und el Dabu', die Hyäne, werden ihn fressen; el Büdsch, der gewaltige Bartgeier, mag ihm das feige Herz zerhacken, und el Ghasâl, die Gazelle, mag ihn und seine Väter beschimpfen, ihn, der ohne Kampf und Gegenwehr aus dem Lande der Lebendigen gegangen ist. Er, der sich el Dschâf, der Grausame, nennen ließ, muß aus seinem Fell steigen. Holt die Musikanten herbei; sie mögen auf der Nogara seine Schande trommeln und ihm mit der Rababa seine Schmach vorpfeifen!"

So klang es jubelnd und höhnend von allen Seiten. Man trat den toten Körper mit den Füßen, man schlug ihn mit den Fäusten, stieß ihn mit den Kolben und spie ihn verächtlich an. Mich aber hatte die Spannung verlassen. Es war mir, als sei ich einer unvermeidlichen Todesgefahr entgangen, und tief atmend sah ich dem Treiben der heißblütigen Söhne des glutüberfluteten Landes zu, die mich in ihrem Eifer um das gefallene Tier völlig übersahen.

„Maschallah, tausend Schwerebrett", meinte der Staffelsteiner, „is dös a Gejauchz' und Gelärm! Ich werd' nur schaun, ob sie sich auch bedank'n werd'n!"

„Ama di bacht — welch ein Glück, daß du noch zur rechten Zeit gekommen bist!" klang es da neben mir.

Es war der, der zuletzt unter dem Löwen gelegen hatte. Von langer, hagerer, aber sehniger Gestalt, besaß er ein Gesicht, das die Sonne beinahe schwarz gebrannt hatte. Seine scharfen, dunklen Augen hatten ein eigentümliches Licht. Ein zorniger Blick aus ihnen konnte wohl auch einen beherzten Mann aus dem inneren Gleichgewicht bringen.

„Gib nicht mir, sondern dem Herrn die Ehre, der dich errettet hat!" erwiderte ich, vielleicht etwas unfreundlicher, als ich selbst beabsichtigte. Ich hätte diesem Mann nie mein Vertrauen schenken mögen.

„Ja, Allah die Ehre und dir den Dank!" stimmte er bei, indem sein Auge scharf und forschend über mich glitt. „Du bist fremd unter den Kindern der Wüste?"

„Ich komme aus Almanja, um Asad Bei, den Herdenwürger, zu töten."

„Du hast ihn getötet. Allah gab dir Heil und Gnade."

Er wandte sich jetzt zu den noch immer schreienden und jubelnden Arabern.

„Laßt ihn in Ruhe, den Herrn mit dem dicken Kopf! Er hat seine Schande genugsam vernommen, und seine Seele wird in die Haut eines Flohs fahren. Auf, ihr Männer, laßt uns Allah danken, der uns errettet hat. Kniet nieder und betet mit mir die heilige Fâtiha!"

El Fâtiha[1] ist der erste Abschnitt des Koran, der bei allen frommen Handlungen der Muslim eine Hauptrolle spielt. Die Männer knieten, das Angesicht gegen Morgen gewandt, nieder und beteten eintönig:

„Lob und Preis dem Weltenherrn, dem Allerbarmer, der da herrscht am Tag des Gerichts. Dir allein wollen wir dienen, und zu dir wollen wir flehen, auf daß du uns führst den rechten Weg, den Weg derer, die deiner Gnade sich freuen, und nicht den Weg derer, denen du zürnst, und nicht den der Irrenden!"

Nach Beendigung des Gebets wandten sie nun auch mir ihre Aufmerksamkeit zu. Die Fragen und Lobpreisungen wollten kein Ende nehmen, bis endlich einer von ihnen meine Hand ergriff und mich ihnen entzog.

„Du hast nur ruhen wollen unter dem Dach des Arabers, aber du mußt bei uns bleiben viele Tage! Ich bin der Vorsteher des Lagers, und du sollst mein Zelt haben, solange es dir bei uns gefällt."

„Ich danke dir, du Freund des Wanderers, doch ist mein Weg lang und mein Ziel noch weit. Ich werde das Fell des Löwen nehmen und dann weiterziehen."

„Wie heißt dein Ziel?" fragte der, der zuerst mit mir gesprochen hatte.

[1] ‚Die Eröffnende'

47

„Timbuktu", entgegnete ich, da ich es nicht für ratsam hielt, das Bab el Ghud anzugeben.

„So könntest du mit mir reisen, denn ich gehöre zu den Kriegern der Uëlad Sliman, die gegen Mittag wohnen. Doch muß ich hier auf einen unsrer Männer warten, der mit einer Botschaft in die Stadt der Franken geritten ist."

Diese letzten Worte erregten meine Aufmerksamkeit. Er war einer der Gäste, von denen der Alte gesprochen hatte.

„Ich kann nicht warten. Du aber reitest bessere Kamele als ich und wirst mich einholen."

„Wie viele Männer sind bei dir?"

„Zwei."

„Und du fürchtest dich nicht, mit so wenigen in das Bahr bilâ mâ, in das ‚Meer ohne Wasser'[1] zu gehen?"

„Ich fürchte mich nie."

„Fürchtest du auch Hedschân Bei, den Karawanenwürger, nicht? Du kannst seiner Gum leicht begegnen!"

„Er wird mich friedlich ziehen lassen, denn sonst geht es ihm wie Asad Bei, dem Herdenwürger."

Es war ein eigentümliches Aufleuchten seines stechenden Auges, das mir bei diesen Worten entgegenblitzte.

„Du hast Asad Bei getötet, Fremdling. Der Hedschân Bei aber würde dich zermalmen. Er ist fürchterlicher als Areth mit der Donnerstimme." — „Kennst du ihn?"

„Ihn kennt jeder Targi und Tebu. Warum sollte ich ihn nicht kennen? Spricht nicht jedermann von ihm?"

„So kennst du wohl auch Mahmud Ben Mustafa Abd Ibrahim Jaakub Ibn Baschar, den Imoscharh?" fragte ich, es möglichst verbergend, daß ich sein Gesicht scharf beobachtete.

Er entfärbte sich trotz seiner dunklen Hautfarbe.

„Wer ist dieser Mann?"

„Er ist kein Mann, sondern ein Weib, dessen Zunge nicht zu schweigen weiß. Ich traf ihn, und er sagte mir, daß er ein Bote des Hedschân Bei sei und zu einem Franken gehe, um ein Lösegeld zu fordern."

Die Brauen des Arabers zogen sich finster zusammen.

„Allah inhal el Kelb — Gott verderbe den Hund! Und du bist zu dem Franken gegangen, um ihn zu warnen?"

„Warum ich? Der Imoscharh wird schon selber mit ihm sprechen!"

„Effendi, du hast klug und weise gehandelt, denn Reden ist Silber, Schweigen aber Gold."

[1] Wüste

Ich wußte genug. Dieser Araber war jedenfalls einer der Leute des Hedschân Bei und wartete hier auf die Rückkehr des Boten, der in Algier gefangengehalten wurde, und der Lagerhäuptling war wohl ein geheimer Verbündeter des Karawanenwürgers. Ich konnte die Gastfreundschaft dieser Leute, denen ich vielleicht noch feindlich gegenübertreten mußte, nicht in Anspruch nehmen und beschloß, sofort wieder aufzubrechen.

Mit Hilfe Josefs schälte ich den Löwen schnell aus seinem Fell und kehrte dann unter der jubelnden Begleitung sämtlicher Männer nach dem Duar zurück. Die glückliche Jagd hatte kein Menschenleben gekostet, denn auch die zwei, die der Löwe zuerst niedergerissen hatte, waren nur verwundet worden, allerdings so schwer, daß man sie ins Dorf tragen mußte.

Hassan der Große kam mir freudig entgegengeeilt.

„Du lebst, Sihdi, du bist wieder da und hast den Herrn mit dem dicken Kopf getötet? Hamdulillah, Preis und Ruhm sei Allah, der dein Schutz gewesen ist! Ich habe um dich gezittert, wie der Halm des Grases, wenn der Samûm über die Oase geht."

„Maschallah, tausend Schwerebrett, ist das ein Vergleich: ein Grashalm und Djezzar Bei, der Menschenwürger!" antwortete Josef statt meiner. „Schämst du dich nicht, Hassan el Kebîr, zu deutsch der große Hase? Mach dich rasch aufs Kamel, denn die Reise geht wieder vorwärts!"

Als ich im Begriff stand, Abschied zu nehmen, führte mich der Uëlad Sliman zu seinen Kamelen.

„Herr, du hast kein Dschemel, wie du es brauchst. Deine Hand hat mich vom Tod errettet. Sieh dieses Tier an! Es ist ein Bischarinhedschîn, wie es in der ganzen Sahel kein zweites gibt. Maktub ala salamtek — es ist auf deinen Namen geschrieben!"

Das war ein kostbares Geschenk. Hatte dieser Mann die Mittel dazu? Ich wollte widersprechen, weil ich ihn als meinen Feind betrachten mußte; er aber winkte mir mit einem gebieterischen Ausdruck Schweigen und zog dann ein eigentümlich geformtes Korallenstück hervor.

„Du hast gelernt, den Mund verschlossen zu halten. Nimm diese 'Alâma, und wenn du der Gum des Hedschân Bei begegnest, so zeige sie vor! Sie wird dir Schutz gewähren, denn du hast einen Gläubigen aus den Klauen des Sâhib es selsele errettet. Steig auf und reise ohne Furcht!"

Um ihn nicht zu erzürnen, mußte ich das Tier annehmen. In der Ecke der Satteldecke sah ich eine Verzierung, in der sich die Buchstaben A. L. eingestickt fanden, die Anfangsbuchstaben des Namens André Latréaumont.

Ich dankte dem Alten und seiner Tochter, in deren Zelt ich Aufnahme gefunden hatte, und wurde dann vom Vorsteher des Lagers und von einigen seiner Leute eine Strecke weit begleitet. Als er von mir schied, meinte er:

„Sihdi, du bist ein tapferer Krieger, doch der Hedschân Bei ist mächtiger als du. Aber ich habe gesehen, daß du seine 'Alâma bekommen hast. Du wirst sicher sein, so weit die Wüste reicht. Es-salâm 'aleïkum — Friede und Heil sei mit dir!" — —

3. Hedschân Bei, der Karawanenwürger

Die Wüste! —

Von der Nordwestküste Afrikas zieht sich mit wenigen kurzen Unterbrechungen bis hinüber nach Asien, hinauf zu dem mächtigen Kamm des Chingangebirges[1] eine Reihe von öden, unwirtlichen Länderstrecken, die einander an Grausen überbieten. Die großen Wüsten des afrikanischen Festlandes springen über die Landenge von Suez hinüber in die öden Flächen des steinigen Arabien, denen sich die nackten, dürren Strecken Persiens und Afghanistans anschließen, um hinauf in die Bucharei und Mongolei zu steigen und dort die grauenvolle Gobi zu bilden.

Wohl über 120 000 Geviertmeilen groß, erstreckt sich die Sahara vom Kap Blanco bis zu den Bergwänden des Niltals und vom Rif bis in die heißdunstigen Wälder des Sudan. Ihre Einteilung ist sehr mannigfaltig. Die an die Nilländer stoßende Libysche Wüste geht nach Westen in den Teil der eigentlichen Sahara über, von dem der Dichter sagt:

> „... bis da, wo sich im Sonnenbrande
> die öde Hammada erstreckt
> und man im glühend heißen Sande
> nicht einen grünen Halm entdeckt ...",

und von hier aus zieht sich dann die Sahel bis an die Küste des Atlantischen Ozeans. Der Araber unterscheidet: die bewohnte Wüste — Fiafi; die unbewohnte — Chela; die gesträuchige — Haitia; die bewaldete — Ghoba; die steinige — Serir; die mit Felsblöcken übersäte — Sahel oder Tehama; und die von beweglichen Dünen durchzogene Wüste — Ghud.

[1] Gebirgskette in Asien, die die Mongolei von der Mandschurei trennt

Die Ansicht, daß die Sahara eine Tiefebene bilde, die niedriger liege als der Wasserspiegel des Meeres, ist durchaus irrig. Die Wüste ist vielmehr ein ausgedehntes Tafelland von dreihundert bis siebenhundert Meter Höhe und gar nicht so arm an Abwechslung der Bodengestalt, wie man früher immer meinte.

Das Letztgesagte gilt besonders von dem östlichen Teil, der eigentlichen Sahara, die sich dem Wanderer freundlicher zeigt als die westliche Sahel. Diese ist der wirkliche Schauplatz der Wüstenschrecken und des gefürchteten Flugsandes, der, vom Wind zu fortrückenden Wellen angehäuft, langsam durch die Wüste wandert, — daher der Name Sahel, d. i. Wandermeer. Diese Beweglichkeit des Sandbodens muß natürlich dem Wachstum der Pflanzen sehr hinderlich sein, und dazu kommt der große Mangel an Quellen und Brunnen, ohne die das Entstehen von Oasen eine Unmöglichkeit ist. Der dürre Sandboden vermag kaum einige wertlose Salzpflanzen, höchstens noch etwas dürren Thymian, ein paar Disteln und einige stachelige, krüppelhafte Mimosen zu nähren. Durch das glühende Sandmeer streift nicht der wilde Leu, obgleich der Dichter behauptet:

„Wüstenkönig ist der Löwe."

Nur Schlangen, Skorpione und ungeheure Flöhe finden in dem heißen Boden ein behagliches Dasein, und selbst die Fliege, die den Karawanen eine Strecke in die Wüste hinein folgt, stirbt bald auf dem Weg. Und dennoch wagt sich der Mensch in den Sonnenbrand und trotzt den Gefahren, die ihn von allen Seiten umdrohen. Freilich ist ihre Schilderung oft übertrieben, aber es bleibt immer noch genug übrig, um die Sehnsucht nach einem ‚Wüstenritt' zu verleiden, dessen Opfer man in der Sahel häufiger findet als in der wasserreicheren eigentlichen Sahara. Da liegen dann die ausgedörrten Leichen der Menschen und Tiere in grauenerregenden Stellungen neben- und übereinander. Der eine hält den leeren Wasserschlauch noch in den entfleischten Händen; ein andrer hat wie wahnsinnig die Erde unter sich aufgewühlt, um sich Kühlung zu verschaffen; ein dritter sitzt als vertrocknete Leiche auf dem gebleichten Gerippe seines Kamels, den Turban noch auf dem nackten Schädel; ein vierter kniet am Boden, das Gesicht ist gegen Morgen nach Mekka gerichtet, und die Arme sind über der Brust gekreuzt. Sein letzter Gedanke hat, wie es dem frommen Muslim geziemt, Allah und seinen Propheten gesucht.

Und dennoch hat die Wüste ihren Zweck zu erfüllen im

großen Haushalt der Natur. Sie bildet den Glutofen, der die erhitzten Lüfte emporsteigen läßt, daß sie nach Norden streichen und, sich dort zur Erde niedersenkend, den Gegenden der Mitternacht die notwendige Wärme und Belebung bringen. Die Weisheit des Schöpfers duldet keinen Überschuß und hat von Anbeginn dafür gesorgt, daß alle Gegensätze zum wohltätigen Ausgleich gelangen. — —

Das berüchtigte Bab el Ghud liegt ungefähr auf dem einundzwanzigsten Breitengrad an der Grenze zwischen der Sahara und Sahel, wo auch das Gebiet der Tuareg oder Imoscharh mit dem der Tebu oder Teda zusammenstößt.

Diese Grenzverhältnisse geben der Landschaft wie ihren Bewohnern etwas fortwährend Kampfbereites. Die wandernden Sandberge der Sahel werden von dem steten Westwind immer weiter nach Osten getrieben und stoßen beim Bab el Ghud auf die Felsen der Serir, an denen sie sich aufbäumen und, die Täler, Schluchten und sonstigen Bodensenkungen mit unerbittlicher Sicherheit ausfüllend, tiefe Sandlager bilden, denen die Feuchtigkeit mangelt, so daß sie nicht zu einer festen Masse zusammengepreßt werden können. Wehe dem Wanderer, der in eine solche verräterische Sandsee gerät! Noch vor einigen Augenblicken hat sein Kamel den sicheren felsigen Boden unter den Hufen gefühlt, plötzlich aber reichte ihm der feine, leichte Sand bis an den Leib. Es macht eine kräftige Anstrengung umzukehren und gerät dadurch nur noch tiefer in die brennende Sandkornflut. Der Reiter darf nicht vom Tier steigen, weil er sonst versinkt, er kämpft mit den Krallen des Sandes, die ihn immer enger umschließen. Das Kamel arbeitet sich immer tiefer hinein; es verschwindet endlich ganz. Das Bahr el Ghud, das Dünenmeer, reicht immer höher an dem Reiter hinauf, es faßt ihn bei den Beinen, bei den Hüften, an den Schultern. Schon kann er sich nicht mehr regen. Er wendet das Haupt nach der heiligen Kaaba — „Allah kerîm, wie Gott will, Allah ist gnädig!" flüstern seine bleichen, vertrockneten Lippen, die nun der Sand verschließt. Die Düne schnürt ihm die Brust zusammen, die Lider schließen sich, der Engel des Todes rauscht vorüber, und hoch oben in der Luft schwebt der Bartgeier. Er hat den letzten Kampf des Wanderers beobachtet, aber in einer langsamen, weit sich aufwickelnden Schneckenlinie läßt er sich von seinen gewaltigen Schwingen in die Ferne tragen: er weiß, daß die Düne ihre Opfer vollständig verschlingt und ihm keinen Anteil an ihrem Raub gönnt.

Das ist das Bab el Ghud. Wer sich zwischen seine Felsen und

Sandwogen wagt, muß von schwerwiegenden Gründen dazu gedrängt werden.

Und doch gibt es wilde Gestalten, die vor einem solchen Wagnis nicht zurückbeben. Sie schöpfen den Mut dazu aus dem fürchterlichen ‚Ed dem b'ed dem, en nefs b'en nefs — Blut um Blut, Leben um Leben'. Neben der Gastfreundschaft ist die Blutrache das erste Wüstengesetz, und wenn es auch zwischen den Angehörigen verwandter Stämme vorkommt, daß ein Mord mit der Entrichtung des Dije, des Blutpreises, gesühnt wird, so ist dies doch wohl niemals der Fall bei einem Verbrechen, das durch das Glied einer fremden oder feindlichen Völkerschaft begangen wurde. Da erfordert die Schuld blutige Rache: sie wandert herüber und hinüber, wird größer und immer größer, bis sie endlich ganze Stämme erfaßt und zu jenem öffentlichen und heimlichen Hinschlachten führt, wofür das Bab el Ghud zwischen den Tuareg und Tebu den Schauplatz bildet. Hier ist das Blutgesetz mächtiger als die Natur, die alle ihre Schrecken aufbietet, die Feinde zu trennen, und doch gerade durch diese Schrecken den Feindseligkeiten ein Grausen verleiht, wie es die zerfleischenden Kämpfe der Indianerstämme Amerikas nicht schauerlicher bieten konnten. —

Seit unserm letzten Abenteuer waren mehrere Wochen vergangen, und ich hatte Hassan wirklich als einen ausgezeichneten Führer kennengelernt, ein Umstand, der mich mit seinem Mangel an Mut zur Genüge aussöhnte. Er kannte nicht nur die Wege genau, sondern verstand es auch, alle seine Vorkehrungsmaßregeln so zu treffen, daß wir bisher nicht den geringsten Mangel zu leiden hatten. Seine Anhänglichkeit an mich hatte sich nach und nach zu einer erfreulichen Stärke entwickelt, und ich hätte ihm gern mein volles Vertrauen geschenkt, wenn mir nicht eine außergewöhnliche, beängstigende Aufregung aufgefallen wäre, an der er seit einiger Zeit, und zwar nur des Morgens, zu leiden schien. Er saß dann auf seiner Matte, von der er nicht aufzubringen war, weinte und schluchzte, lachte und jubelte in einem Atem, nannte sich bald einen Helden und bald eine Memme, bald einen guten Muslim und bald einen Ungehorsamen, der in die Dschehennem fahren müsse. Es war eine Art Wahnsinn, der ihn erfaßt haben mußte. Der Führung eines geistig gestörten Mannes konnte ich mich aber nur mit ganz besonderer Vorsicht anvertrauen, was mir seiner sonstigen Zuverlässigkeit wegen herzlich leid tat.

Wir waren noch immer nur drei Genossen und verfügten über eine hinreichende Anzahl Packkamele, um die Lasten verteilen zu können. Deshalb reisten wir mit doppelt so großer Schnelligkeit wie eine gewöhnliche Karawane und konnten sicher sein, das Bab el Ghud nach drei guten Tagemärschen zu erreichen. Da mein Hedschîn ein besserer Läufer als die andern Tiere war, so pflegte ich des Morgens später als Josef und Hassan aufzubrechen und, wenn ich sie eingeholt hatte, ihnen eine Strecke vorauszueilen. Dann rauchte ich bis zu ihrem Nahen entweder in Gemütlichkeit meinen Tschibuk oder sorgte für die Bereicherung meiner naturwissenschaftlichen Sammlung.

Auch jetzt ritt ich ganz allein zwischen den Dünen dahin und hielt zuweilen mein Tier an, um dem eigentümlichen Klingen des Sandes zu lauschen, das, beinah unhörbar, für ein scharfes Ohr dennoch zu vernehmen war. Die einzelnen Körnchen berührten sich, drängten einander vorwärts, an der westlichen Seite der Dünen empor, an der entgegengesetzten wieder hinab, und verursachten jenes seltsame, fast singende Geräusch, das in seinem zarten, metallischen Klang den heimlichen Flüstern von Millionen kleinster Kehlen gleicht. Die unzähligen Körnchen bewegten sich, ohne daß ich einen nennenswerten Lufthauch bemerkt hätte. Sie waren einmal in Gang gebracht und behielten ihre Stetigkeit.

Da bemerkte ich zwischen zwei Erhöhungen einen kleinen Sandberg, der nicht auf natürliche Weise entstanden sein konnte. Ich ließ mein Hedschîn niederknien und stieg ab, um ihn zu untersuchen. Mein Argwohn war berechtigt. Hier lag die Leiche eines Arabers samt der seines Tieres; der wandernde Sand hatte sie bereits überflutet. Das Tier war ein echtes Bischarin gewesen und — wahrhaftig, es hatte, wie ich jetzt sah, eine Kugel in die Stirn bekommen. Sollte hier ein Akt der Blutrache vorliegen? Ich entfernte den Sand weiter, um den Reiter genauer in Augenschein zu nehmen. Ich fand ihn in vollständiger Bekleidung und Bewaffnung. Der Kapuze seines Burnus war ein A. L. eingestickt, und die gleichen zwei Buchstaben fand ich auch auf dem Kolben seiner Flinte und dem Griff seines Messers eingebrannt. Gerade einen Zoll über der Nasenwurzel sah ich ein scharfes, rundes Loch, das von einer Kugel herrührte, die dem Mann vorn in den Kopf und hinten wieder hinausgedrungen war.

„Emery Bothwell!" stieß ich überrascht hervor.

Ich kannte diesen Meisterschuß. Ein gleiches Loch hatte ich in mancher Indianerstirn gesehen, die der sicheren Büchse meines englischen Freundes zu nahe gekommen war, und ich durfte daher mit Sicherheit annehmen, daß sein Feuerrohr auch hier gesprochen hatte. Es mußten wenigstens drei Wochen seit diesem Schuß vergangen sein, wie ich aus der Höhe des Sandes und an andern Zeichen sah. Ich sagte mir, daß dies nicht der einzige Tote sei, dessen Gebeine, getroffen von der Kugel des heimlichen Rächers, in der Wüste bleichten. Das verhängnisvolle Zeichen mußte jedem den Tod bringen, an dessen Kleidern oder Waffen er es bemerkte.

Und wirklich: in einiger Entfernung fand ich eine zweite und dann noch eine dritte Leiche, jede einen Zoll hoch über der Nasenwurzel in die Stirn getroffen. Der Hedschân Bei hatte einen fürchterlichen, unerbittlichen Feind gefunden, der sicherlich nicht eher ruhte, als bis Renaud Latréaumont gefunden oder gerächt war.

Eine Strecke weiter entdeckte ich eine frische Spur, die unsre Richtung durchschnitt. Sie stammte von einem einzelnen Tier und war so klein, daß ich vermutete, das Kamel sei ein Bischarinhedschîn oder wenigstens eines jener Mehara, wie man sie bei den Tuareg in ausgezeichneter Rasse findet. Ein solches Mehari übertrifft an Schnelligkeit, Ausdauer und Enthaltsamkeit oft sogar noch das Hedschîn der Bischara, und besonders sind es dann die Stuten, für die man einen überaus hohen Preis bezahlt.

Dieses Tier hier war eine Stute, denn die hinteren Füße hatten eine größere Spurweite als die vorderen. Die Eindrücke waren nicht tief, aber auch nicht zu seicht. Das Kamel war somit nur mittelmäßig belastet; es trug nichts als seinen Reiter. Dieser war also entweder ein Verfolgter oder ein Räuber, vielleicht auch einer jener Eilboten, die die Wüste auf ihren schnellen Tieren nach allen gangbaren Richtungen durcheilen. Das letzte freilich schien mir unwahrscheinlich, denn der Mann hielt mitten in die Serir hinein, in der ein Eilbote nichts zu suchen hat. Aber was wollte ein Räuber dort, wo es unmöglich eine Beute geben konnte? So war er also doch wohl ein Flüchtling, der die Verborgenheit suchte, vielleicht auch ein Bluträcher, der einen einsamen Bir[1] entdeckt hatte und von dort aus seine unheilvollen Ausflüge unternahm.

Die Spuren waren noch vollständig rein, und keiner der Eindrücke zeigte, wie es beim Lauf nicht zu vermeiden ist, rückwärtig einen Schweif. Der Mann war also langsam geritten und vor kaum fünf Minuten hier vorübergekommen. Dieser einsame Reiter war jedenfalls eine ungewöhnliche Erscheinung und nahm meine volle Aufmerksamkeit für sich in Anspruch. Ich machte auf meiner Fährte ein Zeichen, daß die Meinen unbe-

[1] Brunnen

sorgt ihre Richtung weiter beibehalten sollten, und wandte mich dann seitwärts hinter der aufgefundenen Spur her.

„Hhein, hhein!" Auf diesen Zuruf warf mein Hedschîn den Kopf in den Nacken und stürmte wie eine Windsbraut zwischen den Dünenbergen dahin. Wäre das Gelände eben gewesen, so hätte ich den Verfolgten sicherlich schon nach zehn Minuten erblickt. Da aber die Sanderhöhungen jede Aussicht hemmten, so wurde er mir erst sichtbar, als ich mich schon in seiner Nähe befand.

„Rrree — halt!" rief ich ihm zu.

Er hatte den Ruf vernommen, zügelte sofort sein Tier, ein sehr schönes Mehari, und lenkte es herum. Als er mich erblickte, riß er sofort die lange Flinte vom Sattelriemen.

„Es-salâme ‘aleïkum — Friede sei zwischen dir und mir!" grüßte ich ihn, ohne nach einer meiner Waffen zu greifen. „Hänge dein Gewehr an den Serdsch, denn ich erlaube dir, Freund zu mir zu sagen!"

Er blickte mich mit großen, verwunderten Augen an.

„Du erlaubst es mir? Weißt du auch, ob ich dir die Erlaubnis dazu gebe?"

„Du brauchst sie mir nicht zu geben, Mann, denn ich habe sie mir bereits genommen."

„Wie ist dein Name, und wie heißt der Stamm, zu dem du gehörst?"

Mein Äußeres und meine ganze Ausrüstung berechtigten ihn allerdings, mich für einen Araber zu halten. Er selber war ein Tebu, wie ich auf den ersten Blick bemerkte. Die dunkle, beinahe schwarze Hautfarbe, das kurze, krause Haar, die starken, vollen Lippen, die etwas hervortretenden Backenknochen unterschieden ihn deutlich von den Beduinen und Tuareg. Sollte ihn eine Blutrache herein in das Bahr el Ghud getrieben haben? Ich konnte mir nicht denken, daß es hier zwischen den wandernden Dünen eine Quelle geben könne, und dennoch hatte er keinen großen Wasserschlauch, sondern an dem rückwärtigen Sattelknopf hing nur eine kleine Semsemîje[1] von Gazellenleder. Der Mann besaß nebst der langen Flinte eine vollständige Kriegerausrüstung, und sein Leib steckte unter dem weiten, weißen Burnus in einem eng anschließenden Wams von Ochsenleder, das als Harnisch gegen Schnittwaffen und Wurfgeschosse dient.

„Ich komme aus dem fernen Land Almanja herüber, wo es keine Stämme und keine Afrâk gibt. Du bist ein Tebu?"

Er überhörte die Frage und rief erstaunt:

[1] Wassergefäß

56

„Aus Almanja? Kennst du den Sihdi Emir?"

„Ich kenne ihn. Hast du ihn gesehen?"

„Ich habe ihn gesehen. Bist du der Scheik aus Almanja, auf den er wartet?"

„Ich bin es."

„Habakek, so sei mir willkommen, Sihdi! Ich bin von ihm ausgesandt, dich zu erwarten."

„Wo ist er?"

„Im weiten Bab el Ghud. Du wirst sein Zeichen finden, das dir sagt, wo seine Füße weilen."

„So danke Allah, daß ich deine Fährte sah und ihr folgte. Du hättest mich sonst vorüberziehen lassen, ohne mich zu finden."

„Ich hätte dich gefunden, Sihdi. Ich wollte in der Serir mein Mehari tränken und mir Wasser holen. Dann wäre ich zurückgekehrt zu dem Weg, den du kommen mußtest. Ich hätte deine Spur gefunden und wäre dir gefolgt, um zu erkunden, ob du der Erwartete bist."

„So kennst du eine Quelle in dieser Wüste?"

„Ich kenne viele Quellen, die nur mein Auge wahrgenommen hat, Sihdi."

„Du bist ein Tebu?"

„Du hast es erraten. Ich bin ein Tebu vom Stamm der Beni Amalech."

„Wie ist dein Name?"

„Ich habe keinen Namen, Sihdi. Mein Name liegt vergraben unter dem Dach meines Zeltes, bis ich den Schwur erfüllt habe, den ich beim Bart des Propheten und beim ewigen Gericht tat. Nenne mich Abu bila ibnâ — den Vater ohne Söhne."

„Man hat dir deine Söhne getötet?"

„Drei Söhne, Sihdi, drei Söhne, die meine Freude, mein Stolz und meine Hoffnung waren. Sie standen hoch und schlank wie die Palmen, waren klug wie Abu Bekr, tapfer wie Ali, stark wie Chalid und gehorsam wie Sadik, der Aufrichtige. Sie trieben meine Herde zum Bir, und ich fand ihre Leichen, nicht aber die Tiere."

„Wer hat sie getötet?"

„Hedschân Bei, der Karawanenwürger. Er holte sich meine Mehara, daß sie seine Räuber tragen sollten, und meine Rinder und Schafe zur Speise für die Mörder. Ich habe mein Duar, meinen Stamm, mein Weib und meine Töchter verlassen und bin ihm nachgefolgt von einer Wâh[1] zur andern. Meine Lanze hat drei, mein Pfeil vier und mein Messer sechs seiner Männer

[1] Oase

getroffen, ihn selber aber beschützt der Scheitan, daß ihn mein Auge nicht erblicken und mein Arm nicht erreichen konnte. Aber er wird dennoch in die Dschehennem gehen, denn wenn meine Hand zu kurz ist, so wirst du ihn treffen, du und Sihdi Emir, den sie Pehlewân Bei, den Räuberwürger, nennen."

„Wo trafst du ihn?"

„Beim Brunnen Khool, wo seine Kugel drei Hudschûn tötete, die das Todeszeichen trugen."

„Wen hatte er bei sich?"

„Zwei Männer, die sein Diener und sein Führer sind. Hast du nicht auf deinem Weg Leichen gefunden, die durch die Stirn geschossen waren — Reiter und Tier?"

„Ja."

„Das war Sihdi Emir, der Pehlewân Bei. Seine Kugel ist wie Allahs Zorn; sie fehlt nie ihr Ziel. Der Hedschân Bei und seine Gum kennen die Büchse des Rächers; sie fluchen ihm, aber der friedliche Hirt denkt ihrer mit segnendem Wort. Der Rächer reitet auf den Asâr[1] der Räuber; sie wollen ihn fangen und töten, aber sein Gott ist mächtig wie Allah; er macht ihn unsichtbar und behütet ihn vor aller Fährlichkeit. In jeder Wâh ertönt sein Lob, und an jedem Bir erklingt sein Ruhm; die Wüste ist stolz auf seinen Namen, und die Lüfte verbreiten den Preis seiner Taten. Er ist der Richter des Sünders und der Schutz des Gerechten; er kommt und geht, keiner weiß, woher und wohin. Ich aber werde dich zu ihm bringen, damit dein Name so groß werde wie der seinige."

Das war ja ein wirkliches Loblieb, gesungen auf meinen braven Emery Bothwell! Dieser Tebu hatte jedenfalls ein mutigeres Herz als der große Hassan, und ich konnte mich seiner Führung ohne Sorge anvertrauen.

„Wie weit ist es noch bis zum Bab el Ghud?"

„Einen Tag und noch einen Tag. Wenn dann dein Schatten nach Osten geht, dreimal so lang wie dein Fuß, wird dein Bischarin unter dem Bab el Hadschar[2] niederknien, damit du im Schatten Ruhe findest."

Der Bewohner der Wüste kennt weder Windrose noch Uhr oder Winkelmesser. Die Sterne zeigen ihm den Weg, und nach der Länge des Schattens bestimmt er seine Zeit. Darin besitzt er eine solche Fertigkeit, daß er sich nur selten irrt.

„So komm, damit wir meine Leute treffen!"

„Mein Wasser geht zur Neige, Sihdi."

„Du findest bei mir, soviel du brauchst."

---

[1] Fährten   [2] Tor der Steine

Er folgte mir. In kurzer Zeit stießen wir auf Josef und Hassan, die mein Zeichen verstanden und ihre Richtung beibehalten hatten. Sie wunderten sich nicht wenig, mich hier mitten in der Wüste in Gesellschaft anzutreffen.

„Maschallah, tausend Schwerebrett", meinte der Staffelsteiner, „dös is nett, daß Gesellschaft kommt! Wer is denn der Schwarze, Herr?"

„Das ist Abu bila ibnâ, der uns nach dem Bab el Ghud führen wird."

Da zogen sich die Brauen Hassans finster zusammen.

„Wer ist dieser Tebu, daß er den Weg besser kennen will als Hassan el Kebîr, den alle Kinder der Wüste Dschessâr Bei, den Menschenwürger, nennen? Welche Mutter hat ihn geboren, und wie viele Väter sind ihm vorangegangen? Er kann gehen, wohin er will, Sihdi; ich werde dich nach dem Bab el Ghud bringen auch ohne ihn! Sieh sein Gesicht und sein Haar, seine Wange und seinen Mund. Ist er ein echter Nachkomme Ismails, der der wahre Sohn des Erzvaters Abraham war?"

Der Tebu sah ihm ruhig lächelnd in die Augen.

„Du nennst dich Hassan el Kebîr und Dschessâr Bei, der Menschenwürger? Das Ohr meines Dschemel hat noch niemals diesen Namen vernommen. Wie heißt dein Stamm und deine Ferkat?"

„Ich bin ein Kabbaschi von der Ferkat en Nurab. Wir haben den Panther mit seiner Frau und Asad Bei, den Löwen, getötet. Wen aber hast du getötet? Du bist der Vater ohne Söhne und der Tebu ohne Mut und Heldentat. Ich werde den Sihdi führen, du aber kannst dich am Schwanz meines Dschemel festhalten!"

Der Tebu blieb auch bei dieser Beleidigung gleichmütig.

„Wie ist dein Name?" fragte er.

„Größer als die Zahl deiner Verwandten und länger als dein Gedächtnis. Ich heiße Hassan Ben Abulfeda Ibn Haukal al Wardi Jussuf Ibn Abul Foslan Ben Ishak al Duli."

„Nun gut, Hassan Ben Abulfeda Ibn Haukal al Wardi Jussuf Ibn Abul Foslan Ben Ishak al Duli, steig von deinem Dschemel, denn ich habe ein wenig mit dir zu reden!"

Damit sprang der Tebu ab, zog sein Messer und setzte sich in den Sand.

Ein arabischer Zweikampf! Das hatte ich erwartet und hatte aus diesem Grund den kleinen Zank ruhig geduldet. Ich wußte, daß den großen Hassan eine Demütigung erwartete. Er merkte denn auch, was ihm drohte, und brummte:

„Wer hat dir erlaubt, vom Kamel zu steigen? Weißt du nicht,

daß hier keiner zu befehlen hat als nur der Sihdi, der Eile hat, nach dem Bab el Ghud zu kommen?"

„Ich erlaube es euch, abzusteigen, Hassan", nickte ich ihm zu. „Du bist ein tapferer Kabbaschi en Nurab und hast ein scharfes Kussa[1]. Wahre deine Ehre!"

„Aber wir haben keine Zeit, Sihdi! Die Schatten werden immer länger."

„Darum steig ab und beeile dich!"

Jetzt konnte er nicht anders. Er stieg ab, setzte sich dem Tebu gegenüber und zog ebenfalls sein Messer.

Ohne ein Wort weiter zu verlieren, schob der Tebu den Saum seiner Hose hoch, setzte die Spitze des Messers an die Wade und bohrte sich die Klinge bis ans Heft in das Fleisch. Dann blickte er Hassan still und erwartungsvoll ins Gesicht.

Der Kabbaschi mußte, um seine Ehre zu retten, den gleichen Stich auch bei sich anbringen. Auf diese Weise zerfleischen sich zwei Kämpfer oft viele Muskeln ihres Körpers, ohne bei diesen höchst schmerzhaften Verwundungen mit der Wimper zu zucken. Wer am längsten aushält, hat gesiegt. Die Söhne der Wildnis halten es für eine Schande, sich vom Schmerz beherrschen zu lassen.

Hassan entblößte recht langsam seine Wade und setzte sich die Messerspitze auf die Haut. Doch schon bei dem leisen Versuch, die Klinge einzustoßen, merkte Dschessâr Bei, der Menschenwürger, daß dies weh tat. Er schnitt ein schauderhaftes Gesicht und stand schon im Begriff, die Waffe wieder abzusetzen, als ein Zwischenfall eintrat, auf den er am allerwenigsten vorbereitet war. Josef Korndörfer war nämlich ebenfalls abgestiegen, um sich den Zweikampf in Bequemlichkeit betrachten zu können. Er stand hart hinter dem Kabbaschi, und als dieser jetzt Miene machte, den Kampf aufzugeben, bog er sich, einer augenblicklichen Bosheit folgend, vor und schlug mit der Faust so kräftig auf das Heft des noch über dem Bein schwebenden Messers, daß der spitze Stahl zur einen Seite der Wade hinein und zur andern wieder heraus fuhr.

Mit einem fürchterlichen Schrei sprang Hassan empor.

„Bism illâhi, — im Namen Gottes! Kerl, bist du verrückt? Was hast du mit meinem Bein zu schaffen? Gehört diese Wade mir oder dir, du Laus, du Floh, du Igel, du Vater von einem Igel, du Vetter und Oheim von einem Igelsvater? Habe ich dir etwa mein Bein geborgt, daß du mit meiner Wade zeigen sollst, wie tapfer du bist, du Giaur, du Sohn und Enkel einer Giaurin,

[1] Messer

60

du — du — du Jussuf Koh er darb Ben Koh er darb Ibn Koh er darb Abu Koh er darb el Kah el brunn?"

Es war ein fürchterlicher Wutausbruch, aber ich konnte wirklich nicht anders, ich mußte lachen über den halb traurigen, halb lustigen Anblick des Riesen, der — das Messer noch immer in der Wade — auf einem Bein die wundersamsten Kraftsprünge ausführte und trotz seines Grimms nicht den Mut besaß, sich an dem Staffelsteiner zu vergreifen.

„Maschallah, so schäm dich doch in die Seele hinein, Dschessâr Bei, du Menschenwürger", antwortete dieser. Er hatte es jedenfalls nur auf einen kleinen Ritz abgezielt gehabt und war infolge seiner Körperstärke um einige Grade zu kräftig gekommen. „Geh her, das Messer soll sogleich wieder 'raus!"

Er faßte den Kabbaschi und zog unter einem erneuten Gebrüll des „Würgers" das Messer aus der Wunde. Als Hassan das rinnende Blut bemerkte, fiel er, so lang und breit er war, in den Sand und kam erst wieder zur Besinnung, als er bereits verbunden war.

Natürlich bekam der Staffelsteiner einen Verweis, den er freilich nicht sehr reuevoll hinnahm. Dann wurde der so eigentümlich unterbrochene Weg wieder fortgesetzt.

Am Abend machten wir zwischen den Dünen halt. Die Zelte wurden aufgespannt, die Matten ausgebreitet, die Tiere gefüttert, und dann legten wir uns nach einem bescheidenen Abendbrot, das aus einer Handvoll Mehl, einigen Monakhirdatteln und einem Becher Wasser bestand, zur Ruhe.

Wie immer stellte ich vorsichtshalber eine Wache aus. Hassan hatte sich wie gewöhnlich den letzten Teil der Wache ausgebeten. Die Hoffnung, mit Emery nun bald zusammenzutreffen, ließ mich früher als sonst munter werden. Ich erhob mich und trat aus dem Zelt, um mir aus dem Schlauch eine Handvoll Wasser zum Waschen zu nehmen.

Da bot sich mir ein wunderlicher Anblick dar. Bei dem abgeladenen Gepäck saß nämlich, mir den Rücken zukehrend, der lange Kabbaschi und hielt — mein Weingeistfäßchen an den Mund. Ich führte das sorgfältig in Bastmatten gehüllte Fäßchen bei mir, um in der vor Verwesung schützenden Flüssigkeit allerlei für meine Sammlungen bestimmtes Getier aufzubewahren. Es befanden sich darin außer den mannigfachen Kerbtieren und Würmern allerlei Lurche, Giftschlangen, Skorpione, Steppenmolche, Birketkröten, und jetzt saß Hassan, der wahre Muslim, da auf der Erde und schlürfte die Brühe, worin diese Tiere schwammen, mit einem Behagen, als sei er über den Göttertrank des Olymp geraten. Zugleich bemerkte ich, daß dieser Opfertrank nicht der erste war, dem er sich hingab, denn er mußte das Fäßchen gewaltig heben, um noch einige Tropfen aus dem geöffneten Zapfenloch zu erhalten. Jetzt war ich mir mit einemmal über den Wahnsinn klar, woran er in jüngster Zeit zu leiden schien: es war nichts gewesen als — Betrunkenheit.

Ich schlich mich zu ihm hin und schlug ihm die Hand auf die Schulter. Er ließ vor Schreck das Fäßchen fallen und fuhr empor.

„Was tust du hier?"

„Ich trinke, Sihdi!" erwiderte er zaghaft.

„Und was trinkst du?"

„Ma el Zat."

Die Muslimin, die sich im stillen dem Genuß des Weins und der geistigen Getränke hingeben, benennen diese mit den verschiedensten Namen, um ihr Gewissen zu beruhigen. Nach ihrer Denkweise ist der Wein nicht Wein, wenn er anders heißt.

„Mat el Zat — Wasser der Vorsehung? Wer hat dir den Namen des Getränks genannt, das sich in dem Gefäß befindet?"

„Ich kenne ihn, Sihdi. Als die Menschen einst traurig waren, ließ die Vorsehung eine Katra, einen Tropfen der Erheiterung, zur Erde fallen. Er bewässerte das Land, und nun wuchsen allerlei Pflanzen hervor, deren Saft einen Teil jenes Tropfens enthält. Darum heißt solch ein Trank, der den Menschen fröhlich macht, Ma el Zat, Wasser der Vorsehung."

„Und ich sage dir, daß dies kein Ma el Zat, sondern Weingeist ist, der eine noch viel schlimmere Wirkung hat als der Wein, den du schon nicht trinken darfst."

„Ich trinke keinen Wein und keinen Weingeist; ich habe die Katrat el Zat genossen."

„Aber auch diese Tropfen sind dir verboten!"

„Du irrst, Sihdi, der Muslim darf sie trinken."

„Weißt du nicht, daß der Prophet sagt: ‚Kullu muskirün haram — alles, was trunken macht, ist verboten'."

„Sihdi, du bist weiser als ich, du kennst sogar die Ilm et tawîd, die Lehre von dem einen Gott und die Gesetze des frommen Schaffy. Aber ich darf das Ma el Zat trinken, denn es macht mich nicht betrunken."

„Es hat dich schon mehrere Tage betrunken gemacht, und auch jetzt hält der Geist des Schnapses deine Seele gefangen."

„Meine Seele ist frei und munter, als hätte ich aus der Semsemîje getrunken."

„So sage mir die Surat el kâfirun!"

Das ist die hundertundneunte Sure des Koran, die bei den

Mohammedanern oft eine eigentümliche Anwendung findet. Diesen Abschnitt muß nämlich ein Muslim hersagen, wenn man ihn für betrunken hält. Die einzelnen Verse unterscheiden sich nur dadurch voneinander, daß die gleichen Worte in ihnen eine verschiedene Stellung haben, und ein Betrunkener wird es nur selten dahin bringen, sie nicht zu verwechseln. Deutsch heißt diese Sure: „Sprich: O ihr Ungläubigen, ich verehre nicht das, was ihr verehrt, und ihr verehrt nicht, was ich verehre, und ich werde auch nicht verehren, was ihr verehrt, und ihr werdet nie verehren das, was ich verehre. Ihr habt euren Glauben und ich den meinigen." In arabischer Sprache jedoch ist die richtige Wiedergabe viel schwieriger als im Deutschen.

„Du hast kein Recht, Sihdi, mir die Surat el kâfirun abzuverlangen, denn du bist kein Muslim."

„Du würdest sie aufsagen, doch du vermagst es nicht. Und du glaubst, ein Muslim dürfe einem Christen nicht gehorchen. Warum bist du dann mein Diener geworden? Du hältst es für kein Verbrechen, das Ma el Zat zu trinken, aber daß du es mir gestohlen hast, kannst du nicht leugnen. Der Koran bestraft den Dieb, und auch du wirst deine Strafe haben!"

„Kannst du einen Rechtgläubigen bestrafen, Sihdi? Geh zum Kadi!"

„Ich brauche deinen Kadi nicht!"

Hassan war nur unser Führer, und da die Aufsicht über das Gepäck Sache des Staffelsteiners war, so wußte der gute Kabbaschi nicht, welchen Inhalt das Fäßchen außer dem Weingeist noch hatte. Ich nahm das Messer her. In wenigen Augenblicken waren die oberen Reifen losgesprengt. Ich schlug den Boden auf und hielt nun dem Menschenwürger das übelaussehende und noch übler riechende Gewürm unter die Nase.

„Hier hast du dein Ma el Zat, Hassan!"

Er spreizte die Beine aus, warf alle zehn Finger in die Luft und schnitt ein Gesicht, worin sich alle in dem Gefäß befindlichen Gestalten widerspiegelten.

„Bism illâhi, Sihdi, was habe ich da getrunken! Allah inhal el rhuschar — Allah verderbe dieses Faß, denn mir ist's in meiner Gurgel, als hätte ich die ganze Dschehennem hinuntergeschluckt mit zehn Millionen von Geistern und Teufeln!"

„Das ist der eine Teil deiner Strafe, der andre mag in der Wunde bestehen, die dir Jussuf gestern gestoßen hat. Ihr seid quitt!"

„Sihdi, die Wunde ist nicht so schlimm wie dieses Ma el Zat. Paß auf, es wird mich im Augenblick umbringen!"

Ich hatte keine Lust, mich an dem weiteren Anblick des traurigen Dschessâr Bei zu weiden, und gab Josef, der mittlerweile aufgewacht und herbeigekommen war, den Befehl, die Tiere auf ein Ersatzfäßchen zu füllen, das ich glücklicherweise bei mir führte. Dieses Faß war nun jedenfalls vor den Augen Hassans sicher, der wohl nicht gleich wieder Neigung nach der Katra der Fröhlichkeit verspürte.

Wir brachen auf und setzten unsre Wanderung bis gegen Mittag fort, wo wir zu unserm Erstaunen auf die Spur einer zahlreichen Karawane trafen.

„Allah akbar — Gott ist groß", meinte Hassan, der sich bisher sehr kleinlaut verhalten hatte. „Er dürstet nie und kennt alle Wege der Wüste. Was aber will diese Kâfila im Ghud, wo es kaum eine Quelle gibt, woraus zwei Tiere genug zu trinken bekommen?"

„Zählt die Spuren!" gebot ich.

Wir fanden Eindrücke von Menschen-, Pferde- und Kamelsfüßen. Die meisten Dschemâl[1] waren schwer beladen; wir hatten also eine Handelskarawane vor uns. Eine genaue Übersicht ergab sechzig Lastkamele, elf Satteltiere, und zwei Fußgänger nebst drei Reitern zu Pferd, was uns die Gewißheit gab, daß sich die Karawane verirrt haben müsse, denn hier gab es für mehrere Tagereisen nicht so viel Wasser, um ein einziges Pferd zu erhalten.

„Diese Kâfila kommt aus Aïr und geht nach Ghat", urteilte der Tebu.

„Dann hat sie sich einem sehr unwissenden Führer anvertraut, daß sie sich so weit verirren konnte."

„Der Chabir ist nicht unwissend, Sihdi", antwortete er mit einem eigentümlichen Lächeln um die aufgeworfnen Lippen. „Der Hedschân Bei nimmt in seiner Gum keinen Mann an, der die Wüste nicht kennt."

Was konnte er meinen? Der Gedanke, der mir kam, war ungeheuerlich.

„Du denkst, der Chabir führt die Kâfila in die Irre?"

„So ist es, Sihdi. Ein Chabir kann sich um einige Fußbreit des Schattens irren, doch er kann nicht das Bab el Ghud mit dem Weg nach Ghat verwechseln. Wenn er etwas nicht genau weiß, so hat er seinen Schech el Dschemali[2], den er fragen kann. Sieh diese Durûb, Sihdi. Die Dschemâl haben sich nur noch geschleppt. Liegt hier nicht ein leerer Schlauch, der hart ist wie Holz? Die Kâfila hat kein Wasser mehr. Der Chabir führt sie

---

[1] Mehrzahl von Dschemel   [2] Oberster der Kameltreiber

dem Hedschân Bei entgegen, und sie wird untergehen, wenn wir ihr nicht Hilfe bringen."

„Dann vorwärts, ihr Leute, damit wir sie erreichen!"

Ich wollte forteilen, doch der Tebu ergriff das Halfter meines Kamels.

„Rabbena chaliëk — Gott erhalte dich, Sihdi, denn du gehst einer großen Gefahr entgegen, die du dir nicht mit den Augen deines Geistes angeschaut hast. Was wirst du dem Chabir sagen, wenn er dich fragt, was du im Sandmeer tust?"

„Ich werde ihm sagen, daß ich von Agades komme und mich verirrt habe. Oder ich werde ihm auch nichts sagen, wenn es mir beliebt. Die Gefahr, in die mich dieser Chabir bringen könnte, verlache ich. Hhein!"

Josef und Hassan hatten nicht so schnelle Tiere wie der Tebu und ich. Ich wies sie daher an, uns langsamer zu folgen, während wir im raschen Trott vorausritten.

Die Kâfila vor uns mußte wirklich sehr Not leiden, denn hier und da fanden wir einen Gegenstand, der vor Müdigkeit oder Verzweiflung weggeworfen worden war. Die Eindrücke zeigten, daß die Bewegungen der Tiere immer müder und langsamer geworden waren, und besonders die Pferde schienen dem Umsinken nahe, den sie waren sehr oft gestolpert.

Da endlich erblickten wir vor uns zwischen den Dünen einige weiße Kapuzen, und bald befanden wir uns bei den letzten Reitern der Karawane, deren Tiere die müdesten waren und den andern nur schwer zu folgen vermochten. Sie schauten bei unserm rüstigen Erscheinen freudig erstaunt auf und erwiderten mit neu erwachender Lebhaftigkeit unsern Gruß.

„Wer ist der Chabir dieser Kâfila?" fragte ich.

„Gib uns zu trinken, Sihdi!" war die Antwort.

Ich hatte einen meiner großen Schläuche mitgenommen und reichte ihnen den verlangten Trunk. Augenblicklich hatte ich beinahe die ganze Karawane um mich versammelt, und alles begehrte Wasser. Nur zwei schlossen sich von dieser Bitte aus, ein Targi, der ein ausgezeichnetes Bischarinhedschîn ritt, und ein Beduine, der zu Fuß an der Spitze des Zugs gegangen war; ich vermutete in ihm den Schech el Dschemali. Beide beobachteten mich mit halb erstaunten, halb finsteren Blicken.

Ich gab jedem nur so viel zu trinken, daß mein Schlauch für alle reichte, und wiederholte sodann meine Frage:

„Welcher unter euch ist der Chabir?"

Der Mann auf dem Bischarin kam herbei.

„Ich bin es. Was willst du?"

„Einen Gruß von dir. Hast du nicht vernommen, daß mein Mund die ganze Kâfila grüßte und meine Hand jeden tränkte, der des Wassers bedurfte? Seit wann sind die Lippen des Gläubigen verschlossen, wenn ihm der Wanderer Heil und Frieden bietet?"

Der Tebu sah mich erstaunt an. Er war tapfer, aber in diesem Ton hätte er vielleicht doch nicht mit dem Targi gesprochen. Die Augen des Chabir wurden noch größer als die des Tebu.

„Sal — 'aleïk" — grüßte er kurz, geradeso wie der Bote, den der Karawanenwürger nach Algier geschickt hatte. „Wie viele Leben hast du, daß deine Zunge solche Worte spricht?" fügte er stolz hinzu.

„Sal — 'al — — Nur ein einziges, genau wie du, doch scheint es mir lieber zu sein, als dir das deinige."

„Warum?" brauste er auf.

Ich mußte einlenken.

„Weil du dich in dieser Wüste verirrst und verschmachten wirst, wenn du den rechten Weg nicht wiederfindest."

„Ich verirre mich nie", entgegnete er, wobei er eine ernste Besorgnis nicht verbergen konnte. Er mußte natürlich annehmen, daß ich jetzt sagen werde, die Karawane befinde sich in einer falschen Richtung. „Allah gab trockene Luft, daß unser Wasser auf die Neige ging. Er wird uns morgen an einen Brunnen führen."

„Wohin geht diese Kâfila?"

„Nach Ghat."

„Auch ich will dorthin. Erlaubst du mir, mit euch zu ziehen?"

Er atmete beruhigt auf, obgleich ich es ihm ansah, daß er nicht wußte, wie er sich mein Schweigen über seinen Verrat deuten sollte.

„Wie ist dein Náme, und zu welchem Stamm gehörst du?"

„Ich bin ein Franke, dessen Namen deine Zunge nicht auszusprechen vermag."

„Ein Franke bist du, ein Christ?" fragte er. Und sich zu den andern wendend, fügte er hinzu: „Ihr habt euch von einem Giaur Wasser reichen lassen!"

Sie wichen von mir zurück, ich aber drängte mein Kamel hart an das seinige.

„Vergiß dieses Wort nicht, Chabir, denn du wirst es sühnen müssen!"

Seit meinem offenen Geständnis, daß ich ein Ungläubiger sei, wußte er sich sicher. Ich hätte ihn immerhin verdächtigen können, die verbohrten Mohammedaner, aus denen die Karawane bestand, hätten mir doch keinen Glauben geschenkt. Jetzt ließ er auch den Grund vernehmen, warum er mich bei meinem Erscheinen so argwöhnisch gemustert hatte.

„Von wem hast du dieses Bischarin? Ein Muslim verkauft ein solches Tier nicht an einen Ungläubigen."

„Ich erhielt es zum Geschenk von einem Gläubigen, den ich aus dem Rachen des Löwen errettete."

„Du lügst! Ein Giaur fürchtet den Herrn des Erdbebens, und der, dem dieses Bischarinhedschîn gehörte, kommt nicht unter die Tatzen des Löwen."

Ich griff nach meiner Kamelpeitsche.

„Höre, Chabir! Sagst du noch einmal, daß ich lüge, so gebe ich dir diese Peitsche ins Gesicht, und du weißt, daß der Koran sagt: Mikaïl, Dschebraïl, Israfil und Asraïl, die vier Erzengel, lassen in das Paradies keinen Gläubigen, der von einem Christen geschlagen wurde."

Das war die allerärgste Beleidigung, die ihm widerfahren konnte. Die abgematteten Reiter, die ich soeben erst getränkt hatte, drängten sich drohend um mich, und der Chabir zog die Pistole aus seinem Gürtel.

„Steige vom Dschemel, Giaur, denn ehe du die Seele deinem Gott befehlen kannst, wird dich der Scheitan durch die Lüfte führen!"

Er spannte den Hahn. Der wackere Tebu hielt hart an meiner Seite und griff zur Lanze, um mich zu verteidigen. Jetzt konnte ich die Macht der 'Alâma, die ich am Birket el Fehlatn erhalten hatte, probieren. Der Chabir kannte mein Bischarin. Er mußte also auch den kennen, von dem ich es erhalten hatte. Übrigens bemerkte ich sowohl bei ihm als auch bei dem Schech el Dschemali die verräterischen Buchstaben A. L., die mir das übrige erklärten.

Ich zog das Korallenstück hervor und hielt es ihm entgegen.

„Steck deine Waffe ein, sonst bekommt der Scheitan deine Seele, aber nicht die meinige! Wirst du gehorchen oder nicht?"

Ich sah, wie er erschrak.

„Allah akbar, Gott ist groß, Sihdi, und du stehst unter einem Schutz, der stärker ist als selbst die Macht des Teufels. Ich sehe, daß du die Wahrheit sagst: du hast einen Gläubigen aus dem Rachen des Löwen errettet und dafür sein Hedschîn bekommen. Zieh mit uns, so weit du willst!"

Das war es, was ich wünschte. Diese Erlaubnis machte mich zum Mitglied der Karawane und gab mir das Recht, für ihr Wohl gegen den Chabir zu sprechen und zu handeln.

„So zieh weiter. Meine Diener werden uns folgen."

„Wie viele Diener hast du bei dir, Sihdi?" fragte er, wieder mißtrauisch.

„Zwei außer diesem. Sie waren dabei, als ich den Herrn des Erdbebens tötete. Wenn sie kommen, kannst du seine Haut sehen und auch die Felle der Panther, die meine Kugel traf."

„Was tust du in der Wüste?"

„Ich will Asad Bei töten und auch noch mit andern Beis sprechen."

Er war befriedigt und winkte zur weiteren Fortsetzung des Ritts. Ich hielt mich mit dem Tebu am Ende des langsam dahinschleichenden Zugs.

„Allah kerîm — Gott ist gnädig, Sihdi, er schützt die Gläubigen. Du aber bist ein Christ und wagst dein Leben, obgleich dir Allah keine Hilfe gibt."

„Allah ist nicht mächtiger als mein Gott, der im Himmel wohnt. Er hat alle Macht, und wir sind seine Kinder."

„Aber kein Muslim hätte zu dem Chabir deine Worte gesprochen. Der Engel des Todes schwebte über deinem Haupt. Du bist stark und kühn, wie Sihdi Emir, der Pehlewân Bei."

„Ein mutiger Finger ist besser als zwei Hände voll Waffen. Auch du bist wacker und treu, und ich werde Sihdi Emir davon erzählen. Werden wir im Bab el Ghud Wasser finden?"

„Es gibt dort zwei verborgene Quellen, aus denen zehn Kamele trinken können."

„So kann sich die Kâfila halten, bis ihr Hilfe wird, wenn sie nicht der Hedschân Bei vernichtet."

„Was wirst du tun, um sie zu retten?"

„Ich muß erst überlegen. Sihdi Emir ist am Bab el Ghud?"

„Er wartet dort. Doch da er nicht weiß, wann du kommst, kann er für kurze Zeit weg sein."

„Wird die Karawane das Dünentor erreichen?"

„Nein. Der Chabir wird sie zur Seite in die Dünen führen, wo sie überfallen wird."

Auch ich stimmte aus gewichtigen Gründen dieser Vermutung bei und sann über die sicherste Weise nach, die Karawane zu retten und zugleich den Räuber in meine Hand zu bekommen.

Ich hätte einfach den Chabir und den Schech el Dschemali niederschießen können. Das aber wäre, solange ich nicht zweifellos beweisen konnte, daß sie mit dem Hedschîn Bei verbündet seien, wegen der andern Araber für mich gefährlich gewesen und hätte mich doch nicht zum rechten Ziel geführt. Ich mußte den Bei fangen, um Renaud Latréaumont zu befreien, und bevor ich ungezwungen einen entscheidenden Schritt tat, danach trachten, mit Emery zusammenzutreffen.

Unterdessen holten uns Josef und Hassan ein. Ich wies sie an, einen Wasserschlauch für uns zu verstecken und den übrigen Vorrat an die Kâfila zu verteilen. Der große Hassan hatte sich bald mit den Gliedern der Karawane in ein gutes Einvernehmen gesetzt, rühmte sich und seinen Namen und ließ auch, wie ich bemerkte, nichts unversucht, mich in die gehörige Ehrerbietung zu bringen.

Da hielt der Führer sein Tier an und ließ den Zug an sich vorüber, bis ich bei ihm angelangt war.

„Kennst du den Namen dessen, der dir dein Hedschîn schenkte, Sihdi?" fragte er, indem er mit mir allein hinter den übrigen zurückblieb.

„Der Christ hilft seinem Nächsten, ohne nach dem Namen zu fragen."

„So weißt du auch nicht, was er ist?"

„Er ist, was du bist."

„Und du auch, Sihdi. Du hast seine 'Alâma und mußt für seinen Schutz tun, was er befiehlt. Kennst du den Pfad, den ich euch führe?"

Der Mann sprach hier eine Meinung aus, die mit meiner Ansicht allerdings nicht ganz zusammenstimmte. Für die 'Alâma mußte ich Mitschuldiger sein? Dazu hatte ich gerade die allerwenigste Lust. „Du hast seine 'Alâma", hatte er gesagt. Sollte dieses ‚seine' vielleicht bedeuten, daß der, von dem ich sie bekommen hatte, der Bei selbst sei? Dann hätte ich mir allerdings einen ausgezeichneten Fang entgehen lassen. Erst jetzt leuchtete mir diese Möglichkeit ein, denn ein untergeordneter Räuber war schwerlich berechtigt, die 'Alâma zu vergeben, und hatte wohl auch nicht die Mittel, ein kostbares Bischarinhedschîn zu verschenken. Ich muß den Chabir ausforschen.

„Ich kenne ihn. Er geht nicht nach Ghat, sondern in das Bab el Ghud."

„Wir werden das Bab nicht erreichen, sondern heute, wenn die Sonne sinkt, im Sandmeer lagern. Dann kommt der Bei."

„Der Bei? Wartet er nicht im fernen Duar, wo er unter dem Herrn mit dem dicken Kopf lag?"

„Hat er dir nicht gesagt, daß es zwei Hedschân Bei gibt, Sihdi, die Brüder sind?"

Das also war die Erklärung dafür, daß der Räuber mit solcher Schnelligkeit in verschiedenen Gegenden auftauchen konnte. Ich hätte den einen Bruder fassen können und hatte ihn entschlüpfen lassen. Den andern mußte ich desto sicherer zwischen die Finger nehmen!

„Wir hatten keine Zeit zu vielen Worten", erwiderte ich. „Weiß der Bei, wo er die Kâfila trifft?"

„Er wartet auf sie schon mehrere Tage. Wenn alles schläft, wird er nahen, um mit mir zu reden, damit ich ihm sage, wie viele Männer die Kâfila zählt. Die Gum ist stark, Sihdi, und sie wird keinen Widerstand finden. Doch es kann ein Feind kommen, der größer ist, als alle andre Gefahr. Wirst du uns auch gegen ihn deinen Arm leihen?"

„Mein Arm gehört meinen Freunden zu aller Zeit", antwortete ich doppelsinnig. „Wer ist dieser schlimme Feind?"

„Der Pehlewân Bei. Hast du von ihm gehört, Sihdi?"

„Wer ist er?"

„Niemand weiß es. Reite durch die Serir, durch das Belad el Ghud, das Land der Dünen, durch die Sahel, und du wirst die Gebeine der Unsern finden, die seine Kugel traf. Er ist an jedem Ort, und doch sieht ihn niemand. Sein Dschemel hat acht Füße und vier Flügel, es ist schnell wie der Blitz und läßt keine Spur zurück. Er braucht weder Speise noch Trank und ist dennoch ein Riese, dessen Leib so hoch ist wie drei Männer. Er ist der Scheitan, er ist Iblis, der widerspenstige Engel, der sich nicht vor Adam niederwerfen wollte und nun auf der Erde weilt, um die Seelen der Gläubigen zu morden."

Es war spaßhaft, mit welchen Eigenschaften der Aberglaube und das böse Gewissen dieser Araber den guten Bothwell ausstatteten, doch hütete ich mich sehr, die Meinung des Chabir zu bekämpfen. Pehlewân Bei, der ‚Oberste der Helden', war ein Name, der zur Genüge sagte, in welche Achtung sich Emery bei den Bewohnern der Wüste gesetzt hatte.

„Denkst du, daß er kommt?" erkundigte ich mich.

„Ich weiß es nicht. Er naht, wenn seine Kugel fertig ist, die in der Dschehennem gegossen wird. Er kennt jedes Tier und jeden Mann der Gum, er weiß alle unsre Brunnen und Halteplätze. Nur auf El Kaßr[1] war er noch nicht, weil es ein frommer Marabut gefeit hat gegen alle bösen Geister."

Das war mir eine höchst wertvolle Mitteilung. Die ‘Alâma tat eine größere Wirkung, als ich jemals hatte erwarten können. Im Vertrauen auf sie ließ sich der unvorsichtige Chabir zu Enthüllungen hinreißen, die seinem Gebieter sehr gefährlich waren.

Die alten Römer drangen weiter in die Sahara vor, als man gewöhnlich anzunehmen pflegt, und zur Zeit, als die kriege-

[1] Das Schloß

70

rischen Horden der Kalifen über die Landenge von Suez stürmten, ergoß sich eine wahre Völkerwanderung über die Wüste. In jenen alten und mittelalterlichen Zeiten wurde in stiller Oase oder im einsamen, sicheren Warr manches Bauwerk errichtet und später wieder verlassen, so daß es nun vom Flugsand bedeckt wird oder in Trümmern liegt, die immerhin noch geeignet sind, dem räuberischen Gesindel der Wüste als Versteck zu dienen. Ich hatte schon mehrere solche Kußûr[1] gesehen und dabei stets gefunden, daß zwischen ihren Mauern oder doch in ihrer Nähe ein Brunnen oder sonst ein Wasser war.

Besaß die Gum hier einen solchen Zufluchtsort, so war er wohl schwerlich im Bahr el Ghud, sondern jedenfalls im Serir zu suchen, und es ließ sich mit Gewißheit erwarten, daß sich nirgends anders als dort der gefangene Renaud Latréaumont befand.

„Ich werde bei dem Bei im Kaßr sein", meinte ich daher. „Wie lange braucht ein Hedschîn, um es zu erreichen?"

„Wenn du am Bab el Hadschar, am Tor der Steine, stehst, Sihdi, und du reitest gerade in der Richtung deines Schattens, sobald er gegen Aufgang zweimal so lang ist wie der Lauf deines Gewehrs, so kommst du am Abend des andern Tages an den Dschebel Serir, der die Mauern unsres Kaßr trägt."

Ich wollte weiter fragen, doch wurde die Gegenwart des andern bei der Kâfila erforderlich, wo Hassan der Große ein bedeutendes Unheil angerichtet hatte. Trotz meines Befehls nämlich, die Leute über die Richtung ihres Weges bis auf weiteres im unklaren zu lassen, hatte er geplaudert und sich mit dem Schech el Dschemali in einen Streit eingelassen, zu dessen Schlichtung der Chabir herbeigerufen wurde.

„Hast du nicht gesagt, daß du zu den Kababisch gehörst?" verteidigte sich der oberste der Kameltreiber. „Diese haben ihre Duars in Kordofan. Wie willst du den Weg nach Ghat besser kennen als ein Targi, der ihn hundertmal geritten ist? Kababisch heißt Schafhirten; sie hüten ihre Schafe, sie reden mit ihren Schafen, und sie essen ihre Schafe, ja, sie kleiden sich sogar in das Fell und in die Wolle ihrer Schafe. Darum sind sie schließlich Schafe geworden, die keine verständige Seele haben, sondern Unsinn blöken, wie ihre Tiere. Halte den Mund, Kabbaschi, und schäme dich!"

Schon öffnete Hassan den Mund zu einer geharnischten Gegenrede, als ein Ereignis eintrat, das ihn verstummen ließ und die Aufmerksamkeit aller in Anspruch nahm.

[1] Mehrzahl von Kaßr

Es kamen nämlich im raschesten Lauf vier Reiter hinter uns her, die beim Anblick der stehenden Karawane einen Augenblick beobachtend anhielten, dann aber vollends herbeiritten. Sie saßen auf Bischarinhudschûn, und ich erkannte — den Uëlad Sliman, der mir sein Dschemel geschenkt hatte, und den Boten, der in Algier von uns gefangengenommen worden war. Ihm mußte es auf irgendeine Weise geglückt sein, seine Freiheit zu erlangen. Er war in das Duar am Auresgebirge zurückgekehrt, und der eine der Räuberbrüder hatte sich sofort mit den Seinen in Eile auf den Weg gemacht, den Mißerfolg der Sendung zu berichten. Vielleicht kannten sie den Zweck meiner Reise. Aber selbst wenn dies nicht der Fall war, schwebte ich jetzt in einer offenbaren Gefahr, und ich winkte daher Josef und den Tebu an meine Seite.

„Es-salâm 'aleïkum", grüßte der Uëlad Sliman laut, ohne mich und Josef zu bemerken, da wir hinter den andern hielten. „Wer ist der Chabir dieser Kâlifa?"

„Ich", antwortete der Targi mit einem verschmitzten Blinzeln seiner Augen.

„Wohin geht euer Weg?"

„Nach Ghat."

„Bism illâhi, das ist gut. Auch ich will nach Ghat und werde mit euch reiten."

Hier gab es weder Anfrage noch Bitte. Der Mann machte es kurz; er behandelte die Karawane bereits als sein Eigentum. Da erblickte er den großen Hassan, der über alle andern um eines Kopfes Länge emporragte. Sofort ritt er auf ihn zu.

„Du warst bei dem Franken, der den Löwen tötete?"

„Ja."

„Wo ist dein Herr?"

„Dort!" antwortete der Kabbaschi, auf mich deutend.

Das Auge des Bei traf mich und wandte sich dann zu dem Boten.

„War es dieser?"

„Ja, er schlug mich nieder."

Jetzt lenkte er, gefolgt von den drei andern, sein Tier zu mir heran. Auch der Chabir und der Schech el Dschemali kamen herbei. Ich hatte sechs wohlbewaffnete Leute gegen mich, von den Männern der Kâfila ganz abgesehen. Korndörfer hatte die Büchse gefaßt, der Tebu hielt seinen aus biegsamem Bassamholz gefertigten Wurfspeer in der Faust, und ich zog mit der Linken den Revolver unter dem weiten Burnus aus dem Gürtel, während ich in der Rechten die Kamelpeitsche behielt, damit es den Anschein habe, als sei ich auf eine augenblickliche Verteidigung nicht vorbereitet.

„Du kennst mich?" fragte er ohne Gruß, indem sein stechendes Auge drohend das meine suchte.

„Ich kenne dich", entgegnete ich ruhig und kalt.

„Du hast meine 'Alâma?"

„Ja."

„Gib sie mir wieder!"

„Hier!"

Ich warf ihm das Korallenstück hinüber. Er fing es auf und steckte es ein.

„Du hast mich vom Löwen errettet, und ich gab dir mein bestes Hedschîn. Wir sind quitt!"

„Gut! Dein Leben hat keinen höheren Wert als den eines Kamels. Du hast recht gesagt, wir sind quitt!"

Sein Auge blitzte auf.

„Kennst du diesen Mann?"

„Ich kenne ihn."

„Du hast ihn geschlagen, so daß er seinen Geist verlor. Er war ein Bote, und ihr habt ihn gefangengenommen. Ein Giaur, der einen Gläubigen schlägt, verliert seine rechte Hand, sagt der Koran. Du wirst deine Strafe erleiden."

„Und wer Menschenblut vergießt, des Blut soll wieder vergossen werden, sagt die Bibel, das heilige Buch der Christen. Du wirst deine Strafe erleiden, Hedschân Bei!"

Bei diesem Wort war es, als habe der Blitz mitten unter die Männer der Kâfila hineingeschlagen. Sie waren von Anstrengung, Durst und Entbehrung entkräftet und entmutigt und konnten der Gum unmöglich widerstehen, wenn der Schreck sie schon bei Nennung dieses einen Namens beinahe aus dem Sattel warf.

Der Uëlad Sliman war auch überrascht. Er konnte von der Plauderhaftigkeit des Chabir nichts wissen. Aber er sah die Wirkung seines Namens, sah fünf mutige Männer bei sich und wußte auf jeden Fall seinen Bruder mit der Gum in der Nähe. Das gab ihm die Kühnheit, sich ohne Leugnen zu dem Namen, den ich genannt hatte, zu bekennen.

„Allah kerîm — Gott ist gnädig, und ich bin der Hedschân Bei. Diese Kâfila wird wohlbehalten nach Ghat gelangen, wenn sie mir den Franken mit seinen Dienern ausliefert. Steig herab vom Dschemel, Giaur, und küsse mir die Schuhe!"

Sämtliche Araber wichen von uns zurück, so groß war die Furcht vor diesem Mann.

„Du wirst die Kâfila dennoch vernichten", entgegnete ich

ruhig. „Dieser Chabir ist ein Verräter. Er hat sie nach dem Bab el Ghud geführt, wo die Gum heut in der Nacht über sie herfallen wird."

„Du lügst!" donnerte er.

„Mensch, wage es nicht noch einmal, mich einen Lügner zu nennen, sonst —"

„Agreb — Skorpion! Deine Zunge ist Gift", unterbrach er mich wütend. „Du lügst!"

Mein Kamel stand hart an dem seinen. Kaum hatte er das letzte Wort ausgesprochen, so sauste meine aus Nilpferdhaut gefertigte Kamelpeitsche durch die Luft und strich ihm lautschallend übers Gesicht, so daß ihm das Blut aus Nase, Mund und Wangen spritzte. Der entsprungene Bote, der neben ihm hielt, legte im gleichen Augenblick das Gewehr auf mich an, doch ich kam ihm zuvor: den Revolver zu seiner Stirn erhebend, drückte ich los.

„Kennst du diesen Schuß, einen Zoll hoch über der Nasenwurzel, Karawanenwürger? Du bist der Bruder des Hedschân Bei, und ich bin der Bruder des Pehlewân Bei. Fahre zur Dschehennem und melde dem Scheitan, daß die Gum nachfolgen wird!"

Mein zweiter Schuß traf auch ihn in die Stirn. Den dritten Gegner riß die Kugel Korndörfers vom Kamel, und dem vierten fuhr der Speer des Tebu in die Brust.

Das war das Werk kaum zweier Sekunden, so daß die beiden übrigen, der Chabir und der Schech el Dschemali, gar nicht dazu gekommen waren, ihre Waffen zu gebrauchen. Ich hielt ihnen den Revolver entgegen.

„Gebt eure Waffen ab, sonst frißt euch die Kugel des Pehlewân Bei!"

Ein Wink an den Staffelsteiner genügte. Er trat zu ihnen und entwaffnete sie.

„Binde sie, daß sie nicht fliehen können!"

Er tat es, und sie ließen es ruhig geschehen. Der ‚Pehlewân Bei' hatte auf sie die gleiche niederschmetternde Wirkung hervorgebracht, wie auf die Männer der Karawane der ‚Hedschân Bei'. Jetzt konnte ich mein Verhör beginnen.

„Steigt von den Tieren, ihr Männer, und hört zu, wie ein Franke Gericht hält über die Räuber und Verräter der Wüste!"

Sie folgten meinem Gebot und schlossen einen Kreis um die beiden Angeschuldigten und mich. Bisher hatte sich Hassan el Kebîr hinter den andern versteckt gehalten, jetzt aber war ihm der Mut zurückgekehrt. Er zog seinen langen Sarras, der aus

Methusalems Waffenlager zu stammen schien, stellte sich mit drohender Miene vor die Gefangenen hin und ermahnte sie mit donnerndem Baß:

„Hört meine Worte, und vernehmt meine Stimme, ihr Räuber, ihr Mörder, ihr Schurken, ihr Schufte, ihr Gesindel, ihr Söhne vom Gesindel, ihr Abkömmlinge und Väter des Gesindels! Ich bin ein Kabbaschi von der berühmten Ferkat en Nurab, und mein Name lautet Hassan Ben Abulfeda Ibn Haukal al Wardi Jussuf Ibn Abul Foslan Ben Ishak al Duli. Die Kinder der Tapferen nennen mich Dschessâr Bei, den Menschenwürger, und ich werde euch erdrosseln und zermalmen, wenn ihr nur das Geringste tut, was mir nicht gefällt. Allah hat euch in meine Hand gegeben, und ich werde euch richten lassen durch diesen Sihdi aus Almanja, der den Herrn des Erdbebens und den schwarzen Panther mit seiner Frau getötet hat. Öffnet euern Mund und redet die Wahrheit, sonst werdet ihr von meinem Zorn zerschmettert und von meinem Grimm vernichtet, denn ich bin Hassan el Kebîr!"

„Wir haben kein Unrecht begangen", behauptete der Chabir, „und lassen uns von keinem Ungläubigen richten. Habt ihr eine Klage, so stellt uns vor einen Kadi und seinen Adul[1]. Ihm werden wir antworten, aber nicht euch."

„Du wirst mir antworten", entschied ich, „sonst öffnet dir meine Peitsche den Mund."

„Du darfst keinen Gläubigen schlagen!"

„Wer will es mir wehren? Hat nicht meine Peitsche sogar den Karawanenwürger getroffen?"

„Diese Männer werden es nicht dulden. Sie sind Muslimin."

„Sie sind Muslimin und kennen das Gesetz, das sagt: ‚Blut um Blut'. Du wolltest sie in den Tod führen; dein Leben gehört ihnen."

„Ich habe sie richtig geführt. Bestätigte nicht auch der Hedschân Bei, daß wir auf dem rechten Weg sind?"

„Erzähltest du mir nicht selbst, daß heute, wenn alles schläft, die Gum kommen werde?"

„Ich habe nichts gesagt. Du bist ein Ungläubiger und willst uns verderben."

„Lüge nicht, Chabir! Der Tod streckt seine Hand aus nach dir, und dein Prophet spricht: ‚Redest du nie die Wahrheit, so rede sie, wenn du stirbst, damit Allah dich ohne Flecken sieht!' Wir sind beim Bab el Ghud, und Ghat liegt gegen Mitternacht von hier. Du hast gehört, daß ich der Bruder des Pehlewân Bei bin,

[1] Beisitzer

der mächtiger ist als die Gum. Er hat einen Geist bei sich und ich auch, der uns alles sagt, was wir wissen wollen. Hier, sieh ihn an! In diesem kleinen Häuschen ist seine Wohnung, und ich werde ihn fragen: Wo liegt Ghat?"

Ich zog den Kompaß hervor. Der Araber ist außerordentlich abergläubisch, und ich wußte, daß das unbekannte Ding eine größere Wirkung hervorbingen werde als alles Ermahnen und Drohen.

„Siehst du, wie er nach Mitternacht zeigt? Seht es auch, ihr Männer! Ich kann seine Wohnung nach allen Richtungen drehen, er zeigt euch immer dieselbe Richtung."

Der Kompaß wurde mit staunender, ehrfurchtsvoller Scheu betrachtet, und selbst der lange Hassan, der ihn bisher noch nicht beachtet hatte, konnte seine Bewunderung nicht verbergen.

„Sihdi, du bist ein großer Zauberer! Dir kann niemand widerstehen!"

„Hast du diesen Geist schon bei einem Gläubigen gesehen, Chabir?" fuhr ich fort. „Die Christen sind weiser und mächtiger als die Muslimin, und wenn du nicht gehorchst, so werde ich dir auch den Geist aus dem Leib ziehen und ihn noch viel enger einsperren als diesen hier, der einst auch ein verräterischer Chabir war und nun gefangen bleibt in alle Ewigkeit, um dem Wanderer den Weg zu zeigen."

„Frage, Sihdi, ich werde die Wahrheit sagen!" gelobte voll Angst der eingeschüchterte Mann.

„Du gestehst, daß du mit dem Scheich el Dschemali zu den Leuten des Hedschân Bei gehörst?"

„Ja."

„Die Gum sollte heut diese Kâfila überfallen?"

„Ja."

„Dabei sollten alle Männer getötet werden?"

„Ja", antwortete er zögernd.

„Wie stark ist die Gum?"

„Ich weiß es nicht, Sihdi, ob alle beisammen sind. Die Gum hat an jedem Ort andre Leute."

Das war ein weiterer Beitrag zur Lösung des Rätsels von der schnellen Beweglichkeit der Raubkarawane. Der Hedschân Bei ritt allein von Ort zu Ort und fand überall zum Raub gerüstete Leute, und da es zwei Brüder waren, so konnte es allerdings scheinen, als sei der gefürchtete Räuber mit den Seinen allgegenwärtig.

„Kennst du den jungen Franken, den der Bei gefangenhält?"

„Ja. Er ist auf El Kaßr."

„Wie viele Eingänge hat das Schloß?"

„Einen durch das Tor, Sihdi, und eine unterirdische Treppe, die nach dem Schott hinabführt."

„Wo wartet die Gum auf die Kâfila?"

„Wenn du jetzt gegen Sonnenaufgang reitest, so erreichst du sie, sobald dein Schatten zweimal und noch die Hälfte so lang ist, wie du selbst."

„Der Bei wollte kommen, um vor dem Überfall mit dir zu sprechen. Wo solltest du ihn treffen?"

„Er wird die Kâfila kommen sehen und ihren Lagerplatz kennen. Wenn alles schläft, wird die Hyäne rufen, so daß ich weiß, wo er steht."

„Ist dies die erste Karawane, die du ins Verderben führst?" Er schwieg.

„Du bist ein großer Sünder, Chabir doch sollst du nicht getötet werden, wenn du mir gehorchst und mich zum Schloß führst."

„Rhemallah — das verhüte Gott!" rief da der Tebu. „Hast du meine Söhne gesehen, Sihdi, und die Tränen meines Auges? Hast du den Gram meines Herzens gefühlt und die Schwüre meiner Seele gehört? Ich habe bei den acht Himmeln Allahs und den sieben Höllen des Teufels, bei dem Mund Osaïrs[1] und dem Haupt von Sejida Jaja[2] gelobt, daß jeder Mann sterben soll, der mit dem Mörder ist. Ed dem b'ed dem, en nefs b'en nefs — Blut um Blut, Leben um Leben! Gibst du mir diese Männer, Sihdi?"

„Ihr Leben gehört nicht mir, ich kann es nicht verschenken."

„Wohlan, so gehört es mir!"

Bevor ich es hindern konnte, fuhr seine Lanze dem Chabir in die Brust, und im nächsten Augenblick hatte er die Kehle des Schech el Dschemali durchschnitten.

„Hamdulillah — Preis sei Gott, der da gerecht richtet im Himmel und auf Erden", jubelte er. „Meine Rache wird fressen unter den Mördern, bis die Gum in der Dschehennem wohnt!"

Ich mochte mit ihm nicht streiten, obgleich mir die beiden lebendig von Nutzen gewesen wären. Die Strafe, die sie so schnell ereilt hatte, war jedenfalls wohlverdient, wenn man an die Opfer dachte, die sie dem Hedschân Bei an das Messer geliefert hatten.

„Weißt du nicht, Abu bila ibuâ, daß der Prophet sagt: ‚Deine Tat sei schnell, aber dein Gedanke vorher langsam?' Diese Verräter waren uns nötig, um die Gum zu fangen. Jetzt aber

[1] Esra   [2] Heil. Johannes

schweigt ihr Mund, und ihr Fuß kann uns nicht zu den Räubern führen."

Schon befand sich alles, was die Toten getragen hatten, in den Händen der Araber. Der Uëlad Sliman hatte noch einen beträchtlichen Vorrat von Wasser und Lebensmitteln bei sich geführt. Ich ließ beides verteilen und nahm die Bischarin-hudschûn der Gefallenen als Beute für mich in Beschlag.

Auch das Korallenstück des Hedschân Bei steckte ich ein, denn es konnte mir noch wichtige Dienste leisten.

Die Männer der Kâfila hielten leise beratend beieinander; dann trat einer von ihnen zu mir.

„Sei unser Chabir, Sihdi! Du hast einen Geist, der uns nach Ghat bringen wird."

„Wollt ihr diesem Geist gehorchen?"

„Ja. Sag uns seine Befehle!"

„Ihr werdet nicht nach Ghat kommen, wenn ihr die Gum hinter euch laßt; sie wird euch verfolgen und vernichten. Doch wenn ihr tapfer seid, so werden wir die Räuber töten, und der Pilger kann fortan in Frieden durch die Wüste ziehen."

„Wir sind tapfer, Sihdi, und haben keine Furcht, doch die Gum hat mehr Männer, als wir sind, und wird uns besiegen."

Ich mußte ihnen Mut machen.

„Mein Geist sagt mir, daß sie uns nicht besiegen wird. Ich bin der Bruder des Pehlewân Bei, der am Bab el Ghud auf uns wartet; er wirft die Räuber nieder wie dürren Weizen. Seht hier: diese zwei Revolver fressen zwölf Männer auf, diese Büchse sendet zwei von ihnen zum Scheitan, und dieser Henrystutzen, dessen Name noch kein einzigesmal an euer Ohr gedrungen ist, kostet zweimal zehn und noch fünf Räubern das Leben. Soll ich euer Chabir sein, so sagt es schnell, sonst suche ich mit meinen Dienern die Gum allein auf und lasse euch hier in der Wüste zurück."

„Wir wollen dir gehorchen, Sihdi!"

„Ja, wir wollen dir gehorchen, Sihdi", stimmte der große Hassan begeistert ein. „Du bist der weiseste der Weisen, der klügste der Klugen und der Held aller Helden. Seht her, ihr Männer, ich bin Dschessâr Bei, der Menschenwürger. Dieser Säbel wird zehn Räubern den Bauch aufschlitzen, diese Dschan-bîje[1] wird zwanzig Mördern die Kehle zerschneiden, und diese Flinte, diese Lanze und diese Pistolen werden alles vernichten, was dann noch übrig ist. Eure Aufgabe wird es lediglich sein, unsre Tapferkeit zu rühmen und unsre Heldentaten zu besingen.

[1] Dolch

Und wenn ihr zurückgekehrt seid zu euern Söhnen und Töchtern, so werden eure Zelte erklingen vom Lob Hassan el Kebîrs und des großen Sihdi aus Almanja, der Areth, den Herrn des Erdbebens, getötet, und den schwarzen Panther mit seiner Frau bezwungen hat!"

„Maschallah, tausend Schwerebrett, hat der a Maul!" meinte der Staffelsteiner ärgerlich. „Wenns aber losgeht, wird der große Hassan auf einmal so klein sein, daß man ihn überhaupt nimmer sieht."

Die Sonne hatte bereits drei Viertel ihres Bogens vollendet, und ich mahnte zum Aufbruch. Die Leichen ließen wir liegen, denn die Totengräber der Wüste, Sand- und Bartgeier, enthoben uns der Arbeit des Einscharrens. Ich wußte, daß ich mich nur wenig auf die Araber verlassen konnte, doch schien es mir, als sei die Gefahr, der ich entgegenging, nicht größer als so manche andre, die ich glücklich bestanden hatte. Der Hedschân Bei war mir nicht fürchterlicher als jeder gewöhnliche Araber, und wo der offene Mut nicht ausreichte, konnte ich ja zur List meine Zuflucht nehmen.

4. Pehlewân Bei, der Räuberwürger

Die Spiegelung! —

Durch die brennende Einöde schleicht langsam die Dschellaba[1]. Sie ist bereits seit Monaten unterwegs und durch die von allen Seiten sich anschließenden Zuströme sehr stark und zahlreich geworden. Reiche Muslimin reiten neben armen Fußwanderern, die sich auf die Mildtätigkeit der Gläubigen verlassen müssen und nichts besitzen als einen einzigen Mariatheresientaler, um die Überfahrt über das Rote Meer bezahlen zu können. Jünglinge, die kaum das Knabenalter überschritten haben, wandern neben müden Greisen, die vor dem Tod noch die heilige Kaaba sehen wollen. Gelbe Beduinen, braune Tuareg, dunkle Tebu und wollhaarige Tekrur, wie die schwarzen Mekkapilger genannt werden, murmeln in schwermütigen Tönen ihre frommen Gebete oder ermuntern sich durch den lauten Zuruf des moslemitischen ,La illâha illa 'llâh, we Mohammed rasûlu 'llah — es ist kein Gott außer Gott, und Mohammed ist Gottes Prophet!'

Der Himmel glüht fast wie kochendes Erz, und die Erde brennt wie flüssiges Eisen. Der Samûm hat die Wasserschläuche

[1] Pilgerkarawane

ausgetrocknet, und bis zur nächsten Oase ist es noch weit. Ein einsamer Bir kann keine Hilfe bringen, da sein weniges brackiges Wasser kaum hinreicht, die Zungen der Menschen und die Lefzen der Kamele zu kühlen. Die erst geschlossene Karawane hat sich längst in einzelne Abteilungen aufgelöst, die sich mühsam hintereinander herschleppen. Brot, Mehl und Bela[1] sind genug vorhanden, aber für einen Schluck Wasser oder eine Schale Merissa[2] würden die Verschmachtenden Monate ihres Lebens hingeben. Der Dürstende greift wieder und immer wieder zur leeren Semsemîje, hält sie an die verlangenden Lippen und setzt sie wieder ab mit einem klagenden ,chali — leer!'

Die Gebete werden leiser, die Zurufe seltener, und die am Gaumen klebende Zunge liegt wie Blei im Mund. Sie vermag kaum die Surat Jâsin, den sechsunddreißigsten Abschnitt des Koran, zu seufzen, den der Moslem ,Kalb el Kurân', das Herz des Koran, nennt und in der Not des Todes betet.

Da ertönt ein lauter Freudenschrei.

Über dem dichtumflorten Gesichtsfeld heben sich die Umrisse der ersehnten Oase empor. Auf schlanken Säulen bauen sich die stattlichen Wipfel der Dattelpalmen übereinander, und ihre leichten Federkronen wehen in dem frisch sich erhebenden Wüstenwind. Zwischen grünen Hainen schimmert es wie das Wellengekräusel eines lieblichen Sees, und die Luft scheint sich von der Ausdünstung des Wassers zu feuchten. Die Palmenkronen spiegeln sich in der glitzernden Wasserfläche, und Kamele waten in der Flut, ihren langen Hals herniederstreckend, um das belebende Naß zu schlürfen.

„Hamdulillah — Preis sei Gott! Das ist die Oase! Der Herr hat uns gerettet; ihm sei Lob und Dank!"

Die Jubelnden wollen ihre Kamele in eine schnellere Bewegung setzen. Sie bemerken nicht den Umstand, daß die Bilder über Kopf stehen, so sehr sind ihre Sinne durch Durst und Sonnenbrand abgestumpft. Die Tiere aber lassen sich nicht täuschen; ihr scharfer Geruch hätte es ihnen ja schon längst gesagt, wenn wirklich Wasser vorhanden wäre.

„Hauên 'aleïkum, iâ Allah — hilf ihnen, o Gott!" bittet der erfahrene Führer der Karawane. „Sie haben vor Durst und Hitze den Verstand verloren und halten die Fata Morgana, die gefährliche Spiegelung, für Wirklichkeit."

Seine Worte rufen doppelte Niedergeschlagenheit unter den Getäuschten hervor. Mutloser und langsamer schiebt sich der immer mehr ermüdende Zug weiter und geht vielleicht dem

[1] Trockene Datteln   [2] Kühlender Trank aus Dochnkorn

grauenvollen Schicksal entgegen, wie das vom Sonnenbrand verzehrte Wasser eines Wadi in der starren Wüste zu verrinnen. Die Dschellaba hält dann ihren Einzug in einem Mekka, das erbaut ist hoch über den Sternen und nicht im Sand Arabiens.

Heute sollte ich die Erfahrung machen, daß die Spiegelung unter Umständen dem Menschen freundlich und nützlich sein kann.

Nach der Weisung des Chabir hatte ich unsre östliche Richtung beibehalten. Unsre Schatten wurden länger und länger, bis sie unsre doppelte Größe übertrafen. Da stieg über dem Himmelsrand ein seltsames Trugbild empor:

Die Sonnenstrahlen schwangen wie ein mehrere Fuß hohes, aus kleinsten, glühenden Flimmern bestehendes Meer über dem Boden. Trotz der Nähe des Abends war die Hitze nahezu unerträglich, und die abgemattete Kâfila drohte in dem heißen, immer tiefer werdenden Sand zu versinken. Wir nahten uns dem Kampfgebiet zwischen Ghud und Serir, zwischen Dünen und Felsen, und hatten bald leere, nackte Steinflächen, bald gefährliche, nachgiebige Sandablagerungen unter den Füßen unsrer dampfenden Tiere. Da wuchs langsam und allmählich ein mächtiges Gebirge aus den hohen Lüften vor uns hernieder. Die Umrisse der Bergriesen verschwammen im zitternden Dunstkreis, aber an ihrem Fuß sahen wir deutlich mächtige Seen flimmern, in die sich mehrere Ströme ergossen. Ihre Ufer waren kahl und öd und zeigten nicht die mindeste Spur eines Pflanzenwuchses.

„Maschallah, tausend Schwerebrett", meinte der Staffelsteiner, „dös is a saubere G'schicht'n! Das Gebirg hat sich auf den Kopf g'stellt und schaut mit der Spitz'n nach unten. Wenns so weitergeht, so lauft der große Hassan bald mit die Füß in der Luft."

Jetzt richtete sich in verkehrter Stellung ein riesiger Schatten empor und daneben ein zweiter. Trotz der auseinanderfließenden Umrisse erkannten wir ein am Boden liegendes Kamel, neben dem ein Eingeborener stand. Es war klar, daß sich die Urheber dieses Bildes in Wirklichkeit hinter den vor uns liegenden Dünen befanden. Der Araber konnte wohl nur eine Wache sein, die vom Hedschân Bei vorgeschoben worden war, um das Nahen der Kâfila zu beobachten. Die Fata morgana hatte uns die Gum verraten, während die Spiegelung unser Bild der Wache nicht zutragen konnte, da wir vor der Sonne hielten.

Es war ein eigner, gespenstischer Anblick, dieser verkehrt in den Lüften schwebende und in riesigen Ausmaßen gezeichnete Wächter der Raubkarawane.

„Rrree — halt!" gebot ich. „Die Gum ist vor uns. Steigt ab, ihr Männer, und schlagt das Lager auf!"

Während dieser Beschäftigung sank die Sonne immer weiter, und das Trugbild stieg, in gleichem Verhältnis seine Formen ausdehnend, am äußersten Himmelsrand empor. Es war, als befänden wir uns vor einer meilenweiten Camera obscura, deren Linse von Augenblick zu Augenblick an Dicke und Vergrößerungsfähigkeit zunahm.

Da wurde hinter dem Luftbild des Mannes eine neue Gestalt sichtbar, die seitwärts von ihm aus dem Boden wuchs. Wir konnten jede ihrer Bewegungen beobachten. Sie hob die Arme und richtete einen langen, schmalen Gegenstand nach dem Kopf des Postens — ein einziger Augenblick — ein eigentümliches Schwanken und Schwingen des ganzen Gemäldes — der Wächter stürzte nieder.

„Allah kerîm — Gott ist gnädig und barmherzig!" rief Hassan. „Ich preise den Propheten, daß dieses Bild nicht von meinem Leib stammt, denn dort hat ein Mann den andern totgeschossen!"

Er hatte recht, wenn wir auch wegen der großen Entfernung den Schuß nicht gehört hatten.

Wer war der Täter? Seine vergrößerte Gestalt beugte sich zu dem Gefallenen nieder, dann richtete er den langen Gegenstand, der nichts andres als ein Gewehr sein konnte, auch auf das Kamel — ein zweites Schwingen und Schwanken der Spiegelung — das Tier zuckte in seinen mächtigen Formen empor und sank dann wieder zusammen.

„Seht ihr ihn, ihr Männer? Das ist Pehlewân Bei, der Räuberwürger. Er hat den Wächter der Gum ins Reich des Todes geschickt. Bleibt hier zurück! Auf, Abu bila ibnâ, auf, Korndörfer, wir müssen hin zu ihm!"

Einige Augenblicke später saßen wir auf unsern Kamelen und jagten in der Richtung des Bildes davon.

Je weiter wir vorwärts kamen, desto mehr sanken seine Linien zusammen. Die Gestalt dessen, den ich für Emery Bothwell hielt, war schon kurz nach dem zweiten Schuß verschwunden. Wegen des tiefen Sandes und weil wir zahlreiche Dünen zu umreiten hatten, kamen wir trotz unsrer Eile nur langsam von der Stelle. Als endlich die Spiegelung wich, mußten wir uns im Gesichtskreis des Tatorts befinden.

Wir mußten lange suchen, bis wir die Stelle fanden, und nun zeigte es sich, daß meine Vermutung in der Tat das Richtige getroffen hatte. Im Sand lag ein Targi, von der Seite einen

Zoll hoch über der Nasenwurzel in die Stirn geschossen, und auch das Kamel hatte die gleiche tödliche Wunde. Der Kragen des Burnus und eine Ecke der Satteldecke trugen die Buchstaben A. L., eine Anweisung auf die sicher treffende Kugel aus der Büchse des Pehlewân Bei.

Wir hatten über eine halbe Stunde gebraucht, um diesen Ort zu erreichen, und seit dieser Zeit hatte ihn Emery verlassen. Konnte ich ihm nachreiten? Ein kurzes Einhalten seiner Spur zeigte mir, daß er sich mit großer Schlauheit die Stellen des Bodens ausgewählt hatte, wo der Felsen keine Fährte annahm oder der hohe Sand sich sofort wieder über ihr schloß. Ich hätte also Mühe gehabt, ihn zu erreichen, und hätte dabei, da in kurzer Zeit die Nacht hereinbrach, den Rückweg zur Kâfila sicherlich verloren. Zudem mußte ich annehmen, daß er in der Nähe der Gum bleiben und ich ihn bei der Berührung mit ihr ohne Zweifel treffen werde. Ich gab es also auf, ihm zu folgen.

Jetzt mußte sich mir eine zweite Erwägung aufdrängen.

Der getötete Wächter hatte nämlich nur einige Schlucke Wasser bei sich, ein sicheres Zeichen, daß entweder seine baldige Rückkehr erwartet wurde oder er in kurzem abgelöst werden sollte. Sein Tod wurde somit auf jeden Fall bemerkt. Ohne Zweifel gab es auch noch andre Wachen in der Nähe, die der Hedschân Bei selber nachsah. Konnte ich also diese Stelle ohne weitere Vorsichtsmaßnahmen verlassen? Und was war die beste Vorkehrung, die ich treffen konnte? Sollte ich die Tier- und die Menschenleiche mit Sand verschütten oder sollte ich zurückbleiben? Im letzten Fall konnte ich leicht einen glücklichen Fang tun, aber auch trotz aller Furchtlosigkeit in eine Gefahr geraten, aus der es bei allem Mut kein Entrinnen gab.

Ich entschloß mich für das erste.

Der Sand war leicht beweglich, und schon nach wenigen Minuten bedeckte eine Düne den Targi und sein Kamel. Dann suchten wir die Kâfila wieder auf. Wir wurden mit der Frage empfangen, ob wir den Pehlewân Bei gesehen hätten.

„Die Kamelstute des Räuberwürgers ist so schnell wie der Vogel der Lüfte", antwortete ich. „Er war bereits wieder verschwunden. Doch kenne ich die Gedanken meines Bruders. Er weicht nicht von der Gum, bis sie ausgerottet ist. Ihr werdet bald sein Angesicht schauen und seine Stimme hören."

Die Sonne sank, und die erhitzte Erde strömte nun doppelte Glut aus. Wir hatten die Kamele angepflockt und das mehr als einfache Nachtmahl beendet; der Schlaf aber floh unsre Augen. Die Sterne stiegen am Himmel empor, und Mitternacht nahte heran. Emery hatte mir mit der Tötung des Targi einen Strich durch die Rechnung gemacht. Hätte dieser die Kâfila bemerkt, so wäre der Hedschân Bei von ihm benachrichtigt worden und wohl längst schon in die Nähe gekommen. Jetzt aber wollte der Ruf der Hyäne nicht erschallen. Sollte ich es wagen, den Räuber aufzusuchen und die Karawane ohne Anführer lassen?

Ich gab Josef und dem Tebu, dem ich vertrauen konnte, die nötigen Verhaltensmaßregeln und schritt in die lautlose Nacht hinaus.

Es war so sternenhell, daß ich bei der klaren Wüstenluft die Umgebung deutlich erkennen konnte und trotz der täuschenden Ähnlichkeit der Dünen miteinander die Nähe der Stelle erreichte, wo der Targi von Emery getötet worden war. Jetzt war doppelte Vorsicht nötig. Ich legte mich nach Indianerart auf den Boden und kroch geräuschlos weiter.

Gerade an dem Punkt, wo der Targi gewacht hatte, standen zwei Männer bewegungslos lauschend. Ich schob mich bis hart an sie heran und richtete mich dann auf. Sie erschraken und sprangen, die Waffen ergreifend, zurück.

„Rrree — halt! Wer bist du?" fragte der eine, das Gewehr auf mich anschlagend.

„Wo ist der Hedschân Bei?" lautete meine Gegenfrage.

„Kennst du ihn? Bist du einer der Seinen?"

Ich zog die 'Alâma hervor.

„Sieh hier sein Zeichen! Wo ist er?"

Beide Männer griffen nach der 'Alâma, um sie in Augenschein zu nehmen.

„Du hast den Mardschân[1] und gehörst zu uns", entschied der vorige Sprecher. „Kennst du die Kâfila, auf die wir warten?"

„Ich kenne sie, denn ich bin mit ihr gekommen."

„Wo ist der Châbir, warum kommt er nicht? Warum hält er nicht an dem Ort, den ihm der Hedschân Bei geboten hat?"

„Dein Atem ist lang, und deiner Fragen sind viele. Führe mich zum Bei, so wird er meine Antwort vernehmen!"

„Dein Fuß darf nicht zur Gum treten, bevor es der Bei erlaubt hat. Ich werde ihn rufen und ihm deinen Namen nennen."

„Allah gab auch mir einen Mund, und der Bei wird meinen Namen von meinen eignen Lippen hören."

„Dein Mund ist wie der Bir bila da, der Brunnen, der kein Wasser hat, und deine Zunge liebt nicht den Tropfen der Rede. Aber er wird fließen, denn ich gehe, um den Bei zu holen."

Er ging, und ich blieb bei dem andern zurück, der mit kei-

[1] Koralle

84

nem Wort versuchte, eine Unterhaltung anzuknüpfen. Es herrschte ringsum eine lautlose Stille, so daß man im leisen Hauch der Nachtluft das Klingen des wandernden Sandes deutlich vernehmen konnte. Da aber drang ein andrer Ton an mein Ohr, ein Ton, der mich überrascht aufhorchen ließ.

Es war ein Schuß gefallen, allerdings in weiter Ferne, aber der Schall war doch so vernehmlich, daß ich mich nicht täuschen konnte. Er war aus der meiner Kâfila entgegengesetzten Richtung erklungen. Auch die Wache fuhr in eine wenn möglich noch aufmerksamere Haltung empor.

„Hast du die Stimme des Todes in der Wüste vernommen?" fragte ich.

„Die Nacht schweigt gegen das Auge, aber sie spricht zum Ohr. Ich habe diese Stimme gehört."

„Wessen Stimme ist es?"

„Du bist ein Freund des Bei und kennst sie nicht? Sage deiner Seele, daß sie die Surat Jâsin bete. Sie errettet den Gläubigen vom Tod."

„Wer will ihm den Tod bringen?"

„Kennst du nicht Pehlewân Bei, den Würger der Gum? Sein Gewehr ist es, das gesprochen hat."

„Wie soll ich ihn kennen, da ich aus weiter Ferne komme!"

„So bitte Allah, daß er dich vor ihm behüte, sonst wird deine Seele ein Raub des Todes und dein Leib eine Speise der Tiere. El Thibb, der Wüstenwolf, wird dein Blut trinken, und el Büdsch, der Bartgeier, deine Augen fressen; el Tabâa, die Hyäne, wird dein Fleisch kosten, und Abu Ssuf, der Fuchs, dein Herz verschlingen. Der Pehlewân Bei ist der Vater des Verderbens, und in seinen Spuren wandelt der Tod."

„Ich fürchte ihn nicht. Wenn der Tod in seinen Spuren wandelt, so wird er ihn ereilen."

„Der Pehlewân Bei stirbt nicht. Sein Leib ist nicht von Fleisch gemacht, und keine Kugel, keine Lanze kann ihn töten. Er steht bei dir, und du siehst ihn nicht, er reitet an deiner Seite, und du hörst ihn nicht, er kommt zu dir, wenn du es nicht ahnst, und er ist verschwunden, ehe du daran denkst, ihn zu halten. Er ist kein Mensch, sondern der oberste der Dschinnen, dem kein Sterblicher widerstehen kann, seine Büchse hat der Scheitan gefertigt, der in der Hölle wohnt. Sie sendet ihre Kugel über die ganze Sahara hinweg, und sie trifft dich, selbst wenn du dich im Innern der Erde verbirgst. Hat dir die Wüste noch keinen Toten gezeigt, die Wunde grad über der Nase mitten in der Stirn?"

„Ich sah mehrere."

„Sie sind von seiner Hand gefallen. Er ist allwissend, er kennt alle Männer der Gum und tötet nie einen andern."

Hätte der Mann gewußt, daß sich diese Allwissenheit auf das verhängnisvolle Zeichen A. L. stützte, so wäre seine abenteuerliche Meinung über den braven Emery bald eine andre geworden.

„Was hat ihm die Gum getan?"

„Ich weiß es nicht, und niemand vermag es dir zu sagen. Frage ihn selbst!"

„Das werde ich tun, sobald ich ihn treffe."

„Verbiete deiner Zunge diese Worte! Weißt du nicht, daß die Geister kommen, wenn man sie ruft? Horch! Er naht. Hast du ihn gehört?"

Ein zweiter Schuß war gefallen, und zwar in größerer Nähe. Jetzt war es mir gewiß, daß Emery Bothwell der Schütze sei. Ein geübtes Ohr vermag recht gut den Knall eines Gewehrs von dem eines andern zu unterscheiden, und ich hatte den Ton dieser untrüglichen Kentuckybüchse zu oft gehört, um ihn nicht sofort zu erkennen. Es war klar, daß mein Freund in seiner Verwegenheit die Gum umschlich, um ein Ziel für seine Kugel zu finden, und die zwei, die er getroffen hatte, gehörten jedenfalls zu den Wachen, die vom Hedschân Bei ausgestellt worden waren. Behielt er die Richtung bei, die er eingeschlagen zu haben schien, so mußte er auch den Ort berühren, wo wir uns befanden, und dann hatte ich mich ebenso vor ihm in acht zu nehmen wie der Räuber, für dessen Gefährten er mich halten mußte.

Da nahten zwei Schritte. Zwei große Burnusse tauchten zwischen den Dünen auf. Der Posten kehrte mit noch einem Mann zurück, der sofort auf mich zutrat und mich betrachtete, so gut es die Dunkelheit gestattete.

„Salâm leïlet — die Nacht sei dir glücklich", grüßte er. „Du begehrst den Hedschân Bei?"

„Ja. Bist du es?"

„Nein. Der Bei wird die Gum nicht verlassen, bis der Würger fort ist, der sie umschleicht. Welche Botschaft hast du an ihn?"

Der Anführer der Räuber fürchtete also den Pehlewân Bei und blieb unter dem Vorwand, die Seinen zu beschützen, in ihrem Schutz zurück. Es wäre mir erwünscht gewesen, mit ihm schon jetzt zusammenzutreffen. Da ich aber nun Emery in der Nähe wußte, zog ich es vor, mich zunächst mit ihm zu vereinigen.

„Ich habe nur mit ihm und nicht mit dir zu sprechen. Weshalb versteckt er sich? Hat ihm die Angst vor dem Würger die Füße gelähmt?"

„Feßle deine Zunge! Der Hedschân Bei kennt keine Furcht. Er gebietet über alle Schillugh und Amazigh[1] der Wüste, und ich bin der Mudir[2] dieser Gum. Zeig mir die ʿAlâma!"

„Hier ist sie!" antwortete ich zurücktretend und die Büchse auf ihn anschlagend. „Bist du der Mudir dieser Gum, so geh ihr voran in die Dschehennem!"

Ich wollte abdrücken, doch die drei Männer standen vor Überraschung so bestürzt und wehrlos vor mir, daß ich die Büchse wieder absetzte.

„Bist du von Sinnen, Mann?" fragte der Anführer nach einer Pause im Ton der höchsten Verwunderung. „Du hast die ʿAlâma und drohst mir mit dem Tod? Soll dir meine Kugel das Herz zerreißen?"

„Hätte dich die meine nicht vorher getroffen, Räuber? Lähmte dir der Schreck nicht die Glieder, daß du dich nicht regen konntest? Wisse, ehe du deine Flinte erhebst, seid ihr alle drei Kinder des Todes. Der Bei fürchtet den Würger. So vernimm, daß ich der Bruder des Pehlewân Bei bin, der die Gum vernichten wird bis auf den letzten Mann!"

Er starrte mich an, als halte er mich wirklich für einen Wahnsinnigen.

„Allah akbar — Gott ist groß, er kann Verstand geben und nehmen, wie es ihm gefällt. Doch der Prophet befiehlt, die Irrsinnigen zu schonen. Komm, und folge uns!"

„Unsre Wege sind verschieden. Der meine geht nach El Kaßr, der eure aber in den Tod."

„Dein Geist ist dunkel wie die Nacht, die keine Sterne hat. Was willst du auf El Kaßr?"

„Mein Geist ist hell wie der Tag, der alles offenbart. Ich bin kein Muslim, sondern ein Christ und komme nach El Kaßr, um den Franken zu befreien, den ihr gefangenhaltet."

„Du bist ein Giaur und hast die ʿAlâma? Stirb, Verräter!"

Er hob das Gewehr, da aber krachte schon meine Büchse, und er brach zusammen. Der zweite Schuß traf den einen Posten, und den andern streckte eine Revolverkugel zu Boden, noch ehe beide von ihren Waffen hatten Gebrauch machen können. Ich hatte ehrlich gehandelt und sie nicht getötet, bevor sie wußten, daß ich ihr Feind sei.

Kaum waren die drei Schüsse verhallt, so ertönte unweit meines Standorts eine laute Stimme:

[1] Freie Männer [2] Oberst

„Hallo—i—oh!"

Es war der Ruf, den ich mit Emery stets wechselte, wenn wir getrennt durch Wald oder Steppe streiften.

„Hallo—i—oh!" antwortete ich ihm, unbekümmert um den Hedschân Bei und seine Gum.

Der Ruf wurde, während wir aufeinander zuschritten, noch einmal wiederholt, und dann standen wir, die wir uns in den Staaten das Wort gegeben hatten, uns in Afrika wiederzutreffen, voreinander im Innern der Sahara.

Er nahm mich bei den Schultern und blickte mir ins Gesicht.

„Welcome in the Sahar!" grüßte er endlich mit frohem Händedruck. Dann war der Herzen genug getan.

Keine einzige Frage über Vergangenes wurde ausgesprochen. Die Gegenwart nahm uns vollständig in Anspruch.

„Laden!" bemerkte er in seiner kurzen Weise.

Wirklich war ich zum erstenmal in der Freude so unvorsichtig gewesen, diese Maßregel außer acht zu lassen. Ich holte sofort das Versäumte nach.

„Drei Schüsse — drei Räuber?" fragte er. — „Ja."

„Ich nur zwei. Wo hältst du?"

„Mit einer Kâfila zehn Schüsse von hier."

„Wie stark?"

„Mit mir achtzehn, darunter zwei Diener, ein Tebu und ein Deutscher, auf die ich mich verlassen kann."

„Der Chabir gehört zum Hedschân Bei?"

„Ja. Er und der Schech el Dschemali sind tot. Warum bestelltest du mich nach dem Bab el Ghud?"

„Weil in seiner Nähe die Räuber ihre Niederlage haben müssen. Jede Gum kehrt dorthin zurück."

„Ich kenne den Schlupfwinkel, es ist ein Kaßr, und dort werden wir Renaud treffen."

Der kaltblütige Engländer stieß doch einen Ruf der Überraschung aus.

„Das weißt du, und ich nicht, obwohl du erst kommst und ich schon längst hier streife!"

„Ich entlockte es dem Chabir, der mir vertraute, weil ich die 'Alâma des Bei besitze."

„Du hast sein Zeichen? Wer gab es dir?"

„Er selber. Ich schoß einen Löwen, unter dem er lag."

„Du hast einen Löwen erlegt?"

Jetzt kam sein Blut in Wallung.

„Einen Löwen und ein schwarzes Pantherpaar. Du wirst die Felle sehen."

„Mensch, dein Glück ist ungeheuer. Und wo hast du den Bei getroffen?"

„In den Auresbergen."

„Das ist nicht möglich. Er ist im Ghud!"

„Es sind zwei Brüder."

„Ah! Und wo ist jetzt der andre?" — „Tot."

Ich erzählte ihm in Kürze das Wissenswerte.

„Freund, du hast wirklich ein unmenschliches Glück!" schalt er, als ich zu Ende war. „Vorwärts, ich muß mir meinen dritten holen, und das Weitere werden wir dann sehen!"

„Wie stark ist die Gum?"

„Heute früh dreiundvierzig, jetzt fünf davon ausgelöscht, bleiben achtunddreißig."

„Wo ist deine Begleitung?"

„Ganz in der Nähe. Ich umkreise die Gum und stoße dann zu ihr. Jede Wache, auf die ich treffe, stirbt."

„Warum nur die Wachen? Wenn du willst, bekommen wir heute die ganze Gum."

„Well, so werde ich wollen!"

„Komm!"

Ich schritt noch eine kurze Strecke vorwärts und blieb dann stehen. Befand sich eine Wache in der Nähe, so war zu erwarten, daß sie auf das verabredete Zeichen antwortete. Ich hielt die Hände an den Mund und ließ das tiefe ‚Ommu ommu' der Hyäne erschallen.

Ich hatte mich nicht geirrt, denn nicht weit vor uns ertönte der gleiche Ruf.

„Bleib hier!" bedeutete ich Emery und ging dann weiter. Ein Araber kam mir langsam entgegen.

„Wo ist der Hedschân Bei?" fragte ich ihn.

„Du bist der Chabir?" entgegnete er.

„Ja", nickte ich.

„Hüte dich vor dem Pehlewân Bei! Hast du nicht seine Schüsse gehört?"

„Ich habe sie gehört und ihn selbst gesehen. Er tötete drei Männer der Gum, bei denen ich stand. Sag es dem Bei. Ich muß ihn sprechen."

„Warum läßt du die Kâfila an einem falschen Ort halten?" forschte er jetzt.

„Kann ich sie dahin führen, wo der Pehlewân Bei ist?"

„Du hast recht. Warte hier!"

Er ging und kehrte nach kurzer Zeit zurück. Ich hatte das erwartet. Er begann:

„Beschreibe mir den Weg zur Karawane! Wenn sich der Würger nicht mehr hören läßt, wird die Gum erscheinen."

Ich deutete mit der Hand die Richtung an.

„Dort halten wir, zwanzigmal so weit, wie deine Flinte trägt."

„Wie viele Männer zählt die Kâfila?"

„Siebzehn, von Durst und Anstrengung ermattet."

„Du hast mit dem Mudir gesprochen?"

„Ja. Die Kugel des Würgers tötete ihn mit den beiden andern an meiner Seite."

„So sage Allah Preis und Dank, daß du entronnen bist! Kehre zurück und wache, damit du es hörst, wenn wir kommen!"

Dieser Posten mußte ein neues Mitglied der Bande sein, da er den Chabir nicht kannte. Ich ging zu Emery zurück und folgte ihm seitwärts zwischen die Dünen. Dort hielten seine Mehara, von seinem Diener und dem Führer bewacht. Ich führte sie zur Karawane, wo man die Schüsse vernommen hatte und deshalb in Sorge um mich gewesen war.

„Hamdulillah — Gott sei Dank, Sihdi, daß du kommst!" meinte der große Hassan. „Ich hörte fünf Schüsse und glaubte, der Hedschân Bei habe dich fünffach getötet."

„Sihdi Emir, der Pehlewân Bei!" rief der Tebu, als er den Engländer erblickte.

Sämtliche Männer der Kâfila schauten bei diesem Ruf mit ehrfurchtsvoller Scheu auf die hohe Gestalt meines Gefährten.

„Ja, ihr Leute, dieser Effendi ist der Pehlewân Bei, dessen Kugeln die Gum beinahe aufgefressen haben. Sie wird kommen, uns zu überfallen. Macht euch bereit, sie zu empfangen!" befahl ich.

Diese Nachricht brachte eine bedeutende Aufregung hervor. Die bis an die Zähne bewaffneten Leute gebärdeten sich wie Schafe, die den Wolf erwarten, und nur mit Hilfe des Kompasses gelang es mir, ihnen etwas Mut und Selbstvertrauen einzuflößen. Niemand zeigte sich über ihr Verhalten so entrüstet wie Hassan.

„Allah akbar — Gott ist groß, er gibt dem Mutigen ein Herz und dem Helden eine Faust", donnerte er sie an. „Ihr aber seid wie die Flöhe, die vor jedem Finger davonspringen. Habe ich euch nicht gesagt, daß ich Hassan el Kebîr heiße und Dschessâr Bei, der Menschenwürger, bin? Nun wohlan, warum fürchtet ihr euch? Fürchtet euch vor mir, aber nicht vor den Räubern, deren Fleisch ich essen und deren Blut ich trinken werde wie Merissa und Wasser, mit Sibib gewürzt!"

„Halt den Mund!" warnte ihn der Staffelsteiner. „Du selbst

bist der richtige Sibib, und die Gum wird dich verschlingen und nichts von dir übrig lassen als dein großes Maul, das zehntausend Männer nicht hinunterbringen. Wenn das Geschieß losgeht, werde ich wohl sehen, wo du steckst!"

„Schweig!" brauste ihn der Geschmähte an. „Ich bin ein Kabbaschi en Nurab, du aber bist nur Jussef Koh er darb, und deine Väter haben denselben Namen wie du. Weißt du, was ein Hadschi, ein Mekkapilger, ist? Ich war zweimal in Mekka, der Stadt des Propheten, einmal in Medina, der ruhmbedeckten, und habe zu Dschidda gebetet, wo Eva, die Mutter der Menschheit, begraben liegt, fünfhundert Fuß lang und zwölf Fuß breit. Was aber hast du getan, und an welchem gottgefälligen Ort bist du gewesen? Du bist ein Franke, der Schweinefleisch ißt und ins Land der Gläubigen reisen muß, wenn er das Land des Propheten sehen will. Du hättest klüger getan, wenn du in Kah el brunn geblieben wärest. Drum klappe deinen Mund zu und schweig still!"

„Maschallah, tausend Schwerebrett, hat dir der Kerl a Wut, daß er nit auch Gselchtes und an Schwartenmagen essen darf wie ich! Dafür aber trinkt er Ma el Zat, zu deutsch Kröten- und Eidechsensaft, und tut dick wie a Nilpferd. In Mekka und Medina war ich zwar nicht", wandte er sich nach diesem herzhaften bayerischen Erguß arabisch an Hassan, „aber wenn du denkst, du seist besser als ein Christ aus Kaltenbrunn, so lange ich dir eine ins Gesicht, daß es noch dreimal länger und breiter wird als deine fünfhundert Fuß lange Menschenmutter in Dschidda!"

Der tapfere Kabbaschi zog es jetzt vor, zu schweigen.

Ein kurzer Meinungsaustausch zwischen Emery und mir brachte uns zu dem Entschluß, die Räuber zwischen zwei Feuer zu nehmen. Wir trennten uns daher. Die Anwesenheit des Pehlewân Bei mußte die Männer der Kâfila ermutigen. Aus diesem Grund blieb er bei ihnen, während ich mit seinen Begleitern, dem Tebu und dem Staffelsteiner, also mit mir fünf Mann stark, hinaus zwischen die Dünen zog, um dort die Gum zu erwarten und im Rücken anzugreifen.

Unsre Schüsse mußten den Hedschân Bei gewaltig eingeschüchtert haben, denn es dauerte sehr lange, bis wir das erste Geräusch der anrückenden Räuber vernahmen.

Zwei von ihnen schlichen erkundend voraus, die andern folgten in einiger Entfernung. Sie huschten an uns vorüber, ohne uns zu bemerken, obwohl wir uns nun hart hinter ihnen hielten. Die beiden Vorausgehenden umschritten das Lager der Kâfila. Dort aber herrschte eine solche Ruhe, daß alles im tiefsten

Schlaf zu liegen schien. Die Räuber traten zusammen, um die Befehle ihres Anführers zu vernehmen. Jetzt war es jedenfalls die beste Zeit, loszubrechen. Ihre zusammengedrängte Masse bot selbst einen schlechten Schützen ein sicheres Ziel, und wenn wir sie einmal ins Lager kommen ließen, so war der Sieg, an dem ich allerdings auch dann nicht zweifelte, für uns mit größeren Opfern verbunden. Emery mußte die gleiche Ansicht hegen, denn jetzt erklang zwischen den Zelten seine befehlende Stimme:

„Rrree! Halt, Mörder! Die Rache und der Pehlewân Bei sind über euch. Gebt Feuer, ihr Männer!"

Im nächsten Augenblick krachte von hüben und drüben eine Salve mitten unter die Räuber hinein; drei Doppelbüchsen versandten ihre Kugel, und dann riß ich den Henrystutzen hoch. Ich konnte nur zweimal abdrücken, dann war der Platz gesäubert. Emery, der Staffelsteiner und der Tebu hatten sich auf die überraschten Angreifer gestürzt, aber keine Arbeit gefunden. Sobald nämlich der erste Schreck vorüber war und der Hedschân Bei bemerkte, wieviele seiner Leute tot oder verwundet am Boden lagen, ertönte sein Ruf:

„Allah inhal — Gott verderbe sie! Flieht, rettet euch!"

Der Räuber der Wüste überfällt den Wanderer nur der Beute wegen. Steht sie in keinem Verhältnis zu der Gefahr, die ihm dabei droht, so gibt er sein Vorhaben auf. Es fehlt ihm jener Mut, der aus sich selbst heraus und nicht um des Gewinns willen handelt. Bei der großen Angst, die man allgemein vor der Gum empfand, war diese noch nie auf einen nennenswerten Widerstand gestoßen. Jetzt aber hatte eine einzige Minute genügt, sie in die Flucht zu schlagen. Die gefürchteten Männer des Hedschân Bei verschwanden zwischen den Dünen, ohne einem einzigen von unsern Leuten auch nur ein Haar gekrümmt zu haben.

Wir ließen sie laufen, ohne an ihre Verfolgung zu denken, da wir ja sicher waren, sie wieder zu treffen.

Die Männer der Kâfila erhoben ein wahrhaft betäubendes Siegesgeschrei, während sich der Tebu im lautlosen Grimm auf die Verwundeten warf, um sie seiner Rache zu opfern.

„Maschallah, tausend Schwerebrett, war dös a Gefecht!" zankte der Staffelsteiner. „Was woll'n die sein? Räuber woll'n sie sein? Ja, Mahlzeit! Taugenichtse sinds, die man mit der Peitsch'n versohlen möcht'! Da hat man sich einmal auf a ordentliche Rauferei gefreut und steht nun da und leckt das Maul wie die Katz, die den Vogel net bekommt. Aber sobald ich diese Gum wieder ertapp', nehm' ich gar kein Gewehr, sondern schlag gleich mit die Fäust' drein!"

Da öffnete sich der Vorhang meines Zeltes, und es kam ein Kopf zum Vorschein, der sich vorsichtig nach dem Stand der Dinge umschaute. Dann schob sich ihm ein langer Körper nach, der sich mit einem raschen Sprung mitten unter die jubelnden Männer schnellte. Es war Hassan, der sich beim Nahen der Feinde verkrochen hatte.

„Hamdulillah — Preis sei Gott, der uns Macht gegeben hat wider unsre Feinde!" überbrüllte er die Stimmen der andern. „Wir haben sie empfangen wie die Helden, und sie sind geflohen wie die Memmen. Unsre Augen haben sie erschreckt, und ihre Beine sind vor unsrer Kühnheit davongelaufen. Sie haben Hassan el Kebîr gesehen und sind erschrocken, sie haben Dschessâr Bei, den Menschenwürger, erblickt und heulten vor Angst. Seine Kugel ist in ihre Herzen gedrungen, und sein Messer hat ihre Kehlen zerschnitten. Nun liegen sie tot am Boden. Ehre sei Allah, und Preis und Ruhm erschalle Hassan el Kabbaschi von der Ferkat en Nurab!"

„Willst wohl gleich ruhig sein, du Feigling von der Ferkat Hasenfuß!" antwortete ihm der ergrimmte Josef Korndörfer. „Wer hat denn dort im Zelt gesteckt? Ich hab's wohl gesehen, daß du hineingekrochen bist, du Angst-Bei und Ma el Zat-Würger!"

„Welcher Frosch ist es, der hier quakt?" fragte der Kabbaschi stolz. „Ist es nicht ein Franke, der für wahr hält, was el Kitab el Mukaddes[1] sagt? Ich aber bin ein Muslim, der nach dem Koran betet. Weißt du nicht, daß Adam an einem Freitag erschaffen wurde? Sein Weib aber wurde am Sonnabend gemacht, der auch dein Geburtstag ist, du Weib, du Sohn eines Weibes und Vetter einer Weibestochter. Hast du schon einmal gehört, daß die Kababisch sich verkriechen? Habe ich nicht zehn Räuber erschlagen, als du dich hinter meinem Rücken verstecktest, Giaur?"

Das war dem braven Staffelsteiner denn doch zuviel. Er sprang auf den Kabbaschi zu, um ihn für diese Unwahrheit zu bestrafen. Der aber wich mit einem mächtigen Satz zurück und eilte hinters nächste Zelt, wohin ihm der erzürnte ‚Vetter einer Weibestochter' folgte. Er mußte den großen Hassan dort ergriffen haben, denn es ließen sich jene wohlbekannten Töne vernehmen, die eine kräftige flache Hand auf der menschlichen Wange hervorbringen kann. Nach einigen Minuten kehrte Korndörfer befriedigt zurück. Hassan folgte erst nach geraumer Zeit. Er trat, sich den Bart reibend, zu mir.

[1] Die Heilige Schrift

„Sihdi, du bist weise und gerecht. Was hat ein Ungläubiger verdient, der einen Gläubigen schlägt?"

„So viele Streiche, wie er selber ausgeteilt hat. Geh hin und gib sie ihm!"

„So gebiete ihm, daß er stillehält!"

„Hast auch du stillgehalten?"

„Nein! Ich habe mich tapfer gewehrt, wie es einem Gläubigen geziemt."

„Dann darf er sich auch wehren, wie es einem Franken geziemt."

„Befiel, daß ihm jemand die Streiche gibt! Ich habe es nicht zu tun, denn ich bin kein Henker, der das Gesetz erfüllt."

„Heißt nicht Dschessâr Henker, und du selbst nennst dich Dschessâr Bei, den Obersten der Henker? Geh hin und gib sie ihm, es bleibt dabei!"

„Du bist ein strenger Richter, Sihdi. Ich aber bin gnädig und barmherzig und werde ihm die Strafe schenken, denn meine Hand würde so schwer auf ihn fallen, daß sie ihn zermalmte!"

Er trat in seiner stolzesten Haltung zurück.

Wir konnten für den übrigen Teil der Nacht nichts weiter gegen die Räuber unternehmen, stellten also die nötigen Wachen aus und begaben uns dann zur Ruhe. Vorher aber saß ich mit Emery beisammen, um unsre bisherigen Erlebnisse auszutauschen und einen Plan für unser morgiges Verhalten aufzustellen.

Er war für die augenblickliche Verfolgung der Gum, ich aber schlug vor, nach dem Bab el Ghud und von da nach El Kaßr zu gehen, das die Räuber sicherlich auch aufsuchen würden. Er stimmte schließlich bei, da ihm ja ebenso wie mir daran liegen mußte, Renaud so bald wie möglich Hilfe zu bringen. Die Männer der Kâfila hatten die toten Räuber sofort ausgeplündert. Sie waren durch unsern Sieg in eine mutige und entschlossene Stimmung versetzt worden und daher bereit, uns zu folgen.

Die Zeit bis zum Morgen verging ohne Störung. Dann brachen wir auf. — —

Es kommt vor, daß das Kamel des Wüstenreisenden an einer Stelle, die ihm nichts Auffälliges bietet, haltenbleibt und nicht von ihr wegzubringen ist. Steigt er dann ab, um sie zu untersuchen, so entdeckt er eine Feuchtigkeit des Sandes, die immer größer wird, je weiter er gräbt, bis er endlich in der Tiefe von einigen Fuß auf Wasser stößt. Der wilde Targi hält solche Brunnen streng geheim. Er breitet über das Wasser ein Fell und bedeckt es sorgfältig mit Sand, so daß die Stelle von ihrer Umgebung nicht zu unterscheiden ist. Sie bietet ihm die Möglichkeit, in der Verborgenheit auszuharren, solange es ihm beliebt, von der Wasserstelle aus seine Streifzüge zu unternehmen und immer wieder zu ihr zurückzukehren.

Einen solchen Brunnen fanden wir. Unsre Tiere konnten sich erfrischen, und da wir gestern einige Kamele erbeutet hatten und so imstande waren, die Lasten der einzelnen Tiere zu verringern, hatte unser heutiger Ritt die wünschenswerte Schnelligkeit, und wir erreichten das Bab el Ghud kurze Zeit nach dem Einbruch der Nacht.

Die Dünen waren immer wirrer geworden, und die Kamele hatten fast bis an die Knie im heißen Sand waten müssen. Hier aber am Bab el Ghud trafen wir auf ein Durcheinander von Fels und Sand, dessen Unheimlichkeit durch die Dunkelheit der Nacht noch erhöht wurde. Von Westen her drang das Dünenmeer in hochgehenden Wogen an die Steinmassen der Serir, und wie eine fürchterliche Brandung, die der Befehl eines mächtigen Geistes mitten in ihrer größten Erregung festgebannt hatte, brachen sich die Dünen an den schroffen Klippen der Steinwüste, die sie nicht zu überfluten vermocht hatten. Erst der Tag konnte uns die Einzelheiten dieses Kampfes zwischen Sand und Fels anschaulich machen. Und selbst in dieser Wildnis hatte der gütige Gott für einen der oben beschriebenen Brunnen gesorgt. Der Tebu hatte ihn entdeckt und führte uns zu ihm. Wir schlugen bei ihm unsre Zelte auf.

Am andern Morgen suchten wir das Bab el Hadschar auf, den schauerlichsten Teil des Bab el Ghud. Es trug seinen Namen ‚Tor der Steine' mit vollem Recht.

Hatten hier in der Wüste, hier an dieser Stelle die Titanen der Vorzeit die Felsen aufeinandergetürmt, um Jupiters Himmel zu stürmen? Oder hatten hier Riesen eine Burg erbaut, deren Zinnen zwischen den Sternen funkelten, an die aber doch die Jahrtausende getreten waren, um die Mauern in die Wüste zu zerstreuen und nur das Tor stehen zu lassen, unter dem wir hielten, wie Zwerge unter dem Bogen eines riesigen Doms? Zwei gegen fünfzig Meter starke Säulen, aus mächtigen Felsblöcken errichtet, stiegen himmelan und neigten sich hoch oben einander zu, so daß sie in ihrer Vereinigung einen Spitzbogen bildeten, den keine menschliche Hand in dieser Weise errichten konnte. Die einzelnen Steine waren von Wind und Wetter vielfach zerfressen und zernagt. Es schien, als könne einer kaum den andern halten, und dennoch sah man es dem Ganzen an, daß es seine jetzige Festigkeit noch Jahrhunderte hindurch behalten werde.

Das war das Bab el Hadschar, durch das wir der Mitteilung des Chabir zufolge unsern Weg nach El Kaßr suchen mußten.

Wir ritten scharf nach Osten. Die Sandwüste hörte nach und nach auf und machte einer jener Steinebenen Platz, die, weil sie mit wirren Felsblöcken übersät sind, vom Araber mit dem Namen ‚Warr' bezeichnet werden. Hier hemmte uns die Tiefe des Sandes nicht mehr, und darum kamen wir heut noch schneller vorwärts als gestern. Das Gelände schien anzusteigen, und gegen Abend sahen wir einen Höhenzug vor uns, dessen aus Dschir[1] gebildete Massen uns im Licht der sich neigenden Sonne entgegenglänzten.

„Das muß der Dschebel Serir sein, von dem der Chabir gesprochen hat", sagte ich.

Emery nickte.

„Well, die Zeit stimmt."

Wir ritten weiter und kamen den Bergen näher. Jetzt zog ich mein Fernrohr hervor. Bothwell tat desgleichen.

„El Kaßr!" meinte er nach einer Weile, indem er mit der Rechten auf die Mitte des Höhenzuges deutete, der sich in Form eines Hufeisens vor uns ausbreitete.

Auch ich hatte das hohe Gemäuer erkannt, das sich dort erhob. Es waren allem Anschein nach die fensterlosen Reste eines burgähnlichen Gebäudes, das vor langen, langen Zeiten dort errichtet worden war, ein neuer Beweis dafür, daß manche Teile der Wüste früher nicht so menschenleer waren wie jetzt, wo die vorgeschrittene Menschheit den unterbrochenen Kampf mit der Unfruchtbarkeit des Bodens von neuem aufzunehmen hat.

„Darf ich auch mal durchs Rohr schauen, Herr?" fragte der Staffelsteiner.

Ich reichte es ihm.

„Sihdi, gib auch mir dieses Ding", bat Hassan. „Ich will sehen, was darin ist!"

Ich erfüllte lächelnd auch diesen Wunsch und hielt es ihm in der rechten Richtung vor das Auge.

„Allah akbar — Gott ist groß, Sihdi, du aber bist der größte unter den Weisen der Erde, denn in deinem Rohr steckt ein Kaßr, so mächtig, daß tausend Menschen darin stehen können!"

Das Fernrohr ging von Hand zu Hand. Ein Ausruf des Staunens folgte dem andern, und es war augenscheinlich, daß unser Ansehen bei den Arabern in fortwährendem Steigen begriffen war.

„Man wird uns auf El Kaßr kommen sehen", bemerkte Emery.

„Jetzt erkennt man uns noch nicht. Im übrigen müssen wir unsre Richtung ändern."

[1] Gips, Kalk

„Wie? Der Aufgang muß von dieser Seite sein."

„Der Chabir sprach von einer unterirdischen Treppe, die nach dem ‚Schott' führt. Nun aber erblicke ich von hier aus weder einen Schott noch sonst ein Wasser. Folglich muß es sich an der andern Seite des Berges befinden."

„Richtig. Wir umreiten die Höhe!"

Wir schwenkten rechts ab. Es war nicht mehr lange Tag, und wir mußten vor Anbruch der Nacht zu einem Ergebnis kommen. Daher strengten wir unsre Tiere soviel wie möglich an. Mit verdoppelter Schnelligkeit trugen sie uns rund um die Höhe, die hier vielfach zerklüftet und zerspalten war. Als wir die Mitte erreichten, bemerkten wir eine Schlucht, der wir jedenfalls zu folgen hatten. Wir bogen ein und gelangten nun in einen Felsenkessel, der mitten in den Bergen lag. Den größten Teil seiner Sohle nahm ein salziges Wasser ein, das seine Ufer vollständig füllte, da die Sonne hier nur wenig Zutritt hatte und ein schnelles Verdunsten wie auf offner Sahara nicht stattfinden konnte. Die den Kessel bildenden Felsen stiegen rundum fast senkrecht zum Himmel empor, und oben, gerade uns gegenüber, sahen wir El Kaßr liegen.

„Schwieriges Gelände!" brummte Emery.

„Wir können nicht hinüber, ohne von dort bemerkt zu werden."

„Höchstens einer oder zwei, die das Anschleichen wirklich verstehen."

„Bis zur Nacht dürfen wir unmöglich hier warten. Ich werde es versuchen."

„Well — ich auch!"

Wir stiegen aus dem Sattel und geboten den andern, sich in die Schlucht zurückzuziehen, damit sie von El Kaßr aus nicht erspäht werden konnten. Korndörfer vermutete eine Gefahr für mich und wollte mich begleiten, ich hatte Mühe, ihn zum Bleiben zu bewegen. Der brave, folgsame Hassan aber blieb ohne Weigerung zurück.

Die Felsenmauern des Kessels waren hinreichend mit Vorsprüngen und Einschnitten versehen, um uns bei der nötigen Vorsicht Deckung zu gewähren. Wir bewegten uns, bald langsam schleichend, bald wieder in schnellen Sprüngen, vorwärts und gelangten unbemerkt in einen schmalen, tiefen Spalt, der grad unterhalb des Kaßr in den Felsen geschnitten war. Von dieser Kluft aus mußte die verborgene Treppe zur Höhe führen, eine andere Möglichkeit gab es nicht.

Wir drangen in den Spalt ein und fanden unsere Vermutung

bestätigt, denn noch waren wir ihm nicht weit gefolgt, so entdeckten wir eine niedrige, türähnliche Öffnung im Felsen, in die eine aufwärts führende Stufenreihe mündete.

„Hinauf!" gebot Emery.

„Noch nicht!" widersprach ich ihm. „Wir müssen erst wissen, wohin der Spalt weiter führt."

„Well — also weiter!"

Es ging wieder vorwärts, der Einschnitt lief jedoch nicht mehr weit in den Felsen hinein. Da aber, wo er endete, bot sich uns ein unerwarteter Anblick. Mehrere Fuß hoch aufgeschichtet lag hier nämlich ein Haufe menschlicher Schädel und Knochen, die deutliche Spuren davon zeigten, daß sie von Tieren, entweder Hyänen oder Schakalen oder Aasgeiern, abgenagt worden waren. Zerrissene Kleiderfetzen mischten sich darunter, und einige davon, die an den scharfen Felskanten über uns hingen, erklärten uns, wie die Knochen an diese Stelle gekommen waren. Wir befanden uns jedenfalls auf der Richtstätte des Hedschân Bei, der die von ihm zum Tod Verurteilten vom Felsen in den Spalt stürzen ließ, ein Verfahren, das jedenfalls nicht selten vorkam, denn wir zählten über zwanzig Schädel.

„Das Schicksal seiner Gefangenen!" flüsterte Emery.

„Vielleicht auch seiner eigenen Leute, die sich eine Widersetzlichkeit zuschulden kommen ließen. Ich denke, es wird nicht mehr vorkommen!"

„Richtig, außer wenn es ihm gelingt, uns selbst herabzustürzen."

„Das wird ihm nicht gelingen, denn zehn solcher Hedschân Beis wiegen keinen einzigen Siouxhäuptling auf. Doch nun zur Treppe!"

Wir suchten den Eingang der Treppe wieder auf.

Es schien, als habe hier einst ein Erdbeben auf die feste Masse des Felsens gewirkt. Der Spalt, den wir benutzt hatten, war wohl eine Folge davon, und auch der Aufstieg, in den wir jetzt eindrangen, war jedenfalls nicht künstlich eingehauen, sondern von der Natur gerissen und dann zur Anlegung einer Stufenreihe benützt worden.

Wir mußten alle Augenblicke gewärtig sein, einem wasserholenden Räuber zu begegnen. Deshalb tasteten wir uns nur vorsichtig und unter Vermeidung allen Geräusches empor. Der Aufstieg war so eng, daß wir nur hintereinander gehen konnten. Bei einer feindlichen Begegnung war also eine gegenseitige Hilfe nicht möglich, doch glich sich das dadurch wieder aus, daß auch uns gegenüber nur ein einziger Mann Platz finden konnte. Da die

Stufen ganz verschieden hoch waren, erreichten wir erst nach längerem und sehr beschwerlichem Steigen unbemerkt das Ende der Treppe.

Eine Tür konnten wir hier, bei der Holzarmut der Wüste, nicht erwarten, dennoch aber fanden wir den Eingang verschlossen. Es lag ein Felsstück davor, das, wie die Untersuchung erwies, mit Hilfe irgendeiner für uns unsichtbaren Vorrichtung nach innen bewegt werden konnte. Alle unsre Anstrengungen, es zu beseitigen, waren vergebens.

„Was jetzt?" fragte Bothwell. „Wir müssen hinein."

„Oder wir stürmen das Kaßr von außen."

„Nur im Notfall. Wir kennen die Stärke der Besatzung nicht, und obgleich wir schnell geritten sind, könnte der Bei doch bereits mit der Gum eingetroffen sein. List ist der offnen Gewalt vorzuziehen."

„So wird auch hier die 'Alâma helfen."

„Ah! Auf welche Weise?"

„Die Nacht ist noch nicht da, und mein Hedschîn ist schnell. Ich reite auf das Schloß und öffne von innen."

„Zu gefährlich, my dear!"

„Nicht so sehr, wie es den Anschein hat. Oder meinst du, daß ich mich fürchten soll?"

„Pshaw! Aber kannst du wissen, welche Umstände und Hindernisse dir entgegentreten?"

„Ich habe die Koralle und meine guten Waffen!"

„Well. Aber ich begleite dich!"

„Das geht nicht. Willst du unsre Leute ohne Führung lassen?"

„Richtig! Diese Araber sind so unfertig, daß man sich nicht auf sie verlassen kann."

„Korndörfer wird mich begleiten."

„Gut, so sei es gewagt. Aber ich sage dir, daß ich den Bei mit seinen Schuften in Stücke reiße, wenn sie dich nur anrühren."

„Mir ahnt nichts dergleichen. Bis Mitternacht werde ich alles erkundet haben. Dann steigst du mit den Männern auf, und ich lasse euch ein."

„Und wenn du es nicht vermagst?"

„So überlasse ich das Weitere ganz deinem Ermessen. Ich kann für diesen Fall nichts vorherbestimmen."

„Ich werde bis ein Uhr hier warten. Öffnest du nicht, so sind wir eine Stunde später vor dem Schloß, und ich gebe dir durch einen Eulenruf das Zeichen. Kommst du auch dann nicht, so nehme ich an, daß du dich in Gefahr befindest, und werde in das Kaßr eindringen. Komm!"

Wir stiegen wieder abwärts und gelangten wohlbehalten zu unsern Leuten. Als der Tebu hörte, daß ich mit Korndörfer auf das Schloß wollte, bat er, mich begleiten zu dürfen. Ich mußte ihm die Erfüllung dieses Wunsches versagen. Er hatte die Gum verfolgt und war von einigen ihrer Männer gesehen worden. Es lag also die Möglichkeit nahe, daß er auf El Kaßr erkannt würde, was das Gelingen unsres Unternehmens in Frage stellen mußte.

Ich bestieg mein Bischarin, und Josef nahm ein Mehari von Emery. Dann ging es in Eile den Weg zurück, den wir gekommen waren. An dem einen Ausläufer des Hufeisens schlugen wir einen Bogen und ritten nun in gerader Richtung auf das Schloß zu.

Die Sonne tauchte soeben hinter den westlichen Himmelsrand hinab, als wir den hohen, offenen Eingang erreichten. Bisher hatten wir trotz sorgfältiger Beobachtung des alten Gemäuers kein menschliches Wesen erspäht, doch nahm ich an, daß unser Kommen sicherlich bemerkt worden war. Eben wollten wir den Eingang gewinnen, als hinter seinen Seitenpfeilern vier Männer hervortraten und uns ihre langen Flinten entgegenstreckten.

„Rrree — halt! Was wollt ihr, Fremdlinge?"

„Wir sind Wanderer, haben weder Speise noch Wasser bei uns und möchten diese Nacht bei euch bleiben und von euch kaufen, was uns fehlt."

„Wie kommt ihr hierher, und wer hat euch gesagt, daß hier Männer wohnen?"

„Wir sahen auf der Ebene die Spuren eurer Tiere. Laßt uns ein!"

Sie warfen sich fragende Blicke zu, dann meinte einer von ihnen mit einem wenig verheißungsvollen Gesicht:

„So kommt!"

„Gebt ihr uns Herberge im Namen des Propheten?"

„Komm!"

Wir hatten ihren Aufenthalt entdeckt und durften El Kaßr nicht lebendig verlassen. Das war deutlich in ihren Mienen zu lesen. Ich aber wußte mich sicher und fragte, um sie zu prüfen, weiter:

„Warum gibst du mir keine Antwort auf meine Frage?"

„Ich habe dir gesagt, daß du eintreten sollst!"

„Wird mich der Koran bei euch beschützen?"

„Hältst du uns für Räuber, die ihre Gäste töten?"

„Seid, was ihr wollt! Ihr habt uns keinen Gruß geboten, wir werden also wieder umkehren!"

Ich wandte mein Kamel und sofort richteten sich die Gewehre wieder auf uns.

„Halt, ihr bleibt! Hier wohnt der Hedschân Bei. Ihr werdet die Sahara nicht mehr erblicken!"

Ich verschmähte es, eine meiner Waffen zu ergreifen.

„Bist du blind, daß du mir drohst? Siehst du nicht die Gewehre, die wir tragen? Oder meinst du, daß wir nur mit ihnen spielen? Kennst du nicht das Tier, auf dem ich sitze? Allah hat dir Augen gegeben, aber sie sehen nicht!"

Erst jetzt erkannten sie mein Kamel.

„Das Bischarin des Bei! Wer gab es dir?"

„Er selber. Ich rettete ihn aus den Krallen des Löwen, als er weit von hier gegen Mitternacht auf Mahmud Ben Mustafa Abd Ibrahim Jaakub Ibn Baschar wartete, den er in die Stadt der Franken geschickt hatte. Seht hier seine 'Alâma!"

Dieser lange, ihnen wohlbekannte Name und die Koralle überzeugten sie. Dennoch aber blieben ihre Gesichter finster.

„Zu welchem Stamm gehörst du?"

„Ich bin ein Franke."

„Ein Ungläubiger? Was tust du in der Wüste?"

„Ich komme, um Gast des Bei zu sein, mit dem ich zu sprechen habe."

„So bleibe hier! Es wird dir nichts geschehen, bis er kommt."

Ich ließ mein Tier niederknien und stieg ab. Josef tat ebenso. Über El Kaßr zog ein einsamer Geier seine weiten Kreise. Ahnte er, daß er uns als Speise in dem Felsspalt finden sollte? Ich ergriff die Büchse und schoß ihn herab. Die Räuber hätten dies mit ihren Flinten unmöglich fertiggebracht. Sie staunten und das wollte ich.

„Eure Lippen haben verschmäht, uns ein Salâm zu sagen. Hütet euch vor meinem Auge und vor meiner Kugel!"

„Du hast das Zeichen und drohst uns? Du hast es gestohlen! Stirb, Giaur!"

Der Sprecher legte an, doch mein Revolver war schneller als er. Ich brauchte nur zweimal abzudrücken, denn Korndörfers Kugel traf den dritten, und der vierte wurde von ihm mit dem Kolben niedergeschlagen.

Sofort wieder ladend, warteten wir zunächst, ob sich ein neuer Feind zeigen werde, doch regte sich im Hof nichts. Hatte der Hedschân Bei nur diese vier Männer zur Bewachung des Kaßr zurückgelassen? Bei der Abgeschiedenheit und Sicherheit der Lage war dies leicht denkbar. Wir mußten es untersuchen.

Das Innere des halbverfallenen Baus war besser erhalten, als es von außen den Anschein hatte. Vor uns lag eine offene, von Säulen getragene Halle, an deren Seiten sich noch mehrere Gemächer anzuschließen schienen. Wir sahen, daß sie leer war, und schritten auf sie zu. Die Nebenräume hatten keine Türen und waren ebenfalls leer. Jetzt gelangten wir durch einen hinteren Ausgang in einen zweiten Hof. Das Gebäude war jedenfalls im achten Jahrhundert errichtet worden, zu der Zeit, als die mächtigen Uëlad Musa die Serir überschwemmten. Schon wollte ich diesen Hof betreten, als Körndorfer mich am Arm faßte.

„Halt, Herr! Steht dort hinter der Säul' nit auch so a Halunk'? Er dreht uns den Rück'n her und hat uns noch gar net bemerkt."

Bevor ich antworten konnte, hatte sich der Räuber uns zugewandt. Im nächsten Augenblick blitzte sein Schuß, und die Kugel streifte Josef am Arm.

„Maschallah, is der Kerl unvorsichtig; wie leicht konnt' er mich erschießen!"

Mit diesem Ausruf sprang der Staffelsteiner in weiten Sätzen über den Hof hinüber und packte den Mann an der Kehle. Ich eilte ihm nach und kam noch zur rechten Zeit, um zu verhindern, daß er ihn erwürgte.

„Laß los! Wir brauchen ihn vielleicht."

Er nahm die Hand von der Gurgel, hielt ihn aber fest.

„Warum schießt du auf einen Gast des Hedschân Bei?" fragte ich den Gefangenen.

Es war mir klar, daß sich außer ihm niemand mehr auf dem Kaßr befand. Er holte tief Atem, bevor er antwortete:

„Ein Gast? Wo sind die, die euch erwarteten? Ich hörte Schüsse. Wer seid ihr?"

„Sieh hier die 'Alâma! Wie viele Männer sind im Schloß?"

„Fünf, bis der Bei zurückkehrt."

„Du irrst! Nur du allein bist hier, denn vier haben unsre Kugeln bekommen, weil sie uns als Feinde empfingen."

„Ihr habt die Koralle und tötet die Leute des Bei! Wer seid ihr?"

„Ich bin der Bruder des Pehlewân Bei und komme, den Franken zu holen, den ihr gefangenhaltet. Wo ist er?"

„Du sagst die Unwahrheit! Kann ein Mensch der Bruder eines Geistes sein?"

„Frage den Würger selber! Er wird kommen, sobald ich ihn rufe. Wo ist der Franke?"

„Ich sage es nicht."

„So werde ich ihn finden, und du mußt sterben!"

„Der Bei wird mich rächen!"

„Er kann dich nicht rächen. Der Pehlewân Bei hat ihn geschlagen und sechzehn seiner Männer getötet. Und sein Bruder ist mit eurem Mudir, dem Chabir und dem Schech el Dschemali der Kâfila, die ihr erwartet, gefallen. Die Dschehennem wird auch dich verschlingen, wenn du mir nicht gehorchst."

„Beweise mir, daß du die Wahrheit sagst; dann will ich tun, was du begehrst."

„So komm! Ich werde dir den Würger zeigen."

Ich stieg über eine Mauerbresche hinaus auf den Rand des Talkessels, gerade der Schlucht gegenüber, wo sich Emery befand. Der Mann, dem ich die Waffen abgenommen hatte, folgte mir zaudernd.

„Hallo—i—oh!" rief ich hinab, und sofort trat Emery hervor. „Kommt herauf!"

„Alles sicher?"

„El Kaßr gehört mir!"

Jetzt traten auch die Männer der Kâfila herbei und erhoben ein Freudengeschrei. Es war noch so hell, daß man deutlich sehen konnte, was vorging. Emery ließ die Tiere unter der Aufsicht dreier Leute, unter denen sich auch der lange Hassan befand, am Schott zurück. Die andern begaben sich zum Treppeneingang.

„Siehst du, daß ich die Wahrheit sprach? Willst du gehorchen?"

„Ja, Effendi."

„So öffne den Stein vor der Treppe!"

Der Räuber trat in ein Gewölbe, aus dem er eine aus Dattelfasern gefertigte Fackel brachte. Er zündete sie an und stieg dann in die dunkle Pforte, vor der er Wache gestanden, als wir ihn zuerst bemerkt hatten. Die Stufen führten in einen unterirdischen Raum, der mit verschiedenen Waren bis hoch an die Decke gefüllt war. Hier hatte der Hedschân Bei seine Beute aufgestapelt. In der äußersten Ecke lag auf zwei Rollen ein Steinblock, der mit Stricken an der Mauer befestigt war.

„Hier ist die Treppe!" erklärte der Gefangene.

Die Stricke waren schuld, daß Emery und ich den Stein nicht hatten bewegen können. Ich öffnete die Schlingen und zog den Block zur Seite. Nach einigen Minuten befand sich die Kâfila im Kaßr. Ich sprach einige erklärende Worte zu Bothwell und wandte mich hierauf an den Gefangenen.

„Wo ist der Franke?"

„Muß ich es sagen? Wir haben geschworen, zu schweigen."

„Du mußt! Hier steht der Pehlewân Bei, der deine Seele von dir fordert, wenn du nicht gehorchst."

„So kommt!"

In der anderen Ecke des Gewölbes war eine niedrige, tiefe Nische ausgehauen, die statt der Tür von einigen Warenballen verschlossen wurde. Darin lag auf dem harten, bloßen Boden, von Stricken festgehalten, eine menschliche Gestalt.

„Renaud!"

Das Licht der Fackel fiel auf die hohe Gestalt des Engländers.

„Emery!" jauchzte es laut auf.

„Heraus, mein Junge, schnell!"

Ein paar rasche Messerschnitte lösten die Bande, dann lagen sich die Freunde in den Armen.

Eine halbe Stunde später hatten wir beim Schein der vorhandenen Fackeln das ganze Schloß durchsucht. Nun wurde ein Bote abgesandt, unsre Tiere herbeizuholen, da wir von dem Gefangenen hörten, daß die Gum ihre Kamele zum Schott führen und dann das Kaßr durch die Treppe ersteigen werde.

Der Jubel des befreiten jungen Mannes, der sich verloren geglaubt hatte, war groß. Sein Dank fand keine Worte, und wir saßen bis in die späte Nacht hinein über der Erzählung der Leiden und Freuden, die wir hinter uns hatten. Dann gingen wir zur Ruhe, denn die ausgestellten Wachen sicherten uns vor jeder Überraschung.

Als ich mich am andern Morgen erhob und in den Hof trat, überraschte ich den Tebu bei einer schrecklichen Arbeit. Er hatte während der Nacht den Räuber getötet und stand jetzt auf der Mauerzinne, um die blutige Leiche in den Spalt zu stürzen. Ich stellte ihn zur Rede, erhielt aber keine andre Antwort als:

„Ed dem b'ed dem, en nefs b'en nefs — Blut um Blut, Leben um Leben, Sihdi. Ich habe es geschworen, und ich halte Wort!"

Unsre Tiere waren eingetroffen, und der große Hassan trat mir entgegen.

„Hamdulillah — Gott sei Dank, Sihdi, daß wir wieder beisammen sind, denn ohne mich wärst du nicht — — — Gott verderbe den Bei!" unterbrach er sich. „Siehst du ihn dort nahen?"

Wirklich kam unten über die Ebene eine Reihe von Arabern. Sie gingen zu Fuß, hatten also ihre Tiere nach dem Schott geschickt. Sie sollten einen unerwarteten Empfang finden. Ich sandte Hassan, der uns beim Kampf nichts nützen konnte, hinaus auf den Mauervorsprung, um den Schott zu beobachten. Wir andern hielten unsre Gewehre bereit. Ich verbarg mich mit dem Staffelsteiner hinter einem Steinhaufen hart neben dem Eingang. Wer einmal das Kaßr betreten hatte, durfte nicht wieder hinaus.

Wir brauchten nicht lange zu warten. Obgleich sie die Abwesenheit ihrer fünf Wächter hätte bedenklich machen müssen, traten sie unbesorgt in den Hof. Schon hatten sie beinahe die Hälfte durchschritten, da kam ihnen Emery langsam entgegen. Sie stutzten.

„Rrree! Ich bin der Pehlewân Bei. Die Gum fahre zur Hölle! Feuer!"

Alle Gewehre krachten.

„Ich schieß nit lang, ich nehm die Fäust!" rief der Staffelsteiner, warf das Gewehr weg und befand sich bald mit Emery und dem Tebu im dicksten Haufen der Feinde. Mein Stutzen ließ keinen durchs Tor. In zehn Minuten waren wir Herren des Platzes.

Da ertönte die Donnerstimme Hassans:

„Allah akbar — Gott ist groß. Sihdi, sie kommen mit den Tieren, und der Bei ist dabei; ich habe ihn am Panzer erkannt!"

Ich trat hinaus. Die Kamele standen mit ihren hohen Beinen drunten im Wasser, und bei ihnen hielten drei Männer. Der eine hatte den Burnus abgeworfen, und sein Kettenpanzer schimmerte wie gediegenes Gold zu uns herauf. Er wusch sich, warf dann den Burnus wieder über und winkte seinen Leuten, ihm zu folgen. Sie schritten dem Treppenaufgang zu.

„Der gehört mir; ich muß ihn lebendig haben!" rief Bothwell. „Versteckt euch in den Hallen!"

Rasch eilte ich hinab ins Gewölbe, um den Treppeneingang zu öffnen, und kehrte dann nach oben zurück.

Renaud Latréaumont hatte mich bereits gestern um einen von meinen Revolvern gebeten. Mein Auge suchte den jungen Mann jetzt, fand ihn jedoch nicht. Da ließen sich Schritte vernehmen. Der Bei trat mit seinen beiden Begleitern aus der Pforte in den Hof. Die Leere mochte ihm auffallen; er blieb stehen. Er war genau das Ebenbild dessen, den ich im Auresgebirge getroffen und später erschossen hatte.

Sein scharfes Auge schweifte forschend umher, und seine Lippen öffneten sich zu einem Ruf des Erstaunens. Aus dem Säulengang hervor kam Renaud auf ihn zugesprungen, den Revolver in der Hand. Ich ahnte, was kommen werde, und hob die Doppelbüchse.

„Halt, laß ihn mir!" bat Emery, indem er an mir vorübereilte.

„Ich bin frei. Stirb, Räuber!" rief Renaud und drückte auf den Bei ab.

Die Kugel prallte an dem Panzer ab, und sofort hatte der Bei den schmächtigen Franzosen mit der Linken gefaßt und holte mit der Rechten zum tödlichen Stoß aus. Er kam nicht dazu; Emery hatte ihn von hinten gepackt. Jetzt eilte alles herbei. Die beiden Räuber sahen, wie die Sache stand, und wandten sich zur Pforte zurück. Doch sie erreichten sie nicht. Meine beiden Kugeln streckten sie nieder.

Emery hielt den Bei mit eisernen Armen gepackt.

„Kennst du mich, Räuber? Ich bin der Pehlewân Bei. Folge deinen Opfern!"

Ein fürchterlicher Faustschlag traf den Bei auf die Stirn und betäubte ihn. Dann faßte ihn der Engländer, trug ihn zur Mauer und schleuderte den Mörder hinab in die Tiefe, wo die Gebeine der Gemordeten lagen. Die Gum war bis auf den letzten Mann vernichtet. — — —

Vierzehn Tage später hatten wir die Serir durchschritten, und ein wunderbar liebliches Bild breitete sich vor uns aus. Viel tausend Palmen wiegten ihre dunklen Blätterkronen auf den schlanken Stämmen, die vom Sonnenlicht golden überrieselt wurden. Die Füße dieser Stämme standen in einem Garten von blaßroten Pfirsichblüten, weißen Mandelknospen und hellgrünem, frischem Feigenlaub, in dem der Bülbül[1] seine Stimme erschallen ließ. Es war die Oase Ghat, wohin wir die Kâfila glücklich brachten.

Mit ihr trennte sich nach einem mehrtägigen Aufenthalt auch der Tebu von uns.

„Allah sei mit dir, Sihdi", meinte er beim Abschied. „Du hast die Männer der Kâfila reich gemacht durch die Beute von El Kaßr, selber aber hast du nichts genommen. Ich habe keine Söhne mehr, aber ich habe einen Segen. Nimm ihn mit dir in das Land der Franken!" — —

Und wieder mehrere Wochen später hielten wir unsern Einzug in Algier, wo wir von der glücklichen Familie Latréaumont mit unendlicher Freude empfangen wurden. Hassan war uns bis hierher gefolgt, und der Staffelsteiner wollte mich nicht verlassen. Er ging mit mir und Emery, der mir zuliebe seinen ursprünglichen Reiseplan änderte, nach Deutschland, um wieder einmal den ‚süffigen' Trank seiner Heimat zu kosten. Für Latréaumont und die Seinen war der Abschied von uns recht schmerz-

[1] Nachtigall

106

lich, und auch den tapferen Kabbaschi en Nurab zuckte es gewaltig um den Bart.

„Sihdi, du gehst, und wir sehen uns nicht wieder, aber du wirst in Almanja mit Freude und Stolz denken an Hassan Ben Abulfeda Ibn Haukal al Wardi Jussuf Ibn Abul Foslan Ben Ishak al Duli und ihn stets nennen Hassan el Kebîr und Dschessâr Bei, den Menschenwürger, der dir mit dem Pehlewân Bei geholfen hat, den Asad Bei und den Hedschân Bei zu töten."

„Und auch ich werde dich nicht vergessen, Hassan", versprach der Staffelsteiner, „sondern in Almanja erzählen von Ma el Zat Bei, dem Spirituswürger!"

„Deine Zunge ist voll Gift, und niemand wird dir glauben; denn die Leute in Almanja werden sagen: ‚Da kommt Jussef Koh er darb Ben Koh er darb Ibn Koh er darb Abu Koh er darb el Kah el brunn, der Verleumder, der Ungläubige, der Schakal, der Schweinefleisch ißt!' Ich verbiete dir, so von mir zu sprechen jetzt und in alle Ewigkeit. Wir aber, Sihdi, werden voneinander erzählen, und mein Name wird erklingen in allen Oasen und unter allen Zelten von Almanja. Friede und Heil sei mit dir!" — — —

CHRISTUS ODER MOHAMMED

1. In Marseille

Wenn der Bürger von Marseille Gelegenheit findet, über die Vorzüge und Schönheiten seiner Vaterstadt zu sprechen, so pflegt er zu sagen: „Wenn Paris eine Cannebiere hätte, so wäre es ein kleines Marseille." Dieser Vergleich ist übertrieben, doch gewiß nicht ohne Berechtigung. Die Cannebiere ist die größte und, wenigstens früher, schönste Straße von Marseille: sie durchschneidet die ganze Stadt und mündet auf den Hafen. Und der Bewohner dieser größten Stadt Südfrankreichs besitzt auch sonst ein volles Recht, auf seine Heimat stolz zu sein. Marseille hat milde, herrliche Witterungsverhältnisse, ägyptisch klare Nächte und trotz der südlichen Lage eine Luft von ewig gleicher Frische. Hier strömen alle Völker der Erde zusammen, der zugeknöpfte, steife Engländer, der feurige Italiener, der smarte Yankee, der listige Grieche, der verschmitzte Armenier, der schwerblütige Türke, der wortkarge Araber, der schmächtige Hindu, der zopftragende Chinese und der in allen Farben vom schmutzigen Dunkelbraun bis zum tiefsten Schwarz spielende Bewohner Innerafrikas.

In dem bunten Gemisch von Rassen, Farben, Trachten und Sprachen herrscht hier das östliche Gepräge vor; es erteilt Marseille jenen asiatisch-afrikanischen Einschlag, den man in einer anderen Hafenstadt Frankreichs vergebens suchen würde. Wer hinüber nach Algier oder Tunis will, der findet hier die beste Gelegenheit, sein Auge auf die Farben und sein Ohr auf die Klänge des schwarzen Erdteils vorzubereiten.

Was mich betrifft, so hatte ich noch vor kurzem nicht geahnt, daß ich mich so bald am Mittelmeer befinden würde. Mein Freund, der Kapitän Frick Turnerstick, der vielen meiner Leser als tüchtiger Seemann und Beherrscher vieler Sprachen bekannt sein wird[1], hatte mich durch folgendes aus Harwich an mich gerichtete Schreiben aus meiner häuslichen Ruhe gestört:

„Liewer Charley! Hier liegge ich vor Anker und werde heut

[1] Siehe Karl May, „Am Stillen Ozean" und „Am Rio de la Plata"

übber quinze jours to weigh anchor, um nach Antwerpen zu seggeln und Euch dort bey Grootvader Leidekker abzuholen. Ich faahre übber Marseille ins Thunis und würdte Euch rundum verachten, wenn Ihr at home bliept und nicht would be willing als meyn Gaßt an Bord zu mounten. Lebt wohl, und kommt! Ich expecte Euch mit security.

Your old Frick Turnerstick."

Was sollte ich tun? Daheim bleiben und mich ‚rundum verachten' lassen? Nein! Es war mir Herzensbedürfnis, den braven Gefährten wiederzusehen, und eine Fahrt nach Tunis und vielleicht noch weiter versprach obendrein allerlei Abenteuer. Ich beschloß also, der Einladung zu folgen, packte meine Sachen und traf noch vor der angegebenen Zeit in Antwerpen ein. Dort brauchte ich zwei Tage, um den ‚Grootvader Leidekker" zu erfragen. Er wohnte im nahen Burgerhout und war der Besitzer eines kleinen, aber berühmten Gasthauses, in dem meist nur Seekapitäne zu verkehren pflegten. Am dritten Tag traf Turnerstick dort ein. Seine Freude darüber, daß ich seinen Wunsch erfüllt hatte, war aufrichtig. Es wurde in Eile ein Willkomm getrunken, und dann zog er mich fort, um mir sein neues Barkschiff ‚The Courser' zu zeigen. Er hatte es sich nach seinen eigenen Angaben bauen lassen und floß des Lobes über, indem er es als den schnellsten Segler der Handelsflotten aller Völker bezeichnete. Die Ladung bestand in Waffen und englischen Web- und Eisenwaren, mit denen er in Tunis ein gutes Geschäft zu machen gedachte. In Antwerpen wollte er noch Spitzen, Zwirn und Gold- und Silbertressen aufnehmen, Gegenstände, die von den Mauren und Berbern stets gesucht werden. In Marseille sollten Seidenzeuge, Gerberei- und Kurzwaren, Geschmeide, Seifen und Kerzen hinzukommen. Die schon vorher bestellte Fracht war bald an Bord genommen, und dann ging es die Westerschelde hinab, in die Nordsee hinein und dem Kanal entgegen.

Turnerstick hatte seinen ‚Courser' mit Recht gelobt. Die Bark war im Verhältnis von 1 zu 8 gebaut und zeigte Linien, die die Bewunderung jedes Sachverständigen erregen mußten. Der Bau des Schiffes bekundete die Geschicklichkeit des Baumeisters, und die Ausrüstung und Einrichtung waren bei aller Zweckmäßigkeit so nett, so gefällig, daß der Kapitän wohl stolz darauf sein konnte, der geistige Schöpfer zu sein. Wir hatten ununterbrochen guten Wind, machten eine außergewöhnlich schnelle Fahrt und legten zwei volle Tage früher, als Turnerstick vorhergesagt hatte, am Port de la Joliette von Marseille an.

Während sich der Kapitän hier zunächst seinen Pflichten widmen mußte, wanderte ich in der Stadt umher, um die Sehenswürdigkeiten in Augenschein zu nehmen, die neue, prächtige Kathedrale, die gotische Michaeliskirche, das neue Hôtel-Dieu und vor allen Dingen die reichhaltige Bücherei, die sich in dem herrlichen Gebäude der Ecole des Beaux Arts befindet. Dann, als Turnerstick Zeit gewonnen hatte, besuchten wir miteinander den Ort, der ihn am meisten ansprach, nämlich den Zoologischen Garten, der hinter dem stattlichsten Bauwerk Marseilles, dem Château d'Eau oder Palais de Longchamp, liegt.

Als wir den Zoo in seiner ganzen Länge und Breite durchschritten und alle Abteilungen in Augenschein genommen hatten, fühlten wir uns ermüdet und rasteten deshalb auf einer Bank. Sie stand unter einer Platane, an der schmalen Zunge eines dichten, länglichen Gesträuchs. An der andern Seite erhob sich über den Zweigen des niedrigen Gebüsches ein hölzernes Kruzifix. Eine Inschrift darauf besagte, daß an dieser Stelle einer der Wärter von einem ausgebrochenen Panther zerrissen worden sei; hieran war die Bitte geschlossen, für den Verunglückten zu beten.

Da wir Wochentag hatten, kam nur selten jemand an dieser abgelegenen Stelle vorüber. Turnerstick erzählte mir seine neueren Erlebnisse, und wir zündeten uns dazu eine Zigarre an. Da vernahmen wir deutlich die Schritte zweier Leute, die sich hinter dem Gebüsch näherten und bei dem Kreuz stehenblieben.

„Allah vernichte dieses Land!" hörte ich den einen in arabischer Sprache sagen. „Überall stehen diese Götzenbilder, die dem wahren Gläubigen ein Greuel sind und vor denen diese Christenhunde die Würde ihrer Häupter entweihen."

„Vergiß nicht, daß auch ich ein Christ bin!" antwortete der andre ebenfalls in arabischer Sprache, aber so gebrochen, daß zu vermuten stand, er sei wohl eher gewohnt, sich des Französischen zu bedienen.

„Oh", lautete die Entgegnung, „du bist klug genug, um diese Abgötterei als verderblich zu erkennen. Du bist ein Rumi[1] und magst von dem Baba[2] nichts wissen, der in Rom auf seinem falschen Thron sitzt. Die Lehre des Propheten ist die allein richtige. Er hat alles Bildwerk verboten, und wohin der Islam gedrungen ist, hat er die Bildnisse verbrannt und ausgerottet. Kannst du mir sagen, was auf diesem Kreuz zu lesen steht?"

„Ja. Ein Panther ist aus dem Käfig gebrochen und hat an dieser Stelle einen Beamten des Gartens zerrissen. Nun hat man

[1] Griechisch-schismatischer Christ   [2] Papst

110

dieses Kreuz errichtet, damit der Vorübergehende für den Toten beten soll."

Der Sprecher hatte diese Erklärung in lachendem Ton gegeben. Der Muslim meinte verächtlich:

„O Allah, was für Dummköpfe diese Christen sind! Sie verdienen, angespien zu werden. Hat euer Christus den Mann retten können? Nein! Und nachdem er zerrissen ist, setzt man ein Kreuz hierher. Das Gebet kommt zu spät. Was kann es nützen!"

„Es ist für das Heil seiner Seele."

„Laß dich nicht auslachen! Für die Seele eines toten Christen gibt es kein Heil, denn alle Anhänger dieser Götzendienerei müssen in die Hölle wandern. Wäre ich an der Stelle des Getöteten gewesen, so hätte ich den Namen des Propheten angerufen, und der Panther wäre voller Schreck entwichen. Vor dem Gebet eines Christen aber fürchtet sich keine Katze. Wie machtlos euer Jesus samt euern Kreuzen ist, werde ich dir sofort zeigen."

Dabei hörte ich ein Prasseln und Knacken, so daß ich annahm, er werde das Kreuz umstürzen. Ich wollte aufspringen, um ihn zu hindern. Aber Turnerstick, der die Worte nicht verstanden hatte, hielt mich zurück, um eine leise Erklärung zu erhalten. Ich gab sie ihm kurz und schnell und erhob mich dann, aber zu spät. Der in der Erde steckende Teil des Schaftes war angefault; er zerbrach, und das Kreuz stürzte derart nach unsrer Seite herüber, daß es den Kapitän am Kopfe traf. Turnerstick sprang auf und folgte mir schnell um die Ecke des Buschwerks nach der andern Seite, wo die beiden Männer standen.

In dem einen erkannte ich infolge seiner Gesichtsbildung sofort den Armenier. Er trug eine Schaffellmütze, kurze Jacke, weite Hosen und hohe Schaftstiefel; im Gürtel steckte ein Messer. Der andre war ein Beduine. Ich schätzte sein Alter auf etwa fünfzig Jahre. Die lange, starkknochige Gestalt war in einen weißen Burnus gehüllt. Auf dem Kopf saß der rote Fez, um den ein Turbantuch von der gleichen Farbe gewickelt war. Das hagere Gesicht war das eines blindgläubigen Mohammedaners. Er zeigte sich über unser Erscheinen nicht etwa erschrocken, sondern blickte uns mit seinen dunklen, stechenden Augen beinahe höhnisch entgegen.

„Was fällt euch ein!" rief der zornige Kapitän in seinem amerikanischen Englisch. „Wie könnt ihr es wagen, dieses Kreuz umzustürzen und auf mich zu werfen!"

„Was will dieser Mann?" fragte der Muslim, indem er sich

an seinen Begleiter wandte, den er wohl als Dolmetscher bei sich hatte. An seiner Stelle antwortete ich:

„Du hast soeben etwas getan, was hierzulande streng bestraft wird. Du hast das Bild des Gekreuzigten geschändet, und wenn wir dich bei der Obrigkeit anklagen, wird man dich ins Gefängnis werfen."

Er maß mich mit einem vernichtenden Blick und fragte:

„Wer bist du, daß du es wagst, in dieser Weise mit mir zu sprechen?"

„Ein Christ bin ich, und als solcher habe ich die Verpflichtung, dich anzuzeigen."

„Ein Christ bist du? Und doch sprichst du die Sprache der Gläubigen wie ein echter Muslim? Dann gleichst du der Schlange, deren Zunge zwei Spitzen hat und giftig ist. Du kennst mich nicht und wirst auch nie die Gnade erfahren, daß mein Name an deine Ohren klingt. Aber ich sage dir soviel, daß ich ein Mann bin, der gewohnt ist, verächtlich auszuspucken, wenn ein räudiger Christenhund ihn anbellt."

Und wirklich spuckte er dreimal vor mir aus, und zwar so, daß er mich beim drittenmal traf. Nun, ich bin ein ruhiger Mensch und pflege mich nicht vom Zorn fortreißen zu lassen. Hier aber dachte ich nicht an Abwehr in zierlich gesetzten Worten. Kaum hatte sein Geifer meinen Rock berührt, so saß ihm meine Faust im Gesicht, und er stürzte zu Boden. Er raffte sich schnell auf und griff nach mir. Doch schnell hatte Turnerstick ihn beim Nacken, drückte ihn wieder nieder und rief mir zu:

„Charley, holt Polizei! Ich beschlageisinge indessen dem Kerl die Segel so fest, daß er binnen einer Stunde nicht um einen halben Zoll vorwärts kommen soll."

Der Dolmetscher war so bestürzt, daß er sich nicht rührte. Ich zauderte, der Mahnung des Kapitäns Folge zu leisten. Vielleicht hätte ich den Muslim mit der bisherigen Lehre entkommen lassen. Aber da näherte sich, gerade wie gerufen, ein Gartenaufseher, der, als er die ungewöhnliche Gruppe bemerkte, rasch herbeikam und fragte, was hier vorgehe. Während Turnerstick mit seinen Seemannsfäusten den Übeltäter noch immer fest am Boden hielt, erzählte ich, was geschehen war. Der Dolmetscher versuchte zu beschönigen, hatte aber angesichts des umgestürzten Kreuzes keinen Erfolg. Das Ergebnis war, daß wir dem Beamten zum Vorstand folgen mußten. Der Beamte nahm meine und des Kapitäns Aussage entgegen und entließ uns dankend. Die beiden andern behielt er bei sich, um sie, wie er sagte, streng bestrafen zu lassen.

Wir befanden uns in der Nähe des Gartenausgangs, wo sich eine Gaststätte befand. Dort setzten wir uns im Freien an einen leeren Tisch, um ein Glas Wein zu trinken. Nach ungefähr einer Viertelstunde sahen wir zu unserm Erstaunen die beiden Schuldigen kommen mit dem Ausdruck der Befriedigung in den Gesichtern. Sie erblickten uns. Der Araber kam herbei, blieb, allerdings in vorsichtiger Entfernung, vor mir stehen und zischte mich grimmig an:

„Zwanzig Franken Strafe, die schenke ich Frankreich gern; dir aber ist nichts geschenkt! Du hast einen Muslim geschlagen, und kein christliches Kreuz soll dich vor meiner Rache schützen!"

Ich beachtete ihn einfach nicht, und er entfernte sich in stolzer Haltung und mit so würdevollen Schritten, als sei er als Sieger aus dem Streit hervorgegangen. Als ich Turnerstick die Drohung übersetzt hatte, meinte er:

„Hätte er das mir gesagt, so hätte ich ihn auf der Stelle niedergesegelt. Nun dampft er, stolz wie ein Panzerschiff, von dannen und meint wohl gar, wir fürchteten uns vor ihm."

„Nun, Furcht fühle ich nicht, aber vorsichtig müssen wir sein. Wir sind hier zwar nicht in einem arabischen Duar[1], doch einem solchen Beduinen ist es zuzutrauen, daß er in seinem Grimm darauf keine Rücksicht nimmt. Nach seiner Anschauung ist ein Faustschlag ins Gesicht nur mit Blut abzuwaschen."

Nach kurzer Zeit brachen wir auf, um uns nach dem Hafen und auf das Schiff zu begeben. Unterwegs erblickten wir unsre beiden Feinde in einem Durchgang. Sie ließen uns vorüber und folgten uns dann. Wir machten verschiedene Umwege, doch es gelang uns nicht, sie von unsrer Spur abzubringen. Schließlich schlug Turnerstick vor, nach Schloß If zu rudern. Er hatte den ,Grafen von Monte Christo' von Dumas gelesen und wollte nun das unterirdische Gefängnis des Helden dieses Romans besichtigen. Es befindet sich auf Schloß If und wird jedermann gegen ein geringes Entgelt gezeigt. Ich mag Dumas' Romane nicht, aber da sich dort auch das Zimmer befindet, in dem Mirabeau im Jahre 1774 gefangen saß, so willigte ich ein. Wir nahmen also ein kleines Boot, um den Vorschlag des Kapitäns auszuführen und dadurch die beiden Verfolger von uns abzubringen.

Turnerstick zeigte solche Teilnahme für seinen unmöglichen Grafen, daß er nur schwer aus dem angeblichen Kerker fortzubringen war. Und der Mann, der uns das Loch zeigte, wußte so viel zu erzählen, daß es fast dunkel geworden war, als wir

[1] Zeltdorf

wieder von der Ile du château d'If abstießen. Der Kapitän führte das Steuer, der Besitzer des Bootes und ich ruderten.

Zu bemerken ist, daß die Insel If zwei Kilometer von der Küste liegt, die Entfernung bis zu unserm Schiff im Port de la Joliette aber das Doppelte betrug. In der Stadt brannten schon die Straßenlampen; wir hatten ein weitgestecktes Lichtermeer vor uns. Die See war ruhig; es war die Zeit zwischen Ebbe und Flut. Dennoch war in unsrer Nähe kein Boot zu erblicken. Bald aber brummte der Kapitän:

„Warum weicht uns der Kerl nicht aus? Er liegt in unserm Kurs und rührt sich nicht von der Stelle."

Er, der vorwärts gerichtet saß, mußte also ein Boot vor uns entdeckt haben. Wir beiden andren saßen rückwärts. Er legte das Steuer etwas über, um vorbeizukommen, rief aber schon nach wenigen Ruderstrichen dem andern Boot zornig zu:

„Was ist das? Bist du blind? Halte dich mehr backbord, sonst rennen wir zusammen!"

Jetzt schaute ich mich um. Ich gewahrte ein kleines Boot, in dem nur ein Mann saß. Er war dunkel gekleidet. Wir kamen so dicht an ihm vorbei, daß ich sein Boot hätte mit der Hand greifen können. Als er sich weit herüberbeugte, glaubte ich das Gesicht des Arabers zu erkennen. Doch der hatte ja einen weißen Burnus angehabt! Der Mann lenkte nun schnell um und ruderte uns aus Leibeskräften nach. Das war verdächtig. Warum hatte er wie wartend in unsrer Richtung gehalten und sich dann so auffällig weit zu uns herübergebeugt? Hatte er etwa feststellen wollen, wo ich saß! Jetzt hatte er uns erreicht. Er zog das rechte Ruder ein, griff neben sich nieder und hob dann den Arm, um ihn gerade gegen mich zu richten. Ich warf mich blitzschnell von meinem Sitz auf die Planken, und da krachte auch schon ein Schuß, dem augenblicklich ein zweiter folgte.

„Holla!" rief Turnerstick. „Hier wird geschossen!"

„Der Muslim ist's", antwortete ich.

„Well! Werden dafür sorgen, daß er fortan nicht mehr schießt. Legt euch ins Zeug! Alle Kraft aufs Ruder!"

Durch mein Niederwerfen waren wir aus der Fahrt gekommen. Jetzt aber schoß unser Fahrzeug dem flüchtigen Gegner pfeilschnell hinterdrein. Ich konnte ihn, eben weil ich rückwärts saß, nicht erblicken, doch bemerkte ich, daß Turnerstick nicht in gerade Richtung steuerte, sondern einen Bogen beschrieb.

„Rudert der Mensch denn im Kreis?" fragte ich ihn. „Oder macht Ihr aus irgendeinem Grund einen Umweg?"

„Werdet den Grund gleich sehen, hören und auch fühlen",

knurrte er. „Arbeitet nur so weiter! Schaut euch nicht um und fallt nicht von den Bänken!"

„Von den Bänken? Also ein Zusammenstoß? Ihr wollt ihn in die See werfen? Soll er ertrinken? Das dulde ich auf keinen — — —"

Ich kam nicht weiter, denn der Kapitän unterbrach mich, indem er das Steuer noch fester in die Hand nahm und dem Boot eine kurze Wendung gab.

„Hallo! Nicht mucksen, sondern rudern! Wir haben ihn. Drauf, drauf!"

„Allah kerîm, Allah kerîm!" erklang vor uns die Stimme des Verfolgten.

Er wollte ein drittes ‚Allah' rufen, doch gab es im gleichen Augenblick einen Krach, und unser Boot hob sich vorn, so daß wir beinahe von unsern Sitzen fielen.

„Ruder einziehen!" befahl Turnerstick. „Und aufpassen, wenn sein Kopf erscheint!"

Mein Freund hatte seinen Zweck erreicht. Wir waren dem Boot des Arabers in die Seite gefahren und hatten es umgestürzt; es schwamm kieloben neben dem unsrigen. Wir paßten auf, wo der ins Wasser Gestürzte erscheinen würde — vergeblich. Einmal war es mir, als sei in der Ferne ein runder Gegenstand, wie ein Menschenkopf, auf der Oberfläche erschienen, aber das mußte eine Täuschung sein. So weit von der Unglücksstelle konnte sich nur ein ausgezeichneter Schwimmer ohne Atem zu holen unter Wasser entfernen.

„Vielleicht steckt er unter seinem Boot", meinte Turnerstick. „Wollen es umwenden."

Wir brachten dies unschwer fertig. Der Verschwundene war nicht darunter. Aber sein Obergewand, das er abgelegt gehabt hatte, war an der Riemengabel hängengeblieben. Als wir es untersuchten, sahen wir, daß es ein weißer Burnus war. Jetzt gab es keinen Zweifel mehr, daß wir es wirklich mit dem Muslim zu tun gehabt hatten. Er war uns gefolgt und hatte beobachtet, daß wir nach Schloß If gefahren waren. Dies hatte ihn auf den Gedanken gebracht, uns während der Rückfahrt aufzulauern und mir eine Kugel zu geben. Um dabei keinen Zeugen zu haben, hatte er den Dolmetscher nicht mitgenommen. Da er auf ein Mißlingen gefaßt gewesen sein mußte, so ließ sich mit Bestimmtheit sagen, daß er nicht nur ein verwegener Mensch, sondern auch ein sehr guter Schwimmer sei. Vielleicht war der runde Gegenstand, den ich erblickt hatte, doch sein Kopf gewesen.

Wir ruderten hin und her, ohne eine Spur von ihm zu finden.

Ich hatte gesehen, daß sein Kopf unbedeckt gewesen war. Wo hatte der Mann seinen Turban gelassen? Jedenfalls hatte er mit dem Burnus im Boot gelegen und war untergesunken. Mit diesem Ausgang des Abenteuers unzufrieden, konnte ich den Vorwurf gegen Turnerstick nicht unterdrücken:

„Warum mußtet Ihr ihn rammen? Gab es denn keine andre Weise, sich seiner zu bemächtigen?"

„O doch! Aber wer Pistolen bei sich führt, der hat wahrscheinlich auch ein Messer. Hätten wir nach ihm gegriffen, so wäre er imstande gewesen, nach uns zu stechen. Warf ich ihn aber ins Wasser, so mußte er froh sein, durch unsre Hände herausgezogen zu werden."

„Wir brauchten sein Messer nicht zu fürchten. Wäre er von uns ans Ufer getrieben worden, so hätte es dort Polizei und auch sonst Helfer gegeben, um ihn festzuhalten."

„Messieurs", ließ sich jetzt der Bootsmann vernehmen, „es ist am besten, wir gehen an Land und begraben diese Angelegenheit in Schweigen. Das ist der Rat, den ich Ihnen, auch um meinetwillen, geben muß."

Er hatte recht, und wir stimmten seinem Vorschlag zu. Als wir dann Port de la Joliette erreichten und an der Reihe der hier nebeneinander liegenden Schiffe vorüberfuhren, bemerkten wir eine Brigg, an deren Seite das Fallreep niederhing. Daran stieg soeben ein langer, barhäuptiger Mann empor, dessen dunkle Hose und Jacke sich vor Nässe eng an seinen Leib gelegt hatten.

„Sollte das unser Mann sein?" fragte Turnerstick. „Ich habe diese Brigg gestern betrachtet. Sie hat zwei Namen, nämlich einen französischen, ‚Le vent‘, und einen, den ich wegen der fremden Schrift nicht lesen konnte. Morgen früh wollen wir uns einmal genauer unterrichten."

Aber am andern Morgen war die Brigg in See gegangen. Wir erkundigten uns und erfuhren, daß sie ein tunesisches Schiff sei. Die fremde Schrift hatte arabisch ‚El Hawâ‘ gelautet, was dasselbe wie das französische ‚Le vent‘, nämlich ‚der Wind‘, bedeutet. — —

2. Eine stürmische Überfahrt

Goldene See! Kein andrer Teil des Weltmeers verdient diese Bezeichnung so wie das Mittelländische — wenn es nicht, vom Sturm aufgewühlt, seine Wogenkämme gegen die nahen Küsten schleudert. Steht die Königin des Tages hoch am Himmel, so liegt die Flut wie reines Himmelblau vor, hinter und neben dem Kiel und ist so durchsichtig, daß man bei einem vorübersegelnden Schiff die neue Kupferung emporleuchten sieht. Wenn sich die Sonne dann senkt, so nehmen die Wasser immer hellere, goldenere Töne an, bis bei Sonnenuntergang mächtige, mit purpurnen Lichtern vermischte Strahlenbündel weithin über die leicht gekräuselten Wellen schießen. Dazu ist die Luft so mild und erfrischend, daß die Lunge tiefer atmet und die Brust des Menschen in einem seltenen Wohlgefühl schwillt.

Das hatte ich früher beobachtet und beobachtete es auch jetzt wieder. Ich saß unter dem Deckzelt und verzichtete stundenlang auf die anderorts unvermeidliche Zigarre, nur um die herrliche Seeluft rein und unvermischt zu atmen.

Nicht so guter Laune war der Kapitän. Er kümmerte sich nicht um das Wohlgefühl einer Landratte, wie ich es war, sondern ging mit zusammengezogenen Brauen auf und ab, betrachtete bald die See und bald den Himmel und murmelte halblaute Worte vor sich hin. Der Mann am Steuer machte ein ebenso griesgrämiges Gesicht, und die Matrosen lagen hier und dort gähnend auf den Planken, schoben ihre Priemchen aus einer Backe in die andere und warfen einander gelangweilte oder gar bedenkliche Blicke zu.

„Was gibt es denn? Was ist los, Kapt'n?" fragte ich Turnerstick. „Ihr kaut an einer Sache, die Euch nicht schmeckt."

„Was los ist?" erwiderte er, indem er zu mir unter das Zelt trat. „Nichts ist los, leider. Aber es kann leicht etwas losgehen."

„Was denn? Etwa ein Sturm? Es scheint ja alles ganz vortrefflich zu sein."

„Es scheint, ja, das ist richtig; es scheint eben nur. Ein ewig lächelndes Gesicht ist ein falsches, ein heimtückisches Gesicht. So ist's auch mit dieser See. Wenn die Alte immer nur lacht, so kann man darauf schwören, daß sie ganz plötzlich tüchtig zu keifen beginnt. Als wir Frankreich hinter uns ließen, hatten wir Nordwest. Das ist ein schöner Wind, um von Marseille aus in See zu stechen. Aber Nordwest und stets Nordwest, das ist hier, wo die Winde so häufig wechseln, bedenklich."

„Aber es ist ja gerade der Wind, den wir für unsern Kurs brauchen. Wie denkt Ihr? Wann werden wir Tunis erreichen?"

„Morgen abend, wenn der Wind so stehenbleibt. Wollen hoffen, daß er uns nicht betrügt."

Er verließ das Zelt, schritt wieder einige Sekunden lang hin und her und machte dann halt, um den Sehkreis zum tausend-

sten Male zu mustern. Dabei gab er seinem Kopf plötzlich einen
Ruck in die Höhe, hielt die Hand über die Augen, spähte scharf
nach Westen und sagte dann zu mir:

„Da haben wir's! Ich werde wohl recht bekommen. Da hinten
braut sich etwas zusammen, was uns keinen Spaß machen wird."

Jetzt trat auch ich ins Freie und blickte in die angegebene
Richtung. Dort gab es an dem sonst völlig ungetrübten Himmel
ein kleines, lichtes Wölkchen. So wenig Seemann ich war, hatte
ich doch erfahren, daß ein so winziges Gebilde imstande ist, in
kürzester Zeit den ganzen Himmel in Finsternis zu hüllen.

„Ja, ja, das ist's", nickte Turnerstick. „In einer Stunde geht
es los. Wollen unsre Vorbereitungen treffen — ich hoffe, daß
mein ,Courser' die Probe besteht."

Die Matrosen brachten das Zelt unter Deck und befestigten
alles Bewegliche. Noch ließ Turnerstick das Schiff unter voller
Leinwand segeln. Aber als sich nach einer Viertelstunde das
ursprüngliche Wölkchen wie eine schwarze Wand über den ganzen westlichen Himmelsrand ausgebreitet hatte, gab er den Befehl zu reffen.

Das Unwetter kam doch nicht so schnell wie er vermutet hatte.
Es dauerte noch eine Stunde, bis die Wolkenwand den dritten
Teil des Himmels einnahm. Jetzt wurden die großen Segel be-
schlagen und der Bark nur so viel Leinwand gelassen, wie sie
brauchte, um dem Steuer gehorchen zu können.

Es war gegen Abend, eine bedenkliche Zeit. Auf einem so
engbegrenzten Meer ist ein Sturm des Nachts weit gefährlicher
als am Tage. Das wußte selbst ich. Doch hatte ich keine Sorge,
denn die Bark war ein Prachtschiff und Turnerstick ein Seemann, dem man sich unbedenklich anvertrauen durfte.

Jetzt verdunkelte sich der Himmel schneller, und nun kamen
Mutter Kareys Küchlein gehüpft. So nennt der Seemann die
kurzen Wellen, die einer vom Sturm aufgeregten See vorangehen. Diesen Küchlein folgten hohe Kämme, der Wind nahm an
Stärke zu, und aus den Wellen wurden Wogen — der Sturm
war da.

Er fegte über Deck, daß man sich fest anhalten mußte, um
nicht fortgerissen zu werden. Die Bark flog unter ihrer kleinen
Leinwand vor ihm her, bald hoch oben, bald unten in der Tiefe
eines Wellentals. Es war so dunkel geworden, daß man kaum
fünf oder sechs Schritt weit zu blicken vermochte.

„Charley, geht in die Kajüte!" rief mir der Kapitän während
einer Pause, in der der Sturm Atem holte.

„Ich bleibe oben", erklärte ich.

„Ihr werdet weggespült!"

„Ich binde mich am Mast fest."

„Unsinn! Ich befehle es Euch, und Ihr habt zu gehorchen. Marsch fort, hinab!"

Da nahmen mich zwei Matrosen, einer rechts und der andre links. Jede ihrer Hände hatte einen Durchmesser wie meine beiden zusammen. Sie führten mich zur Treppe, stopften mich hinab und warfen die Luke über mir zu. Gegenwehr wäre da lächerlich gewesen. Nun saß ich, da alle Mann an Deck befohlen waren, ganz allein da unten und hörte die Wut der Naturgewalten sich an den dünnen Wänden brechen. Das war ein Fauchen und Zischen, ein Sausen und Brausen, ein Heulen und Toben, von dem nur der eine Ahnung hat, der im Sturm auf See gewesen ist. Das Schiff krachte in allen Fugen. Der Donner schlug, prasselte und rollte unaufhörlich, und die Blitze schienen ein wahres Fangspiel um das Schiff zu veranstalten.

Die Minuten wurden mir zu Stunden. Ich glaubte diese Einsamkeit in dem engen Raum nicht ertragen zu können und mußte doch aushalten. Nach drei oder vier Stunden schien das Tosen ein wenig nachzulassen, und da kam Turnerstick herab. Er war fadennaß, doch sein Gesicht strahlte vor Vergnügen.

„Alles vortrefflich", lachte er mir zu. „Mein ‚Courser' macht seinem Namen Ehre und geht wie ein richtiges Rennpferd durch die Wogen."

„So ist nichts zu befürchten?"

„Gar nichts. Wir haben einige Sturzseen bekommen, das ist alles. Es war nur ein kleines Stürmchen. Freilich mußte ich vorsichtig sein, da die Abtrift nicht zu vermeiden war. Wir befinden uns südlich von Kap Teulada, der Südspitze von Sardinien, und können leicht in die Untiefen der Insel Galita getrieben werden, die der Tunesischen Küste vorgelagert ist. Der Wind hat sich gedreht, er bläst aus Südsüdwest, und so werde ich beilegen, um möglichst Kurs zu halten. Der Sturm hat keine Dauer, es war nur eine längere Donnerbö, die wenig Wasser brachte. In zwei Stunden bin ich wieder da, um einen Grog zu trinken, den Ihr mir und Euch brauen könnt."

Er stieg wieder nach oben. Ein kleines Stürmchen? Der Mann drückte sich ja recht bescheiden aus. Aber er behielt recht. Als die angegebene Zeit vorüber war, hörte das wilde Toben der Gewalten auf, der Donner schwieg, und der Wind blies steif und ohne Unterbrechungen. Turnerstick kam zurück, um seinen Grog zu trinken, und gab mir die Erlaubnis, wieder nach oben zu gehen.

Da sah es freilich ganz anders aus als während der vergangenen Nächte. Noch war der Himmel wolkenschwarz, ebenso schwarz stiegen die Wogen am Schiff empor, um leuchtenden Gischt auf Deck zu spritzen. Ja, der Sturm, die Bö war vorüber, aber die See tobte noch fort. Die Hälfte der Mannschaft durfte hinab, die andern blieben oben. Alle aber bekamen als Belohnung für die Anstrengungen eine Doppellage Rum. Der pflichtgetreue Turnerstick blieb auch oben. Ich konnte nichts nützen und ging also nach einiger Zeit wieder hinab, um mich niederzulegen.

Als ich geweckt wurde, glaubte ich kaum eine Stunde geschlafen zu haben. Doch der Tag war da, und als ich an Deck kam, sah ich über mir den frischen, unbewölkten Morgenhimmel und rundherum eine fast beruhigte See.

„Es ist glücklich überstanden, und wir befinden uns wieder in voller, richtiger Fahrt", meinte Turnerstick. „Ob aber alle Schiffe so glücklich gewesen sind wie wir, das bezweifle ich. Darum halte ich jetzt auf Galita und die Fratelli-Inseln zu, um zu erkunden, ob sich vielleicht einer dort auf den Felsen festgefahren hat."

Wie glücklich dieser menschenfreundliche Gedanke war, sollte sich schon nach kaum zwei Stunden zeigen. Um diese Zeit nämlich meldete der Mann am Ausguck ein Wrack in Sicht. Wir richteten die Rohre darauf, und zugleich gab der Kapitän den Befehl, beizudrehen und das Lot auszuwerfen. Es ergab neun Faden, so daß es gefährlich erschien, sich dem Wrack noch mehr zu nähern. Als dunkler, dreieckig erscheinender Körper ragte es aus dem Wasser. Von Masten war nichts zu sehen. Auch waren wir zu weit entfernt, als daß wir selbst durch das Rohr einen Menschen hätten wahrnehmen können. Turnerstick ließ dessenungeachtet das große Boot nieder. Es wurde mit den nötigen Ruderern unter dem Befehl des Steuermanns besetzt, und ich erhielt die Erlaubnis, mitzufahren.

Als wir dem Wrack näherkamen, erkannten wir es als das Vorderteil eines Schiffs, dessen Heck ganz unter Wasser lag. Die Masten waren samt der Takelung über Bord gegangen. Auch der Klüverbaum war abgebrochen.

„Was für ein Fahrzeug mag das gewesen sein?" fragte ich.

„Das kann niemand sagen", entgegnete Turnerstick. „Man sieht ja nur den halben Bug und das Spriet. Werden es aber bald erfahren, denn, wie mir scheint, sind Menschen darauf."

Ja, es gab Menschen da drüben. Ich konnte sie durch das Rohr zählen, es waren ihrer nur drei. Sie sahen uns kommen und winkten unausgesetzt mit den Händen. Der Bug des Fahrzeugs ragte so weit aus dem Wasser, daß der Name daran zu erkennen war. Und mit Staunen las ich ‚Le vent' und in arabischer Schrift ‚El Hawâ'. Das war die tunesische Brigg, die Marseille für uns zu früh verlassen hatte. Und bald verwandelte sich mein Erstaunen in freudige Erleichterung, denn in dem einen Mann, der, um zuerst bemerkt zu werden, auf dem Bugspriet ritt, erkannte ich unsern totgeglaubten Muselman und Pistolenschützen.

Glücklicherweise gab es keine starke Brandung. Es gelang uns unschwer, das Boot an das Wrack zu bringen. Das Wasser stand bis zur Kistluke nach vorn. Darum war es unmöglich, ins Schiffsinnere zu dringen, um von dort etwas zu bergen. Wir mußten uns auf die Rettung der drei Männer beschränken.

Der Muslim tat, als kenne er mich nicht. So, wie er jetzt im Boot vor mir saß, mit durchnäßter Hose und Jacke, glich er genau dem Mann, der am Fallreep der Brigg emporgestiegen war. Er wechselte einige leise Worte mit den beiden andern, worauf sie mich verstohlen forschend betrachteten. Der Steuermann legte ihnen unterwegs einige Fragen vor, erhielt aber nur eine murmelnde Antwort, die selbst ich nicht verstehen konnte. Was mich betrifft, so beschloß ich, einstweilen zu schweigen.

Man kann sich die Verwunderung Turnersticks denken, als er sah, wen wir brachten.

„Charley", schmunzelte er, „nun ist alles in Ordnung. Ist's sein Prophet, dem wir den Schiffbruch zu verdanken haben, so will ich ihn loben."

Natürlich mußten die Geretteten ausgefragt werden. Turnerstick tat dies in seiner Weise, erhielt aber nur die stete Antwort ‚non comprendre' und ‚no capire'. Er war also gezwungen, die Erkundigung mir zu überlassen. Die zwei Matrosen gaben sich für Tunesier aus, sprachen aber so mangelhaft arabisch, daß ich sie für Griechen und nebenbei für Schurken hielt, die allen Grund hatten, die Wahrheit zu verschweigen. Sie nannten mir den Namen des Reeders in Tunis, dem das Schiff gehört hatte, und erzählten mir auch, wie es auf Grund geraten war. Ihrem Bericht nach schien der Kapitän ein unfähiger Mensch gewesen zu sein, ich aber hatte große Lust, ganz andre Gedanken zu hegen. Es handelte sich wohl vielmehr um einen freiwilligen Schiffbruch zur Gewinnung der hohen Versicherungssumme. Der plötzlich eingetretene Sturm aber hatte Ernst gemacht und außer den von uns geretteten dreien der ganzen Bemannung den Tod gebracht.

„Und wer ist dieser Mann, von dem ihr bis jetzt noch gar nichts gesprochen habt?" fragte ich die zwei, indem ich auf den Muslim deutete.

„Wir wissen es nicht", war die Antwort.

„Ihr müßt es wissen, er ist ja mit euch gefahren."

„Nein. Wir kennen ihn nicht, denn er war Fahrgast und hat nur mit dem Kapitän gesprochen."

„Aber ihr habt gehört, wie er vom Kapitän genannt wurde?"

„Er sagte stets nur Sahib[1] zu ihm."

Nun wendete ich mich unmittelbar an den Betreffenden und fragte ihn nach seinem Namen. Sein Anzug bestand nur aus dem Hemd, der Hose und der Jacke, alles übrige hatte er während des Schiffbruchs im Sturm verloren. Seine Füße waren nackt, und sein geschorenes Haupt entbehrte der Bedeckung, ohne die sich der Muslim vor keinem Menschen blicken läßt. Dennoch hatte er sich seitwärts von uns niedergesetzt und eine Haltung angenommen, als sei er der Gebieter unsres Schiffes. Ich mußte meine Frage wiederholen, bis er antwortete:

„Ist es bei den Franken Sitte, den Gast sofort nach seinem Namen zu fragen? Wie sehr lassen diese Christen doch die Höflichkeit vermissen!"

„Meine Frage war im höflichsten Ton ausgesprochen. Das Gesetz hat mich gezwungen, sie zu tun. Alles, was an Bord geschieht, muß in die Schiffsbücher eingetragen werden."

„Sofort?"

„Ja."

„Auch mein Name?"

„Gewiß."

„So schreibe Ibrahim."

„Wie noch?"

„Weiter nichts."

„Dein Stand und deine Heimat?"

„Ich lebe von dem, was ich besitze, und wohne in Tunis."

„Das wird genügen."

„So laß mich nun in Ruhe!"

Er sagte das im abweisendsten Ton. Trotzdem fuhr ich gelassen fort:

„Deine Güte wird mir erlauben, noch eine Erkundigung einzuziehen. Du warst in Marseille?"

„Ja."

„Hast du da den Tiergarten besucht?"

„Nein."

[1] Gebieter, Herr

„Bist du nicht zwischen Schloß If und dem Port de la Joliette mit dem Kahn verunglückt?"

„Ich weiß nichts davon."

„Erinnerst du dich auch nicht, mich dort gesehen zu haben?"

„Ich kenne dich nicht und habe auch nicht Lust, mit einem Christen Bekanntschaft zu machen."

„Das hättest du früher sagen sollen, dann hätten wir dich auf dem Wrack zurückgelassen."

„Allah wird mir die Berührung mit den Ungläubigen verzeihen, er ist groß, und Mohammed ist sein Prophet. Wenn ihr mich nach Tunis gebracht habt, werde ich nach dem heiligen Keruan pilgern, um wieder rein zu werden."

Keruan oder Kaïrwan ist eine tunesische Stadt, die kein Nichtmohammedaner betreten darf. In ihr liegt El Owaib, Mohammeds Busenfreund und Gefährte, begraben. Die dortige Okba-Moschee ist die heiligste in den Berberstaaten.

Schon wollte ich mich von dem Muslim abwenden, da fügte er hinzu:

„Du wirst mir die Kajüte überlassen und mir Fleisch, Mehl, Datteln und Wasser geben, das kein Ungläubiger berührt hat. Ich will abgeschieden wohnen, um euern Augen zu entgehen, denn die Blicke der Christen verunreinigen den Leib des Gerechten."

Sollte ich diesen Menschen auslachen oder ihm meine Hand abermals zu fühlen geben? Keins von beiden. Zum Lachen ärgerte ich mich zu sehr, und zum Schlagen war mir meine Hand denn doch zu wert. Darum erwiderte ich gelassen:

„Willst du nicht in die See geworfen werden, so begnüge dich mit dem Platz, wo du jetzt sitzt. Du hast ihn ja selber gewählt. Das Essen und Trinken wirst du mit den Matrosen bekommen, denen du dein Leben verdankst. Der Gerettete darf sich nicht erhaben dünken über den, der ihn gerettet hat."

Da flammte sein Auge auf, und er schnauzte mich an:

„Wer hat mich gerettet? Sage es! Als ich über den Wassern hing, habe ich gerufen: ‚Sa'id'ni, jâ nebi, jâ Mohammed!'[1]. Da sandte er euch, um euch zu begnadigen, mir die Hand zu reichen."

„Warum sandte er dir keine Muslim?"

„Weil keine in der Nähe waren."

„So scheint Jesus Christus mächtiger zu sein als dein Prophet, denn er führte uns in deine Nähe. Doch genug davon! Wir sind fertig miteinander, und zwar hoffentlich für immer!"

„Noch nicht. Du gehst nach Tunis, und ich wohne dort. Wir

[1] Rette mich, o Prophet Mohammed!

treffen uns noch. Jetzt aber wirst du mir etwas geben, um die Blöße meines Hauptes und meiner Füße zu bedecken!"

Das war frech. In demselben Atem, mit dem er mich beleidigte und mir drohte, verlangte er Gefälligkeiten, und zwar in welchem Ton! Daher lautete mein Bescheid:

„Das kann ich nicht, da du behauptest, daß alles, was aus der Hand eines Christen kommt, dich beschmutzt."

„Willst du, daß ich mit unbedecktem Schädel in Tunis aussteige?"

„Nein. Ich will barmherzig sein und deinen Glauben achten, der dir verbietet, den nackten Kopf sehen zu lassen. Du sollst eine Hülle haben. Nimm die hier, sie ist ja dein Eigentum!"

Ich hatte bemerkt, daß Turnerstick nach dem weißen Burnus geschickt hatte, den gab ich dem Muslim hin. Er nahm ihn, ohne daß ein Zug seines Gesichts sich veränderte, und sagte:

„Das ist das Gewand eines Gläubigen, ich darf es nehmen. Schuhe wird mir einer der beiden Matrosen leihen. Deine Seele und dein Leben aber seien wie der Rauch des Feuers, der entweicht, ohne zurückzukehren!"

Dem Kapitän erging es ebenso wie mir. Als ich ihm alles Gesprochene übersetzte, wußte er nicht, ob er diesen Menschen über Bord werfen lassen oder einfach auslachen solle. Er war mit dem, was ich bestimmt hatte, durchaus einverstanden. Der unverschämte Kerl mußte auf die Kajüte verzichten. Aber er begehrte auch kein Essen und kein Wasser. Er hatte den Burnus zerrissen und sich die eine Hälfte um den Kopf gewickelt. An die Füße steckte er die geborgten, niedergetretenen Schuhe, die kaum mehr Pantoffel genannt werden konnten. So saß er steif und unbeweglich auf seinem Platz und starrte ins Weite, scheinbar unbekümmert um alles, was um ihn vorging.

Von dem Augenblick an, da die Geretteten an Bord kamen, waren wir wieder mit vollen Segeln gegangen. Kurz nach Mittag erreichten wir Ras Sidi Ali, das Vorgebirge, und wenig vor Abend hatten wir Kap Carthago umsegelt und den Hafen von Goletta, dem Vorort von Tunis, vor uns. Bald darauf ließen wir im Handelshafen, der sich an der Südseite des Kriegshafens befindet, die Anker fallen. Nun bewegte sich der Mohammedaner zum erstenmal. Er trat zu Turnerstick und mir und befahl, indem er auf seine beiden Matrosen deutete:

„Ihr werdet sofort mit diesen Leuten zu euerm Konsul eilen und bestätigen, daß die Brigg untergegangen ist! Der Konsul wird seine Unterschrift geben."

Da legte ich ihm die Hand auf die Schulter und antwortete:

„Und was wirst du inzwischen tun?"

„Ich gehe an Land."

„Meinst du, daß wir es dir erlauben?"

„Erlauben? Ihr habt mir nichts zu erlauben. Ihr seid hier fremd, und ich bin Herr."

„Umgekehrt! Du befindest dich auf diesem Schiff, da bist du fremd, und wir sind die Herren. Wir haben das Recht, dich wegen deines Mordversuchs gegen mich hier zurückzuhalten, bis unsre Konsuln ihre Verfügung treffen. Oder bist du noch immer so feig zu leugnen, daß du auf mich geschossen hast?"

Es war ein unbeschreiblich stolzes und hochmütiges Lächeln, das über sein Gesicht glitt, als er erwiderte:

„Ich feig? Ihr Würmer! Ja, ich habe auf dich geschossen und werde es wieder tun, sobald du es wagst, mir abermals zu begegnen. Nun behalte mich zurück! Ich sage dir, ich brauche nur meine Stimme zu erheben, so sind hundert Männer da, um mich mit Ehren von hier abzuholen. Noch weißt du nicht, wer ich bin, und wehe dir, wenn du mich kennenlernst!"

„Pah! Daß du mir nicht deinen wahren Namen und Stand genannt hast, wußte ich sofort. Sei, wer du willst, wir fürchten dich nicht. Wen wir dich festhalten wollen, so würden deine Hundert uns nicht hindern können. Wir haben noch ganz andre Männer, als du bist, gegen uns gehabt und ihnen Achtung eingeflößt. Aber wir sind Christen, und unser Glaube gebietet uns, selbst unsern Feinden wohlzutun. Darum wollen wir dir den Mordanschlag verzeihen und dich in Frieden ziehen lassen. Du kannst gehen!"

„Ja, ihr seid Christen", lachte er höhnisch, „Christen, die erst dann für einen Menschen beten, wenn er vom Panther zerrissen worden ist. Eure Lehre ist lächerlich und euer Glaube eitel. Eure Priester verkünden die Unwahrheit, und ihr glaubt, was sie euch sagen. Ich verachte euch und werde euch zermalmen, wenn ihr es wagt, mir wieder vor die Augen zu treten!"

Den rechten Arm wie zum Schwur erhebend, ging er mit dieser Drohung von Bord. — —

3. Unerwartete Begegnung

Die Zeiten verändern sich, und die Menschen und Völker mit ihnen. Die Wahrheit dieses Wortes erkennt man sofort, wenn man den Fuß auf die Erde Nordafrikas setzt. Noch ist's nicht lange her, daß die schiffahrenden Völker Europas vor den Raub-schiffen der Berberstaaten zitterten. Die Angehörigen gesitteter Völker wurden ohne Erbarmen ausgeplündert und getötet oder in die Sklaverei geschleppt. Da gab es keine Hilfe, als nur die des Loskaufs um sehr hohe Summen. Da trotzte der Halbmond dem Kreuz, und der Bei oder Dei eines kleinen Räuberländchens spottete der mächtigen Fürsten und Könige, die Heere aus der Erde stampften, um — — sich untereinander zu bekämpfen.

Wie ganz anders heut[1], nach so verhältnismäßig kurzer Zeit! Marokko krankt an inneren Kämpfen und verzehrt sich daran. Von Tripolis wird nicht einmal gesprochen. Algerien wurde ,aus-geräuchert', und nun hat Frankreich seine Hand auch auf Tunesien gelegt. Dort schreitet die französische ,Gesittung' mit Riesenschritten vorwärts. Hat man doch sogar Eisenschienen ge-legt, so daß der schrille Pfiff der Lokomotive den Mueddin unter-bricht, wenn er vom hohen Minarett herab die Gläubigen zum Gebete ruft.

Und doch ist Tunis immer noch orientalischer als Algier und selbst Kairo. Das bemerkt man erst, wenn man in das Innere der Stadt gelangt. Am Hafen wird der Reisende zunächst von den Zollbeamten empfangen, die nicht allzu streng sind, sondern beim Anblick eines oder einiger Frankenstücke sich einer menschlichen Rührung nicht zu erwehren vermögen. Der Europäer mag sich dann vor den Lastträgern, die gern mitsamt dem Gepäck ausrücken, in acht nehmen und sich so schnell wie möglich zum Hotel d'Orient oder Hotel de France bringen lassen, wo er zwar selten gutes Essen und reine Wäsche, aber zu jeder Zeit gutwillige Aufklärung findet, wenn er weiß, was das Wort Bakschisch, Trinkgeld, im Orient bedeutet.

Von der Stadt selbst läßt sich wenig sagen. Sie gleicht den andern morgenländischen Städten, ohne irgendeinen Vorzug vor ihnen zu haben. Der Muslim freilich hat eine so gute Meinung von ihr, daß er sie die Stadt der Glückseligkeit nennt. Dem pflichtet der Europäer bei, wenn er von dem Ölbaumhügel, Belvedere genannt, im Lichte der sinkenden Sonne die schlanken Minaretts und platten Dächer, auf deren Weiß goldige Tinten flimmern, liegen sieht. Doch wird er, wenn er das Innere der Stadt betritt, diese Meinung sicherlich ändern. Die Gassen sind krumm und eng, überall liegt Schutt, Geröll und übelriechender Schmutz. Oft treten die Häuserreihen so nah aneinander, daß man mit einem kurzen Schritt von einem Dach der einen Straßen-seite auf ein Dach der andern gelangen kann. Baufällige Ge-

[1] Die Erzählung wurde 1893 verfaßt

bäude werden nicht ausgebessert, man läßt sie zerfallen und errichtet, da es nicht an Platz gebricht, ein neues Haus nebenan. So stehen Häuserreste, wohlgepflegte Gebäude, rasch aufgeschlagene Zelte, ja Grabkapellen nebeneinander, die Geschichte und Entwicklung der Stadt von der ältesten bis auf die neueste Zeit vertretend. Kaiser Karl V. ließ nach dem Sieg von Keleah eine Zwingburg bauen, zu der die Bewohner die Steine der karthagischen Wasserleitung abbrechen und herbeischaffen, auch aus den Marmorsäulen Karthagos Kalk brennen mußten. Diese Burg liegt heute ebenfalls in Trümmern. Das einzige erwähnenswerte Haus ist der Palast des Bei am Kasbahplatz, der aber nur selten benutzt wird.

Früher waren die Bewohner streng nach Rasse und Glauben voneinander gesondert. Dies ist jetzt nicht mehr der Fall, dennoch nehmen den unteren Stadtteil und die Vorstädte vorzugsweise die Christen und Juden ein. Der obere Teil wird von den sogenannten Kulugli, den Nachkommen der Türken, bewohnt, und in dem Mittelteil hausen die Mauren, die meist Nachkommen der aus Spanien vertriebenen Moriskos sind. Zu erwähnen wäre noch, daß des Abends bei Dunkelheit jedermann verpflichtet ist, eine Laterne zu tragen.

Der Bei wohnt in seinem Schloß Bardo, das in westlicher Richtung eine halbe Stunde von der Stadt entfernt liegt. Um dorthin zu gelangen, geht man durch einen Bogen der bewundernswerten Wasserleitung, die einst Karthago mit Wasser versorgte. Dieser Bardo ist eine Zusammenstellung von verschiedenen Gebäuden, in denen nicht nur der Bei seinen Sitz hat, sondern auch viele hohe Würdenträger, Beamte und Bedienstete wohnen.

Was die Trümmerfelder von Karthago betrifft, so stammen die meisten verfallenen Bauten aus späterer Zeit. Als die wirklichen Überreste des alten Karthago hat man wohl nur jenes Wasserwerk, das aus achtzehn großartigen Behältern besteht, zu betrachten.

Mit diesen Sehenswürdigkeiten ist der Fremde sehr bald fertig. Ich hielt es mit der Gegenwart. Das Leben und Treiben der jetzigen Bevölkerung regte mich mehr an als das hier übrigens verbotene Suchen und Graben nach Altertümern. Darum trennte ich mich von Turnerstick, der geschäftlich sehr in Anspruch genommen war, und mietete mir eine Wohnung in der Mittelstadt. Das Haus gehörte einem Bader und setzte sich aus zwei feinen Gesellschaftszimmern zusammen, die durch einen die ganze Breite und Höhe des Gebäudes einnehmenden Vorhang voneinander getrennt waren. Dieser ganze Palast war acht Schritt lang und sechs Schritt breit, das Dach bestand nur aus Stroh, die Mauer aber aus Lehm und Stroh. Um die Tür zu ersparen, hatte man auf der einen Seite die Mauer lieber gleich ganz weggelassen. Der Vorhang war sehr pfiffig aus Papierstücken aller Sorten, Größen und Farben zusammengeklebt. Den Boden bildete die freundliche Mutter Erde. Da saß ich dann auf meinem Diwan, das heißt auf meinem Reisesack, der die ganze Ausstattung bildete, in der Ecke und blickte durch eins der vielen Vorhanglöcher hinüber in das andre Zimmer, wo der alte Bader sein Wesen trieb, aber nicht etwa allein, sondern mit seinem Harem, einer vielleicht siebzigjährigen Medusa, deren einzige Beschäftigung im Braten von Zwiebeln zu bestehen schien. Seine Stube wurde niemals leer. Er hatte eine sehr bedeutende Kundschaft, doch habe ich keinen von ihnen allen bezahlen sehen. Es war ein wahres Vergnügen, ihn bei der Ausführung seiner Kunst zu beobachten. Besonders ergriff und rührte mich die Treue, mit der er den von den Gesichtern und Schädeln gekratzten Seifenschaum sammelte, um mit ihm liebevoll wieder andre Schädel und Gesichter zu labsalben.

Diese meine Wohnung kostete im Monat vier Franken, in der Woche also achtzig Pfennige, die ich im voraus bezahlen mußte. Als ich dem Alten zwei Franken gab und dabei erklärte, daß ich nur eine Woche bleiben könne, hielt er mich für einen Prinzen aus Tausendundeiner Nacht und erbot sich, mich kostenlos zu rasieren, worauf ich aber wohlweislich verzichtete.

Natürlich hatte ich mich hier nur eingemietet, um täglich für eine oder zwei Stunden das Treiben einer tunesischen Baderstube beobachten zu können. Die übrige Zeit verbrachte ich mit Spaziergängen in der Umgegend oder durch die Stadt, und des Nachts schlief ich draußen auf dem Schiff.

Eine Begegnung mit dem feindseligen Mohammedaner fand während der ersten fünf Tage nicht statt. Wenn er je nach mir fahndete, so suchte er mich jedenfalls im Frankenviertel. Am sechsten Tag aber sollte ich mit ihm auf eine völlig unerwartete Weise zusammentreffen. Als ich nämlich am vorherigen Abend an Bord kam, teilte mir Turnerstick voller Freude mit:

„Charley, ich habe heute Glück gehabt, ein großes Glück. Ich werde einen Harem zu sehen bekommen."

„Pah! Den sehe ich alle Tage."

„Wo denn?"

„Bei meinem Haar- und Bartkünstler."

„Redet keinen Unsinn! Um diese Urgroßtante eines Seifenschlägers beneide ich Euch nicht. Übrigens, da wir von Seife sprechen, ich habe die meinige verkauft. Auch die andern Waren finden Absatz, und was man hier nicht nimmt, das werde ich nach Sfaks bringen, wo ich einen guten Markt finde. Ich will, um mich vorher genau zu erkundigen, einmal hin. Geht Ihr mit?"

„Natürlich! Können wir nicht die Linie der Societá Rubattino benutzen?"

„Ja. Übermorgen abend geht ein Dampfer von hier ab. Macht Euch bis dahin fertig!"

„Ich bin zu jeder Stunde bereit. Aber Ihr wolltet von einem Harem sprechen?"

„Nicht nur von einem Harem, sondern von einem Haus überhaupt. Die Handelsherrn, mit denen ich verkehre, sind alle auf fränkische Weise eingerichtet. Nun hat einer dieser Herrn einen maurischen Buchhalter, der bei seinem Schwager, dem Mann seiner Schwester, wohnt. Dieser Schwager besitzt ein schönes, orientalisch eingerichtetes Haus, das mir der Buchhalter morgen vormittag zeigen will."

„Wie heißt der Schwager?"

„Abd el Fadl."

„Das heißt zu deutsch Diener der Güte, ein schöner Name, der etwas Gutes erwarten läßt. Ist er mit dem Besuch seines Hauses einverstanden?"

„Doch jedenfalls."

„Und was ist der Mann?"

„Das vermag ich nicht zu sagen. Ihr wißt ja selbst, daß man sich hier nach den Verhältnissen eines Verwandten nicht erkundigen kann, ohne Anstoß zu erregen. Der Buchhalter holt uns vom Schiff ab."

„Nun, und der Harem?"

„Den soll ich auch besichtigen, allerdings nur die Zimmer, da es der Dame verboten ist, sich zu zeigen."

„Was habt Ihr davon, eine Wohnung ohne die Inhaberin zu sehen?"

„Was habt denn Ihr davon, die Kunden des Baders anzugucken? Meine Kenntnisse will ich bereichern, gerade so wie Ihr die Eurigen. Also, geht Ihr mit?"

„Ja, aber nur um Euretwillen."

„Wieso?"

„Es könnte eine Falle sein, und da muß ich helfen, Euch herauszubeißen."

„Pah! Dieser junge Buchhalter ist ein ehrlicher Mensch. Von einer Falle kann keine Rede sein, und übrigens ist der Kapitän Frick Turnerstick nicht der Mann, sich fangen zu lassen."

Damit war die Sache abgemacht. Ich hatte orientalische Häuser genug gesehen, und es bewog mich nur die Sorge um die Sicherheit des Freundes, ihn zu begleiten.

Am andern Morgen kam der Buchhalter an Bord, ein junger Maure, dessen Erscheinung allerdings vertrauenerweckend war. Er zeigte sich sehr höflich und bescheiden und erklärte, daß sein Schwager von dieser Besichtigung des Hauses zwar nichts wisse, da er verreist sei, aber bei seiner Anwesenheit jedenfalls seine Zustimmung gern gegeben hätte. Diese Versicherung wurde mit solcher Überzeugung ausgesprochen, daß sie mich beruhigte. Wir gingen, doch steckte ich vorher einen Revolver zu mir.

Unser Weg führte uns in eine Gasse, die auf den Kasbahplatz mündete. Dort stand das Haus. Seine Straßenseite bildete eine hohe Mauer, deren einzige Öffnung die Tür war. Der Buchhalter bewegte den Klopfer, und gleich darauf wurden wir von einem Neger eingelassen. Ich sah, wie ich erwartet hatte, das Innere eines Hauses, wie man es bei allen besseren orientalischen Gebäuden geradeso oder ähnlich findet.

Diese Bauwerke bestehen fast alle aus einem offenen, rundum von Stuben und andern Räumen eingefaßten Hof, in dessen Mitte ein Brunnen angelegt ist. Sie unterscheiden sich durch größere oder geringere Kostbarkeit der Einrichtung, durch ihren mehr oder weniger sichtbaren Verfall, das Gepräge aber bleibt dasselbe.

So auch hier. Die Türen des Gebäudevierecks öffneten sich alle nach dem offenen Hof. Sein Brunnen gab Wasser, was höchst selten ist, da die Leitungen meist aus irgendeinem Grund nicht mehr in Tätigkeit sind. Die Einrichtung der Stuben bestand aus Teppich und Sitzkissen. Mehr verlangt der Orientale nicht. Da man rundum aus einem Zimmer in das andre gelangen konnte, so ermöglichte dies uns auch den Zutritt in die Wohnung der Frau. Diese brauchte sich nur durch die nächste Tür zu entfernen, um uns während des ganzen Rundgangs unsichtbar zu sein. Eine Treppe hoch waren einige kleine Gelasse, die von der Dienerschaft bewohnt wurden.

Wir gingen also aus einer Stube in die andre und betraten endlich den Harem. Auch hier gab es außer dem Teppich, dem Diwan und einigen Ruhekissen nichts, was von Bedeutung gewesen wäre. Eine Stube war wie die andre, nur in den Farben zeigte sich die einzige Verschiedenheit. Aus der letzten Haremstube gelangten wir wieder in das Gemach, das wir zuerst betreten hatten, waren also rundum gekommen. Turnerstick wollte alles sehen. Er bat, auch nach oben gehen zu dürfen, und unser

Führer willigte ein. Mir lag gar nichts daran, einige von Schwarzen bewohnte Kammern zu besichtigen, und deshalb zögerte ich einen Augenblick, den beiden zu folgen. Da hörte ich hinter mir das Öffnen einer Tür, und eine Kinderstimme sagte:

„Naßrâni, Naßrâni!"

Das heißt: ein Christ, ein Christ. Ich drehte mich um und sah unter dem jetzt offenen Eingang einen allerliebsten, ungefähr sechsjährigen Knaben. Seine dunklen Augen blitzten mich an, die Wangen waren gerötet, und um die Lippen spielte ein liebliches, schalkhaftes Lächeln. Welch ein Unterschied gegen die gleichgültigen, trägen Kinder, die man gewöhnlich im Orient sieht!

„Karrib, ta 'ala lâ hûnâ — komm näher, komm hierher!" flüsterte er mir mit ausdrucksvollem Mienenspiel zu, als ob er mir die größte Wichtigkeit der Welt zu sagen habe. Dabei krümmte er den Zeigefinger und winkte mit den kleinen Patschhändchen immer auf sich zu.

„Komm du zu mir!" forderte ich ihn auf, da er sich noch im letzten Zimmer des Harems befand.

„Darf ich denn?" fragte er, eifrig mit dem Kopf nickend.

„Natürlich darfst du."

Da kam er herbeigehüpft, schlang beide Ärmchen u.n meine Knie und rief wieder:

„Naßrâni, Naßrâni — ein Christ, ein Christ!"

Ich liebkoste ihn und erkundigte mich:

„Weißt du denn, daß ich ein Christ bin?"

„Ja."

„Von wem?"

„Von Kalada."

„Wer ist das?"

„Mutter. Sie hat euch gesehen."

„Hat sie dich zu mir geschickt?"

„Nein, ich bin selbst gegangen, und sie ist fort. Komm, setz dich neben mich. Ich will dir viel erzählen."

Er zog mich nach dem Wanddiwan. Warum sollte ich dem allerliebsten Kerlchen nicht den Gefallen tun? Ich befand mich ja nicht mehr im Harem und konnte hier ebensogut wie draußen auf dem Hof die Rückkehr Turnersticks und seines Begleiters erwarten. Ich setzte mich also nieder. Der Kleine nahm auf meinem Schoß Platz und begann, sich mit löblicher Beherztheit mit meinem Bart zu beschäftigen.

„Wie heißt du?" fragte er.

„Naßrâni", antwortete ich. „Und du?"

„Asmar."

Dieser Name bedeutet der Braune und paßte sehr gut auf den Knaben. Der orientalische Schnitt seines Gesichts und die leicht angedunkelte Farbe brachten mir die Worte der Heiligen Schrift in Erinnerung, mit denen sie den späteren König David beschreibt: ‚ein Knabe, bräunlich und schön.'

„Du mußt mich so nennen!" fügte er hinzu. „Sag es!"

Ich nannte ihn beim Namen und hob sein Gesicht zu mir empor, worauf er seine Lippen mit meinem Schnurrbarte in jene streichende Berührung brachte, die man beim Schärfen eines Rasiermessers beobachten kann, was jedenfalls einen Kuß bedeuten sollte. Da hörte ich den Schrei einer Frauenstimme, und als ich aufblickte, stand dort an der Tür, die nach dem nächsten, aber nicht nach dem Haremszimmer führte, ein junges, schönes Weib, die Augen halb erschrocken und halb in froher Überraschung auf uns gerichtet. Ihr Gesicht war unverhüllt, der Schleier hing über den Hinterkopf herab. Sie zeigte jetzt die Haltung einer Frau, die nicht weiß, ob sie fliehen oder sich nähern soll. Sie tat keins von beiden, sondern zog den dichten Schleier nach vorn, so daß ihre Züge nicht mehr zu erkennen waren, hob den Zeigefinger winkend empor und sagte:

„Asmar, bete!"

Der Knabe machte sich von mir los, stand auf, faltete die Hände und betete:

„Jâ abâna, iledsi fi's-semawâti, jata haddeso'smoka —"

Welch eine Überraschung! Das war ja das Vaterunser! War diese Frau eine Christin? Ich erhob mich auch vom Diwan. Sie mochte mir die Frage vom Gesicht ablesen, denn als der Kleine geendet hatte, sagte sie, als ob ich sie gefragt hätte:

„Ich bin keine Naßrâna. Ich möchte es gern werden, aber ich darf nicht."

„Wer verbietet es dir?"

„Mein Gebieter."

„Ist er Muslim?"

„Der strengste, den es geben kann."

„Wo hast du dieses Gebet, das du deinem Kind lehrtest, gelernt?"

„Oben auf dem Dach. Es stößt mit dem des Nachbarhauses zusammen, und dort wohnte eine Frankin. Mit ihr habe ich täglich gesprochen, und sie erzählte mir alles, was sie aus der Heiligen Schrift wußte."

Sie hielt einen Augenblick wie sich besinnend inne und fuhr dann fort:

132

„Nach längerer Zeit wollte ich meinem Gebieter diese heiligen Erzählungen kennen lehren, aber seitdem durfte ich nicht wieder zu meiner Freundin auf das Dach, und ihr Gemahl mußte Tunis verlassen."

„Wer zwang ihn dazu?"

„Mein Herr."

„Hatte er die Macht dazu?"

„Ja. Was mein Gebieter will, dem stimmt der Herrscher von Tunis bei."

Nach diesen Worten mußte Abd el Fadl, ihr Mann, ein Minister oder sonstiger hoher Ratgeber des Bei sein. Ich hätte es gar zu gern gewußt, doch scheute ich mich, sie zu fragen. Welch ein Unterschied! Sie nannte ihren Mann Herr und Gebieter, während sie den ihrer Freundin als Gemahl bezeichnete. Das beleuchtet die Stellung des christlichen und mohammedanischen Weibes auf das vortrefflichste. Wie aber kam es, daß diese Frau trotz der strengen Haremsregeln es wagte, bei mir zu verweilen und mit mir zu sprechen? Es war, als ob sie meine Gedanken zu erraten verstünde, denn sie traf wieder das Richtige, als sie nun bat:

„Verzeih, Herr, daß ich nicht geflohen bin! Als ich den Knaben an deinem Herzen sah, konnte ich nicht fort. Und ich blieb auch aus einem andern Grund. Ich habe eine christliche Frau gehört und ihr geglaubt. Ein Weib aber ist keine Gelehrte oder Lehrerin, ein Mann weiß besser, was falsch oder richtig ist. Du bist ein Christ und ein Mann. Sag mir, wer recht hat, Christus oder Mohammed?"

„Mohammed war ein sündiger Mensch. Er hat Haschisch gegessen und seine Suren erträumt, Christus aber ist am Kreuz gestorben, um die Sünden aller Welt auf sich zu nehmen. Wer an ihn glaubt, wird selig."

Da schlug sie die Hände zusammen und rief nach einem tiefen Atemzug und mit einer Stimme, der ich die Tränen anhörte:

„So bleibe ich Christo treu, und wenn mein Gebieter mich töten sollte. Er liebt mich sehr, und unser Knabe ist sein Leben, aber den Namen des Heilands darf ich nicht über meine Lippen bringen."

„Ist er so grausam?"

„Er ist die Peinigung andrer gewöhnt, denn er ist der Dschellâd unsres Bei. Seine Seele gehört mir, aber die meinige soll auch nur ihm und nicht Christo gehören, weil — — fort, fort! Herr, leb wohl, ich danke dir!"

Sie hatte schnell den Knaben ergriffen und verschwand mit ihm im Harem, denn draußen erklangen Schritte.

Nun war mir alles klar. Dschellâd ist soviel wie Henker, Gerichtsvollzieher, Vollstrecker der Befehle des Herrschers. Das Amt eines Dschellâd ist im Orient ein Ehrenamt, und sein Träger hat oft mehr Macht als der Wesir.

Jetzt wurde ich von Turnerstick und dem Buchhalter abgeholt. Dieser führte uns noch einmal in den Hof, weil dort die nach Trinkgeld lüsterne Dienerschaft versammelt war. Wir verteilten einige Münzen unter sie und standen nun im Begriff, zu gehn, als es vorn an der Eingangstür klopfte. Der Schwarze eilte fort, um zu öffnen, und wir trafen mit dem Ankömmling noch in der Ecke des Hofes zusammen. Es war — — unser Feind, der Muslim, der auf mich geschossen hatte.

Als er uns erblickte, stand er erst einige Sekunden vor Betroffenheit erstarrt. Dann aber brach der Grimm los. Er stieß einen Schrei der Wut aus, faßte mich mit der Linken an der Gurgel, zog mit der Rechten die Pistole, richtete sie auf meine Brust und drückte ab — — freilich, ohne zu treffen, denn ich schlug ihm die Waffe im letzten Augenblick aus der Hand und machte mich von ihm los.

Turnerstick wollte mir zu Hilfe kommen, aber die Diener, die soeben erst sein Trinkgeld eingesteckt hatten, fielen über ihn her, so daß er, der kräftige Seemann, sich ihrer kaum zu erwehren vermochte. Mein Gegner zog das Messer und wollte wieder auf mich eindringen, da wurde eine aus dem Harem auf den Hof führende Tür aufgerissen, und die Frau, die den Schuß gehört hatte, trat heraus. Sie sah, daß ihr Gatte sein Messer auf mich zückte, und schrie entsetzt:

„Jâ sajjida, jâ Isa, jâ Mesih, wakkif, wakkif — o heilige Jungfrau, o mein Jesus, o mein Messias, halt ein, halt ein!"

Sie streckte ihre Hände flehend aus. Er ließ das Messer fallen. Sein Weib erschien, wenn auch verschleiert, vor uns Fremden. Sie nahm sich unser an, und sie bediente sich dabei der Namen, die ihr streng verboten waren. Er starrte eine Weile wie abwesend zu ihr hin, dann befahl er ihr:

„Hinein, hinein, sofort!"

„Nein, nein", widersprach sie. „Laß erst diese Männer fort. Es soll kein Mord geschehen!"

Er machte eine Bewegung, als ob er auf sie losspringen wolle. Da ergriff ich seine beiden Oberarme, drückte sie ihm fest gegen die Brust und fragte:

„Du, also du bist der Henker des Bei, du?"

„Ja, ich bin der Dschellâd. Ihr müßt sterben", antwortete er, indem er sich loszumachen versuchte.

„Töte uns, wenn du es fertigbringst!" meinte ich, indem ich
ihn freigab und den Revolver zog. „Dein Leben gegen das
unsrige!"

In seinen Zügen waren die Spuren eines gewaltigen, inneren
Kampfes zu bemerken. Dann deutete er nach dem Eingang und rief:

„Fort, fort, ihr Hunde, ihr Hundesöhne! Erst muß ich erfahren, was ihr hier zu suchen hattet, und dann werde ich euch
richten. Euch wäre besser, wenn ihr nie geboren wäret!"

Wir gingen. — —

4. Vater unser, der Du bist im Himmel

Unserm Vorsatz treu, waren wir mit dem Dampfer der Società
Rubattino von Tunis nach Sfaks gefahren. Turnerstick hatte gefunden, daß hier ein reiches Feld abzuernten sei, und konnte
nicht nur den Rest seiner Waren, der unter der Aufsicht des
Steuermanns zurückgelassen worden war, verkaufen, sondern
auch neue Ladung einnehmen. Er war ebenso schlau und um-
sichtig im Handel wie tüchtig zur See und befand sich infolge
seiner Erfolge in der rosigsten Laune, machte Besuche über Besuche, hielt Beratungen und war für mich nur des Abends zu
sprechen. Darum beschloß ich, mich anderweitig zu unterhalten
und zu diesem Zweck die nahen, merkwürdigen Karkenah-Inseln
zu besuchen. Mandi, der bedeutendste Handelsmann der Stadt,
ein Malteser, bei dem wir uns gern befanden, stellte mir sein
Segelboot und einige Leute zur Verfügung. Ich blieb vier volle
Tage dort und kehrte erst am Abend des fünften zurück. Nach
einer Stunde, die ich mit der Ausbesserung meines etwas an-
gegriffenen Anzugs verbracht hatte, ging ich zu Mandi, um ihm
zu danken. Der Tag war indessen vergangen, aber der frühe
Mond stand schon am Himmel. Ein Diener, den ich nach seinem
Herrn fragte, sagte mir, daß dieser vor einiger Zeit in den
Garten gegangen sei, wohin ich ihm folgte.

Zu erwähnen ist, daß Sfaks sehr schöne Blumen-, Obst- und
Südfruchtgärten besitzt. Es leben viele Europäer hier, besonders
Franzosen, Italiener und Malteser, und das hat dem geselligen
Leben einen mehr französischen Anstrich gegeben.

Der Garten lag einsam, auf der einen Seite von dem Haus und
auf den andern drei von hohen Mauern umgeben. Ich forschte
vergeblich nach Mandi und hatte nur noch die äußerste Ecke zu
durchsuchen. Um dorthin zu gelangen, mußte ich über einen

kleinen, freien Platz gehen, der vom Mond hell beschienen wurde. Kaum war sein Licht auf mich gefallen, so hörte ich eine helle Kinderstimme rufen: „El Naßrâni, el Naßrâni — der Christ, der Christ!“

 War das etwa der kleine Asmar, der Sohn des Henkers? Ich blieb gar nicht lange darüber im Zweifel, denn das Kerlchen kam gesprungen und nahm mich bei der Hand. Er war es wirklich.

„Wo ist dein Vater?“ fragte ich ihn.

„Dort“, antwortet er, nach dem Haus deutend.

„Und Kalada, deine Mutter?“

„Komm, ich werde dich führen.“

„Wer ist bei ihr?“

„Niemand. Sie ist allein.“

Nun trug ich kein Bedenken, die bedauernswerte Frau auf-zusuchen. Sie saß in tiefem Schatten von Jasmin auf einem Stein. Ich grüßte, aber sie dankte nicht. Die Angst, mit mir entdeckt zu werden, raubte ihr die Sprache.

„Verzeih mir, daß ich der Stimme deines Kindes folgte!“ bat ich sie. „Soll es nur Zufall sein, daß wir uns so unerwartet und unbeobachtet hier wieder treffen? Ich werde nur so lange bleiben, bis ich erfahren habe, was ich wissen muß. Was waren für dich die Folgen unsres Besuchs?“

„Ich habe nicht gesagt, daß ich mit dir gesprochen hatte“, entgegnete sie zagend. „Der Zorn meines Gebieters hat meinen Bruder getroffen, der euch in das Haus gebracht hat, doch war er auch auf mich sehr zornig, weil ich in meiner Herzensangst die Namen Jesu und der heiligen Jungfrau ausgerufen hatte. Darum reist er jetzt mit mir und dem Kind nach Keruan, wo ich diese Schuld durch das Abbeten der Reinigungssuren aus-löschen soll. Der Knabe soll mir, weil er schon das Vaterunser betet, genommen werden und in Keruan bleiben, um ein from-mer Marabut zu werden.“

„Warum geht dein Mann nicht geradewegs nach Keruan? Warum hat er diesen Umweg zu Schiff über Sfaks gemacht?“

„Weil er eine Botschaft des Bei an den Befehlshaber der hiesigen Truppen zu überbringen hatte. Mein Gebieter wohnt stets bei Mandi, darum sind wir auch heute hier.“

„Wann reist ihr ab?“

„Morgen früh, auf Kamelen und mit drei Dienern.“

„Ist deinem Mann bekannt, daß ich mich mit meinem Freund hier in Sfaks befinde?“

„Nein, er ahnt es nicht.“

„So weiß ich genug und danke dir! Vertraue auf den Herrn,

der dein Glück und das deines Kindes ebenso sicher lenkt, wie er die Sterne leitet. Lebewohl! Vielleicht sehen wir uns wieder."

Der Diener, der mich in den Garten gewiesen hatte, stand noch an der Tür. Ich sagte ihm, daß ich seinen Herrn nicht gefunden hätte, und befahl ihm, diesem mitzuteilen, daß Abd el Fadl von unsrer Anwesenheit nichts wissen dürfe. Dann begab ich mich in meine Wohnung zurück, die ich mit Turnerstick teilte. Vorhin war er nicht daheim gewesen, aber jetzt saß er da. Bei meinem Anblick sprang er auf und empfing mich mit den Worten:

„Willkommen zur Heimkehr, Charley! Meine Geschäfte sind fast beendet, und nun will ich einen Ausflug machen, zwanzig Stunden weit zu Pferd. Macht Ihr mit?"

„Wohin?"

„Großartige Ruine, riesiges Rundtheater, Löwen-, Tiger- und Elefantenkämpfe wie zur Römerzeit!"

„Meint Ihr el Dschem?"

„Was? Ihr kennt das Ding?"

„Leidlich."

„Sodann eine Riesenhöhle, leider jetzt verschüttet, aber immer noch des Ansehns wert."

„Meint Ihr die Maghârat er-ra'd, die Höhle des Donners?"

„Auch diese kennt Ihr?"

„Ja. Und vielleicht weiß ich, warum diese große Höhle plötzlich eingestürzt ist. Es gab da einen verborgenen Wasserfall, dessen Geräusch die Beduinen für Donner hielten. Daher der Name der Höhle."

„Prächtig, daß Ihr das so kennt! Da brauchen wir keinen Führer. Wir beide allein, gut bewaffnet, zwanzig Stunden weit durch die Stämme der Beduinen! Ihr macht also mit?"

Natürlich willigte ich ein. Es lag wie eine Ahnung in mir. Wie gern hätte ich Kalada Hilfe gebracht! Ich hatte sie auf Gottes Güte verweisen müssen. Und nun kam dieser Vorschlag des Kapitäns. Wollten wir die Höhle und die berühmten Ruinen besuchen, so hatten wir denselben Weg, den der Henker reiten mußte. Sollte das auch Zufall sein?

Turnerstick war über meine Zusage so erfreut, daß er sofort ging, um zwei gute Pferde und Mundvorrat zu besorgen. Am nächsten Morgen waren wir zeitig reisefertig, durften aber noch nicht in den Sattel steigen, weil es in meiner Absicht lag, dem Henker einen Vorsprung zu lassen. Wir hörten, daß er mit Tagesanbruch fortgeritten sei, und machten uns drei Stunden später auf den Weg.

Der gute Kapitän hatte sich den Ritt viel spannender vorgestellt als er in Wirklichkeit war. Sobald man Sfaks hinter sich hat, wird die Gegend flach, sandig und unfruchtbar. Nur selten gibt es ein fließendes Wässerchen, das aber nach kurzem Lauf wieder im Sand verschwindet. An solchen Stellen wächst Gras, und es stellten sich Beduinen ein, um es abweiden zu lassen. Zwischen dem Bah feitun Cakhderi und dem Bah Merai ziehen sich Höhen hin, die den Beduinen vom Stamm der Metelit gehören. Bei ihnen hielten wir an und erfuhren da, daß der Henker soeben erst mit seiner Begleitung vorübergekommen sei. Bald erspähten wir ihn. Er hatte für sich und seine Frau mit dem Kind zwei Kamele, die Diener gingen zu Fuß. Nun machten wir, im Galopp reitend, einen weiten Umweg, um unserm Feind voranzukommen. Dabei trafen wir auf einige arme Selass-Beduinen, die uns klagten, daß sie fortziehen müßten, da ein starker Panther ihre Herden lichte.

Nach einiger Zeit kam mir die Luft eigentümlich schwer vor. Ich kannte das und wurde besorgt. Im Südwesten begann der Himmel sich zu färben. Es lag da eine Luftschicht, die oben eine fahlgelbe und unten eine silberglänzende Farbe hatte.

„Das ist die Zauba'at el milh, der Salzsturm!" rief ich aus. „Gebt Eurem Pferd die Sporen, dann sind wir in einer Viertelstunde in der Höhle."

Turnerstick hatte noch nie etwas von einem Salzsturm gehört. Das ist der Wüstenwind, der über die Schott (seeartige Wasserbecken mit einer Salzkruste) streicht. Wird das Salz durch irgendwelche Einflüsse zerstäubt und vom Samum mit fortgenommen, so entsteht der Salzsturm, der höchst gefährlich ist. Das Salz dringt in die Augen und Ohren, in alle Öffnungen des Körpers, es sticht sich wie Nadelspitzen in die Haut und verursacht ein Brennen und Beißen, das selbst den Löwen und Panther toll zu machen vermag. Einen solchen Sturm sah ich kommen. Die silberglänzende Luftschicht war salzhaltig, und die gelbfahle darüber bestand aus leichterem Wüstenstaub.

Noch hatten wir die Höhle nicht erreicht, als schon das Wetter losbrach. Das war kein Orkan mit Heulen und Toben, sondern ein steter, gleichmäßiger Sturm, der mit schwerem Sausen über die Sahel strich. Im Nu hatten wir den Mund, die Nase voller Salz. Wir mußten niesen und husten. Den Pferden erging es ebenso, und sie wollten durchgehen. Man konnte kaum zehn Schritte weit sehen, doch kannte ich die Lage der Höhle genau, und nach fünf Minuten hatten wir sie erreicht.

Ihr Eingang war schmal, bald aber erweiterte sie sich zu

einem wohl fünfzig Fuß im Geviert messenden Raum, um sich dann so zu verengen, daß man leicht glauben konnte, sie führe nicht weiter. Aber es gab da einen Spalt, durch den sich sogar ein Pferd zu drängen vermochte. Wer da hindurch war, befand sich in einer hohen, domartigen Wölbung. Dort drangen wir ein, da wir so weit hinten vor dem Salz sicher waren.

Kaum hatten wir es uns bequem gemacht, so kamen andre Geschöpfe, die hier ebenso Rettung suchten, nämlich einige Schakale. Es erschienen sogar zwei Hyänen. Die Angst hatte sie friedfertig gemacht, so daß sie sich mit den andern Bestien vertrugen. Durch unsre Spalte blickend, sahen wir das Salz in dicken Schwaden vor dem Eingang vorüberstreichen. Wehe dem, der gezwungen war, das Ende des Sturms im Freien abzuwarten.

Da war es mir, als ob ich inmitten des ununterbrochenen Sausens den Schrei einer Kinderstimme gehört hätte. Ja, wirklich, jetzt wieder! Er kam näher. Jetzt hielten draußen zwei Kamele, die von drei Männern gehalten wurden. Erst stieg der Henker ab, und dann seine Frau mit dem weinenden Kind. Alle flüchteten sich herein, sogar die Kamele. Die Schakale und Hyänen aber rannten furchtsam in das Unwetter hinaus.

Die Gesellschaft nahm in der vorderen Höhle Platz. Von dem Dasein einer zweiten schien niemand etwas zu wissen. Wir verhielten uns still, da wir gern beobachten wollten.

Das Kind weinte noch immer. Die Mutter suchte es zu beruhigen. Der Mann meinte höhnisch: „Nun, so bete doch zu deinem Jesus, daß er dem Salz verbiete, sich zu erheben! Wird er helfen können? Dein Glaube ist — —"

Das Wort blieb ihm im Munde stecken, und auch mir schlug in diesem Augenblick das Herz, denn vor dem Eingang erschien wieder ein Tier, das Schutz in der Höhle suchte, nämlich ein riesiger schwarzer Panther. Die Zunge hing ihm weit aus dem Hals, so war er gehetzt. Vielleicht war es das Tier, von dem die Selass-Beduinen erzählt hatten.

Der Panther trat furchtlos herein, hustend und pfauchend. Kaum waren ihm die Augen frei vom Salz geworden, so tat er einen Sprung auf das eine Kamel, zerschlug ihm mit der Pranke den Halswirbel und riß ihm die Gurgel auf. Dann begann er, sich um die anwesenden Menschen gar nicht bekümmernd, seinen Raub zu verzehren. Das Knacken und Prasseln der Knochen klang entsetzlich zu uns herüber.

„Schießen wir?" fragte Turnerstick leise.

„Nein", antwortete ich. „Ein Fehlschuß würde viel Blut kosten. Warten wir es ab!"

Die fünf Menschen da vorn saßen lautlos und unbeweglich vor Angst. Die Mutter hielt ihr Kind in den Armen. Der Henker machte den Versuch, seinen Platz zu verlassen, aber sofort erhob das Tier den Kopf und brüllte zornig, und Abd el Fadl blieb sitzen. Die Leute waren gefangen und konnten sich nicht verteidigen. Die drei Diener hatten keine Gewehre, und das des Henkers lag weit zur Seite.

Jetzt legte ich mich auf den linken Ellbogen nieder und versuchte zu zielen. Es war eine schwere Sache, den es dunkelte in der Höhle, und das Tier mußte unbedingt ins Auge getroffen werden.

Eine Hyäne kam hereingeschossen. Sie stürzte beinahe über den Panther weg und flog sofort wieder hinaus. Darob erzürnt, ließ das gewaltige Tier ein Gebrüll ertönen, daß die Wände zu zittern schienen. Das war für die Nerven Kaladas zuviel. Sie öffnete unwillkürlich die Arme, um sich die Ohren zuzuhalten — das Kind rollte von ihrem Schoß herab und zu dem Panther hin. Ein vielfacher Schrei erscholl.

Der nun folgende Auftritt läßt sich nicht beschreiben. Zum größten Glück war der Knabe vor Entsetzen ohnmächtig geworden.

„Allah, o Allah, hilf, hilf!" stöhnte der Vater. Es schien, daß das Sprechen den Panther gar nicht störte.

Die Mutter hatte ihr Gesicht in die Hände verborgen. Der Vater saß leichenblaß, ein Bild der entsetzlichsten Ratlosigkeit, da. „O Allah, Allah, hilf! O Mohammed, du Glänzender, sende Rettung! O ihr heiligen Kalifen, tröstet mich!" so hörte man ihn wimmern. Die Diener verhielten sich still. Ihnen war es nur um das eigne Leben zu tun.

Jetzt machte Kalada noch einen Versuch, ob das Tier sich das Kind nehmen lassen würde. Sie streckte, ohne sich zu erheben, den Arm nach ihm aus. Der Panther aber knurrte und zog mit der Vorderpranke den Knaben näher zu sich heran. Er schien ihn als sein Eigentum zu betrachten. Das trieb die Angst der Eltern auf den Höhepunkt.

„O Mohammed, o Prophet der Propheten, rette, hilf, erbarme dich!" rief der Henker.

„Jesus, du Heiland der Welt, erbarme dich!" betete Kalada. „Heilige Mutter des Erlösers, bitte für mein Kind!"

„O Mohammed, o Mohammed!" wiederholte der Vater. „O Abubekr, o Ali, ihr großen Kalifen! O Mohammed, rette, wenn du kannst!"

„Er kann es nicht!" weinte die bebende Frau.

„Etwa Isa, dein Christus?" fragte er halb höhnisch und halb hoffnungsvoll.

„Ja, der kann es!"

„So laß uns sehen! Ich werde an den glauben, der Rettung bringt."

Es war gar nicht anders zu denken, als daß meine Kugel die Entscheidung bringen mußte. Nur fragte es sich, in welchem Augenblick das Ungetüm sich aufrichten würde, denn nur dann war ich meiner Kugel sicher. Ich hatte den Löwen und auch den schwarzen Panther schon des Nachts erlegt und konnte mich auf mein Gewehr völlig verlassen.

„O Mohammed, du Herr der Propheten, höre mich!" bat der Henker mit zitternder Stimme. Er hatte sein Kind wirklich lieb, und es war mir, als ob ich seine Zähne klappern hörte. „Gib mir meinen Sohn, oder deine ganze Lehre ist eitel!"

Er wartete eine Weile, und als nichts erfolgte, forderte er seine Frau auf:

„Sage mir die Worte vor!"

„Bete folgendermaßen!" antwortete sie, indem sie ihm die Worte in den Mund legte.

Gerade jetzt war das Kind aus seiner Betäubung erwacht, und es hörte die Mutter sagen: Bete folgendermaßen! Diese Aufforderung hatte es oft vernommen und befolgt, und so begann es sein ‚Jâ abána', das Vaterunser, laut herzusagen. Also beteten drei Stimmen. Der Panther war noch immer mit Fressen beschäftigt. Die Stimmen der andern hatten ihn nicht gestört, als er aber neben sich die klare Stimme des Knäbleins hörte, hob er sich in sitzende Stellung empor und begann mit geschlossenen Augen zu heulen. Mein Gewehr lag an. Kaum öffnete er das Auge und richtete seine grün-gelbe Glut, so krachte mein Schuß, den das Gewölbe hundertfach wiedergab. Das Tier flog, als hätte es einen schweren Schlag vor den Kopf erhalten, zur Seite, vom Kind weg. Im Nu stürzten Vater und Mutter hin und rissen den Knaben, der vollständig unverletzt war, an sich. Der Panther wälzte sich noch zwei-, dreimal hin und her, streckte dann die Glieder und verendete.

Welch ein Jubel brach nun los! Niemand dachte daran, daß ein Schuß gefallen war, daß dieser nur aus einem Gewehr hatte kommen können, und daß dieses einen Besitzer haben müsse. Die Mutter war die erste, die darauf zu sprechen kam. Der Vater untersuchte das Raubtier und fand, daß die Kugel ins rechte Auge gedrungen war.

„Aber wer hat geschossen?" fragte er.

„Ich weiß, ich weiß, ich ahne es!" rief sie. „Der fremde Effendi ist's gewesen, denn er wollte mir helfen."

„Welcher Effendi?"

„Ich werde ihn dir zeigen. Die Kugel kann nur von da hinten her gekommen sein, und dort muß er sich befinden. Ich suche ihn."

Nun, Frick Turnerstick sorgte schon dafür, daß wir leicht gefunden wurden. Wie betroffen aber war der Henker! Er wußte nicht, was er sagen sollte. Ich nahm ihn beim Arm und fragte:

„Wirst du mir jetzt auch noch nach dem Leben trachten?"

„Nein, bei Allah, nein!" stammelte er. „Ich wollte dich töten, und du errettest mein Kind! Wie soll ich dir danken!?"

„Danke nicht mir, sondern Gott, und frage dich, ob ein Muslim ebenso schnell vergibt wie ein Christ. Wird dein Weib nun beten dürfen, wie ihr Herz es ihr befiehlt?"

„Ja, sie darf, und ich — — ich bete mit, denn unser Prophet hat meine Stimme nicht hören wollen."

Der erst so abstoßende Mann umarmte mich und sein Weib reichte mir die Hand.

Der Eindruck, den die Errettung seines Kindes auf den Henker gemacht hatte, schien nachhaltig zu sein, denn er erklärte, auf die Reise nach Keruan verzichten und lieber nach Sfaks umkehren zu wollen, worüber niemand mehr als Kalada sich freute.

Wir brachen auf und gelangten gegen Abend nach Sfaks zurück, wo Mandi nicht wenig erstaunt war, den Henker mit Weib und Kind schon wieder zu erblicken.

„Ich bin umgekehrt", erklärte dieser, „denn ich mag nichts mehr von dieser heiligen Stadt wissen. Ich habe heut erfahren, daß Allah dem Propheten und den Kalifen keine Macht gegeben hat. Wer zu ihnen betet, bleibt ohne Erhörung. Aber Isa, der Christ, besitzt alle Macht im Himmel und auf Erden, und wer sich vertrauend an ihn wendet, wird Erhörung finden. Ich habe es erlebt und werde von nun an an ihn glauben."

Er hat dieses Wort wahr gemacht, aus dem Saulus ist ein Paulus geworden, eine Folge der in der Höhle ausgestandenen Angst, die in seinem Herzen noch lange nachgezittert hat. Er kehrte mit mir und Turnerstick auf dessen Schiff nach Tunis zurück, und ich beobachtete während der Überfahrt, daß er sein Weib mit einer Zartheit und Aufmerksamkeit behandelte, die seinem früheren Wesen ferngelegen hatte.

Turnerstick nahm in Tunis neue Fracht ein. Während der Zeit, die das Laden in Anspruch nahm, wohnten wir bei dem Henker, mit dessen Frau wir wie mit einer Europäerin verkehren durften. Ich schenkte ihm eine in arabischer Sprache gedruckte Bibel, aus der ich ihm vorlesen mußte. Er lauschte meinen Erklärungen mit demselben Eifer wie Kalada. Es fiel mir nicht ein, ihn offen zum Übertritt aufzufordern, aber ich tat mein möglichstes, der Gnade den Boden zu bereiten.

Als wir dann am Tag unsrer Abreise von Kalada und Asmar Abschied genommen hatten, begleitete er uns bis an Bord, reichte mir sein Notizbuch und bat:

„Effendi, schreibe mir hier deine Anschrift auf! Vielleicht habe ich dir später etwas mitzuteilen, worüber du dich freuen wirst."

Er hat Wort gehalten und mir geschrieben. Sein Brief liegt da vor mir, und ich schreibe ihn, natürlich in deutscher Übersetzung, wörtlich ab.

„Tunis ifrikija, am 12ten Jaum ittani. Abd el Fadl, der Bekehrte, an seinen Freund Mauwatti el Nâmir-Effendi[1].

Gruß und Heil! Gruß auch von Kalada, dem Weib, und Asmar, dem Sohn, die Dich lieben. Ich sitze auf dem Fell des Panthers, um Dir zu schreiben. Der Herrscher hat mich aus dem Dienste entlassen, denn ich wurde Christ. Fromme Männer haben mich unterrichtet, und ich bestand die Fragen des Priesters. In drei Tagen empfange ich den Ghitas el mukaddes[2] und werde dann Jûsuf genannt. Mein Weib heißt Marryam und mein Sohn Kara, weil dies Dein Name ist, der in meinem Haus hoch in Ehren steht. Meine bisherigen Freunde verachten mich, weil ich ein Giaur geworden bin, aber meine Seele ist froh, den richtigen Weg gefunden zu haben. Die Ernte war hier reich und gut. Bald blühen die Orangen. Besuche mich! Meine Grüße erwarten Dich! Ich liebe Dich und gedenke Deiner. Sei gesegnet! Wiederum Heil!" —

[1] Panthertöter-Effendi   [2] Heilige Taufe

DER KRUMIR

1. Sâdis el Chabir

Es war erst neun Uhr vormittags, und doch brannte die afrikanische Sonne schon stechend auf das vor uns liegende Tal herab. Wir beide waren allerdings gegen die Wärme recht gut geschützt. Zu unsern Häupten breitete ein riesiger Mastix, in dessen gefiederten Blättern ein leichter Nordwind säuselte, seine Äste aus, und seine Wurzelspitzen badete der Baum in dem kühlen Wasser eines Bachs, der in eiligem Lauf den Fluß zu erreichen suchte.

Wir kamen aus der Provinz Constantine, hatten gestern zwischen Dschebel Frima und Dschebel el Maallega die tunesische Grenze überschritten und waren dann quer durch das Wadi Melis gegangen. Zwischen den westlichen, steilen Abhängen des Dschebel Gwibub hatten wir unter Feigen- und Granatbäumen unser Nachtlager aufgeschlagen, waren dann heut in östlicher Richtung über die Höhen geritten und hielten nun eine kurze Morgenrast.

Wir wollten bis zum Abend Seraïa Bent erreichen und mußten zu diesem Zweck das Wadi Mellel durchschneiden, das mit seinen Zypressen-, Johannisbrot- und Mandelbüschen vor uns lag.

„Wie weit ist es noch bis Kef?" fragte ich meinen Diener.

„Nach dem Maß der Franken können es fünfundzwanzig Kilometer sein, Sihdi", antwortete er.

Er war lange Zeit in Algier gewesen, und daher war ihm das französische Maß geläufig.

„Und bis Seraïa Bent?"

„Acht Kilometer in gerader Richtung. Wie ich gehört habe, sind dort die Uëlad Sedira auf der Weide. Herr, ich werde die Meinen wiedersehen, den Vater, die Mutter und —"

Er hielt inne.

„Und wen noch?" fragte ich.

„Sihdi, du hast mich nie gefragt, ob ich eine Bint el Amm[1] habe. Ich weiß, warum du es nicht tatest, aber ich sage dir, daß die Bedwân[2] es für eine Sünde halten, von ihren Frauen zu spre-

---

[1] Heißt eigentlich Base, wird aber als Höflichkeitsform für „Frau" gebraucht
[2] Mehrzahl von Bedawi = Beduine

chen und die Morgenröte ihres Angesichts sehen zu lassen. Die Frauen und Töchter der Uëlad Sedira haben das Herz der Taube, aber nicht die Augen der Tänzerinnen; sie brauchen ihr Gesicht nicht zu verhüllen."

„Also gibt es zwei Taubenaugen, deren Blick deine Seele erleuchtet?"

„Ich habe noch kein Weib, aber Scheik Ali en Nurabi hat eine Tochter. Sie heißt Mochallah, die Wohlriechende. Ihre Füße sind wie die Füße der Gazelle, ihr Haar gleicht den Locken von Scheherezade, ihre Augen sind wie die Sterne am Himmel, ihre Stimme ist lieblich wie der Gesang des Sandes um Mitternacht, und ihr Gang ist wie der Schritt einer Königin, die durch die Reihen ihrer Sklavinnen wandelt. La ilâha ill' Allah — es gibt nur einen Gott, aber es gibt auch nur eine Mochallah! Du wirst sie sehen, Sihdi, und deine Zunge wird mein Glück preisen, das höher ist als der Himmel, tiefer als die Fluten des Meeres und weiter als die Wüste es Sahar und alle Länder der Erde."

Er hatte sich erhoben. Sein Auge leuchtete, seine braunen Wangen verdunkelten sich, und seine Hände begleiteten die Rede mit lebhaften Gebärden.

„Und Mochallah, die Wohlriechende, wird dein Weib sein?" erkundigte ich mich.

„Sie wird mein Weib sein. Sie ist die Sonne meiner Tage, der Traum meiner Nächte, der Preis meiner Taten und das Ziel aller meiner Gedanken. Sihdi, ich war arm, aber um sie zu erringen, ging ich fort von den Zelten der Uëlad Sedira. Hamdulillah, Preis sei Gott, der meine Hand und meinen Fuß gesegnet hat! Ich habe mir viele Franken und Piaster verdient. Am wohltätigsten aber hat deine Gnade über mir geleuchtet, Effendi, und nun kann ich dem Scheik bezahlen, was er für seine Tochter von mir gefordert hat. Ich bin Achmed es Sallah und werde der glücklichste der Sterblichen sein — insch' Allah, wenn es Gott gefällt!"

„Allah kerîm — Gott ist gnädig, doch die Schicksale des Menschen sind im Buch aufgezeichnet. Möge der Baum deines Lebens duften wie die Blume el Mochallah, die deine Seele bezaubert hat!"

„Effendi, der Baum meines Lebens wird sein wie der Baum des Paradieses, der ewig Blüten und Früchte trägt, und aus dessen Wurzeln tausend kühle Quellen strömen. Da drüben erhebt sich der lange Kamm des Dschebel Hermomta Wergra, bis an dessen Fuß die Herden meiner Brüder weiden. Laß uns aufbrechen, damit ich keinen Tropfen verliere von dem Meer der

Seligkeit, dessen Fluten ich bereits rauschen höre! Wir können heut noch Kef erreichen, trotz der Berge und Flüsse, die zwischen dort und hier zu finden sind."

„Gut, so wollen wir aufsitzen!"

Er hatte recht. Was mein Pferd betrifft, so hätte ich es gegen kein Tier der Welt vertauscht, und das seinige war eins der besten, die ich jemals gesehen hatte. Auch er selber war ein Mann, über den man sich nur freuen mußte. Zwar nur von mittlerer, aber kräftiger und herrlich ebenmäßiger Gestalt, sah er in seinem weißen Haïk, mit dem wehenden Turbantuch und den messingbeschlagenen Waffen aus wie eine Gestalt aus den Zeiten Saladins des Großen. Dabei war er treu, ehrlich und offen, abgehärtet gegen alle Mühen und Entbehrungen und unerschrocken in jeder Gefahr. Ferner sprach er nicht nur alle landläufigen Mundarten, sondern er war auch, bevor er nach Algier ging, in Istanbul gewesen und hatte sich dort zur Genüge mit dem Türkischen bekanntgemacht. Aus allen diesen Gründen war er mir bisher ein wertvoller Begleiter gewesen, den ich mehr als Freund denn als Diener zu behandeln pflegte, und so tat es mir wirklich leid, ihn bald verlieren zu müssen.

Wir ritten längs des Bachs den kurzen Abhang vollends hinab und hielten dann unten im Tal grad auf den Fluß zu. Das Wasser des Wadi Mellel ist nicht breit. Wir gelangten leicht an das andre Ufer und damit in eine nicht sehr große, vollständig ebene Lichtung, die rings von einem wilden Olivengebüsch eingefaßt wurde.

„Maschallah — Wunder Gottes, was ist das, Sihdi?" fragte da plötzlich Achmed, indem er nach links deutete.

Ich bemerkte in der angedeuteten Richtung, also oberhalb unsres Standpunktes, ein Rudel Gazellen aus den Büschen brechen. Meine Jagdlust erwachte sofort.

„Sie kommen grad auf uns zu, Achmed. Sie sind auf der Flucht!"

„So ist es, Sihdi. Siehst du den Fahad[1], der jetzt hinter ihnen aus dem Busche schnellt? Was tun wir?"

„Wir jagen mit und verlegen den Antilopen den Weg. Mein Pferd ist noch schneller als das deinige. Halte dich hier am Fluß. Ich werde nach rechts hinübergehn."

„Aber, Sihdi, dürfen wir? Der Fahad gehört jedenfalls einem Scheik, oder gar dem Emir von Kasr el Bordsch!"

„Pah, wir tun dennoch mit. Vorwärts!"

Wie von der Sehne geschnellt, flog mein Pferd über die Ebene

[1] Gepard, Jagdleopard

dahin. Die Gazellen mußten sich in größter Angst befinden, da sie uns nicht beachteten, obwohl die Entfernung nur unbedeutend war. Sie hatten zweimal gebogene, schwarze, leierförmige Hörner und waren oben hellbraun, unten weiß gezeichnet; Schwanz und Seitenstreifen zeigten eine dunkelbraune Farbe; wir hatten es mit Antilope dorcas L. zu tun. Ich zählte vierzehn Stück, ließ also die Doppelbüchse auf dem Rücken und langte nach dem Henrystutzen, aus dem ich meine Kugeln abgeben konnte, ohne zwischen jedem Schuß zu laden. Dieses Gewehr hatte mir in Amerika und Asien große Dienste geleistet und auch die Bewunderung meines wackeren Achmed auf sich gezogen.

Jetzt hatte der Gepard die hinterste der Gazellen erreicht, mit einem weiten Sprung warf er sich auf sie und riß sie nieder. Ich hielt mein Pferd an und zeigte ihm das Gewehr. Sofort stand das kluge Tier vollständig bewegungslos. Eben krachte mein erster Schuß, als ich es auch aus dem Gewehr Achmeds aufblitzen sah. Zwei Tiere stürzten zu Boden. Zu gleicher Zeit wurde das Buschwerk von neuem durchbrochen, und ich bemerkte sechs Reiter, fünf in arabischer Tracht und der sechste in der goldstrotzenden Uniform eines hohen tunesischen Offiziers. Auf seiner linken Faust sah ich einen Schahîn[1] sitzen. Er stutzte einen Augenblick, als er uns erblickte, dann häubte er den Vogel ab und warf ihn empor. Sofort stieß der Falke auf eine der Gazellen, unglücklicherweise aber auf die, die ich im selben Augenblick aufs Korn genommen hatte; es war zu spät, den Finger zurückzunehmen, denn ich war bereits im Abdrücken — beide Tiere wälzten sich am Boden. Ohne mich um sie zu kümmern, wandte ich mich den vorüberschießenden Gazellen nach und gab noch zwei Schüsse ab. Da aber hörte ich den Hufschlag eines Pferdes hinter mir, und eine Hand faßte meinen Arm.

„Chammar el kelb — Hund von einem Betrunkenen, wie darfst du wagen, hier zu jagen und meinen Schahîn zu erschießen!" donnerte es mich an.

Ich wandte mich um. Es war der Offizier. Seine Augen blitzten vor Zorn; die Spitzen seines Schnurrbarts zitterten heftig, und sein sonst wohl gutmütiges Angesicht hatte sich dunkel gerötet. Ich war nicht gewillt, mir solche Reden bieten zu lassen, und schüttelte seine Hand von meinem Arm.

„Hawuahsch — laß mich in Ruh!" donnerte ich ebenso herzhaft zurück. „Sagst du noch ein einziges solches Wort, so schlage ich dich mit dieser meiner Faust vom Pferd!"

„Allah aienak — Gott helfe dir!" antwortete er, indem er

[1] Jagdfalke. Von den Arabern wird nur Falco lanarius mit „Schahîn" bezeichnet

nach dem Griff seiner Dschanbije[1] faßte. „Mensch, bist du verrückt? Weißt du, wer ich bin?"

„Der Besitzer eines ungeschickten Falken bist du, weiter nichts!"

„Dieser Kerl macht meinen Falken schlecht", rief der Mann. „Allah istaffer — Gott mag es ihm vergeben! Wirst du gleich von deinem Pferd steigen und mir Abbitte leisten!"

„Allah kerîm — Gott ist gnädig, er mag deine Gedanken lenken, damit du dich nicht lächerlich machst. Bist du vielleicht Mohammed es Sadok Bei, der Herrscher von Tunis, oder gar der Sultan von Stambul, daß du von mir verlangst, um Verzeihung zu bitten?"

„Ich bin weder der Sultan noch der Bei von Tunis, den Allah segnen möge, aber ich bin sein Apha el harass, der Oberste seiner Leibgarde. Herunter vom Pferd, wenn du nicht die Bastonade schmecken willst!"

Ich zog in höchster Überraschung mein Pferd etwas zurück.

„Allah akbar — Gott ist groß! Bist du wirklich der Bei el mamluk des Beherrschers von Tunis?"

„Ich sage es!" antwortete er stolz.

Welch ein Zusammentreffen! Dieser Mann war also ‚Krüger Bei' der Anführer der tunesischen Leibscharen! Ich hatte sehr oft von ihm sprechen gehört. Er war keineswegs ein Afrikaner, sondern er stammte als der Sohn eines Bierbrauers aus der ‚Streusandbüchse des Heiligen Römischen Reiches Deutscher Nation'. Sein Kismet hatte ihn im Anfang der dreißiger Jahre nach Tunis verschlagen, wo er zum Islam übertrat. Dadurch erwarb er sich die Gnade des Propheten und aller heiligen Kalifen in der Weise, daß er von Stufe zu Stufe stieg und endlich die ehrenvolle Aufgabe erhielt, an der Spitze der Leibmamelucken das teure Leben Mohammed es Sadok Paschas zu beschützen. Aber das verleugnete Vaterland schwur ihm Rache. Es sandte nicht etwa, wie das alte Griechenland es getan hätte, drei Erynnien über ihn, sondern es ließ volle fünf unermüdliche Rachegötter über ihn herfallen, und deren Namen lauteten: erster, zweiter, dritter, vierter Fall und Satzlehre. Er hatte das Deutsche nie anders als in der Brandenburger Mundart sprechen können, drüben in Afrika kamen ihm die Regeln seiner Muttersprache nach und nach abhanden, und wenn er sich ihrer nun einmal bedienen wollte, so eilten sofort die genannten fünf Rächer herbei, um sich seiner zu bemächtigen und ihn in ihrem sprachlichen Höllenfeuer schwitzen und schmoren zu lassen.

[1] Krummer Dolch

Hiervon sollte ich jetzt gleich ein Beispiel erleben. Wir hatten bisher arabisch gesprochen, nun aber machte ich meiner Überraschung in deutschen Worten Luft: „Sapperlot, Herr Oberst, hätte ich das gewußt, so wäre unsre Unterhaltung etwas artiger ausgefallen — — —!"

Er riß die Augen auf und öffnete den Mund sperrangelweit. Ich ahnte, daß jetzt erster und dritter Fall und Genossen in ihm zu streiten beginnen würden.

„Maschallah, Dunderwetter! Du bist wohl — — — ach so, hätte ich mir doch bald versprochen! Ihnen sind wohl gar ein Deutscher?"

„Allerdings."

„Allah, wallah, billah, tillah — heiliges Pech, dat is doch eigentlich janz und jar unmöglich!"

„Warum?"

„Deswegen — weil — — insofern — — — na, Allah ist jroß, er führt die Seinigen und auch die Ihrigen oft wunderbar und herrlich hinaus. Wat wollen Sie denn hier im Tunis, he?"

„Nichts weiter, als alte Erinnerungen auffrischen und dabei Land und Leute eingehender kennenlernen, als es früher möglich war."

„Alte Erinnerungen — Land und Leute —? Haben Sie denn früher schon mal hier jewesen?"

„Ja."

„Wo?"

„Weiter im Westen, in Algier. Ich ging damals über das Auresgebirge in die Sahara und kam bis zu dem Bab el Ghud[1]."

„Algier — Aures — Bab el Ghud —? Wallahi, tallahi, Schock Batailljon, dat ist weiter als ein Spazierjang von Berlin nach Köpenick! Und wo sind Ihnen nun heut herjekommen?"

„Ich komme über den Dschebel — — —"

Die Rede blieb mir auf der Zunge liegen. Mein Auge war auf das Angesicht eines Mannes gefallen, der abgestiegen war und sich mit dem toten Falken zu schaffen gemacht hatte. Jetzt wandte er sich zu uns und kam herbei. Wo hatte ich diesen ewig langen, zum Zerbrechen hageren Menschen nur schon gesehn? War dies wirklich Lord David Percy, der eigentümliche Sohn des Earl von Forfax? Auch er blieb stehn und blickte höchst erstaunt zu mir herauf.

„Good luck! Seid Ihr, oder seid Ihr es nicht, old rifleman?" fragte er.

„Lord Percy, ist's wahr?"

[1] Dünentor

„Egad!" nickte er. „Welcome within this tedious part of the world — willkommen mitten in diesem langweiligen Weltteil!" Er reichte mir die Hand, und ich drückte sie ihm lebhaft.

„Langweilig?" fragte ich. „Warum?"

„Hm! Kam herüber, um Löwen zu schießen, Tiger, Nashörner, Elefanten, Flußpferde. Habe aber noch nichts gesehen als Wüstenflöhe, Eidechsen und diese Ziegen da. Langweiliges Land, hm!"

„Ich finde es nicht langweilig."

„Ja, Sir, mit Euch ist es anders. Ihr dürft nur hintappen, wohin Ihr wollt, da gibt es Abenteuer. Ich habe kein solches Glück. Well! Werde mich Euch wieder anschließen müssen, wie da drüben in old East-India."

„Sollte mir recht sein, Sir. Aber wollt Ihr mich nicht diesem Gentleman vorstellen? Ich habe ihm meinen Namen noch nicht genannt."

„Yes, soll geschehn!"

Er machte eine seiner gewaltigen Armbewegungen und stellte mich dem Anführer der Leibgarde vor. Dann fügte er hinzu: „War ein guter Schuß, Sir. Könnt nicht dafür, daß Ihr diesen Vogel getroffen habt. Soll ein Falke sein, ist aber wohl nur ein Thistle-finch[1] oder eine Goose[2] gewesen. War schlecht geschult, hatte kein Geschick, nahm die Gazelle nicht oberhalb der Augen, sondern an der Kehle, mußte also von Eurer Kugel getroffen werden. Well!"

„Sie haben Ihnen einander bereits jekannt?" fragte Krüger Bei.

„Ja. Wir haben miteinander ein gutes Teil von Indien durchquert", antwortete ich ihm.

„Maschallah, hole mir der Juckuck, dat ist zum Erstaunen! Haben sich im Indien jekannt und tun sich hier im Tunis wieder treffen! Ich bin ein juter Muslimit, aber dat ist mich schon mehr als Kismet, dat ist ein Zufall, der mich zu denken jiebt. Schade, daß Ihnen Ihr Freund jar nicht deutsch und nur janz wenig arabisch reden kann, et ist da janz unmöglich, ihm mit sich zu unterhalten."

„Wo sind Sie mit ihm zusammengetroffen?"

„Er hat sich mir im Tunis vorstellen lassen und ist dann mit mich nach el Bordsch[3] jegangen, was jar nicht weit von hinnen liegt. Ich mußte mit das Achordar[4] hin, um Pferde einzuhandeln. Heut wollten wir jagen, und um das Nützliche mit das Anjenehme zu befriedigen, werden wir jetzt noch hinüber nach

[1] Stieglitz   [2] Gans   [3] Kleine, im Viereck gebaute Festung   [4] Stallmeister

150

Seraïa Bent reiten, was auch zuweilen Mosole jenannt zu heißen wird."

„Nach Seraïa Bent?" fragte ich erfreut.

„Ja, der Scheik Ali en Nurabi lagert dort, der einige prächtige Pferde haben soll, die er mir zeigen muß."

„Das trifft sich gut, denn auch ich will nach Mosole."

„Prächtig! Wir reiten zusammen. Aber wie steht es mit die Jasellen, he?"

„Die gehören natürlich Ihnen. Wegen des Schahîn aber dürfen Sie mir nicht zürnen. Er war schlecht abgerichtet und stieß im unrechten Augenblick. Hätte er das Wild an der richtigen Stelle genommen, so wäre ihm kein Leid geschehn."

„Schadet nichts. In Ejypten werden mehr jefangen. Der Bei bekommt von dem Vizekönig öfters welche jeschickt. Aber die Jasellen, die Ihnen Ihr Jewehr jetroffen hat, die jehören Sie. Das tu ich nicht anders. Sehen Sie, da kommen noch zwei Sais[1] von mich, die haben jeder einen Falken und eine Jaselle aufjeladen, die von mich bereits erlegt zu werden jeworden sind. Ich habe also Fleisch jenug."

„Gut, so danke ich herzlich und werde mit den Tieren dem Scheik Ali en Nurabi ein Geschenk machen."

„Richtig! Janz praktisch! Was mir betrifft, so werde ich die Leute zurückschicken, die mich überflüssig sind."

Der Gepard war unterdessen wieder mit der Kappe versehn worden. Einer der Männer nahm ihn hinter sich auf das Pferd und kehrte mit den Reitknechten nach el Bordsch zurück. Von den andern Begleitern des Obersten der Leibwache wurde die mir überlassene Jagdbeute aufgeladen, und dann wandten wir uns der im Osten aufsteigenden Talwand zu. Sie war nicht sehr schroff und hoch und ließ sich leicht ersteigen, da eine Art von Weg hinauf zur Höhe führte. Oben fanden wir eine kleine, baumlose Ebene, hinter der sich das Gelände abermals erhob. Dort gab es wieder Busch und Wald, und da jetzt die Sonne im Scheitelpunkt stand, wurde beschlossen, eine kurze Rast zu machen.

Die Unterhaltung, die seit unserm Aufbruch etwas ins Stocken geraten war, wurde jetzt wieder lebhaft. Lord Percy war von schweigsamer Art, aber Krüger Bei wollte viel und alles wissen.

Ich mußte ihm von der Heimat erzählen, von meinen Reisen, von allem möglichen, und als wir wieder aufbrachen, klopfte er mir auf die Schulter und meinte: „So wohl wie jetzt ist michs selten jewesen, bei Allah, hole mir der Juckuck! Ich sage Sie,

[1] Reitknecht

daß ich Ihnen nicht sogleich wieder von mich lasse. Deutsch bleibt Deutsch, dem Propheten und dem Koran jar nicht mitjerechnet. Nehme es Ihnen übel nicht, aber ich sage Sie, es wäre sehr jut für Ihnen, im Tunis zu bleiben. Zwar so hoch wie mir bringt es nicht gleich ein jeder, aber ein Mann von die Ihrigen Fähigkeiten wird es nicht schwer finden, es zu einer guten Stellung jerückt zu haben jeworden sein. Jeben Sie mich die Hand! Es kostet mich ein Wort, aus Sie etwas Besseres zu machen, als Ihnen da drüben in Deutschland jemals werden zu können vermögen."

„Besten Dank, Herr Oberst! Ich werde mir Ihr freundliches Anerbieten angelegentlich überdenken."

„Recht so! Der Mensch soll sein Glück niemals nicht mit die Füße betreten. Ich jebe mich die Ehre, Ihnen bereits als Staatsbürger vom Tunis zu betrachten. Von Mohammed und seine Kalifen können wir später einmal zu sprechen die Zeit jefunden haben dürfen. Trotzdem aber werde ich Ihnen nicht zum Islam verleiten, denn ein Christ kann es deretwegen dennoch zu etwas bringen, wenn er nur glaubt, daß der Prophet und die Kalifen wirklich auf der Welt jewesen sind. — Aber jetzt möchte ich wissen, wohin wir reiten müssen, nach rechtsum oder nach linksdrum."

„Mein Diener kennt die Gegend genau."

„War er bereits hier jewesen?"

„Er gehört zu den Uëlad Sedira, zu denen wir wollen."

„Rufen Sie ihm herbei! Ist er ein braver Kerl?"

„Ich betrachte ihn mehr als Freund denn als Untergebenen."

„So erlaube ich Sie, ihm mich vorzustellen."

Ich winkte Achmed herbei. Krüger Bei betrachtete ihn mit angelegentlicher Gönnermiene und fragte ihn, natürlich arabisch: „Dein Name ist Achmed?"

Der Gefragte machte eine stolze Handbewegung und antworte: „Ich heiße Achmed es Sallah Ibn Mohammed er Rahman Ben Schafei el Farabi Abu Muwajid Kulani."

Der freie Araber ist stolz auf seine Ahnen und unterläßt es zur geeigneten Zeit sicherlich nicht, sie wenigstens bis zum Großvater aufzuzählen. Je länger der Name, desto größer die Ehre, ein kurzer Name wird fast als Schande gerechnet.

„Schön!" nickte der Bei der Mameluken. „Dein Name ist gut, und dein Herr hat dich gelobt, ich werde — —"

„Mein Herr?" fiel ihm Achmed mit blitzenden Augen in die Rede. „Du selbst magst einen Gebieter haben. Ich aber bin ein freier Sohn der Beni Rakba von der Ferkat[1] Uëlad Sedira. Ich habe keinen Herrn. Aber ich liebe diesen Sihdi, weil er nicht nur klüger und tapferer, sondern auch gütiger ist als alle andern, die ich kenne. Was wünschest du von mir, Effendi?"

„Wie kommen wir zu den Uëlad Sedira? Hier rechts oder links?"

„Reite rechts! Sobald du das Tal überblicken kannst, wirst du ihre Zelte sehn."

Er kehrte, während wir seiner Weisung folgten, zu den andern zurück. Krüger Bei hatte die kleine Zurechtweisung ruhig hingenommen.

„Stolze Kerle, diese Beduinen", meinte er. „Kein andrer Fürst hat solche Untertanen."

„Untertanen?" fragte ich lächelnd. „Gehorchen sie wirklich Mohammed es Sadok Paschah?"

Der Gefragte machte eine schlaue Miene.

„Natürlich betrachten sie ihm als ihren Herrscher, dat versteht sich janz von selber. Oder jibt es vielleicht einem andern, dessen Herrschaft sie ihnen jefallen zu lassen jeneigt zu sein pflegen werden?"

„Ich wüßte allerdings keinen."

„Na also? Mohammed es Sadok Bei herrscht weder mit Ruten noch mit Skorpionen, wie jener König Rehabraham oder Jerobraham vom Israel, wie der Koran erzählt. Oder steht das vielleicht in die Bibel? Er ist klug und läßt es denen Beduinen jar nicht ahnen, daß sie seine Untertanen zu sein sich zu rühmen haben müssen."

„Aber wenn sie im Bardo[2], wo er alle Sonnabend Gericht zu halten pflegt, die Bastonade oder gar den Strick erhalten, dann merken sie es, nicht?"

„Malesch — das tut nichts! Die Bastonade und der Galgen stehen auch in dem Buch des Lebens jeschrieben, und niemand, dem sie bestimmt sind, kann ihnen entjehen. Wer nicht mag hören wollen, der wird und muß fühlen sollen, dat ist eine alte Weisheit. Verstanden?"

„Wie steht es denn da mit der Bastonade, die auch ich vorhin bekommen sollte?"

„Die ist abjemacht und verjährt. Allah kerîm, Allah ist barmherzig, und auch mein Jemüt liebt die Gnade. Wir sind Freunde und werden einander also nicht die Füße zu versohlen brauchen notwendig haben. Aber — da unten stehen Zelte. Mich scheint, wir sind nun bald an das Ziel zu kommen anjelangt."

[1] Unterabteilung   [2] Residenz des Bei von Tunis

Auch der Engländer, der wortlos neben uns geritten war, hatte bereits die weißen Zelte bemerkt, die verstreut auf der Ebene lagen.

„Sind dies die Uëlad Sedira, Sir?" fragte er mich.

„Wenigstens eine Abteilung von ihnen. Sie gehören zu dem großen Stamm der Rakba, der unter Umständen weit über zehntausend Krieger zu stellen vermag."

„Tapfere Leute?."

„Ja, wie man hört."

„Räuber?"

„Hm! Der Beduine ist an allen Orten und zu allen Zeiten mehr oder weniger das, was man einen Räuber nennt."

„Well! So wird es wohl ein Abenteuer geben?"

„Das müssen wir abwarten."

„Will eins haben, verstanden, Sir? Mit Euch erlebt man andre Dinge als mit diesem Colonel der Leibwache, mit dem man nicht einmal reden kann. Ich gehe nicht wieder von Euch fort. Welchen Weg wollt Ihr einschlagen, Sir?"

„Ich will über Kef nach der Ebene der berühmten Uëlad Ayar, und von da über die Berge von Melhila und Margeba nach den großen Duars von Feriana, um dann nach Gafsa, Seddada, Toser und Nefta am Schott el Dscherid zu gehen. — Seht, man hat uns bereits bemerkt und kommt uns entgegen."

Zwischen den Zelten weideten zahlreiche Schafe, Pferde und Kamele, vor jeder der weißen Sommerwohnungen aber war eine Lanze in den Boden gestoßen, an die das Leibpferd des Besitzers gebunden war. Bei unserm Erscheinen wurden die Lanzen herausgezogen und die Pferde bestiegen. Es bildete sich ein Trupp von etwa achtzig Kriegern, der uns entgegengesprengt kam. Die Männer stießen ein lautes, herausforderndes Geschrei aus, schwangen die Lanzen und schossen ihre langen Flinten ab. Lord David Percy griff nach seiner Büchse und lockerte auch die Pistolen.

„Good gracious! Sie verhalten sich feindlich. Endlich einmal ein Kampf, ein Abenteuer!"

„Freut Euch nicht zu früh! Sie sehen ja, daß wir nur sieben Personen sind und also keine unfreundlichen Absichten haben können. Sie werden uns nach arabischer Sitte mit einer kriegerischen Fantasia empfangen, von Kampf aber ist keine Rede."

„Stupid, extremely stupid — dumm, außerordentlich dumm!" brummte er.

Ich wandte mich an Krüger Bei: „Sind Sie sicher, in Ihrer Uniform hier gastlich aufgenommen zu werden?"

„Ja. Die Rakba sind unsre Freunde. Sie haben die Karawanenstraße zu bewachen, die vom Tunis über Testur, Nebör und Kef nach Constantine jeht, und bekommen dafür Jeschenke. Wir haben von sie nichts zu fürchten. Dieser Scheik Ali en Nurabi kennt mir übrigens jut, denn er war schon einmal bei mich im Tunis jewesen. Er wird sich freuen, mir jesund wiedersehen jedurft zu haben, darauf können Sie Ihnen verlassen. Und wenn ich Sie ihn als Landsmann vorstelle, so wird er jeneigt sein, davon sehr anjenehm berührt werden zu können. Dort kommt er an die Spitze von seine Eskadron. Er hat mir bereits erkannt. Bitte, wir wollen in Galopp auf ihn anrennen, denn dat ist die Sitte, die bei dem Arabern jebräuchlich zu sein jenannt zu werden verdienen muß."

Wir flogen einander in gestrecktem Lauf entgegen, wobei von beiden Seiten durch Schießen und Schreien ein bedeutender Lärm verursacht wurde. Es hatte den Anschein, als würden wir zusammenrennen, aber gerade im letzten Augenblick vor dem Zusammenprall warf ein jeder sein Pferd herum und ließ das Spiel von neuem beginnen. Zwar nimmt sich dies ganz prächtig aus, aber die Pferde werden dabei in den Hachsen angegriffen, und es ist nichts Seltenes, daß ein Tier daran zugrunde geht. Wir jagten im Scheingefecht durch das von Frauen, Greisen und Kindern belebte Lager und sprangen endlich vor einem Zelt ab, dessen Größe und Ausschmückung uns erraten ließ, daß es dem Scheik gehöre. Die Männer bildeten einen Halbkreis um uns. Bis jetzt war kein Wort der Begrüßung gefallen, nun aber trat Ali en Nurabi auf den Anführer der Leibmamelucken zu und reichte ihm die Hand.

„Die Wüste freut sich des Regens und der Ibn es Sahar seines Freundes. Marhaba — du sollst willkommen sein. Tritt ein in das Zelt deines Bruders und siehe, wie lieb er dich hat!"

Der Scheik war ein echter, dünn bebarteter Beduine in den reifen Mannesjahren. Er hatte das Hamaïl[1] am Hals hängen, war also in Mekka und Medina gewesen.

Krüger Bei benahm sich sehr würdevoll: „Der Mond erhält sein Licht von der Sonne, und ich habe keine Freude ohne den Freund meiner Seele. Dein Name ist groß auf den Bergen, und deine Stute berühmt in den Tälern, dein Vater war der tapferste der Helden und der Vater deines Vaters der weiseste der Weisen. Mögen deine Söhne stark sein wie Chalid und die Söhne deiner Söhne tapfer wie der Hengst, der seine Frauen und Kinder verteidigt! Ich bringe dir hier zwei Männer aus dem Abendland.

[1] Der Koran in einer Hülle

Sie sind große Emire bei den Ihrigen und kommen zu dir, um deine Macht und Freundlichkeit rühmen zu können in den Ländern, wo die Sonne untergeht."

Wie schade, daß dieser Krüger Bei das Deutsche nicht ebenso gewandt zu gebrauchen wußte wie das Arabische!

„Du sollst mein Rafîk[1] sein, und du mein Sâhib[2]", meinte der Scheik, indem er erst dem Engländer und dann auch mir die Hand reichte. „Ihr seid in meinem Zelte so sicher, als ob Dsu'l Fikar[3], der Säbel des Propheten, euch beschützte. Tretet ein und eßt das Brot mit mir!"

Wir schritten in das Zelt. Die Begleiter Krüger Beis blieben draußen, mein Diener Achmed mit ihnen. Er hatte kein Wort der Begrüßung vom Scheik erhalten. Lag dies daran, daß jener zunächst seine Gäste zu beehren hatte? Oder hatte es eine andre Bewandtnis.

Im Hintergrund des Zeltes war ein ungefähr fünfzehn Zentimeter hohes, hölzernes und mit Matten belegtes Gestell errichtet, das sogenannte Serir, auf dem wir Platz nahmen. Eine besondere Frauenabteilung gab es augenscheinlich nicht. Die weiblichen Familienmitglieder des Scheik waren jedenfalls in dem kleineren Zelt, das neben dem großen lag, untergebracht. Von der Decke hing an einer grünseidenen Schnur ein Glasgefäß herab, das der Scheik nahm, um es uns entgegenzureichen. Es enthielt Salz, klargestoßenes Natron aus den Salzseen des Südens, dabei lag ein kleiner Porzellanlöffel. Beides, Glasschale und Porzellanlöffel, war hier ein Aufwand, auf den der Scheik nicht wenig stolz zu sein schien. Wir genossen jeder einige Körner, Ali en Nurabi tat desgleichen und sprach dann feierlich: „Nanu malahin — wir haben Salz miteinander gegessen. Wir sind Brüder, und keine Feindschaft vermag uns zu trennen."

Hierauf nahm er drei Tabakspfeifen von der Zeltwand, stopfte sie mit eigner Hand, reichte sie uns und gab uns Feuer. Dann entfernte er sich auf kurze Zeit. Als er wieder zurückkehrte, folgte ihm eine ältere Frau und ein junges Mädchen. Die Frau trug eine Sînîj[4] in den Händen, die sie vor uns niedersetzte. Das Mädchen war eine vollkommene Schönheit. Das tiefschwarze Haar lag in langen dicken Flechten, in die Silberschnüre eingewoben waren; um den vollen, hellbraunen Hals legte sich eine Korallenkette, an der eine goldene Schaumünze hing. Sie trug einen schneeweißen Saub[5], der an der Brust ausgeschnitten war, so daß man das rotseidne Sadrîje[6] sehen konnte.

---

[1] Gefährte   [2] Freund   [3] ‚Der Blitzende'   [4] Tischchen mit Kupferplatte
[5] Hemd   [6] Schnürleibchen

Dieses Hemd hatte weite, geschlitzte Ärmel und reichte bis über das Knie auf die weiß und rot gestreiften Schalmar[1] herunter. Die nackten Füßchen steckten in blauen Pantoffeln, und an den Hand- und Fußgelenken glänzten blanke metallene Ringe, an denen je ein Mariatheresientaler und ein goldenes Fünfpiasterstück befestigt waren.

Sie hatte einen aus starker Palmfaser geflochtenen, umfangreichen Deckel in den Händen, der mit allerlei kleinen Vorgerichten belegt war.

Da gab es Fubir[2], knusprige Kelab[3], kleine Schalen mit Dibs[4], ein Salabah von Gurken, Granatfrüchten, Wassermelonen und verschiedene Arten von Datteln, von denen mir besonders die el Schelebi auffiel. Sie ist kleinkernig und von herrlichem Geruch und Geschmack. Da sie aus Medina kommt, ist sie teuer, und es war anzunehmen, daß der Scheik ein wohlhabender Mann sei.

Die Frauen sprachen kein Wort. Als sie sich wieder entfernt hatten, deutete der Scheik auf die Speisen: „Tefattal — wenn es euch gefällig ist. Nehmt von dem wenigen, bis das Lamm geschlachtet und zubereitet ist!"

„El Hamdullillah!" klang es aus userm Mund, indem wir zulangten, und ich fügte hinzu: „Dein Herz ist gütig, und deine Hände sind offen für deine Gäste, o Scheik. Nimm auch du eine kleine Gabe, die wir für dich bestimmten. Wir haben el Rassahl, die Gazelle, gejagt und mehrere ihrer Schwestern erlegt. Sie liegen vor deinem Zelt und sind dein Eigentum."

„Rabbena chalïek, iâ Sihdi — Gott erhalte dich, o Sihdi!" antwortete er. „Du kommst aus dem fernen Belad er Rumi[5], aber du kennst trotzdem die Gebote des Koran, der sagt, daß Allah jede Gabe zehnfach vergilt. Ich nehme die Gazellen, und ihr sollt sie mit uns verspeisen."

Krüger Bei erkundigt sich: „Ich habe gesehen Bint es Sedira, die schönste Tochter deines Stammes, aber deine beiden tapferen Söhne sah ich nicht. Warum kamen sie nicht, mir ihr Angesicht zu zeigen?"

„Sie sind hinüber nach el Hamsa. Meine Kundschafter erfuhren, daß die Söhne der Uëlad Hamema gekommen sind, die Kâfila[6] zu überfallen, die wir von Testur her erwarten. Darum sandte ich eine Anzahl junger Krieger aus, um zu erfahren, wo die Feinde sich befinden."

„Die Beni Hamema? Kommen diese Räuber so weit nach Norden herauf?"

[1] Hosen [2] Allerlei Süßigkeiten [3] Viereckige Bratenstücke, an Holzstäbchen gebacken [4] Traubensirup [5] Europa [6] Karawane

„Sie sind überall zu finden, wo ein Fang zu machen ist. Ihr Scheik ist der Sohn des Teufels. Seine Hände triefen von Blut, er schont weder Weib noch Kind, 'aïb 'aleïhu — Schande über ihn!"

„Mohammed es Sadok Bei wird ihn zu finden wissen."

„Meinst du? Es wird ihn niemand fangen. Sein Stamm hat sehr viele Flinten, und der schlimmste aller Räuber ist sein Genosse."

„Wen meinst du?"

„Hast du noch nicht von Sâdis el Chabir gehört?"

„Von Sâdis, dem Krumir[1] von der Ferkat ed Dedmaka? Er hat seine Heimat fliehen müssen, weil er Blut vergoß und ihm nun die Rache folgt. Er ist der Chabir el Chubera, der größte unter den Führern, er kennt alle Berge und Täler, alle Flüsse und Quellen des Landes. Wenn sich die Beni Hamema ihm anvertrauen, sind sie doppelt zu fürchten."

„Sie haben ihn zum Führer gewählt, und er ist gestern am Bah el Halua gesehen worden. Das ist ein schlimmes Zeichen für die Kâfila, Gott schütze sie!"

Obgleich ich an diesem Gespräch nicht teilnahm, fesselte es mich doch sehr, denn auch ich hatte von diesem Sâdis el Chabir gehört. Sein Name wurde in jedem Zelt und an jedem Kamelfeuer genannt, er lebte im Mund des Märchenerzählers und auf den Lippen der Weiber, die ihre Kleinen mit ihm zum Gehorsam zwingen wollten. Übrigens brachte Krüger Bei die Rede nun auf den Zweck seiner Anwesenheit, und so wurden wir von dem Scheik eingeladen, ihn hinaus zu seinen Pferden zu begleiten, um sie in Augenschein zu nehmen.

Wir verließen das Zelt und stiegen zu Pferd. Sämtliche Araberkrieger begleiteten uns hinaus zur Stelle, wo die Tiere weideten. Ihr Anblick brachte das Blut des Engländers in Wallung. Er war ein Kenner und leidenschaftlicher Liebhaber des edelsten der Haustiere.

„Look at that!" rief er. „Welch herrliche Tiere! Seht dort die milchweiße Stute. Ich würde tausend Pfund für sie bezahlen. Well!"

„Ihr bekommt sie nicht um das Doppelte, Sir", antwortete ich ihm. „Und dennoch gibt es da ein Tier, das vielleicht noch kostbarer, wenn auch nicht so teuer ist."

„Welches?"

„Das aschgraue Hedschîn[2] da drüben. Es hat dieselbe Farbe, die man beim Haar eines Weibes so schön findet, cendré nennt

---

[1] Die Uëlad Krumir leben an der Nordküste Tunesiens   [2] Reitkamel

es der Franzose. Seht den Kopf, die Augen, die Brust, die Beine! Wahrhaftig, es ist ein Bischarîn-Hedschîn[1] und muß ein vorzüglicher Läufer sein."

„Heigh-ho! Geht mir mit Euern Kamelen! Habt Ihr schon einmal auf einem solchen Tier gesessen, Sir?"

„Hm, oft genug. Ihr wißt ja, daß ich diese alte Sahara bereits durchkreuzt habe."

„Richtig! Und wie ist es Euch gewesen, als Ihr diesen Höcker unter Euerm armen Leichnam hattet?"

„Sehr wohl."

„Wirklich? Na, das seid auch Ihr. Ich weiß, daß Eure Nerven aus der Haut eines Nilpferdes gemacht worden sind. Als ich zum erstenmal ein solches Geschöpf bestieg, bin ich erst hinten und dann auch vorn hinabgeworfen worden. Denkt Euch, so ein alter Horseman, wie der Sohn meines Vaters ist! Dann aber hielt ich mich ein wenig fester, will aber den Ritt all mein Lebtage nicht vergessen. Das war mehr als Seekrankheit, das war, als hätte ich tausend Teufel verschluckt, die mit mir in alle Winde wollten. Ich werde niemals wieder ein solch armseliges Viehzeug besteigen."

Er streckte abwehrend alle zehn Finger von sich und spreizte die unendlich langen Beine, als habe er das Kamel, von dem er sprach, noch unter sich.

Die besten der anwesenden Tiere wurden uns einzeln vorgeführt. Auch Krüger Bei war entzückt über die Milchstute. Sein gutmütiges Gesicht strahlte vor Wonne.

„Haben Ihnen bereits einmal so ein Tier jesehen?" fragte er mich. „Das ist, hole mir der Juckuck, eine echte Rawouan[2]! Dem hat nicht einmal Sihdi Ali Bei, der Prinz-Thronfolger, in seinen Marstall zu el Marsa, was dat Seebad vom Tunis stets gewesen zu sein jenannt zu werden verdienen muß."

„Ich hörte, daß er sehr viel Geld für Pferde ausgibt?"

„Sehr viel, ungeheuer viel — für Pferde, Wagen und Frauen. Er hat dreihundert Weiber, aber einen solchen Schimmel ist er noch nicht jewesen zu haben jehabt."

„Halten Sie dieses Pferd wirklich für unvergleichlich?"

„Auf jeden Fall. Es ist mich lieber als alle dreihundert Weiber dieses Sihdi Ali Bei, unter denen sich niemals nicht kein solcher Schimmel befunden zu haben erwähnt zu werden erlaubt."

„So sehen Sie sich einmal meinen Rapphenst an!"

„Sein Jang und seine Haltung ist mich bereits aufjefallen, er scheint Jeist und Feuer zu besitzen.

---

[1] Vorzüglichste Rasse der Reitkamele   [2] Edle Pferderasse

„Mit dem Schimmel des Scheik kann er's gewiß aufnehmen. Doch halt, passen Sie auf!"

Der Scheik hatte den Schimmel bestiegen, um ihn durch die Schule zu nehmen. Das Tier erwies sich als vorzüglich, und gern hätte ich es einmal mit meinem Schwarzen in den Schranken gesehen, wenn ich nicht der Gast seines Besitzers gewesen wäre. Es gibt ja bekanntlich keine größere Betrübnis für einen Beduinen, als wenn sein Lieblingspferd gegen ein andres zurücktreten muß.

Mitten im gestreckten Lauf brachte er die Stute vor uns zum Stehen und fragte Krüger Bei mit leuchtenden Augen: „Diese Stute heißt Chattâf[1], wie gefällt sie dir?"

„Sie ist wert, den Propheten im Paradies zu tragen. Verkaufst du sie?"

„Willst du mich beleidigen, Mir Alai[2]? Weißt du nicht, daß der Sohn der Sahara lieber sich selbst, sein Weib und seine Söhne tötet, als daß er seine Stute —"

Er wurde unterbrochen. Einer der Araber nämlich stieß einen lauten Ruf aus und deutete mit der Hand nach Norden. Dort ließen sich zahlreiche Punkte erblicken, die sich zusehends vergrößerten. Es waren Reiter, die zum Stamm gehörten. Kaum hatte der Scheik dies erkannt, so gab er das Zeichen, ihm zu folgen, und schoß auf seiner Stute mit einer schier schwindelerregenden Schnelligkeit davon. Wir ritten ihm langsamer nach.

Die uns Entgegenkommenden waren ungefähr zwanzig Köpfe stark. Sie führten in ihrer Mitte einen Reiter, der mit Palmfaserleinen an sein Pferd gefesselt war. Zwei von ihnen ritten schneller als die übrigen auf den Scheik zu und hielten vor ihm. Es waren seine beiden Söhne.

„Hamdulillah", hörten wir den einen rufen, „Preis sei Allah, der uns den größten der Räuber und Mörder in die Hand gegeben hat!"

„Wer ist dieser Gefangene?" fragte der Scheik.

„Es ist Sâdis, der Krumir. Allah inhal el Kelb — Gott verderbe den Hund, ihn und die ganze Ferkat es Dedmaka! Er hat Abu Ramsa, unsern tapferen Krieger, erschossen und einige von uns verwundet. Sein Name werde ausgelöscht, und sein Blut bezahle die Schuld, die ihn zur Hölle führt!"

Dieser Gefangene war also der berüchtigte Krumir, von dem wir vorhin gesprochen hatten. Ich betrachtete ihn mir. Seine Hände waren hinten an seinen arabischen Sattel gefesselt, und beide Füße hatte man ihm mit Leinen gebunden, die unter dem

---

[1] Schwalbe   [2] Türkisch: Oberst

Bauch seines Pferdes hinliefen. Dennoch saß er stolz und kalt im Sattel, die schwarzen stechenden Augen scharf auf den Scheik gerichtet. Die niedrige Stirn mit den dünnen, borstenartigen Brauen, die spitzen Backenknochen, die dünne Habichtsnase, die wulstigen Lippen und das stark entwickelte Kinn gaben seinem Gesicht einen gefühllosen, grausamen Ausdruck.

„Abu Ramsa ist tot? Wo ist er?" fragte der Scheik.

„Dort bringt man ihn.".

Der Sprecher deutete dabei hinter sich, wo zwei Reiter sichtbar wurden. Sie führten zwischen sich ein Pferd, auf dem die Leiche des Erschossenen festgebunden war.

„Und wer ist verwundet?" erkundigte sich der Scheik.

Zwei der Reiter zeigten wortlos auf die Blutflecke, die auf ihren weißen Mänteln zu sehen waren.

„Erzähle, wie ihr ihm begegnet seid!" gebot Ali en Nurabi.

Sein Sohn berichtete: „Wir ritten das Wadi Milleg hinab und machten am Famm el Hadschar[1] halt. Da kam dieser Nachkomme eines räudigen Hundes. Er saß auf dem Pferd, seine Augen gingen rundum wie die eines Kundschafters, und sein Ritt war wie der Gang eines Verräters. Da erblickte er uns und wandte sich zur Flucht. Wir aber .waren bald bei ihm. Doch bevor wir ihn festnehmen konnten, hatte er den Gefährten getötet und diese zwei verwundet. Ed dem b'ed dem, en nefs b'en nefs — Blut um Blut, Leben um Leben. Er ist der Blutrache verfallen!"

„Ed dem b'ed dem — en nefs b'en nefs!" riefen die Stimmen rund im Kreise.

Der Scheik winkte Schweigen.

„Die Versammlung wird über ihn beraten", meinte er. „Hat er euch gestanden, wo sich die Seinigen aufhalten?"

„Nein. Er hat kein Wort gesprochen."

„Die Spitzen unsrer Speere und Messer werden ihn die Worte lehren, die wir von ihm verlangen. Führt ihn zum Lager!"

Während dieser kurzen Verhandlung hatte der Krumir mit keiner Wimper gezuckt und mit unverhohlener Bewunderung mein Pferd und das des Scheik betrachtet. Sein Gesicht blieb unbeweglich, und als wir an den Herden vorüberritten, hielt er durch einen leisen Schenkeldruck sein Roß an, um das aschgraue Reitkamel mit dem entzückten Auge eines Kenners zu mustern. Sein Schicksal schien ihm nicht die mindeste Sorge zu bereiten.

Einige der Araber waren ins Lager vorausgeeilt, um die Kunde

[1] Eine Felsenkluft; wörtlich: Mund der Steine

zu verbreiten, daß der gefürchtetste ihrer Feinde gefangen sei. Daher wurde unser Zug von der gesamten Bevölkerung unter lautem Jubel empfangen. Die Reiter schossen in kühnen Sätzen durcheinander, und die übrigen klatschten jauchzend in die Hände und gaben dem Gefangenen durch beleidigendes Mienenspiel und Ausspucken ihre Verachtung zu erkennen. Er bewegte keine Miene, selbst dann nicht, als man vor dem Zelt des Scheik Anstalten machte, ihn von seinem Pferde zu lösen. Kaum aber war der letzte Knoten geöffnet, so schnellte er sich mit einem weiten Satz herab, warf die Umstehenden beiseite und war im nächsten Augenblick vor dem Nebenzelt, an dessen Eingange die Tochter des Scheiks stand. Im Nu hatte er sie ergriffen und wie einen Schild vor sich gestellt. „Dakilah, iâ Scheik — Ich bin der Beschützte!" rief er, und sofort sanken alle Hände, die sich nach ihm ausgestreckt hatten.

Das war so schnell geschehen, daß es unmöglich verhindert werden konnte. In allen Gesichtern spiegelte sich zornige Überraschung, aber keiner wagte es, die Hand gegen den zu erheben, der das geheiligte Wort ausgesprochen hatte, das selbst den schlimmsten Missetäter vor der Rache seiner Feinde schützt.

„Eddini scharbat, iâ ambr el benat — gib mir zu trinken, o Zierde der Mädchen!" sagte er zu Mochallah, der ‚Wohlriechenden‘, die der unerwartete Vorgang erschreckt hatte.

Sie blickte fragend auf ihren Vater. Ein leises Murren erhob sich ringsum. Der Scheik aber kehrte sich nicht daran, sondern gebot ihr: „Gib ihm Wasser, aber weder Brot noch Salz! Die Ältesten werden richten, was mit ihm geschehen soll."

Sie verschwand im Innern des Frauenzeltes und trat gleich darauf wieder mit einer mit Wasser gefüllten Schale hervor, die sie dem Krumir reichte. „Nimm und trink, du Feind meines Stamms!" sagte sie.

„Ich trinke", erwiderte er stolz. „Mögen meine Feinde verschwinden wie die Tropfen dieses Wassers, und möge dieser Trank sein Ma el Furkan[1] für Sâdis el Khabir, den Sohn der Beni Dedmaka!"

„Allah jenahrl el Dedmaka — Allah verdamme die Dedmaka!" ließ sich eine zornige Stimme vernehmen.

Es war mein Diener Achmed es Sallah, der diese Worte gesprochen hatte. Der Scheik zog die Stirn in drohende Falten und entgegnete ihm: „Allah iharkilik — Gott verbrenne dich, dich und deine Zunge! Hast du nicht gesehen, daß dieser Mann die Nuktat al karam[2] mit einer Tochter deines Stamms getrunken

---

[1] Wasser der Erlösung   [2] Tropfen der Großmut

hat? Doch ich weiß, daß du in die Fremde gegangen bist, um die Sitten und Gesetze deines Volkes zu vergessen, und nun hast du vergessen, daß der Beduine zu gehorchen hat, wenn der Mul el Duar[1] seine Stimme erhebt. Der Fluch des Propheten trifft den Mann, der seinen Gastfreund schändet, und ich sage euch, daß ich einen jeden töte, der ein Haar dieses Dedmaka zu krümmen wagt, ehe die Dschemma[2] beraten hat, was mit ihm geschehn soll!"

O weh! Aus diesen Worten konnte ich erkennen, daß der Scheik auf den armen Achmed nicht sonderlich gut zu sprechen sei. Was sollte da aus der Liebe der beiden jungen Leute werden? Achmeds Augen funkelten. Jedenfalls war es die Eifersucht gewesen, die ihm seine Worte eingegeben hatte. Er war noch nicht so glücklich gewesen, mit der Geliebten sprechen zu können, und dieser Räuber und Mörder durfte sie ungestraft berühren und von ihren Händen den Trank empfangen. Er zog sich grollend zurück.

Auf einen Wink des Scheik nahmen zwei Krieger den Krumir in die Mitte und führten ihn in das Zelt des Oberhauptes. Krüger Bei legte mir die Hand auf die Schulter. „Nanu jeht die Beratung los, und da sind wir überflüssig", meinte er. „Ich werde Ihnen bitten, mir zu begleiten."

„Wohin?"

„Nur ein wenig spazieren, um die Beine zu vertreten. Dat wird so eine Art höfliche Rücksichtsvolligkeit jejen den Scheik zu haben sein, da er jetzt seinem Zelt zu die Versammlung braucht. In eine Viertelstunde ist alles abjemacht, und dann können wir uns zurückzukehren erlaubt jedurft haben."

„Nehmen wir den Engländer mit?"

„Dat wird sich janz von selber zu verstehen jeneigt sein. Mit wem zu jehen sollte er wohl anders aufjefordert werden als von uns, mit uns spazierenjehen zu dürfen."

Ich gab Lord David Percy einen Wink. Wir überließen Achmed die Aufsicht über unsre Pferde und wandten uns einer Palmengruppe zu, deren Wedel in einiger Entfernung kühlen Schatten verhießen.

„Was ist das für ein Kerl, Sir, den die Uëlad Sedira gefangennahmen?" fragte mich Percy. „Ich habe nichts verstanden."

„Es ist ein Krumir von der Ferkat ed Dedmaka, ein höchst gefährlicher Karawanenräuber, an dessen Hand schon mancher Tropfen Blutes klebt."

„Hm! Wie heißt der Mensch?"

[1] Herr des Zeltdorfes   [2] Versammlung der Ältesten

„Sâdis el Chabir."

„Was heißt das?"

„Sâdis ist der eigentliche Name und heißt ‚der Sechste'. El Chabir aber ist bekanntlich der Fremdenführer. Dieser Mensch kennt infolge seiner Streifzüge in Algier und Tunesien einen jeden Berg und ein jedes Wadi. Er ist der sicherste Führer weit und breit, hat von der Küste des Mittelmeers bis in das Belad el Dscherid[1] zahlreiche Freunde und saubere Verbündete, wie ein Londoner Taschendieb von Holborn bis Isle of Dogs seine Hehler hat, und soll sogar auf den gefährlichen Salzseen des Südens so sicher sein, wie ein Reiter in seinem Sattel. Daher nehmen ihn die räuberischen Stämme der Beduinen oft als Führer."

„Hm! Habe den Namen bereits gehört, wußte aber nicht, daß dieser Sâdis und jener Spitzbube ein und derselbe Halunke ist."

„So habt Ihr ihn bereits gesehen, Sir?" fragte ich rasch.

„Yes!" nickte er.

„Wo?"

„In Tunis oder vielmehr bei Tunis. Well!"

„Wann?"

„Vor drei Wochen. Es war am Ende der Manuba[2], wo er mir begegnete. Er saß auf einem köstlichen Fliegenschimmel und trabte nach den Bergen von Saghuan hin. Als ich den Bardo erreichte, hörte ich, daß soeben ein Pferd des Bei, ein sechsjähriger Fliegenschimmel, gestohlen worden sei. Ich machte meine Aussage und schloß mich der Verfolgung des Spitzbuben an. Aber als wir die Manuba hinter uns hatten, war er bereits verschwunden."

„Und Ihr habt ihn sicher wiedererkannt?"

„Er ist es. Dieses Gesicht ist nicht zu vergessen."

„Weiß Krüger Bei von dem Diebstahl?"

„Natürlich. Er war zu derselben Zeit im Bardo."

„Und Ihr habt ihm jetzt noch nicht gesagt, daß dieser Sâdis der Spitzbube ist, dem Ihr damals begegnet seid?"

„Nein."

„So soll er es sofort erfahren."

Ich teilte dem Obersten mit, was ich soeben gehört hatte.

„Was?" rief er. „Dieser Sâdis el Chabir, dieser Hauptspitzbube soll es gewesen sein? Wird der Lord nicht sich jetäuscht zu haben schuldig jeworden sein?"

„Er täuscht sich nicht."

„Dunderwetter! Dat ist jut. Dat wird ein Fang, für welchen

---

[1] „Dattelland", südlich von den großen Schotts [2] Große Villenanlage bei Tunis

mich es Sadok Bei die jrößte Dankbarkeit zu widmen jeneigt zu sein dat Versprechen zu jeben haben wird! Aber wo ist der Fliegenschimmel?"

„Verkauft jedenfalls, da ihn der Krumir heut nicht geritten hat."

„Den Kerl soll der Deibel holen! Er wird die Bastonade so lange auf den Fußsohlen bekommen, bis er dat Jeständnis zu entschlüpfen gelingt, wo der Schimmel zu finden werden kann. Ich bitte Ihnen, lassen Sie mir schnell umkehren, damit wir nicht zu spät kommen, ehe dieser Halunke von die Versammlung der Ältesten begnadigt zu werden in Schutz jenommen zu sein ihr veranlassen wird. Janzes Batalljon, rückwärts marsch!"

Wir schritten nach dem Duar zurück. Davor stand Achmed bei unsern grasenden Pferden. Ich blieb bei ihm stehen, während die beiden andern weitergingen. Er mußte etwas Frohes erfahren haben, denn sein offenes Gesicht glänzte vor Entzücken.

„O Sihdi", meinte er, „die Sonne ist aufgegangen für deinen Freund und Gefährten, und Allah hat die Fülle des Glücks über ihn ausgeschüttet."

„Darf ich erfahren, welches Gesandten sich Allah bedient hat, um dir diese Seligkeit zu schenken?"

„Du darfst es erfahren, nur du allein, denn du wirst uns nicht verraten. Mochallah, die schönste der Huri, ging hier vorüber, um nach dem Lieblingskamel des Scheik zu sehen. Sie mußte sehr vorsichtig sein, aber sie sagte mir, daß sie mich um Mitternacht dort bei den Palmen erwarten wird. Der Scheik zürnt mir, weil ich als Schiluhh und Amazigh[1] in die großen Städte gegangen, und nun gar in die Dienste eines Ungläubigen getreten bin. Wir werden besprechen, wie wir seinen Zorn besänftigen können."

„Er zürnt dir meinetwegen? Das ist eine Beleidigung, die ich rächen werde."

„O Sihdi, schone ihn! Dein Arm ist stark, und dein Messer hat sein Ziel noch nie verfehlt. Aber der Scheik ist der Vater von Mochallah, die ich liebe. Du wirst mein Herz nicht betrüben."

„Pah, ich will ihn nicht töten. Du weißt ja, daß mir mein Glaube verbietet, Blut ohne Not zu vergießen."

„Was willst du denn anfangen, Effendi?"

„Ich werde mich dadurch an ihm rächen, daß ich, der Ungläubige, deinen Fürsprecher mache. Ich werde ihn bitten, dir deine ‚Wohlriechende' zum Weib zu geben."

[1] Beide Worte bedeuten „freier Mann"

„O Sihdi, wolltest du das wirklich?"

„Ja. Und ich bin neugierig zu erfahren, ob er meine Wangen in Scham erröten lassen wird. Du weißt ja, daß der Prophet verbietet, den Gast schamrot zu machen."

„Herr, wenn du das tust, so wirst du auch bereit sein, mir noch eine andre Liebe zu erweisen. Erfülle meine Bitte, und ich werde deine Güte preisen von Kind auf Kindeskind."

Hm, der gute Achmed sprach von seinen Nachkommen zweiter Folge, noch bevor er die Erlaubnis hatte, mit der einstigen Großmutter seiner Kindeskinder reden zu dürfen. Die Liebe ist ein eigentümliches Ding, in Lappland und in Tunis, am Mississippi und bei den Papuas; es ist am besten, ihr den Willen zu lassen. Darum fragte ich: „Welchen Wunsch soll ich dir erfüllen?"

„Meinst du nicht, daß ich mit Mochallah überrascht werden könnte?"

„Das ist allerdings leicht möglich."

„Sihdi, ich habe keinen andern. Laß du dein Auge über uns wachen, damit wir sicher sind!"

Ah! Nicht übel! Mein braver Achmed schien zu wissen, daß der Deutsche ein gutes Herz hat und seinen Nächsten gern gefällig ist. Aber warum sollte ich ihm den kleinen Dienst nicht erweisen? Also antwortete ich: „Achmed es Sallah, geh getrost hin unter die Datteln. Ich werde jeden Verräter fernzuhalten wissen."

„O Sihdi, deine Gnade ist so groß wie der Baum esch Schiab, auf dem die Erde steht, und deine Barmherzigkeit reicht so weit, wie die Tijûr el Dschenne[1] fliegen. Ich gebe dir mein Leben, wenn du es haben willst."

„Behalte es für Mochallah, die ‚Wohlriechende'! Sage ihr, daß ich dein Freund bin, der für euch bei ihrem Vater reden wird!"

Ich setzte meinen Weg zum Zelt des Scheik fort. Percy und Krüger Bei standen wartend davor. Eben als ich bei ihnen ankam, öffnete sich der Eingang, und der Scheik trat mit dem Krumir und den Ältesten heraus.

„Was habt Ihr über diesen Mann beschlossen?" fragte der Oberst der Leibwache.

„Die Versammlung ist gütig gegen ihn gewesen", entgegnete Ali en Nurabi. „Er hat das Wasser des Willkommens, nicht aber das Brot und Salz der Gastfreundschaft erhalten. Er wird drei Tage lang in unsern Zelten und auf unsern Weideplätzen

[1] Wörtlich: Vögel des Paradieses (Schwalben)

sicher sein. Nach dieser Zeit aber und auch vorher, sobald er über unsre Grenze schreitet, ist er der Blutrache verfallen."

„Er wird fliehn."

„Sein Pferd wird von meinen Männern bewacht."

„Er wird dennoch fliehn. Weißt du, o Scheik, daß er nicht bloß euch, sondern auch mir verfallen ist?"

„Warum?"

„Das sollst du sofort hören."

Der Krumir hatte während dieser Verhandlung scheinbar auf keins der Worte gehört. Sein Auge hatte auf der in der Nähe angepflockten Milchstute en Nurabis geruht und war dann nach dem Frauenzelt geglitten, vor dem Mochallah beschäftigt war, auf einem Stein Durrha zu mahlen. Es lag ein gieriger, hohnvoller Ausdruck in seinem Blick, und ich las von seinem Gesicht den Gedanken, daß sowohl das Pferd als auch das schöne Mädchen zwei Gegenstände seien, für deren Besitz man etwas wagen könne. Bei den letzten Worten Krüger Beis wandte er sich mit stolzem Gesichtsausdruck dem Sprecher zu.

„Du warst vor drei Wochen in Tunis?" wurde er von ihm gefragt.

„Was gehen dich meine Wege an?" antwortete er.

„Mehr als du denkst. Willst du leugnen, daß du dort gewesen bist?"

„Ich brauche weder zu leugnen noch dir Rede zu stehen. Ich bin ein freier Sohn der Dedmaka, du aber bist ein Sklave des Pascha. Warte, bis es mir gefällt, mit dir zu sprechen!"

„Es wird dir gefallen müssen, du freier Dedmaka, der du ein Gefangener dieser tapferen Uëlad Sedira bist. Dieser fremde Emir aus Inglistan hat dich in Tunis erblickt."

„Was kümmert es mich?"

„Du hast einen Fliegenschimmel geritten."

„Kam dieser fremde Emir nur deshalb aus Inglistan, um Fliegenschimmel zu sehen?"

„Dieser Schimmel war dem Pascha gestohlen worden. Du rittest mit ihm vom Bardo durch die Manuba nach den Bergen von Saghuan. Wir konnten dich nicht mehr erreichen."

Der Krumir stieß ein kurzes, schadenfrohes Lachen aus.

„So war dieser Schimmel wohl ein sehr gutes Pferd?" fragte er. „Der Mann, der ihn gestohlen hat, muß ein besserer Reiter gewesen sein als die Verfolger."

„Und dennoch haben sie ihn erreicht, wie du siehst, Sâdis el Chabir, wo hast du das geraubte Pferd?"

„Ich?! — — Hat dir der Samum, der böse Wind der Wüste,

das Gehirn ausgetrocknet, daß du diese Frage aussprechen kannst?"

Da legte der würdige Oberst der Mamelucken seine Hand an den Griff des Yatagans und rief: „Chammar el Kelb — Betrunkener Hund, kennst du mich?"

„Ich kenne dich, denn ich habe dich in el Marsa auf der Straße Sihdi Morgiani und auch vor dem Dar el Bei[1] an der Spitze der Sklaven erblickt. Du stammst aus den Ländern des Nordens, wo die Ungläubigen wohnen, die Allah verdammen möge. Bist du noch so rhaschîm[2] im Land der Gläubigen, daß du es wagst, einen Krumir von der Ferkat ed Dedmaka einen Hund zu nennen? Weißt du nicht, daß du nur den als Dieb behandeln darfst, den du unmittelbar nach dem Diebstahl auf dem gestohlnen Pferde sitzend findest? Und selbst wenn du den Fliegenschimmel heut bei mir entdeckt hättest, so hätte ich ihn nicht gestohlen, sondern geschenkt erhalten, getauscht oder gekauft. Wärst du nicht der Gast dieser Männer, bei denen ich Wasser getrunken habe, so würde dich mein Messer treffen. Aber sagst du nur noch ein einziges Schimpfwort zu mir, so wird deine Seele augenblicklich zu ihren Vätern versammelt sein. Ein Krumir läßt sich nicht zum zweitenmal ungestraft beleidigen. Merke dir das!"

Diese Drohung hatte keinen Einfluß auf den tapferen Krüger Bei. Er trat seinem Gegner einen Schritt näher und fragte: „Wagst du, zu leugnen, daß du das Pferd gestohlen hast?"

„Ich brauche nichts zu leugnen und brauche auch nichts einzugestehn. Rede, mit wem du willst, nur nicht mit mir!"

„Nun wohl, dieser Wunsch soll dir erfüllt werden, aber glaube ja nicht, daß du mir entkommst!" Und sich an Ali en Nurabi wendend, fuhr Krüger Bei fort: „Also dieser Sâdis el Chabir steht wirklich unter Euerm Schutz?"

„Er kann drei Tage lang frei und unbelästigt bei uns umhergehen, als gehörte er zu uns. Am vierten Tag, zur Zeit des Fetscher[3], erhält er sein Pferd zurück, um uns zu verlassen. Aber zur Zeit der Morgenröte jagen wir ihm nach, und wenn wir ihn ereilen, so nehmen wir sein Blut. So wurde es beschlossen."

„Er wird vorher entweichen."

„Er hat geschworen, nicht zu fliehen."

„Welchen Schwur hat er geleistet?"

„Bei Allah, dem Propheten, und allen heiligen Kalifen."

---

[1] Haus des Beis [2] Fremd, grün, unwissend [3] Auch el Fagr genannt = erstes Gebet zur Zeit des Zwielichts vor der Morgenröte

„So wird er seinen Schwur halten. Ich habe aber keinen Teil an eurem Beschluß. Ich habe ihm nicht versprochen, ihm zwischen dem Zwielicht und der Morgenröte Zeit zum Entkommen zu lassen. Ich werde ihn an der Grenze eurer Weideplätze erwarten, um ihn festzunehmen und nach Tunis zu bringen."

„Dies müssen wir dir gestatten", erklärte der Bei. „Aber ehe du ihn nach Tunis bringst, wird er bereits von unsern Kugeln gefallen sein. Jetzt aber tretet ein in das Zelt! Ich rieche den Duft des Schafes, das für euch geschlachtet wurde."

Der Krumir schritt mit erhobenem Haupt davon, wir aber gingen in das Zelt, wo wir von Mochallah und ihrer Mutter bedient wurden. Weder der Scheik noch einer seiner Krieger war bei dem Mahl zugegen. Die Sitte verbot ihnen, zu essen, bevor der getötete Genosse begraben war.

„Was hat dieser Oberst der Leibwache mit dem Scheik verhandelt?" fragte mich Lord Percy während des Essens.

Ich erklärte ihm den Vorgang.

„Hm!" brummte er. „Miserabler Spitzbube, dieser Krumir! Soll uns nicht entwischen, der Kerl! Yes; Ich schaffe ihn mit nach Tunis."

„Ich denke, Ihr wollt Euch mir anschließen?"

„Ah, richtig! Ihr wollt ja nach dem Süden, und ich gehe mit. Aber vorher können wir doch helfen, den Menschen zu fangen?"

„Werden sehen. Ich traue weder ihm noch seinem Schwur. Vielleicht geschieht irgend etwas, noch ehe die drei Tage abgelaufen sind."

Wir waren eben mit dem Mahl fertig, als sich draußen ein lautes Klagegeheul erhob. Man stand im Begriff, den Toten zu beerdigen. Als Gäste hatten wir die Verpflichtung, uns anzuschließen. Daher verließen wir das Zelt und gingen vor das Lager, wo sich sämtliche Bewohner um die Leiche versammelt hatten. Sie lag, in weiße Gewänder gehüllt, vor einer flachen Grube. Daneben standen die Verwandten, und die übrigen schlossen einen weiten Kreis um die Stätte. Die Frauen und Mädchen jammerten in durchdringenden Tönen, die Männer aber standen schweigsam mit finsteren, rachgierigen Blicken. Der Krumir war nicht zu erblicken; er war so klug gewesen, sich unsichtbar zu machen.

Da kein Geistlicher zugegen war, vertrat der Scheik dessen Stelle. Er hob die Hand, und sofort trat lautlose Stille ein. Er wandte sein Antlitz in die Kibla[1] und begann: „Im Namen des allbarmherzigen Gottes! Bei dem weisen Koran, du bist einer

[1] Gesichtsrichtung nach Mekka, während des Gebetes

der Gesandten Gottes, um den richtigen Weg zu lehren. Es ist die Offenbarung des Allmächtigen und Allbarmherzigen, daß du ermahnest ein Volk, dessen Väter nicht gewarnt wurden und daher sorglos und leichtsinnig dahinlebten. Das Urteil ist bereits über sie gesprochen, daher sie nicht glauben können — —"

Das war der Anfang der sechsunddreißigsten Sure, die Mohammed ‚Kalb el Koran‘, d. i. Herz des Koran, genannt hat. Sie wird in der Sterbestunde oder beim Begräbnis gebetet. Bei den Worten: „Ein Zeichen der Auferstehung sei ihnen die tote Erde, die der Regen neu belebt", wurde die Leiche in die Grube gelegt, mit dem Gesicht nach Mekka gerichtet. Bei den Worten: „Die Posaune wird ertönen, und siehe, sie steigen aus ihren Gräbern. Das ist es, was uns der Allbarmherzige verheißen hat. Nur ein einziger Posaunenschall, und sie sind allesamt vor uns versammelt —", wurde die Erde auf den Toten geworfen. Während dieser Arbeit betete der Scheik die Sure bis zu Ende. Steine, von denen über dem Grab ein Hügel errichtet wurde, lagen schon bereit. Dann sprach der Scheik noch die fünfundsiebzigste Sure, die ‚Sure der Auferstehung‘, und schloß die Leichenfeier mit dem mohammedanischen Glaubensbekenntnis: „Es ist kein Gott außer Gott, und Mohammed ist sein Prophet!" Jetzt erhob sich das Jammern und Wehklagen von neuem. Die Frauen schritten um das Grab herum, und auch die wehrhaften Männer traten einzeln der Reihe nach herzu, um ihre Messer und Dolche in den Boden zu stoßen, zum Zeichen, daß der Tod ihres Waffenbruders gerächt werden solle. Wäre der Krumir dabei zugegen gewesen, ich glaube, es wäre ihm schwer geworden, seine stolze, zuversichtliche Haltung zu bewahren. Er lag, als wir wieder in das Zelt des Scheiks eintraten, dort auf dem Serir. Mit vollem Recht hatte er geglaubt, an diesem Ort am sichersten zu sein. Trotz seiner unangenehmen Lage befleißigte er sich keineswegs eines rücksichtsvollen Betragens gegen uns. Er blieb lang ausgestreckt liegen und schien uns gar nicht zu bemerken. Krüger Bei und mir war das gleich, da wir wenig Raum brauchten, um uns in orientalischer Stellung niederzuhocken. Sir David Percy aber war diese Stellung, die der Türke Rahat oturmak[1] nennt, nicht gewohnt: „Tu deine Beine weg, Master Spitzbube!" meinte er, zwar nur in englischer Sprache, aber mit einer Gebärde, die der Krumir unbedingt verstehen mußte.

Dennoch bewegte Sâdis el Chabir nicht die Fußspitze, um dem Engländer Platz zu machen.

[1] In Ruhe sitzen

„Well! Wenn du nicht willst, so magst du Schlitten fahren!"

Er faßte den Krumir bei den Füßen und schleuderte ihn mit einem raschen Schwung vom Serir hinweg bis an den Eingang des Zelts. Aber im Nu hatte sich der auf diese Weise Angegriffene aufgerafft, um sich auf ihn zu stürzen. Lord Percy war ein gewandter Boxer. Er empfing den auf ihn Eindringenden mit einem Faustschlag ins Gesicht, der ihm für Sekunden die Besinnung raubte, und im nächsten Augenblick flog der Krumir zum Zelt hinaus.

Das war alles so schnell geschehen, daß es mir unmöglich war, es zu verhindern. Percy nahm auf dem Serir Platz, ich aber griff zum Messer, um ihm beizustehen, denn ich erwartete, daß sich Sâdis el Chabir eine Waffe suchen und dann wieder eindringen werde. Ein Schlag ist für einen Beduinen die größte Beleidigung, die es geben kann; sie ist nur mit Blut abzuwaschen.

„Was habt Ihr getan, Sir?" fragte ich. „Es wird Euch ans Leben gehen."

Der Engländer zog eine seiner Pistolen hervor, spannte die Hähne und meinte gelassen: „Ans Leben! Gut, so werde ich ihn vorher ein wenig töten. Ich habe keineswegs die Absicht, mich von einem Pferdedieb unhöflich behandeln zu lassen."

„Um Gottes willen, schießt nicht! Er steht unter dem Schutz des Stammes. Sein Tod würde Euch die Blutrache einbringen."

„Pshaw! Glaubt Ihr etwa, daß mich das schreckt? Dieser Mensch hat mich beleidigt nach der Sitte meines Landes; dafür habe ich ihn beleidigt nach der Sitte seines Landes. Also sind wir quitt. Gibt er sich damit nicht zufrieden, so ist das seine Sache. Yes!"

Was ich befürchtete, geschah nicht; der Krumir blieb zu meiner Verwunderung fort. Auch Krüger Bei schüttelte den Kopf und meinte: „Dieser Dedmaka kann niemals nicht kein Ehrjefühl besitzen, sonst würde er sein Leben wagen, um dieser Beleidigung zu rächen, die jar nicht jrößer jedacht zu werden jenannt zu sein verdienen muß. Wird der Engländer ihn niederschießen?"

„Ich befürchte es."

„Dat müssen wir zu vermeiden jesonnen sein miteinander beschließen. Sobald der Kerl wieder in diesem Zelt einzutreten hereinzukommen wagen sollte, halten wir ihm sofort fest, damit er sich nicht zu bewegen und zu rühren vermocht werden kann. Dann rufen wir dem Scheik herbei und überjeben ihn dem Jefangenen, der auf dieser Art und Weise am sichersten unschädlich jemacht zu werden jelingen kann."

Dieser in einem so wunderbaren Deutsch ausgesprochene Plan kam glücklicherweise nicht zur Ausführung, da der Krumir verschwunden blieb. Erst später, als der Scheik kam, erfuhren wir, daß sich Sâdis bei ihm über uns beschwert und mit schwerer Rache gedroht habe. Man hatte ihm ein andres Zelt als Aufenthaltsort angewiesen.

Nach dem Moghreb, dem Gebet beim Untergang der Sonne, stieg der Scheik zu Pferd, um für die Sicherheit der Herden zu sorgen. Ich schloß mich ihm an, da mir sehr daran lag, mit ihm unter vier Augen von meinem Diener reden zu können. Achmed befand sich wieder vor dem Duar bei meinem Pferd.

„Achmed es Sallah", rief ich ihm zu, „du wirst keinen Schritt von meinem Tier weichen, und es auch während der Nacht, wenn du schläfst, an dich befestigen!"

„Sihdi, ich verstehe dich", antwortete er. „Ich werde es nicht nur anbinden, sondern mein Haupt soll auf ihm ruhen, wenn es sich zum Schlaf niederlegt."

„Warum diese Vorsicht?" fragte mich der Scheik im Weiterreiten. „Bist du nicht mein Gast, dessen Eigentum sicher ist, solange er bei mir weilt?"

„Wirst du mir meinen Hengst wiedergeben, wenn er morgen früh verschwunden ist?"

„Wer sollte ihn fortführen?"

„Sâdis el Chabir."

„Du irrst. Uns wird er nicht bestehlen. Übrigens hält ihn sein Schwur drei Tage lang bei uns zurück."

„Traue du ihm, ich aber glaube ihm kein Wort. Weißt du überhaupt, ob er da unten im Wadi Milleg allein gewesen ist?"

„Selbst wenn er Gefährten bei sich gehabt hätte, würden sie nicht wagen, das Lager Ali en Nurabis zu überfallen. Sie kennen mich. Morgen werden wir nach dem Wadi Milleg reiten, um sie aufzusuchen, wenn sie vorhanden sind. Reitest du mit, Effendi?"

„Nein."

„Warum nicht? Dein Pferd wird ausgeruht haben."

„Weder ich noch mein Pferd bedürfen der Ruhe, wenn ich auch jetzt eins der deinigen reite. Ich bleibe morgen nur deshalb zurück, weil ich nicht haben will, daß du einen großen Fehler begehst."

„Von welchem Fehler redest du?"

„Hast du es nicht einen großen Fehler genannt, daß Achmed es Sallah mit mir geritten ist? Und nun willst du selbst, daß ich bei dir sein soll! O Scheik, seit wann ist es im Land der Uëlad Sedira Sitte, seinen Gast zu kränken? Ich habe die Sahara durchritten, vom Atlasgebirge bis zur fürchterlichen Wüste Tintum; ich war in Ländern und bei Völkern, deren Namen du noch niemals gehört hast, aber nie habe ich einen Scheik getroffen, der die Wange seines Gastes schamrot machte. Ich gehe von hier in das Land der Khramemssa, Segrelma, Mescheer und Neschaïma; sogar über den großen Schott werde ich gehn, um den Stamm der Merasig zu besuchen. Was soll ich ihnen allen sagen, wenn sie mich fragen nach dem Scheik Ali en Nurabi? Ich muß ihnen erzählen, daß du deine Gäste beschimpfst und daß du mich einen Giaur[1] nennst, weil ich zu Isa Ben Mirjam[2] bete. Was aber lehrt der Prophet von ihm? Sagen nicht selbst die Heiligen und Lehrer des Islam, daß Isa Ben Mirjam am Jüngsten Tag herniederfahren werde auf die Moschee der Omaijaden in Damask, um Gericht zu halten über alle Toten und Lebendigen? Warum also nennst du den, der zu ihm betet, einen Ungläubigen? Antworte mir, Scheik en Nurabi!"

Ich merkte ihm die Verlegenheit an, in die ihn meine Worte gebracht hatten.

„Wer hat dir gesagt, daß ich dich einen Giaur genannt haben soll?" forschte er nach einigem Schweigen.

„Warum fragst du, da du doch genau weißt, daß du es getan hast? Siehe, hier an meinem Hals hängt das heilige Buch; ich bin ein Hâfis, einer, der den Koran auswendig kann. Sag, ob man mich einen Giaur nennen darf!"

„Nein; du bist kein Kafir, kein Giaur!"

„Warum zürnst du dann Achmed es Sallah meinetwegen?"

„Nicht deinetwegen zürne ich ihm, sondern weil er das Duar verlassen hat, um in die Städte zu gehen."

„Du selbst triebst ihn ja fort. Er ging, um sich den Preis für Mochallah zu verdienen. Oder hältst du es für eine Sünde, die Heimat zu verlassen? Sagt nicht selbst der Prophet: ‚Du siehst den Wanderer durch die Länder ziehen, und Allah ist mit ihm. Auch siehst du Schiffe die Wellen durchschneiden, damit ihr von dem Überfluß Gottes Reichtümer erlangt und ihm dafür dankbar seid!' Ist es also gegen den Willen des Propheten, daß Achmed sein Duar verlassen hat?"

„Nein."

„Warum also zürnst du ihm?"

„Ich zürne ihm nicht."

„Warum verweigerst du ihm Mochallah, die Seele seines Lebens?"

Er fühlte sich in die Enge getrieben und erwiderte zaudernd: „Ich bin ein Scheik, und er ist nur ein Krieger."

[1] Ungläubigen [2] Jesus, der Sohn Mariens

„Allah schütze deine Gedanken! Will Achmed denn dich zum Weib haben? Er will Mochallah, deine Tochter, und sie ist doch kein Scheik! Gott kann erhöhen und kann stürzen. Achmed ist tapfer, treu, wahr, fromm und klug; ich will heut nicht weiter davon sprechen. Denke darüber nach, Scheik, so wirst du erkennen, daß er es wert ist, die Blume der Uëlad Sedira zu besitzen."

Das Gespräch verstummte nun. Wir umritten das Lager in einem weiten Bogen und kamen zur Zeit des Aschia[1] wieder zurück. Dann wurde ein kleines Nachtmahl eingenommen, worauf man inmitten des Duars ein großes Feuer anzündete, um das sich die Männer versammelten, um bei dampfenden Tabakspfeifen die alten Hikajât[2] zum tausendstenmal anzuhören oder den Aghani[3] zu lauschen, die zu den anspruchslosen Klängen der Rababa[4] vorgetragen wurden. Eine Stunde vor Mitternacht ging man zur Ruhe.

Im Zelt des Scheik wurden Decken ausgebreitet, um uns gegen die nächtliche Kälte jener Gegenden zu schützen.

„Schlaft ruhig und sicher unter meinem Dach!" meinte Ali en Nurabi. „Allah sei mit euch. Lêlekum sa 'îde — gesegnete Nacht!"

Einige Augenblicke später schnarchte er bereits in allen Tonarten. Krüger Bei folgte ihm, und auch der Engländer war bald eingeschlafen, wie seine langen, halblauten Atemzüge zu erkennen gaben. Ich steckte meine Revolver ein, erhob mich von dem Lager und schlich aus dem Zelt.

Im Lager herrschte eine lautlose Stille. Von fern her hörte ich das tiefe, hustende ‚Ommun-ommu' einer Hyäne, worauf das helle ‚J-a-u' eines Schakals antwortete, und etwas näher ließ ein neugieriger Fuchs sein kurzes Gekläff erschallen. Ich fand Achmed an demselben Ort wieder. Er lag zwischen meinem und seinem Pferd, deren Leinen er sich um den Leib geschlungen hatte.

„Hamdulillah — Preis sei Gott, daß du kommst!" begrüßte er mich. „Ich habe auf dich gewartet wie die Nacht auf den Tau."

„Warum? Hast du es so eilig? Mitternacht ist noch nicht da."

„Nein. Aber Mochallah, die Krone der Töchter, ist bereits da. Sie wartet dort bei den Palmen. Sie kam eine Minute vor dir hier vorüber."

„Eine ganze Minute? Schrecklich! Nun wundere ich mich nicht, daß du auf mich gewartet hast wie die Nacht auf den Tau."

[1] Abendgebet [2] Märchen [3] Gesänge [4] Einsaitige Zither

„Sihdi, hast du bereits mit dem Scheik gesprochen?"

„Ja."

„Was sagte er?"

„Nichts. Doch davon können wir später reden. Eile jetzt, damit die ‚Krone der Töchter' nicht ungeduldig wird!"

„Effendi, zuvor muß ich dir etwas sagen."

„Was?"

„Als der Abend hereinbrach, hörte ich da unten in den Akazien- und Mandelbüschen die Bulbul[1] singen, und weil ich sie gern höre, ging ich näher. Ich stand mit den Pferden zwischen den Sträuchern. Da sah ich einen Mann vorüberhuschen, der kein andrer war als Sâdis el Chabir."

„Hat er dich gesehen?"

„Nein."

„Du meinst, daß er entflohen ist?"

„Nein, denn er hat geschworen, zu bleiben."

„So wäre sein Ausgang ja gar nicht verdächtig. Im Duar mag keiner etwas von ihm wissen. Deshalb treibt ihn die Langeweile heraus in das Freie."

„Herr, glaube das nicht! Dieser Krumir ist gefährlicher als Assaleh[2], die Todbringende."

„Ich stimme dir vollständig bei. Ist er wieder ins Duar zurück?"

„Ich weiß es nicht, denn ich mußte wieder hierher zurück, damit du mich hier antrafst."

„So eile jetzt! Wenn ich etwas Störendes vernehme, so werde ich den leisen Laut eines Hedsch[3] ausstoßen, der im Schlaf gestört wird."

„Wie lange wirst du Geduld mit uns haben, Sihdi?"

„So lange, bis Mochallah den letzten deiner Küsse erhalten hat. Allah kerîm — Gott ist gnädig, aber gegen mich nicht, denn er hat mir keine Mochallah geschenkt."

„Effendi, du wirst noch viele bekommen, denn ich werde deinen Namen verbreiten in alle Länder der Erde; darauf kannst du dich verlassen."

Er schlich sich davon zur ‚Wohlriechenden', und ich, sein Herr und Gebieter, sein Sihdi und Effendi, mußte für ihn bei den Pferden zurückbleiben. O Schicksal, war das recht von dir? Ich hüllte mich in meinen Haïk und lehnte mich an den warmen Leib meines Pferdes. Über mir wölbte sich der tiefblaue Himmel des Südens mit den glänzenden Funken der Schlange, des Schützen, des Skorpions und des Wolfs; diese Sterne waren

---

[1] Nachtigall   [2] Wüstenschlange   [3] Weise, Falco rufus L.

gewiß ebenso zauberisch wie die zwei, in deren liebevolles Licht sich jetzt mein Diener sicherlich versenkte.

Ich wartete eine halbe Stunde — eine ganze — noch eine halbe — und abermals eine halbe — Mochallah, wo bleibt der letzte Kuß, bis zu dem ich zu warten versprochen hatte? Eben wollte ich, nur um meines Wächteramtes ledig zu werden, das vorhin vereinbarte Zeichen geben, als sich rechts neben mir ein leises Geräusch vernehmen ließ. Ich legte das Ohr fest auf die Erde; auf mein Gehör konnte ich mich verlassen; es war in den Prärien Nordamerikas zur Genüge geübt worden — ich hörte Schritte, die sich vorsichtig von der Palmengruppe her näherten und die Richtung nach den Zelten einzuhalten schienen. War es Mochallah? Ich zweifelte daran. Schnell schälte ich mich aus meinem weißen Burnus und dem ebenso hellen Mahrâme[1], so daß ich nun in der dunkelblauen, türkischen Hose und Jacke nicht von dem Erdboden zu unterscheiden war, legte mich platt nieder und kroch nach Indianerart der Gegend zu, in der ich die Schritte gehört hatte.

Eine Gestalt wand sich vorsichtig zwischen den Zelten hindurch. Es war ein Mann. Jede Deckung benutzend und immer ein Zelt zwischen ihm und mir, folgte ich ihm. Vor dem des Scheiks waren dessen Lieblingstiere, die Milchstute und das aschgraue Bischarin-Hedschîn, angeflockt, und hinter dem Frauenzelt lag eine Atuscha[2] zwischen mehreren Srûdsch[3], die der Mann in Augenschein nahm. Dabei bekam ich sein Gesicht zu sehen — es war Sâdis el Chabir, der Krumir.

Er kam von seinem Gang zurück. So spät! Warum ging er nicht sofort in das ihm angewiesene Zelt? Warum kundschaftete er hier umher? Warum schlich er sich wieder aus dem Lager hinaus? Ich mußte es erfahren und folgte ihm so vorsichtig wie möglich. Er schritt auf das Akazien- und Mandelgebüsch zu, von dem Achmed vorhin gesprochen hatte. Kaum kannte ich dies sein Ziel, so schnellte ich beiseite, um vor ihm dort anzukommen. Ich schlug einen Bogen, weit genug, um von ihm nicht erblickt zu werden, und rannte in langen Sätzen, aber doch möglichst unhörbar, dem Gebüsch zu.

Ich erreichte es, als er noch ungefähr dreißig Schritte davon entfernt war, und duckte mich zu Boden nieder. Er blieb am Rand des Gehölzes stehen, kaum drei Meter von mir entfernt, und klatschte leise in die Hände. Auf dieses Zeichen vernahm ich ein Rascheln, das sich näherte. Zurück konnte ich nicht,

---

[1] Kopftuch   [2] Frauensänfte, die von einem Kamel getragen wird
[3] Männersättel, Mehrzahl von Sardsch

zur Seite und vorwärts auch nicht; ich war in eine schlimme Lage geraten.

Da brachen einige Personen durch die Sträucher, und die eine von ihnen stieß an mich. Sofort fuhr ich, die beiden Revolver in der Hand, empor, um ihnen zuvorzukommen, aber mein oft bewährtes Glück hatte mich verlassen — diese Beduinen waren geistesgegenwärtige Leute, noch bevor ich mein ‚Wer da?' aussprechen konnte, erhielt ich einen fürchterlichen Schlag auf den Kopf, die Revolver entsanken meinen Händen, und ich selber stürzte besinnungslos zu Boden.

2. Auf der Verfolgung

Es war nicht der erste derartige Jagdhieb, den ich da erhielt, und weil die gütige Natur meinen Kopf mit einer widerstandsfähigen Knochenlage geschützt hat, war es mir stets gelungen, einen solchen Schlag schnell zu überwinden. So auch hier. Das Bewußtsein kehrte mir bald wieder, wenn auch nicht so rasch, wie es zu wünschen war; denn als ich erwachte, knieten vier oder fünf Gestalten auf mir, die mir einen Knebel in den Mund geschoben hatten, und nun beschäftigt waren, mir Hände und Füße so fest zu binden, daß ich mich nicht zu rühren vermochte. Sâdis el Chabir stand dabei, um diesen leidigen Vorgang zu beaufsichtigen.

Warum hatten mich diese Menschen nicht sofort getötet? Es war jedenfalls am besten, so zu tun, als läge ich noch in Ohnmacht. Vielleicht hörte ich da irgendein Wort, das geeignet war, mir Aufschluß zu geben. Diese Absicht erwies sich bereits nach wenigen Augenblicken als vorteilhaft, denn ich hörte den Krumir mit halblauter Stimme fragen: „Bewegt er sich?"

„Nein", antwortete einer der Männer. „Es ist so steif wie ein Speer. Mein Kolben hat ihn gut getroffen. Er wird tot sein, aber es ist doch besser, ich stoße ihm die Klinge ins Herz."

„Das wirst du nicht tun. Ich hörte aus den Reden der Uëlad Sedira, die Allah verdammen möge, daß dieser Mann ein reicher Emir aus dem Abendland ist. Wenn er wieder erwachen sollte, so nehmen wir ihn mit, und er wird uns ein großes Lösegeld zahlen. Einstweilen haben wir ihn so sicher, daß er uns nicht schaden kann."

„Was mag er hier gewollt haben?"

„Ich weiß es nicht; vielleicht ist er ein Dichter, der mit el

Kamr[1] reden wollte. Diese fremden Fürstensöhne sollen alle Dichter sein. Laßt ihn liegen! Wir werden später nach ihm schauen."

„Was befiehlst du nun? Holen wir die Milchstute wirklich?"

„Nicht sie allein."

„Wen noch?"

„Einen Rapphengst, der noch kostbarer ist als diese Stute; er gehört dem Fremdling hier."

„Hm, wir werden beneidet sein von allen unsern Brüdern."

„Und noch mehr. Wir haben auch eine Bent es Sedira[2], die schöner ist als alles, was ich bisher gesehen habe. Ich erlauschte, daß sie sich dort unter den Palmen befindet."

„Allein?"

„Es ist einer von den Jünglingen bei ihr — —"

„— den wir töten werden?"

„Nein. Ein einziges Geräusch kann uns verraten. Er wird nicht mit ihr nach dem Duar zurückkehren, denn er hat den Hengst zu bewachen. Sie ist die Tochter des Scheiks Ali en Nurabi. Wir lauern ihr auf, wenn sie heimgeht, und überrumpeln sie. Einer von euch führt sie fort. Wir andern nehmen die Stute und das köstliche Hedschîn, die beide vor dem Zelt des Scheik angebunden sind. Eine Sänfte liegt daneben."

„Man wird uns hören. Der Scheik wird gute Hunde besitzen."

„Sie kennen mich bereits, denn ich habe bei ihnen im Zelt gelegen. Einer führt das Mädchen fort, einer nimmt die Stute, einer das Hedschîn und einer die Atuscha. Wir andern gehen dann vor das Duar, um den Hengst zu holen, und da allerdings werden wir den Wächter töten müssen."

„Wo versammeln wir uns?"

„Grad im Süden vor dem Lager am Eingang der ersten Schlucht, die hinab zum Fluß führt."

„Aber wenn man uns entdeckt?"

„Schäme dich, Knabe! Ist jemals einer von uns einmal entdeckt worden? Sind nicht unsre Augen wie die des Panthers und unsre Füße unhörbar wie die des Fuchses und der Katze? Sind nicht Pferde genug vorhanden, um die Flucht zu ergreifen, noch ehe ein Sedira die Flinte erheben kann? Oder meinst du, daß wir noch vorsichtiger handeln sollen? Nun wohl, so nehmen wir erst Mochallah, die Tochter des Scheiks, und schicken sie in Sicherheit; sodann schleichen sich drei bis zum Zelt Ali en Nurabis und wir andern an den Ort, wo sich der Hengst befindet. Dann gebe ich euch das Zeichen der Beni Hamema,

[1] Der Mond   [2] Tochter der Sedira

und in demselben Augenblick nimmt jeder das, was er zu nehmen hat. Der letzte eilt hierher zurück und holt diesen Franken, den wir aber einfach liegenlassen, wenn wir in Gefahr kommen sollten."

„Und wir reiten nicht nach dem Bah el Halua zurück?"

„Nein. Ich habe es den andern, die die Kâfila erwarten, bereits zugesagt. Wir eilen sofort nach Süden, übersteigen den Bah Abida und gehen quer durch die Wüste er Ramada nach dem Dschebel Tiuasch, hinter dem zur Zeit die Duar und Tschar der Mescheer-Beduinen liegen, die uns sicher Schutz gewähren, wenn die Uëlad Sedira uns verfolgen sollten. Nun aber vorwärts, damit wir die Rückkehr des Mädchens nicht versäumen!"

Im nächsten Augenblick waren sie lautlos verschwunden, und ich lag allein unter den Büschen, gefesselt und geknebelt, hilflos wie ein Kind, ja, noch viel hilfloser, da ich nicht einmal rufen konnte.

Ich befand mich wahrhaftig in einer schauderhaften Lage. Ich kannte den ganzen nichtswürdigen Anschlag dieser Menschen und war doch nicht imstande, ihn zu vereiteln. Also hatte ich den Krumir doch richtig beurteilt. Er stand im Begriff, seinen Schwur zu brechen; er wollte fliehen und die drei besten Tiere des Lagers, die Tochter des Scheiks und auch mich mitnehmen. Und dazu sollte noch mein braver Achmed getötet werden. Ich zweifelte keinen Augenblick an dem Gelingen des Anschlags, denn ich kannte aus Erfahrung die Schlauheit und Behutsamkeit, mit der der Wüstensohn dergleichen Meisterstücke auszuführen pflegt. Kein europäischer Gauner kommt ihm darin gleich.

Ich strengte alle meine Muskeln an, und bäumte mich unter den Fesseln auf — sie schnitten mir tief ins Fleisch, gaben aber nicht nach. Ich versuchte, mit der Zunge den Knebel aus dem Mund zu stoßen — es ging nicht, denn er war mit einem Tuch befestigt, das man mir um Mund und Nase gelegt und hinten im Nacken verknotet hatte. Bald aber mußte ich von diesen Anstrengungen ablassen, denn sie brachten mich dem Tod des Erstickens nahe. Ich konnte nur eins tun: ich mußte mich verstecken, um vom Krumir nicht wiedergefunden zu werden. Gelang mir dies, so war es später möglich, die Uëlad Sedira auf die Spur der Räuber zu bringen und nicht nur den Tod Achmeds zu rächen, sondern auch Mochallah mit den geraubten Tieren zu befreien. Ich versuchte also, mich von dem Platz fortzuwälzen. Es gelang, und in einigen Minuten war ich schon so weit fort, daß ich mich geborgen glaubte. Und was die Hauptsache war —

ich war bei einer Umdrehung meines Körpers auf die Revolver zu liegen gekommen, die mir entfallen waren. Da ich nur am Handgelenk gefesselt war, so hatte ich es mit einiger Anstrengung vermocht, sie mit den Fingern zu erfassen und festzuhalten. Kehrten nicht mehrere der Räuber, sondern nur einer zu mir zurück, und fand er mich an meinem neuen Platz, so war es mir trotz meiner ungünstigen Armstellung doch vielleicht möglich, auf ihn zu schießen und — — schießen? Ha! Mußte ich denn warten, bis man mich fand? Konnte ich nicht den ganzen Überfall verhüten?

Kaum gedacht, so geschehen: ich gab dem Lauf des einen Revolvers eine Lage, bei der alle Gefahr für mich ausgeschlossen war, und feuerte alle sechs Schüsse los. Sie klangen nacheinander scharf und hell in die Nacht hinaus; sie mußten selbst den tiefsten Schläfer wecken. Kaum war der letzte Knall verklungen, so hörte ich den Schrei eines Bartgeiers. War dies ‚das Zeichen des Beni Hamema‘, von dem der Krumir gesprochen hatte? Eine halbe Minute noch blieb es still, dann aber hörte ich einen Pistolenschuß — noch einen, und nun erhob sich ein lautes Rufen und Schreien im Lager. Man war erwacht, und mit klopfendem Herzen lauschte ich auf den immer größer werdenden Lärm.

Wer hatte denn geschossen? Der Krumir? Fast hätte ich wetten mögen, die Waffe zu kennen, aus der die beiden Schüsse abgegeben worden waren — Achmeds Pistole. Das Geschrei wurde bald zum Wutgeheul, und ich unterschied deutlich die Stimme des Scheiks, der nach Mochallah, nach seiner Stute und dem Reitkamel rief. Dann hörte ich einen lauten Ruf Achmeds, der fragte, ob jemand mich gesehen habe.

Da drückte ich den ersten Schuß des zweiten Revolvers ab — eine lautlose Stille folgte, dann rief Achmed laut: „Sihdi! Oh, es ist mein Effendi, denn kein Feind hat einen solchen Rifulfîr[1] wie er. Sihdi, Sihdi!"

Ich gab den zweiten Schuß ab.

„Warum antwortet er nicht mit dem Mund?" rief der treue Diener. „Allah kerîm — Gott ist barmherzig; mein Effendi kann nicht sprechen; er befindet sich in Gefahr! Hier, haltet sein Pferd! Ich muß zu ihm hin!"

Gott sei Dank; er und mein Pferd, beide waren mir erhalten! Jetzt hörte ich viele Schritte sich den Büschen nähern, und ich drückte zum drittenmal los.

„Hier ist es!" schrie Achmed. „Kommt ihm zur Hilfe!"

[1] Revolver

Mit den Waffen in den Händen drangen sie zwischen die Büsche ein. — Sie wähnten mich im Kampf mit irgendeinem Feind, hielten aber bald zaudernd an, eine Hinterlist vermutend, da sie kein feindliches Wesen bemerkten. Nur der wackere Achmed drang unaufhaltsam vorwärts. Mein vierter Schuß gab ihm nochmals die rechte Richtung, und bald stand er vor mir.

„Maschallah, ein Gefesselter!" rief er, als er sich gebückt und mich betastet hatte. „Sihdi, Effendi, bist du es? Hast du geschossen? Wallahi, billahi, tallahi, man hat ihm den Mund verstopft!"

Im Nu entfernte er den Knebel, und da er mich nun an der Stimme erkannte, jauchzte er laut auf und entfernte die Fesseln mit wenigen raschen Schnitten.

„Er ist's, er ist's, hamdulillah, er ist's! Komm herbei, o Scheik; er wird uns Auskunft geben!"

Ich wartete das nicht ab, sondern drang aus dem Gebüsch ins Freie hinaus, wo mehr Raum vorhanden war. Dort faßte mich Ali en Nurabi am Arm.

„Effendi", fragte er stürmisch, „wo ist Mochallah, das Kind meiner Seele? Wo ist meine Stute, und wo ist mein Bischarin-Hedschîn?"

„Sage mir erst, wo Sâdis el Krumir ist", antwortete ich ihm.

„Ich weiß es nicht. Er ist fort."

„Trotz seines Schwurs?"

„Er hat ihn gebrochen. Allah verdamme ihn!"

„Ich hatte recht, o Scheik. Dieser Krumir hatte das Auge eines Verräters. Ein Giaur hält das Wort, das er verpfändet hat, dieser Muslim aber schwört bei dem Bart des Propheten, bei allen heiligen Kalifen und bricht sein Wort. 'aib 'aleihu — Schande über ihn! Aber er ist nicht nur wortbrüchig geworden, sondern er hat auch deine Tochter geraubt und die zwei besten deiner Tiere mitgenommen."

„So ist es wahr, Effendi?"

„Ja."

„Dann möge der Himmel zusammenbrechen über dem Lügner und Räuber, und die Erde möge sich öffnen, um ihn zu verschlingen, ihn, seinen Vater, den Vater seines Vaters und alle Ahnen und Urahnen! Effendi, hilf mir! Du allein weißt es, wohin er mit ihnen ist."

„Laß uns vorher alles ruhig überlegen! Ich meine, daß —"

Er unterbrach mich stürmisch: „Überlegen? Effendi, ehe wir fertig sind mit dem Überlegen, wird uns der Räuber entkommen sein! Auf, ihr Männer, ihr Helden, auf, um ihm nachzujagen!"

„Jagt ihm nach!" erwiderte ich ruhig. „Mir aber erlaubt, daß ich mich niederlege, um zu ruhen. Es ist heute noch kein Schlaf in meine Augen gekommen."

„Du bist mein Gast und willst schlafen, während ich nach meinem Kind, meiner Stute und nach meinem Kamel schreie? Weißt du nicht, daß dich die Verachtung aller Helden der Bedwân treffen wird?"

„Sie wird mich nicht treffen, denn ich werde zwar schlafen, dir aber dann deine Tochter und deine Tiere wiederbringen. Du jedoch wirst die Welt umstürzen, die Verlorenen aber nicht zurückerlangen."

„So sage mir, was ich beginnen soll! Ich werde dir gehorchen."

„Die meisten deiner Krieger sind nicht hier, sondern dort im Lager. Laß überall nachsehen, ob ein Mensch, ein Tier oder eine Sache fehlt! Dann mögen alle Männer, die Waffen tragen, zusammenkommen, um zu hören, was geschehen soll. Unterdessen mag sich die Dschemma vor deinem Zelt versammeln. Vier andre Männer werden noch teilnehmen, nämlich der Bei der Mamelucken, der Emir aus dem Bilâd Elingelîs[1], ich und Achmed es Sallah."

„Achmed es Sallah? Warum er?"

„Ali en Nurabi, ich sage dir, daß du deine Tochter und deine Tiere nur dann zurückerhalten wirst, wenn du Achmed dieselbe Ehre gibst, die du dem besten deiner Krieger erweisest. Tu, was du willst!"

„Es soll geschehen, wie du gesagt hast. Kommt alle mit mir!"

Er stürmte voran, und wir andern folgten ihm. Im Gehen gesellte sich der treue Diener zu mir. Er hatte jedes meiner Worte gehört und ahnte nun, daß ich etwas vorhatte, was ihm von Nutzen war.

„Achmed, ist mein Rappe sicher?" erkundigte ich mich bei ihm. „Ich hörte deine Weisung, wonach du ihn irgendeinem der Männer anvertraut hast."

„So ist es, Sihdi. Du kannst ruhig sein. Siehe, dort zwischen den Zelten steht der Hengst!"

„Ich danke dir! Erzähle mir schnell, wie es gegangen ist! Ich wachte bei den Pferden, sah den Krumir von den Palmen kommen, wo er euch belauscht hatte, und folgte ihm bis in das Gebüsch, wo mich seine Leute niederschlugen und banden."

„Niederschlugen und banden? Dich, Sihdi? Das ist das erstemal, daß du besiegt worden bist."

„Pah, ich wurde überrascht. Doch erzähle!"

[1] England

„Ich ließ Mochallah zu den Zelten zurückkehren und wartete noch ein wenig. Als ich dann zu den Pferden kam, lagen sie noch da, du aber warst verschwunden. Dies machte mir große Sorge. Ich hatte gesehen, daß du dem Krumir nicht trautest, und wußte genau, daß du bei den Pferden geblieben wärst, wenn dich nicht etwas Wichtiges fortgezogen hätte. Daher nahm ich meine Pistolen zur Hand und spähte und lauschte angestrengt in die Dunkelheit. Da hörte ich die sechs schnellen Schüsse aus deinem Rifulfîr, und gleich darauf erscholl der Ruf von el Büdsch, dem großen Bartgeier. Das mußte ein Zeichen sein, denn el Büdsch plaudert nicht so mitten in der Nacht. Nun sprangen drei Männer aus dem Lager herbei und auf mich zu. Ich dachte, daß es Räuber seien, schoß den einen tot, und den andern verwundete ich. Als ich die andre Pistole erhob, war dieser zweite mit dem dritten bereits wieder verschwunden."

„Ist dieser Mann wirklich tot?"

„Ja."

„Hast du ihn genau angesehen?"

„Ganz genau. Die Kugel ist durch sein böses Herz gegangen."

„Ist es der Krumir?"

„Nein. Es ist ein Uëlad Hamema."

„So merke dir: der Schrei von el Büdsch ist das Angriffs- zeichen der Beni Hamema. Vielleicht ist es für später gut, dies zu wissen. Jetzt komm zur Versammlung!"

„Sihdi, du erwiesest mir die größte Gnade, daß du den Scheik gezwungen hast, mich unter die Ältesten des Stammes treten zu lassen."

„Sei froh! Wir werden Mochallah wiederbringen, und dann soll sie dein Weib sein!"

„Ist's wahr, o Herr?"

„Ich hoffe, es wahr machen zu können, wenn du treu und tapfer bist."

„Effendi, ich werde die Berge des Atlas und Aures einreißen, wenn ich dadurch Mochallah, die Königin der Töchter, wieder- erlangen kann."

Ich befahl dem Beduinen, der mein Pferd hielt, es nicht aus den Augen zu lassen und es stets in meiner Nähe zu halten. Dann trat ich vor das Zelt des Scheik. Man war eben bemüht, ein Feuer zu entfachen und Matten zu legen, auf denen die Dschemma Platz nehmen sollte. Der Scheik wurde von Unruhe gequält. Aber er wandte volle Selbstbeherrschung auf, um ruhig zu erscheinen. Sogar die Pfeifen wurden nach alter, ehrwürdi- ger Sitte herbeigeholt und in Brand gesteckt, bevor das erste

Wort fiel. Ich kam neben dem Scheik auf den Ehrenplatz zu sitzen, neben uns hatten wir Sir Percy und Krüger Bei; Achmed es Sallah saß ganz unten. Nun aber ließ es Ali en Nurabi nicht länger Ruhe. Er erhob sich auf die Knie, und wir taten desgleichen. Die Beratung war hochwichtig, und da mußte el Fâtiha, die ,Eröffnende‘, die erste Sure des Koran, gebetet werden. Ali begann: „Im Namen des allbarmherzigen Gottes! Lob und Preis sei Gott, dem Weltenherrn, dem Allerbarmer, der da herrschet am Tage des Gerichts. Dir wollen wir dienen, und zu dir wollen wir flehen, auf daß du uns führest den rechten Weg, den Weg derer, die deiner Gnade sich freuen, und nicht den Weg derer, über die du zürnest, und nicht den der Irrenden!“

Hierauf ließ er sich wieder nieder und bat mich: „Nun rede, Effendi! Meine Seele wird jedes deiner Worte trinken, und mein Herz dürstet nach jedem Laut aus deinem Mund.“

„Wo, sagtest du heut, sei der Krumir gesehen worden?“

„Am Bah el Halua.“

„Dort hatten sich die Söhne der Hamema verborgen, um über die Kâfila herzufallen. Wie wirst du sie schützen?“

„Aber, Herr, wir wollen doch jetzt nicht von der Kâfila sprechen, sondern von der Verfolgung des Krumir! Was kümmert mich heut die Kâfila!“

Da hob Krüger Bei die Hand. „Was dich die Kâfila kümmert? Sehr viel, Ali en Nurabi! Ich sitze hier im Namen meines Gebieters. Mohammed es Sadok Bei, der Herr von Tunesien, hat den Kriegern der Uëlad Sedira den Schutz der Karawanen anvertraut. Willst du seinen Zorn auf deinen Kopf und auf die Häupter der Deinen laden?“

„Ich bin nicht der Scheik aller Sedira.“

„Aber auf deinem Gebiet soll der Überfall stattfinden. Oder liegt el Halua im Gebiet eines andern Scheiks?“

„Auf dem meinigen. Aber Allah wird deine Seele erleuchten, damit du einsiehst, daß ich meine Krieger heut zur Verfolgung des Krumir brauche.“

„Alle?“

„Alle!“

„Er hat nur fünf Männer bei sich!“ warf ich ein.

„Dennoch bedarf ich aller Männer. Wenn wir ihn ereilen wollen, müssen wir uns teilen, um ihm jeden Fluchtweg abzuschneiden. Und bei den Herden muß ich auch eine Anzahl zurücklassen.“

„Wir brauchen uns nicht zu teilen“, erwiderte ich. „Aber davon wollen wir später reden. Da kommen wohl die Männer, die uns von der Nachsuchung berichten wollen.“

Ich hatte richtig geraten. Es eilten einige Krieger herbei, die berichteten, daß man außer der Tochter und den beiden Tieren des Scheik nur einige wertlose Teppiche vermisse, die während der Nacht im Freien hängen geblieben waren.

„Und die Atuscha?" fragte ich den Scheik.

„Welche Atuscha?"

„Die deinige, hier hinter dem Zelt."

„Was ist mit ihr?"

„Ist sie da oder fehlt sie?"

Er erhob sich selbst, um nachzusehen, und kehrte bald mit der Kunde zurück, daß die Sänfte nicht mehr vorhanden sei.

„Der Krumir hat sie mitgenommen", erklärte ich. „Und weil er Decken braucht, um die Atuscha auf dem Hedschîn zu befestigen, hat er die Teppiche verwendet. Laßt euch erzählen, was ich während eures Schlafs erlebte!"

„Erzähle, erzähle!" rief es rundum.

„Sâdis es Chabir hatte kein Wohlgefallen in meinen Augen gefunden. Ich glaubte seinem Schwur nicht und hatte die begehrlichen Blicke gesehen, mit denen er mein Pferd betrachtete. Mein treuer Achmed wachte zwar bei dem Tier, dennoch aber erhob ich mich, als ihr schliefet, um einmal vor das Duar zu gehen. Da sah ich den Krumir, wie er durch das Lager nach den Büschen schlich, in denen ihr mich gefunden habt. Ich folgte ihm, um ihn zu belauschen, er aber hatte, ohne daß ich es wußte, sechs der Uëlad Hamema dahin bestellt, die mich rücklings überfielen und niederschlugen. Als ich das Bewußtsein wieder erhielt, glaubten sie mich noch besinnungslos. Daher hörte ich den ganzen Plan, von dem sie sprachen."

„Welches war ihr Plan?" erkundigte sich der Scheik.

„Sie wollten Mochallah, deine Stute, dein Hedschîn und meinen Rappen stehlen, und weil sie wußten, daß Achmed es Sallah mein Pferd gut bewachte, sollte er getötet werden. Das ist ihnen nicht geglückt, denn Achmed war treu und tapfer, er hat sie in die Flucht geschlagen."

„Weiter hast du nichts gehört, Effendi?" fragte der Scheik.

„Ich werde darüber nachdenken. — Die Uëlad Hamema hatten mich an Händen und Füßen gebunden und mir einen Knebel in den Mund gesteckt. Sie ließen mich liegen, um mich nachher mitzunehmen, denn ich sollte ihnen ein Lösegeld zahlen. Sobald sie sich entfernt hatten, ergriff ich trotz meiner gefesselten Hände die beiden Revolver, die mir entfallen waren, als ich den Schlag auf den Kopf erhalten hatte, und weckte euch mit sechs Schüssen aus dem Schlaf. Nun wißt ihr alles."

„Und du weißt, wohin sich der Krumir gewendet hat?"

„Ich werde darüber nachdenken. — Scheik, danke Achmed es Sallah, daß er wachte! Seine beiden Schüsse waren wirksamer als die meinigen."

„Hat er mir mein Pferd, mein Hedschîn, meine Tochter erhalten?"

„Das konnte er nicht, aber er kann dir alles wiedergeben."

„Beweise es, Effendi!"

„Niemand von euch weiß, wohin sich der Krumir gewendet hat, ob nach Nord oder Süd, nach West oder Ost, und daher müßt ihr den Morgen abwarten, um die Durûb und Asâr[1] zu lesen. Habt ihr einen Mann in eurem Stamm, der sich nie in der Fährte irrt?"

„Wir alle verstehen die Spuren der Menschen und der Tiere zu lesen", antwortete der Scheik, und ich sah es den andern an, daß sie derselben Meinung seien.

Diese Beduinen hätten einmal einen Apatschen oder Komantschen ‚auf der Fährte' beobachten sollen, dann wäre ihnen wohl etwas wie Selbsterkenntnis gekommen. Doch ließ ich mir nichts merken, sondern meinte nur: „Dann brauchst du keine Sorge zu haben, o Scheik, und wir können uns ruhig schlafen legen, denn mit dem Morgen werden alle deine Krieger die Fährte erkennen, und du erhältst dein Eigentum rasch wieder."

„Herr, glaube das nicht!" rief er schnell. „Der Tau und die Luft der Nacht werden die Spuren verwischt haben. Weißt du nicht, daß eine Spur kaum eine Stunde lang mit Sicherheit zu erkennen ist?"

„Ich kenne einen, der jede Fährte noch nach einer Woche erkennt. Ihm kann kein Mensch entgehen, den er verfolgt, und sollte er ihn durch die ganze Wüste es Sahar jagen."

„Wer ist das, Effendi? Dieser Mann muß Augen haben wie Dschebraïl[2], der durch die Felsen blickt."

„Hier sitzt er: es ist Achmed es Sallah, mein Freund und Gefährte."

Alle blickten den guten Achmed erstaunt an, und Achmed wieder richtete seinen Blick mit einem Ausdruck auf mich, der mich beinahe zum Lachen brachte. Er verstand ja vom regelrechten Verfolgen einer Fährte auch nicht mehr als jeder andre Beduine.

„Ist's wahr, Effendi?" fragte der Scheik überrascht.

„Zweifelst du etwa? Ich habe da drüben in dem wilden Land, von dem ich euch vorhin erzählte, oft eine Fährte mehrere

---

[1] Fährte, Spur   [2] Erzengel Gabriel

Wochen lang verfolgt, bis mir der Feind in die Hände fiel. Ich bin ihm nachgegangen über Wüsten und Sümpfe, durch Wälder und Wiesen, über Felsen und Gebirge, durch Täler und Schluchten, über Flüsse und Bäche, durch Städte und Dörfer; oft war ich nur stundenweit hinter ihm. Ich habe die Blätter der Bäume, die Halme des Grases, die Tiere des Waldes, den Geruch des Feuers, den Stapfen des Fußes, das Wasser des Baches, das Moos der Höhle, das Geröll des Abhangs und den Schnee der Berge nach dem Feinde gefragt. Überall habe ich Antwort erhalten, und stets habe ich den gefunden, den ich suchte. Hier in diesem Lande ist Achmed es Sallah viele Wochen lang mit mir geritten. Glaubt ihr etwa, er habe nichts von mir gelernt? Achmed, sage selbst: getraust du dich, den Krumir zu finden?"

Die Frage würgte ihn ein wenig, dann aber erwiderte er zuversichtlich: „Beim Bart des Propheten, ich werde ihn finden, er mag gehen, wohin er will!"

Da wandte sich der Scheik schnell an ihn: „Wirst du auch meine Stute, mein Hedschîn und meine Tochter finden?"

Der gute Achmed fing an, mein Verhalten zu begreifen, und als er meine Augen aufmunternd auf sich gerichtet sah, entgegnete er entschieden: „Alles werde ich finden."

„Achmed es Sallah, wenn du meine Tochter und meine Tiere wiederbringst und den Räuber tötest, erhältst du zwei Pferde, drei Kamele und fünf Schafe von mir", gelobte der Scheik. „Ist das genug?"

O du alter geiziger Nachkomme Hagars und Ismaels! Warte, ich werde dir einen Strich durch die Rechnung machen! Ich zog ein erstauntes Gesicht und erkundigte mich:

„Ali en Nurabi, wie hoch ist die Discha[1] eines erwachsenen Kriegers? Ich habe gehört, daß bei den vier Stämmen der Krumir, zu denen Sâdis el Chabir gehört, und bei den neun Stämmen der Beni Rabka, zu denen ihr gehört, für ein Menschenleben fünfzig Kamele oder dreihundert Schafe bezahlt werden."

„So ist es."

„Nun wohl! Sâdis el Chabir, der Räuber, hat einen der Eurigen getötet, er steht im Thar[2], und das Ergreifen seiner Person allein ist also für euch fünfzig Kamele oder dreihundert Schafe wert. Nun sage, o Scheik, wie hoch du dazu deine Tochter, deine Stute und dein aschgraues Bischarin-Hedschîn schätzest? Wenn Achmed es Sallah den Krumir fängt und ihm seinen Raub abnimmt, so kannst du es ihm mit vielen Herden

[1] Blutpreis   [2] Blutrache

nicht vergelten. Und du, Ali en Nurabi, du bietest ihm nur zwei Pferde, drei Kamele und fünf Schafe! Was sagt der Prophet im Koran? Er sagt: ‚Wer hier auf Erden seinem Bruder weniger gibt, als er ihm zu geben hat, dem wird bei der Auferstehung das Hundertfache genommen werden; denn Allah ist der Gerechte; bei ihm gilt einer wie der andre, und alles was ihr habt, das hat er euch geliehen.‘ So spricht der Prophet. Du bist ein Ungläubiger, da du nicht nach seinen Geboten handelst. Hast du nicht vorhin el Fâtiha, die Eröffnende, gebetet? Hast du nicht dabei gesagt: ‚Führe uns nicht den Weg derer, denen du zürnst, und nicht den der Irrenden!‘ Willst du trotz deines Gebets den Weg der Irrenden einschlagen?“

Er blickte finster vor sich hin, aber er bemerkte doch den Eindruck, den meine Worte auf die andern gemacht hatten. Darum fragte er: „Willst du grausam sein gegen den, der dir sein Zelt geöffnet hat? Kann Achmed es Sallah nicht für sich selber sprechen?“

„Achmed es Sallah ist ein Mann und ein Krieger; er kann sehr wohl für sich selber sprechen. Jetzt aber nehme ich die Worte aus seinem Mund und lege sie auf die Lippen eines andern. Ich meine den tapferen Bei der Leibscharen, der hier bei uns sitzt.“

Krüger Bei wandte sich schnell zu mir und fragte:

„Dunderwetter, wat ist denn los? Ihnen haben hier eine Rede jehalten, die janz jewaltig und erjreifend jewesen zu sein jeschienen hat, aber ich habe ihr leider nicht verstanden. Ich soll reden, und von welche jewisse Jegenstände denn?“

„Hören Sie, Oberst!“ antwortete ich ihm. „Wie ich Ihnen bereits gesagt habe, liebt mein Diener die Tochter des Scheik —“

„Dat weiß ich. Ich würde ihr auch lieben, wenn die Liebe nicht zuweilen die Eijentümlichkeit zu zeigen sich anjewöhnt hätte, nicht wieder jeliebt sein zu werden zu dürfen, weil dat höhere Alter und außer dieses liejende anderweitige Verhältnissen zuweilen nicht janz jenau so jeliebt werden sollen, wie sie ihr jeliebt zu werden jewußt hätten. Verstanden?“

Ich wäre beinah in lautes Lachen ausgebrochen. Dieser Bei der Heerscharen verstand es allerdings, sich geradezu in klassischer Schärfe über die Eigenschaften der Liebe auszusprechen. Doch beherrschte ich mich, um ernsthaft fortzufahren: „Der Scheik hat ihm einst Hoffnung gemacht und ihm einen Preis genannt, für den er das Mädchen erhalten soll —“

„Wird er diesen Preis bezahlen zu müssen können?“

„Ja. Er ist in Konstantinopel und dann in Algier gewesen,

um ihn sich zu verdienen. Nun aber, da er zurückgekehrt ist, soll er das Mädchen nicht erhalten, eben weil er in der Fremde war, und sodann weil er mein Diener ist."

„Der Ihrige? Warum denn darum nicht?"

„Ali en Nurabi hat mich einen Ungläubigen genannt."

„Dunderwetter, den soll der Juckuck holen! Einen Ungläubigen darf man nur einen solchen Kerl nennen und jeheißen zu haben dürfen, der weder dem richtigen Glauben, noch seinem eigenen Glauben ohne Kirche und ohne Moschee bereits aus der Schule infolge der heiligen Bücher von die Worte des Propheten und der Kalifen notjedrungen aus dem einem in dem andern umjeändert zu haben janz jenau beschwören jekonnt haben wird."

„Ganz richtig, Herr Oberst! Nun also habe ich mit dem braven Achmed die Bitte, Sie möchten für ihn den Freiwerber bei dem Scheik machen. Und zwar jetzt gleich. Ich weiß, welches Gewicht Ihre Worte haben werden und wie tief eindringlich Sie zum Herzen zu sprechen vermögen."

„Dat mit die Eindringlichkeit und Herzenstiefigkeit, von die Sie sprechen, hat es seiner Richtigkeit. Ich werde infolgedessen diesem Auftrag mit Freuden zu übernehmen jeneigt zu wollen sein. Und da dieser Sache keinen Aufschub zu leiden vertragen kann, so erlauben Sie mir jefälligst, meine Rede zu beginnen und anjefangen zu haben mir jestatten. Ich bitte, Ihnen aufzupassen, welche Hochachtung mir entjegenjebracht zu sehen, Sie in dat Jehör fallen wird."

Es war hohe Zeit, daß er sich erhob, denn der Scheik vermochte kaum mehr, seine Ungeduld zu beherrschen. Als Krüger Bei jetzt in stolzer, aufrechter Haltung vor uns stand und mit einer unbeschreiblichen Handbewegung Aufmerksamkeit gebot, war ich überzeugt, daß er etwas weit Besseres leisten werde, als vorhin im Deutschen. Er begann:

„Hört mich an, ihr Ältesten der Ferkat Uëlad Sedira, und du, o Scheik Ali en Nurabi, schenke mir auch dein Ohr! Hier stehe ich, ein treuer Diener des Propheten und ein Schirm und Schild meines Gebieters, der sich Mohammed es Sadok Pascha nennt. Wer wagt es, eine Hand gegen mich zu heben, oder ein Wort gegen mich zu reden? Hier sitzest du, o Scheik. Hunderte von Kriegern gehorchen deinem Wort, und noch mehr von Seelen zählen zu den Deinigen. Dein Wort ist wie ein Schwur, und an den Spitzen deines Bartes klebt kein unerfülltes Versprechen. Hier befindet sich ein junger, wackerer Krieger deines Stamms. Ich habe heute seinen Namen gehört; er lautet Achmed es

Sallah Ibn Mohammed er Rahman Ben Schafei el Farabi Abu Muwajid Khulani. Sein Dolch ist scharf wie der Strahl der Sonne und seine Kugel sicher wie die Gerechtigkeit des Jüngsten Tages. Er hat großes Gut aus fremden Landen geholt, besitzt die Achtung seines Freundes, der ein berühmter Emir aus Almanja ist, und hat heut einen Feind getötet, der euch berauben wollte. Ali en Nurabi, dieser tapfere Streiter deines Stammes hat sein Herz an Mochallah verschenkt, die schönste der Schönen, die von deinem Blute ist. Er will den Preis bezahlen, den du von ihm verlangtest, und wird die Tochter deines Alters ehren. Ich höre, daß du ihn von dir gewiesen hast, aber meine Seele glaubt nicht daran, denn das Wort eines Sedira ist fest und sicher wie el Arasch, der Thron Gottes, den achttausend Säulen und dreimalhunderttausend Stufen tragen. Ich stehe hier an seiner Statt und werbe für ihn um die Hand deiner Tochter. Seine Ehre ist meine Ehre, und seine Schande sei meine Schande! Dein Herz wurde heut in die Tiefen der Betrübnis getaucht, aber Achmed es Sallah ist der rechte Mann, deine Seele mit Freuden zu erleuchten. Er wird dir alles wiederverschaffen, was du verloren hast, wenn du ihm die zum Weib gibst, die er sich erst erkämpfen muß. Bedenke das, o Scheik! Bedenke auch, daß jedes deiner Worte, die du ihm sagst, auch mich mit treffen muß! Du bist mein Freund, und ich bin der deinige. Allah gebe, daß wir Brüder bleiben! Du hast meine Rede vernommen, und ich bin bereit, nun auch die deinige zu hören."

Als er geendet hatte, setzte er sich wieder. Er hätte gar nicht besser sprechen können; eine Abweisung war nun beinahe zur Unmöglichkeit geworden. Das fühlte der Scheik. Eigentlich hätte er sich sofort erheben sollen, um seine Antwort zu geben, aber er wandte sich vorher an mich: „Sihdi, ist Achmed es wirklich allein, der den Räuber zu verfolgen vermag?"

„Er hat es versprochen", erwiderte ich. „Kennst du einen andern, der es fertigbringt?"

„Du selbst bist es, denn er hat es erst von dir gelernt."

„Du hast recht, aber ich sage dir, o Scheik, daß auch ich eine Bedingung habe. Soll ich für euch die Fährte lesen, so begehre auch ich Mochallah zum Lohn, aber nicht für mich, sondern für Achmed es Sallah. Wähle schnell, denn ich sage dir, es ist keine Zeit mehr zu verlieren!"

Da erhob er sich endlich. Er legte die Hände an den Bart und sagte: „Ich schwöre hiermit bei dem heiligen Koran, bei dem Bart des Propheten, bei den Bärten aller Kalifen und auch hier bei meinem Bart, daß Achmed es Sallah Mochallah zum

Weibe haben soll, sobald er sie mir mit der Stute und dem Hedschîn übergibt. Tut er das aber nicht, so hat er keinen Teil an ihr. Ihr alle habt meine Worte gehört. Sie sind gesprochen!"

Jetzt war der Bann gelöst. Wir alle reichten ihm die Hand, und der Oberst der Mamelucken meinte fröhlich zu mir: „Nun, habe ich mein Wort zu halten mich rühmen zu dürfen umsonst versprochen jehabt? Meine Rede hat jedermann mit sämtliche Zuhörer so tief in dem Jemüte zu rühren jekonnt, daß dieser schwere Werbung niemals ohne mir nicht als jelungen zu nennen jehabt werden dürfte."

„Sie haben beinah Unmögliches geleistet, Herr Oberst. Ich danke Ihnen von ganzem Herzen."

„Na, und auch Sie Ihr Wort hat den Eindruck übrigzubleiben jelassen, dem man einer unjemein befriedigenden Wirkung mit volles Recht hinterher zu sehen jewähren kann. Darum dürfen wir zwei beiden uns zu trösten versuchen mit dasjenige Bewußtsein, für einem jeliebten Nebenmenschen einem Zustand jestiftet zu haben, dem auf die Seligkeit des Herzens und die lange Dauer einer juten Ehe kein andrer nie zu widmen vermocht werden würde."

Da endlich meldete sich auch der Engländer, der sich bisher hatte schweigsam verhalten müssen: „Aber, Sir, erklärt mir doch dies Händedrücken! Ich sitze hier wie ein Meilenzeiger zwischen Papageien. Redet doch einmal ein paar Worte mit mir!"

Ich erklärte ihm den ganzen Vorgang. Er lachte vergnügt, streckte behaglich seine ewig langen Beine aus und sagte dann: „Well, freut mich! Verlobung, Hochzeit, Heirat, Ausstattung! Werde diesem guten Achmed es Sallah fünfzig Pfund geben, wenn der Krumir wirklich gefangen wird, stelle aber eine Bedingung."

„Welche?"

„Ich muß auch dabei sein. Well!"

„Ihr wollt also wirklich mit?"

„Versteht sich! Yes!"

„Aber, die Gefahren —?"

„For shame, Sir! Wollt Ihr mit mir boxen?"

„Später einmal, jetzt nicht. Erlaubt, daß mich die andern wieder zu hören bekommen!"

Ich wandte mich wieder an den Scheik:

„Ich vermute, daß die Räuber über den Bah Abida nach der Wüste er Ramada gehen, um über den Dschebel Tiuasch zu den Uëlad Mescheer zu kommen, die ihnen befreundet sind."

„Warum vermutest du das?"

„Ich belauschte einige ihrer Worte. Zwar könnten sie sich anders besonnen haben, da ihr Raub nicht völlig gelungen ist. Aber es ist besser, einstweilen das erste anzunehmen und unsern Entschluß danach zu fassen. Seid ihr in jenen Gegenden bekannt?"

„Nur auf den großen Wegen."

„Gerade die werden sie vermeiden, und wir sind auf ihre Spuren angewiesen. Lebt ihr in Frieden mit den Beni Mescheer?"

„Wir haben keine Blutrache mit ihnen, aber es ist an der Grenze hin und wieder ein Weidetier abhanden gekommen."

„Also müssen wir vorsichtig sein. Mit großer Macht dürfen wir nicht aufbrechen, denn unser Zug gilt nur dem Krumir und seinen fünf Uëlad Hamema. Vor den Hamema dürfen wir uns nicht blicken lassen, sobald sie zahlreicher sind als wir, da Achmed einen der ihrigen getötet hat. Wir können unsern Zweck auf verschiedene Weise erreichen. Die erste ist: ich habe das einzige Pferd, auf dem der Krumir einzuholen ist; ich reite ihm also allein nach und schieße ihn vom Pferd."

„Herr, sie würden dich töten!" rief der Scheik.

„Wollen wir wetten?" lachte ich. „Wenn sie mich töten, verliere ich das Leben. Wenn aber ich sie töte, so verlierst du deine Stute, die dann mir gehört!"

Ich streckte ihm meine Hand entgegen, aber er bedachte sich doch, einzuschlagen, und erklärte vielmehr: „Du bist mein Gast, und mein Leben ist das deinige. Wir lassen dich nicht allein fort."

Die andern stimmten alle ein, und so mußte ich mich bescheiden. Ich fuhr also fort: „Wir könnten dem Krumir über Dschebel Zaafran, Dschebel Schefara und Dschebel Dschildschil zuvorzukommen suchen. Wir sind so vielleicht einen Tag früher bei den Mescheer, suchen ihre Gastfreundschaft zu gewinnen, und nehmen dann die Feinde in Empfang, sobald sie kommen."

Die Männer schüttelten die Köpfe, und einer sprach:

„Effendi, du willst mehr wagen, als wir dürfen. Wer kann sich auf die Freundschaft der Beni Mescheer verlassen?"

„So bleibt uns nichts andres übrig, als den Räubern auf ihrer Spur zu folgen und sie anzugreifen, wo wir sie nur finden."

„Werden wir sie erreichen?" fragte der Scheik besorgt.

„Ich glaube es", antwortete ich. „Zwar können die Stute und das Hedschîn nur von meinem Rappen eingeholt werden, aber sie haben jedenfalls noch fünf andre Pferde bei sich. Vielleicht ist sogar noch ein Mann mehr bei ihnen, denn sie haben ihre

Pferde während des Überfalls wohl von einem Gefährten halten lassen müssen. Und ferner wird Mochallah hoffen, daß wir ihnen folgen; darum wird sie alles tun, um den Ritt aufzuhalten."

„Effendi", rief der Scheik, „deine Worte sind weise; sie träufeln Trost in meine Seele."

„Habe keine Sorge. Wir werden alles wieder bekommen, wenn wir vorsichtig sind. Besser freilich wäre es, wenn wir wenigstens einige gute Pferde hätten, auf denen mehrere von uns vorausreiten und den Krumir beobachten könnten. Wie viele Männer willst du mitnehmen, Ali en Nurabi?"

„Alle." — „Maschallah! Willst du eine Mücke mit einem Adler jagen? Es sind im höchsten Fall sieben Männer, denen wir folgen wollen. Fehlt es den Söhnen der Sedira so sehr an Mut, daß auf einen Feind hundert von ihnen zu rechnen sind?"

„Wieviele Krieger hältst du denn für nötig, Effendi?"

„Nicht mehr als zwanzig."

„Herr, das ist zu wenig."

„Nein! Bedenke, daß du auch mitgehst, dann Achmed es Sallah und dieser tapfere Emir aus dem Bilâd Elingelîs. Mich selbst will ich auch erwähnen. Wir allein wären hinreichend, den Krumir zu überwältigen. Die sechs oder sieben Feinde während eines Nachtlagers zu überraschen, wären drei erfahrene Jäger genug. Bedenke auch, daß du die Mehrzahl deiner Männer zum Schutz der Kâfila verwenden mußt!"

Diesen Gegenstand erfaßte Krüger Bei sofort mit Eifer. Die Beratung wurde lebhafter, denn auch jeder der Ältesten wollte seine Meinung hören lassen, und als sie dann beendet war, konnte ich das Ergebnis keineswegs erfreulich nennen: hundertfünfzig Männer sollten unter Anführung des einen Sohnes des Scheik der Kâfila entgegengehen, und unser Trupp sollte aus sechzig Mann bestehen. Die andern blieben unter dem zweiten Sohn zum Schutz des Lagers zurück. Lord Percy lächelte verächtlich, als ich ihm das mitteilte.

„Pshaw", meinte er, „diese Beduinen sind Feiglinge. Lassen große Fantasias und Kriegsspiele sehen und haben Angst, sobald es Ernst wird."

„Das will ich nicht sagen, Sir. Der Araber ist nicht gewohnt, wie die Indianer dem Feind einzeln zu folgen, um täglich einen zu skalpieren. Der Beduine liebt den Kampf, aber dieser Kampf darf nicht heimlich fressen, sondern muß mit möglichst großem Schaugepräge verbunden sein. Leider bin ich überzeugt, daß wir mit zehn Männern den Krumir leichter gefaßt hätten als mit diesen sechzig."

„Well! Kommt, Sir! Wollen miteinander vorangehen und die Geschichte allein abmachen!"

„Fast hätte ich Lust dazu. Aber ich habe mein Wort gegeben, bei dem Zug zu bleiben."

„Gut, so bleiben wir. Aber ich sage Euch, daß ich allein vorwärts gehen würde, wenn ich richtig arabisch reden könnte. Yes!"

Jetzt wurden schnell die nötigen Vorbereitungen getroffen. Man lud Lebensmittel und Schießbedarf auf und nahm auch eine Anzahl Kirbât[1] mit, um sie später für den Ritt durch die Wüste er Ramada mit Wasser zu füllen. Gerade als diese Vorkehrungen beendet waren, war die Zeit des Fedscher[2] herangerückt. Der Morgen rötete sich im Osten, und die Beduinen sanken neben ihren Pferden auf die Knie, um, das Gesicht gegen Mekka gewandt, ihr erstes Gebet zu verrichten.

Nun war es Zeit, uns zu überzeugen, ob der Krumir auch wirklich die vermutete Richtung eingeschlagen habe.

„Wie werden Ihnen dieses anfangen, um es janz jenau erkennen und behaupten jekonnt zu dürfen?" fragte mich Krüger Bei.

„Nichts leichter als das!" erwiderte ich. „Sehen Sie die Trinkstelle neben dem Zelt des Scheiks? Sie hat zwei Abteilungen, die eine für das Lieblingspferd und die andre für das Lieblingskamel des Herrn, denn ein Rassepferd trinkt nie gern aus demselben Gefäß, aus dem bereits ein Dschemel[1] getrunken hat. Durch das verschüttete Wasser nun ist der Boden feucht geworden, und die Hufe der Tiere haben sich darin abgedrückt. Sehen Sie?"

„Ich jestehe jern, alles dieses jenau erkennen zu dürfen."

Ich entnahm meinem Verbandzeug eine Schere und zog das nötige Papier aus der Tasche. Dann fuhr ich fort: „Jetzt schneide ich mir diese Spuren genau in Papier aus und zeichne das innere Bild der Hufe mit dem Stift nach — — so! Nun steigen Sie auf das Pferd, und kommen Sie mit mir! Achmed mag uns begleiten."

Wir drei saßen auf und verließen das Lager. Ich ritt voran und galoppierte nach Süden und auf die Schlucht zu, von der der Krumir gesprochen hatte. Wir erreichten sie in fünf Minuten, obwohl sie eine volle halbe Stunde vom Duar entfernt lag. Ich sprang ab und untersuchte das Gelände. Bereits nach zwei Minuten hatte ich gefunden, was ich suchte.

„Steigen Sie vom Pferd, Oberst, und treten Sie näher!" bat ich. „Schauen Sie sich doch einmal diese Stelle an!"

[1] Schläuche aus sudanischen Ziegenfellen   [2] Morgengebet   [3] Kamel

„Ich sehe Gras, das niedergedrückt jewesen zu scheinen jesonnen ist."

„Es war allerdings niedergedrückt, und zwar im Viereck; ein geübtes Auge kann seine Ränder noch deutlich verfolgen. Und hier, nahe an der andern Seite des Vierecks?"

„Da scheint jemand im den Grase jescharrt und etwas suchen jewesen jehabt zu haben."

„Nun sehen Sie: hier hat eine viereckige Decke am Boden gelegen; darauf hat ein Mann geruht. Seine Füße langten über die Decke hinaus, und so hat er bei jeder Bewegung mit den Sandalen im Gras gerieben. Verstehen Sie das?"

„Da Ihnen es mich jesagt haben, so scheint es mich einzuleuchten sehr deutlich jeworden zu sein."

„Es steht zu vermuten, daß dieser Mann die Pferde bewachen sollte, die dem Krumir und seinen Uëlad Hamema gehörten. Wo werden diese Pferde gewesen sein?"

„Dieses zu sagen, kann sich mein Jeist nicht träumen zu lassen so schnell vermuten."

„Wer Pferde zu bewachen hat, der wendet ihnen auf alle Fälle sein Gesicht zu. Sie werden also in derselben Richtung gestanden haben, in der er seine Füße liegen hatte, also wohl bei den Büschen dort, die meist nur aus Baten[1] bestehen. Kommen Sie! — Da, sehen Sie, daß hier der Boden niedergestampft ist und mehrere Zweige zu Schlingen gedreht sind? Diese Schlingen haben zur Befestigung der Zügel gedient; es sind ihrer sieben, also dürfen wir auf ebenso viele Pferde schließen. Leuchtet Ihnen auch das ein?"

„Erlauben Sie mich, Sie zu diesen unjeheuren Scharfsinn meinen Glückwunsch erjebenst hinnehmen und entjegenjebracht zu mögen! Aber wie wollen Sie Ihnen nun auch dat Kamel, der Stute und dem jeraubten Mädchen finden werden?"

„Vielleicht gelingt mir auch das. Die Räuber sind jedenfalls mitten in der Schlucht geritten, wo der feste, steinige Boden keine Spuren annahm. Aber es steht zu vermuten, daß die Stute und besonders das Kamel erst gehörig getränkt haben, ehe sie ihm die Sänfte aufschnallten. Hier kann dies nicht geschehen sein, weil die Ufer des Bachs zu hoch sind. Gehen wir also weiter! Ich bin überzeugt, daß wir Spuren finden werden, sobald wir eine Stelle erreichen, wo die Ränder des Bachs nicht hoch über dem Wasser stehen."

Meine Vermutung bestätigte sich schon nach kurzer Zeit. Der Bach schlug einen Bogen, der eine kleine, flach aus dem Wasser

[1] Terebinthe (Terpentinbaum)

ansteigende Halbinsel umrandete, auf der sich von der Zeit der Frühlingsüberschwemmungen her ein grober, mit einzelnen Steinbrocken untermischter Sand abgelagert hatte. Dazwischen war ein spärlicher, schmalhalmiger Graswuchs zu erblicken. Diese Art Boden war geeignet, die leiseste Fußspur aufzunehmen und für lange Zeit festzuhalten.

Außerhalb des kleinen Platzes war der Weg vielfach zerscharrt.

„Schauen Sie, Oberst, hier haben die sieben Pferde nach ihrem Aufbruch gehalten. Und hier hat die Atuscha gestanden, ehe man sie auf das Hedschîn schnallte. Bemerken Sie die Spur eines Kamels und eines Pferdes hier am Wasser? Ich nehme meine Papierabdrücke hervor. Beachten Sie, wie genau sie passen. Hier ist die Stute und das Hedschîn gewesen, und hier — ah, was hat dieser rote Faden zu bedeuten?"

„Dieses zu wissen kann kein andrer Mensch als nur Ihnen zu erraten befähigt jeworden dat jroße Glück zu haben."

„An diesem Faden klebt Blut. Man hat irgendein Gewebe zerrissen, um den Verwundeten zu verbinden, der die Kugel Achmeds erhalten hat, und dabei ist dieser Faden an dem kleinen Zweig hängengeblieben. Hier rechts, unter der jungen Sanobâr[1] hat jemand gelegen. Aha, es ist Mochallah gewesen."

„Dunderwetter! Woher wollen Sie Ihnen dat so jenau zu wissen es erraten jehabt zu können?"

„Nehmen Sie nicht wahr, daß von dem Zweig die meisten Nadeln wie mit den Händen abgestreift worden sind? Sie hat sich geweigert, mitzugehen, und hat sich an dem Zweig festgehalten. Man hat sie losgerissen, und dabei sind die Nadeln abgezogen worden."

„Allah akbar — Allah ist jroß, aber Ihnen Ihre Jeistesjejenwart ist um ein Erstaunen zu erregen bewundert jeworden."

„Maschallah!" rief da Achmed, der zwar kein Wort unsres Deutsch verstehen konnte, aber jeder unsrer Bewegungen mit Aufmerksamkeit gefolgt war. „Sihdi, sieh her! Was ist das?"

Er hatte neben der Pinie ein Stück tonigen Schiefer gefunden, das er mir entgegenreichte. Auf der einen Seite des kleinen Steins war mit unsicherem Zug, aber doch deutlich genug, ein arabisches M eingegraben, also der Anfangsbuchstabe von Mochallah.

„Weißt du etwa, ob Mochallah einen scharfkantigen Gegenstand bei sich trug?" fragte ich Achmed es Sallah.

„Ja, sie hat stets ein kleines Mun[1] um den Hals hängen."

[1] Pinie   [2] Niedliches Messerchen mit scharfer Klinge

„Sie weiß, daß wir den Räubern folgen werden, und hat uns ein Zeichen geben wollen. Es ist sehr zu wünschen, daß sie dies öfters tut."

„Oh, sie wird es tun, Sihdi! Diesen Stein aber werde ich behalten, bis ich sie wiederfinde."

„Nun gilt es nur noch uns zu überzeugen, daß sie längs des Baches diese Gegend verlassen haben", meinte ich. „Wir wollen also noch ein Stück weitergehen."

Wir verfolgten die Schlucht noch weiter und fanden genug Hufspuren, um unsrer Sache sicher zu sein. Dann kehrten wir wieder zum Duar zurück, wo man sehnlichst auf uns gewartet hatte.

„Effendi, laß uns aufbrechen! Vielleicht erreichen wir die Räuber noch am heutigen Tag!" bat der Scheik.

„Daran glaube ich nicht, Ali en Nurabi. Sie können stracks voranreiten, während wir viel Zeit mit dem Suchen nach ihren Spuren verlieren müssen. Was hast du für ein Pferd?"

„Dieser Fuchs ist gut, wenn er auch nicht die Schnelligkeit der Stute besitzt."

„Auch Achmed und der Emir aus dem Bilâd Elingelîs reiten gute Pferde. Wir werden uns also von den andern trennen können."

„Uns trennen?" fragte er. „Warum?"

„Weißt du nicht, daß jedes Kriegsheer eine Abteilung haben muß, die voranreitet, um die Gegend zu erkunden und für die Sicherheit der andern zu sorgen? Das werden wir tun, weil wir die besten Pferde haben. Deine sechzig Krieger können uns mit Sicherheit folgen, da wir ihnen durch Zeichen laufend anzeigen, welche Richtung wir eingeschlagen haben. Besprich diese Zeichen mit ihnen und laß uns Abschied nehmen, damit wir unser Tagewerk beginnen können!"

Mein Vorschlag leuchtete ihm schnell ein, und er befolgte ihn sogleich.

Der Anführer der tunesischen Heerscharen konnte sich unsrer Unternehmung nicht anschließen. Er kehrte mit seinen Begleitern, aber ohne den Engländer, nach el Bordsch zurück, wobei er eine große Strecke mit den Uëlad Sedira reiten konnte, die der Kâfila entgegengingen.

„Nun kommen auch Ihnen an die Reihe", sagte er, als er bereits von den übrigen Abschied genommen hatte. „Glauben Sie mich; dat Scheiden ist die unanjenehmste Erfindung, die jemals jemacht worden zu sein mir verdrossen hat. Werden wir uns einmal wiederzusehen die Jelegenheit geboten sein?"

„Inschallah — wenn es Gott gefällt. Die Wege des Menschen sind im Buch verzeichnet", lächelte ich.

„Ich weiß, daß Sie pflegen, mein Freund jeworden zu sein. Wollen Ihnen mich einmal einem Jefallen zu erweisen die Jewogenheit behaupten?"

„Sehr gern, wenn es mir möglich ist."

„Dann sind Sie doch einmal so jut, und schießen Sie dem Krumir nicht janz tot, wenn Sie ihm finden, sondern schicken Sie ihm mich nach Tunis, wo wir ihn zeigen werden, was einem jestohlenen Fliegenschimmel für seine eijentümliche Bewandtnis hat. Sollten Sie selbst einmal nach Tunis eintreffen, so verjessen Sie Ihnen nicht, mir zu besuchen. Jetzt aber Adieu, juten Morjen und jute Reise. Allah sei mit Sie nebst dem Propheten! Nehmen Sie Ihnen vor die Uëlad Hamema in acht, und verjessen Sie mir nicht, der ich Ihr Freund zu sein mir als juter Bekannter stets einjewilligt haben werde!"

Ich erwiderte seine herzlichen Worte, und dann brachen wir auf, die einen nach Norden und wir andern nach Süden.

Die Schlucht war bald wieder erreicht. Hier erklärte ich dem Scheik die Bedeutung der vorhandenen Spuren, und dann ging es vorwärts. Es war keine leichte Aufgabe, die Fährte auf dem meist felsigen Boden festzuhalten; doch half mir dabei die Kenntnis der Richtung, die der Krumir verfolgte.

Er hatte gesagt, daß er den Bah Abida übersteigen werde. Dieser Bergzug lag von dem Ausgangspunkt unsres Ritts in gerader Linie ungefähr dreißig Kilometer entfernt. Da wir aber mehrere bedeutende Höhen zu umgehen und verschiedene Gewässer zu durchschwimmen hatten, so mußten wir wenigstens fünfundvierzig rechnen. Dazu kam der Zeitverlust, den das Aufsuchen der Spur verursachte, so daß ich gut fünfzehn Stunden rechnete, die wir brauchten, um den Bah Abida zu erreichen.

Wir gingen über den Dschebel Hermormta Wergra, durchschwammen den Anneg und bald darauf den bedeutenden Milleg und hielten zu Mittag in einem Quertal des Dschebel Tarf eine kurze Rast. Gerad an demselben Punkt hatte der Krumir auch ausgeruht; die Spuren davon waren deutlich zu erkennen. Dieses Tal ist etwa fünf Stunden lang, erstreckt sich von Westen nach Osten und wird von einem Bach durchzogen, der auf dem Bah Abida entspringt. Gerade vor uns also hatten wir diesen Berg, links das Land der Uëlad Scheren und Uëlad Khramemssa. Da wir die Gesinnung dieser Leute nicht kannten, so galt es, von jetzt an vorsichtig zu sein. Der Krumir hatte offenbar denselben Gedanken gehabt; er war, wie sich bald herausstellte, nicht in dem Tal geblieben, wo er jeden Augenblick eine Begegnung erwarten konnte, sondern hatte rechts die Hochebene erstiegen, um auf ihr den Abida zu erreichen; wir folgten ihm. Da oben dehnte sich eine meilenweite Hochfläche rechts nach dem Wadi Serrat hinüber, und gerade vor uns sahen wir in stundenweiter Entfernung den Abida sich erheben. Die Fährte wurde hier sehr deutlich, denn die Verfolgten waren im Galopp geritten, jedenfalls, um dieses offene Land bald hinter sich zu bringen. Sie hatten, wie ich aus der Beschaffenheit der Spur erkannte, einen Vorsprung von kaum drei Stunden vor uns, und ich sagte dies dem Scheik.

„Hamdulillah — Gott sei Dank!" rief er. „Wir werden sie noch heut erreichen."

„Du irrst, Ali en Nurabi", entgegnete ich. „Oder ist deine Stute ein so schlechtes Pferd, daß es sich diesen Vorsprung in so kurzer Zeit abgewinnen läßt?"

„Wir reiten die Nacht hindurch."

„Kannst du des Nachts die Spuren erkennen?"

„Du hast recht. Allah verdamme die Finsternis! Komm, laß uns vorwärts eilen!"

Wir flogen dahin, als ob wir selbst die Verfolgten seien. Mein Rappe stöhnte laut auf vor Lust; man merkte es seinen zierlichen, spielenden Bewegungen an, daß es ihm leicht sei, die jetzige Schnelligkeit noch zu verdoppeln. Hätte ich ihm den Willen gelassen, so wäre ich in einigen Minuten mit ihm verschwunden gewesen.

Es war seltsam, daß Sâdis el Chabir gar nicht daran gedacht hatte, seine Fährte zu verbergen oder unkenntlich zu machen. Sie lag so offen und klar vor uns, daß sich selbst der Unerfahrenste unmöglich in ihr irren konnte.

Es dauerte jedoch nicht lange, so sollte ich andrer Meinung werden. Bald begann der Boden felsig zu werden, und die Spur war nur zuweilen an einem aus seiner ursprünglichen Lage gestoßenen Steinchen oder einer kaum sichtbaren Abschürfung zu erkennen. Ich mußte allen Scharfsinn aufbieten, um sie zu entdecken, und so ging's nur Schritt um Schritt vorwärts. Endlich, nach einer guten halben Stunde, kamen wir wieder auf erdigen Boden, und — ich blieb augenblicklich halten, denn ich erkannte die Hufeindrücke von nur zwei Pferden.

„Halt!" gebot ich. „Berührt mir diese Fährte nicht!"

Ich stieg ab und maß. Der Krumir war also doch auf den Gedanken gekommen, uns zu täuschen.

„Was siehst du da?" fragte Ali en Nurabi.

„Daß wir auf einer falschen Spur sind."

„Maschallah, du hast dich täuschen lassen!"

„Nicht doch! Reitet einige hundert Schritte zurück! Ich muß diesen Felsen genauer untersuchen. Nur Achmed es Sallah mag hinter mir bleiben."

Das verlangte ich, um den Glauben zu erwecken, der brave Achmed verstehe wirklich etwas von der regelrechten Verfolgung einer schwierigen Fährte.

Ich bog von der bisherigen Richtung rechts ab, konnte aber trotz aller Sorgfalt nicht das Geringste finden. Also ging ich nach links hinüber und suchte. Meine Aufgabe war nicht leicht, da die Pferde der Verfolgten alle unbeschlagen waren. Hätten sie Eisen getragen, so wären genug sichtbare Eindrücke hinterlassen worden. Endlich, nach ziemlich langem Forschen, bemerkte ich, was ich suchte.

„Achmed, komm näher! Ich will einmal prüfen, ob du eine Fährte entdecken kannst. Suche hier!"

Er tat es, aber vergeblich.

„Sihdi, ich sehe nichts. Der Felsen ist so hart und glatt, daß kein Huf ein Zeichen zurückzulassen vermag."

„Und doch! Blicke hierher! Was siehst du?"

Er bückte sich und sah scharf hin.

„Ganz wenig Mehl, wie von einem zermahlenen Steinchen."

„Richtig! Es war wirklich ein Steinchen, das zermahlen wurde. Schau genau hin, wie es zerrieben wurde! Geschah es durch einen geraden Stoß von oben oder auf andre Weise?"

„Es sieht aus, als sei das Steinchen dadurch zerrieben worden, daß sich jemand mit der Ferse darauf drehte."

„So ist's. Es hat jemand darauf getreten und sich dabei auf der Ferse gedreht. Bei welcher Gelegenheit aber muß das geschehen sein?"

„Sihdi, wie kann ich das wissen? Ich war nicht dabei."

„Wenn jemand sehr vorsichtig und langsam vom Pferd steigt, so berührt er zunächst mit dem rechten Fuß die Erde. Während er den linken aus dem Steigbügel zieht, um ihn auf den Boden zu setzen, wird sich der rechte ein wenig drehen und dabei einen bedeutenden Druck ausüben, weil das ganze Gewicht des Körpers auf ihm ruht. Ist dieser rechte Fuß nun zufällig auf ein kleines Steinchen gekommen, und besteht der Boden aus Felsen, so wird das Steinchen zerdrückt und zerrieben. Daraus folgt zunächst, daß einer der Reiter hier sehr vorsichtig und behutsam vom Pferd gestiegen ist. Warum aber behutsam, Achmed?"

„Damit der Huf des Pferdes dabei keine Spuren macht. Hab ich's erraten, Sihdi?"

„Ja. Es ist derselbe Grund, weswegen der Reiter überhaupt abgestiegen ist. Er hat das Pferd erleichtern wollen, damit jeder Hufeindruck vermieden wird. Nun aber müssen wir erfahren, ob auch die andern abgestiegen sind."

„Wie willst du das erfahren?"

„Ich werde suchen."

Sorgfältig forschte ich weiter und machte bald einen zweiten Fund. „Schau hierher, Achmed! Was ist das?"

„Eine Schlange, mit einem Messer in den Stein geritzt."

„Nicht mit einem Messer, sondern mit einer eisernen Lanzenspitze oder mit dem Fersenstachel. Die Hamema haben statt der Sporen eiserne Stachel, wie du gesehen haben wirst. Es ist einer hier abgestiegen und ausgeglitten. Dabei hat der Stachel den Boden geritzt. Oder der Mann hat die Spitze seiner Lanze während des Absteigens aufgestemmt und ist mit ihr abgerutscht. So ist die Schlangenlinie entstanden. Zwei also sind hier vom Pferd gestiegen, folglich die übrigen wohl auch. Die Tiere sollten so leicht wie möglich auftreten. Sage unsern Freunden, sie sollen langsam folgen."

Ich schritt in der jetzt eingeschlagenen Richtung weiter und gewahrte bereits nach fünf Minuten da, wo der Stein in weicheres Erdreich überging, abermals die Spuren zweier Pferde. Nun erriet ich leicht die Absicht des Krumirs und rief meine Begleiter herbei.

„Was hast du gefunden?" fragte Ali en Nurabi.

„Daß der Krumir doch nicht so unvorsichtig ist, wie ich anfangs dachte. Er hat sich sehr viel Mühe gegeben, uns irre zu führen."

„Hast du seine Spur verloren?"

„Nein. Seht euch einmal dieses Gelände an! Der felsige Boden, der nun hinter uns liegt, geht hier in weicheres Erdreich über. Die Grenze zwischen dem Stein und der Erde ist ziemlich scharf und zieht sich hier links hinüber, indem sie einen weiten, halbkreisförmigen Bogen bildet. Um uns nun von sich abzulenken, ist Sâdis el Chabir mit seinen Leuten abgestiegen. Damit die Tiere leicht auftreten und möglichst jede Spur vermeiden sollten, hat er sich längs dieser Grenze auf dem harten Boden hingeschlichen und von Zeit zu Zeit zwei seiner Reiter abbiegen lassen. Auf diese Weise entstanden vier verschiedene Fährten, deren jede nach einer andern Richtung geht. Entweder stoßen sie später wieder zusammen, oder der Krumir setzt mit Mochallah

seinen Weg allein fort und hat sich von den andern gänzlich getrennt, in der Hoffnung, daß wir einer von ihren Spuren folgen
werden und ihn auf diese Weise entkommen lassen. Zwei Fährten habe ich bereits entdeckt. Die beiden andern werden wir
sicher auch bald finden, wenn wir immer an der Grenze zwischen
dem Felsen und dem lockeren Boden hinreiten. Es soll ihm nicht
gelingen, uns zu täuschen. Kommt und folgt mir weiter!"

Ich ging voran und fand auch bald die dritte Fährte. Als ich
mein Papier auflegte, zeigte es sich, daß sie nur von zwei
Hamema herrührte. Jetzt war also nur noch eine Spur zu erwarten, und diese mußte dem Krumir selber angehören.

Es dauerte lange, bis ich endlich die gesuchten Hufeindrücke
fand. Mein Papier paßte genau in die Tapfen des Pferdes. Es
war die Milchstute, und ebenso konnte ich unschwer die Spur
des Hedschîn erkennen.

Nun aber ging es mit verdoppelter Eile auf der neu entdeckten Fährte weiter, denn wir hatten eine nicht unbedeutende Zeit-
versäumnis einzubringen. Wir sausten über den ebnen Boden
dahin. Doch bald begannen die Pferde der andern zu schäumen
und zu schnauben; eins nach dem andern blieb zurück, und nur
die Wadi-Serrat-Stute meines Achmed zeigte keine Ermüdung.
Wir mußten unsre Schnelligkeit mäßigen, hatten aber immerhin
in dieser kurzen Zeit eine bedeutende Strecke überwunden. Der
Scheik war außer sich vor Zorn, daß sein Fuchs keine bessere
Ausdauer bewies.

„Sahst du bereits einmal ein Pferd, das so viel versprochen
und doch so wenig gehalten hat wie dieses?" fragte er mich. „Es
war eines meiner besten Tiere, doch seit heute hat es den Scheitan[1] im Leib mit allen bösen Geistern der Dschehennem[2]. Aber
es wird dennoch laufen müssen, laufen, bis es zusammenbricht."

„Dann nimmst du den Sattel auf den Rücken und versuchst,
ob du auf deinen eignen Beinen schneller vorwärts kommst.
O Scheik, der eiligste Läufer ist nicht stets auch der schnellste."

„Du spottest meiner, Effendi."

„Nein, denn auch mir ist es unangenehm, daß dir dein Pferd
den Dienst versagt. Du solltest eigentlich mit mir den Deinen
voranreiten; nun aber gibt es nur drei, die es tun können: mich,
Achmed und höchstens noch den Engländer."

„Herr, verlaß uns nicht! Wir wissen nicht, was uns begegnen
kann, wenn du vorn bist. Auch könnten wir leicht deine Spur
verlieren."

„Aber es ist jedenfalls besser, wenn —"

[1] Teufel [2] Hölle

Ich hielt inne; denn rechts von uns tauchten zwei Reiter auf, die bei unserm Anblick anhielten und dann rasch wieder verschwanden.

„Was waren das für Männer?" fragte ich.

„Beni Scheren oder Khramemssa", antwortete der Scheik.

„Das ist unangenehm. Aber vielleicht sind sie allein, und wir bleiben unbelästigt. Laß uns wieder schnell reiten!"

Das war leichter gesagt als getan, und kaum waren zehn Minuten verstrichen, so tauchte zu unsrer Rechten eine Staubwolke auf, hinter der eine bedeutende Zahl Reiter zu vermuten war. Sie hielt sich zuerst in gleicher Höhe mit uns und ging dann in ein beschleunigtes Zeitmaß über, um uns den Weg zu verlegen.

„Sind dies Feinde, Sir?" fragte mich der Engländer.

„Vielleicht."

„Heigh-day! Endlich ein Abenteuer! Sagte ich es nicht, daß man nur mit Euch zu reiten braucht, um etwas zu erleben? Wird prächtig werden. Yes."

Er fuhr vor Vergnügen mit seinen unendlichen Armen durch die Luft, als wollte er wie weiland Ritter Don Quichote mit Windmühlen fechten.

„Freut Euch nicht zu früh, Sir!" warnte ich. „Unsre Aufgabe ist es, den Krumir zu fangen. Wir müssen also jeden Zeitverlust und jeden Kampf zu vermeiden suchen."

Jetzt hatte uns der fremde Reitertrupp die Richtung abgewonnen und blieb in unserm Weg halten. Es war eine bedeutende Schar, sie konnte über hundert Köpfe zählen. Der Anführer teilte seine Leute in ein Vordertreffen und eine Ersatztruppe auf und erwartete uns in einiger Entfernung vor seiner Linie. Scheik Ali en Nurabi gebot den Seinen, anzuhalten, und ritt auf den Anführer zu. Ich schloß mich ihm an.

„Kennst du den Fremden?" fragte ich ihn.

„Ein Feind, es ist Hamram el Zagal[1], der grausamste Scheik der Khramemssa. Ich habe ihn in Aïn Sihdi Yussef und in Segrid gesehen. Er verlangt eine Abgabe von jedem, der sein Gebiet betritt, und wer nichts geben kann, muß mit ihm kämpfen. Er hat schon viele arme Männer getötet, die den Zoll nicht entrichten konnten. Er wird ein großes Geschenk von uns fordern."

„Wonach richtet sich die Höhe dieses Geschenks?"

„Nach dem Reichtum der Reisenden und nach der Zahl der Köpfe."

„Hättest du zwanzig Männer mitgenommen anstatt sechzig, so kämen wir billiger davon."

---

[1] Hamram der Tapfere

„Ich zahle nichts!“

„Bedenke, daß wir keine Zeit verlieren dürfen und diese Khramemssa doppelt so stark sind wie wir.“

Wir waren jetzt an Scheik Hamram, der den Beinamen el Zagal führte, herangekommen.

„Es-salâm 'aleïkum!“ grüßte Ali en Nurabi, indem er sein Pferd zügelte.

„Wer bist du?“ fragte der Gegner, ohne den Gruß zu erwidern.

„Kennst du mich nicht mehr? Ich bin Ali en Nurabi, der Scheik der Rakba von der Ferkat Uëlad Sedira.“

„Und ich bin Hamram el Zagal, Ben Hadschi Abbas er Rumir Ibn Schehab Abil Assaleth Abu Tabari el Faradsch. Ich bin der Herr und Anführer dieser tapferen Krieger vom Stamm der Khramemssa, und ich frage dich, was du hier auf unserm Gebiet zu suchen hast?“

„Wir verfolgen einen Räuber, der mir meine Lieblingsstute, mein bestes Hedschîn und meine Tochter geraubt hat, und bitten dich, uns durch dein Gebiet reiten zu lassen.“

„Wer sich seine Stute, sein Dschemel und seine Tochter stehlen läßt, der ist nichts andres wert, als daß sie ihm geraubt werden. Haben die Uëlad Sedira keine Augen und keine Ohren? Wer durch mein Land reiten will, muß das Geschenk bezahlen.“

„Wieviel verlangst du?“

„Wer ist der Räuber, den du verfolgst?“

„Es ist Sâdis el Chabir, der Krumir von der Ferkat ed Dedmaka. Er hatte noch mehrere Reiter bei sich, die zu den Beni Hamema gehören.“

„Sâdis el Chabir ist hier durchgekommen, und wir haben mit ihm gesprochen. Er hat keinen Raub bei sich. Er ist mein Freund. Du wirst sehr viel zahlen müssen, wenn du vorüber willst.“

Das war zweifellos eine Lüge. Hätte er wirklich eine Zusammenkunft mit dem Krumir gehabt, so würde ich dies an der Fährte gesehen haben. Er machte überhaupt den Eindruck eines rücksichtslosen, rohen, wilden Menschen. Breitschultrig und von einem überaus muskelkräftigen Gliederbau, ragte er um eines Kopfes Länge über seine Leute hinaus. Der Hamema war ein wahrer Enakssohn. Bewaffnet war er mit zwei Flinten, einem Dolch, einer Pistole, einer Keule und mehreren Wurfspeeren. Sein Anblick mußte auch einen mutigen Mann bedenklich machen.

„Wieviel verlangst du?“ erkundigte sich Scheik Ali.

„Wer ist der Mann an deiner Seite?"

„Ein Emir aus dem Frankenland."

„Ein Giaur? Allah vernichte ihn! Und der Mann, der dort vor den Deinen hält?"

„Ein Emir aus dem Bilâd Elingelîs."

„Auch ein Ungläubiger? Allah möge sie zermalmen! Höre, was ich dir sage: jeder deiner Männer gibt ein Schaf, du gibst zwanzig Schafe und jeder der Giaurs zahlt fünfzig Schafe."

„Das sind beinahe zehnmal zwanzig Schafe, das könnte ich nicht geben, selbst wenn ich so viele Tiere bei mir hätte."

„So zahlst du die Hälfte und kehrst wieder um!"

„Du verlangst den Zoll, selbst wenn wir wieder umkehren?"

„Glaubst du, daß ich euch umsonst entkommen lasse?"

„Geh herunter von deiner Forderung!"

„Um kein einziges Schaf. Was Hamram el Zagal gesagt hat, das gilt. Oder willst du mit mir kämpfen?"

Es galt vor allen Dingen, diese Verhandlung abzukürzen. Ali en Nurabi konnte diesen Riesen nicht besiegen, das war sicher. Ich ritt also noch um einen Schritt vor und sagte: „Du willst mit einem von uns kämpfen? Hat dich Allah aus der Reihe der Lebenden gestrichen, daß du solche Worte wagst? Was sind deine hundert Khramemssa gegen meine tapferen Sedira, und was bist du selbst gegen einen Emir aus dem Land der Helden?"

Ich sprach mit Absicht in der überschwenglichen Weise der Wüstensöhne, ich hatte mit noch ganz andern Männern gekämpft und wußte mich ihm überlegen, und darum wollte ich ihn von Ali en Nurabi auf mich lenken. Es gelang mir. Er erhob sich erstaunt im Sattel und starrte mich an. Ich aber fuhr seelenruhig im gleichen hochtrabenden Ton fort:

„Wie kannst du dich unterfangen, fünfzig Schafe von mir zu verlangen! Sieh, hinter mir halten sechzig Krieger. Aber auch wenn sie nicht hier wären, wenn ich ganz allein wäre, würdest du nicht das Haar eines einzigen Schafes erhalten. Man sieht es euch an, daß euer Mut kleiner ist als eure Worte."

Seine Augen funkelten, seine Lippen zuckten, und er stieß einen heiseren Schrei der Wut aus.

„Mensch, bist du wahnsinnig?" brüllte er. „Du wagst es, zu Hamram el Zagal solche Worte zu sagen. Gut, du sollst mit mir kämpfen, aber nicht nur um den Zoll, sondern um das Leben!"

„Ich bin bereit. Aber hüte dich! Mein Pferd ist besser als das deine, und meine Waffen sind es auch."

„Ich sehe, daß du die Waffen der Franken hast", lachte er

höhnisch, „aber du wirst sie nicht brauchen dürfen. Das Pferd und die Waffen des Besiegten gehören dem Sieger. Lege sie von dir und steige ab, wie ich es tue! Wir werden nur mit den Händen kämpfen, und der eine wird den andern erwürgen."

„Du sollst deinen Willen haben. Wir beide werden ehrlich miteinander kämpfen, aber die andern sollen auch ehrlich gegeneinander sein."

„Was sollen diese Worte besagen?"

„Ich verlange das Recht der Schilugh[1]. Besiegst du mich, so ist alles, was mir gehört, dein Eigentum, und diese Uëlad Sedira werden dir den Zoll bezahlen, den du verlangt hast. Besiege aber ich dich, so gehören dein Pferd und deine Waffen mir, und wir alle können ohne Zoll und Aufenthalt durch euer Gebiet reiten."

Seine Augen hafteten begehrlich auf meinem Pferd.

„Es soll sein, wie du verlangst", erklärte er.

„Wenn einer von uns beiden gefallen ist, wird Friede sein zwischen den andern?"

„Ich verspreche es."

„So steig ab!"

Ich winkte Achmed und den Engländer herbei, um ihnen mein Pferd und meine Waffen zu übergeben. Dabei erklärte ich Lord Percy den Vorgang.

„Zounds", rief er, „hundert Pfund würde ich geben, wenn ich an Eurer Stelle sein könnte."

„Seht Euch den Kerl an, Sir! So ein Gang ist nicht ungefährlich."

„Hm! Da legt er den Haïk ab. Diese Muskeln! Der alte Boy hat Arme wie Elefantenbeine. Nehmt Euch in acht, Sir. Die Sache ist bedenklich. Gebt ihm einen richtigen Magenhieb, daß ihm die Seele abhanden kommt, das ist das beste."

„Pah! Ihr kennt ja meinen Jagdhieb, ein einziger solcher Schlag ist genug."

„Ihr werdet Euch die Faust zerschlagen, Sir."

„Ich glaube nicht, daß der Kopf dieses Khramemssa härter ist als die Indianerschädel, die ich bereits getroffen habe. Sollte mir aber etwas Menschliches zustoßen, so haltet Ruhe! Ich habe es versprochen."

Auch ich warf den Haïk ab. Die andern wichen zurück, und nun standen wir uns allein gegenüber. Der Riese schien mir weit überlegen zu sein, er selber war so überzeugt hiervon, daß er ohne alles Vorspiel sofort zum Angriff überging. Mit einem

[1] Freien Männer

weiten, kräftigen Sprung stürzte er sich auf mich, um mich zu fassen. Leichter konnte er mir die Sache gar nicht machen. Ich drehte mich schnell zur Seite, und während er mit beiden Armen in die Luft griff, schlug ich ihm die Faust mit solcher Gewalt gegen seine rechte Schläfe, daß er zusammenbrach. Ein lautes Geschrei erhob sich. Doch keiner der Gegner wagte es, sich vom Platz zu rühren.

Ich kniete auf dem besiegten Feind und hielt ihn bei der Kehle. Ein zweiter Hieb hätte ihn vielleicht getötet. Doch das lag nicht in meiner Absicht. Nach kurzer Zeit kam er wieder zu sich und machte eine Anstrengung, aufzuspringen. Aber ich hielt ihn fest unter mir. Er wandte seine ganze Kraft an, mich abzuwerfen, doch ich brauchte nur die Finger fester um seinen Hals zu schließen, um jeden Widerstand zu brechen.

„Gibst du zu, daß du besiegt bist?" fragte ich ihn.

„Töte mich, Hund!" stöhnte er.

Da ließ ich die Hand von ihm und stand auf.

„Erheb dich, Hamram el Zagal! Ich will dein Leben nicht."

„Nimm es! Ich mag es nicht mehr haben."

„Steh auf! Ich sage dir, daß es keine Schande ist, von einem Emir aus dem Frankenland besiegt zu werden."

„Aber eine Schande ist es, sein Pferd und seine Waffen zu verlieren."

„Behalte sie! Ich schenke sie dir."

Er war trotzig liegengeblieben. Jetzt aber schnellte er rasch empor.

„Was sagst du? Läßt du mir alles?"

„Alles! Du hast mich beleidigt, du hast mich einen Hund und einen Schakal genannt, aber der Prophet sagt: ‚Wer sich rühmt, seinem Freund Gutes zu erweisen, der sei still, wer aber seinem Feind Barmherzigkeit erzeigt, dem steht die Hand Gottes offen.' Komm, nimm und iß! Wir wollen Freunde sein!"

Ich ging zu meinem Pferd, nahm aus der Satteltasche eine Belah[1], zerbrach sie und reichte ihm die Hälfte, während ich die andre Hälfte aß. Er ließ sich wirklich überrumpeln und steckte die Dattel in den Mund. Jetzt hatten wir gewonnen. Er nahm seine Waffen wieder auf und bestieg sein Pferd.

„Ich habe mit dir gegessen, du bist mein Freund", sagte er. „Kommt mit nach dem Duar, um meine Gäste zu sein!"

„Erlaube uns, dies nach unsrer Rückkehr zu tun! Wir dürfen keine Zeit versäumen, wenn wir die Leute einholen wollen, die wir verfolgen."

[1] Getrocknete Dattel

„Du betrübst meine Seele, o Emir. Aber sage mir, ob ihr eine Blutrache habt!"

„Ja. Der Krumir hat einen Sedira getötet."

„So eilt, ihm nachzukommen! Der Zoll sei euch erlassen. Es sei Friede zwischen den Sedira und den Khramemssa! Allah schütze euch!"

Das erst so gefährliche Abenteuer war glücklich beendet, und ich merkte, daß mein Ansehen bei den Gefährten um ein bedeutendes gestiegen war. Wir setzten unsern Weg unbelästigt fort, und die Khramemssa kehrten ohne Beute in ihr Duar zurück.

Ich schlug dem Scheik nochmals vor, mit Achmed voranzureiten. Aber nach dem, was wir soeben erfahren hatten, wollte er uns nun erst recht nicht missen. Es ging im scharfen Trab über die Hochebene dahin. Der Bah Abida trat immer näher und deutlicher an uns heran. Wir erreichten ihn kurz nach dem Nachmittagsgebet, und erstiegen, immer der Fährte folgend, seinen sanften westlichen Abhang so leicht, daß wir gerade mit Sonnenuntergang den Gipfel gewannen.

Gegen Osten fällt er sehr steil in die Ebene ab. Wir sahen im Nordosten die Kuppen des Dschebel Zaafran im Abendrot erglühen, weit gegen Morgen leuchtete der hohe Maktör herüber, und zu unsern Füßen zog sich die öde Wüste Ramada in die dunkle Ferne hinaus.

„Schlagen wir das Lager auf?" erkundigte sich der Scheik.

„Es ist mir noch möglich, die Spur zu erkennen, und hier oben ist es während der Nacht zu kalt. Laß uns weiterreiten!" entschied ich.

Wir gelangten an ein kleines Wasser, das hier oben entsprang und sich während seines Laufs ein Talbett gegraben hatte, das bis zum Fuß des Gebirges abwärts führte. Es war zu vermuten, daß der Krumir dieses Tal nicht verlassen hatte, und so ritten wir selbst dann noch in ihm fort, als die Dunkelheit der Nacht mir die Fährte unsichtbar machte.

„Beginnt die Wüste Er Ramada gleich am Fuß des Gebirges?" erkundigte ich mich bei dem Scheik.

„Warum fragst du?"

„Wenn sie gleich da beginnt, so könnten wir bald auf den Feind treffen, denn ich glaube nicht, daß er sein Nachtlager in der Steppe aufschlagen wird."

„Die Wüste beginnt erst später. Vorher kommt noch das ebene Weideland Zwarin."

„Wie ist es vom Bah Abida bis zum Dschebel Tiuasch?"

„Man reitet durch Zwarin und Er Ramada zwölf Stunden.

Dann kommt man zwischen den Bergen von Rökada und Sekarna an die Stelle, wo das Land der Mescheer beginnt."

„Ich denke, das beginnt erst hinter dem Dschebel Tiuasch und dem Gebirge von Haluk el Melhila?"

„Wenn gute Weide ist, kommen die Mescheer auch über die Berge herüber."

„Warst du bereits einmal dort?"

„Nein."

„Du kennst keinen Mescheer?"

„Ich kenne viele. Ich habe sie im Land der Es Ssers und Uëlad Ayun getroffen. Ich weiß nicht, ob sie uns freundlich empfangen werden."

„Sechzig Gäste auf einmal ist auch einem Freund zuviel. Wir müssen unser Möglichstes tun, um den Krumir noch vor dem Dschebel Rökada einzuholen. Laß uns eilen!"

Nach zwei Stunden beschwerlichen Rittes, bei dem uns nur die Sterne leuchteten, erreichten wir die Ebene. Hier machten wir halt. Wir tränkten die Pferde, gaben ihnen ihre Sisch Bla Halef[1] zu fressen, aßen selbst einige Datteln und legten uns dann zur Ruhe nieder. Wir bedurften ihrer notwendig, daß keiner daran dachte, ein Gespräch anzuknüpfen.

Während der Nacht, als ich einmal erwachte, vernahm ich ein fernes Brüllen. Ich erinnerte mich, daß die Umgebung der Wüste Ramada wegen der dort hausenden Löwen berüchtigt sei, doch schlief ich sofort wieder ein.

3. Dschumeila

Kaum graute der Morgen, so waren wir wieder marschbereit. Ich ritt einen Bogen in die Ebene hinaus und stieß dabei bald auf die Fährte, der wir wieder folgten, nachdem ‚el Fagr' gebetet worden war.

Nach Indianerart beinahe waagrecht auf dem Pferd hängend, um keine Spur zu übersehen, ritt ich voran. Mehrere kleine Bäche ließen auf die Nähe eines Flüßchens schließen. Es gab hier gutbefruchtetes Weideland, in dem sich die Hufe deutlich abgedrückt hatten. Und hier sahen wir die Fährten der Begleiter des Krumir, die sich schräg von rechts her mit seiner Spur vereinigten. Wir kamen mit unsern ausgeruhten Tieren rasch vorwärts und erreichten nach ungefähr anderthalb Stunden das

---

[1] Verkrüppelte Datteln, die nur als Viehfutter verwendet werden

vermutete Flüßchen, dessen Lauf sich rechts nach dem Bah bu Scherof zu richten schien. Hier hatten die Gesuchten übernachtet. Das Gras war zertreten, und man sah deutlich die Stellen, an denen die einzelnen Tiere angebunden gewesen waren.

„Effendi", meinte der Scheik, „kannst du den Ort finden, wo Mochallah geschlafen hat?"

Ich suchte.

„Hier ist es. Sie hat in der Atuscha geschlafen."

„Woher weißt du das?"

„Siehst du nicht, daß die Sänfte hier gestanden hat?"

„Ja. Aber Mochallah kann doch an einer andern Stelle geschlafen haben."

„Blicke her! Sie hat aus der Atuscha herausgelangt, als alle schliefen, und abermals ein M in den Rasen geschnitten."

„Maschallah, es ist wahr! Herr, sie ist gesund, sie hat uns ein Zeichen gegeben, sie weiß, daß wir kommen. Laß uns eilen!"

Das Wasser des Flüßchens war nicht tief, wir kamen leicht hinüber. Drüben untersuchte ich die neue Spur genau.

„Was forschst du noch, Sihdi?" fragte Achmed es Sallah.

„Ich will sehen, wann sie aufgebrochen sind. Dem Nachtlager nach sind sie so weit von uns entfernt, wie wir vom Bah Abida bis hierher reiten mußten. Dem Gras nach aber sind sie noch eher aufgebrochen als wir, nämlich schon während der Nacht. Es hat sich wieder ganz aufgerichtet, die Flüchtlinge sind über zwei Stunden vor uns. Rasch weiter!"

Es ging im scharfen Trab und lautlos vorwärts, so gut es die Pferde auszuhalten vermochten. Leider zeigte es sich, daß ihnen die Tiere des Krumir überlegen waren, denn als ich drei Stunden vor Mittag abstieg, um die Fährte, die jetzt im sandigen Boden lief, zu untersuchen, mußte ich feststellen, daß wir dem Verfolgten um nichts näher gekommen waren.

„So erreichen wir sie nicht", sagte ich zum Scheik. „Laß mich mit Achmed voranreiten! In vier Stunden holen wir sie ein, und dann ist es gerade die höchste Zeit, denn dann sind sie fast beim Dschebel Schefara angekommen."

„Ich reite mit", erklärte er.

„Dein Pferd hält es nicht aus!"

„Dann ist es immer noch Zeit, zurückzubleiben."

Auch der Engländer ließ sich nicht zurückhalten. Die Sedira erhielten ihre Unterweisung, und wir vier ließen unsre Tiere doppelt ausgreifen. Eine Stunde verging und noch eine. Die Sonne brannte heiß hernieder, und wir hielten einen Augenblick an, um uns und die Pferde mit Wasser zu erfrischen, das wir in einem Schlauch mitgenommen hatten. Die Schläuche waren des Morgens am Fluß gefüllt worden. Nun ging es wieder vorwärts. Weit und unbegrenzt lag die Ebene um uns her. Wandernde Ghuds[1] wechselten mit wirren Felsenbrocken, kein Baum, kein Strauch, kein Halm war zu erblicken, und die Hitze zitterte sichtbar über dem glühenden Boden. Die Pferde des Scheik und des Engländers begannen zu straucheln, auch Achmeds Stute wurde unzuverlässig. Da erhob sich gerade vor uns am äußersten Himmelsrand weiß und glänzend ein riesiges Gemäuer, fast wie die Ruinen einer altenglischen Abtei. Es waren keine Mauern, es waren Felsen, in die die Jahrhunderte so abenteuerliche Lücken und Risse gebrochen hatten. Am Fuß, in ihrem Schatten sah ich weiße und farbige Punkte, die sich bewegten.

Ich nahm das Fernrohr zur Hand, richtete es und — stieß einen lauten Ruf der Freude aus.

„Sind sie es, Effendi?" fragte der Scheik.

„Sie sind es — ein Kamel mit einer Atuscha und sieben Reiter, der eine von ihnen auf deiner Milchstute."

„Hamdulillah — Preis sei Gott, wir haben sie!"

„Noch nicht. Sie sind sieben, und wir zählen nur vier."

„Warum scheust du dich vor ihnen?"

„Ich scheue mich nicht. Ich denke nur daran, daß wir die kostbare Stute und das Kamel nicht verwunden dürfen."

„Herr, du hast recht. Was werden wir anfangen?"

„Wir müssen gewärtig sein, daß der Krumir beide Tiere tötet, anstatt daß er sie zurückgibt. Reitet langsamer! Ich werde einen weiten Bogen schlagen und ihnen zuvorkommen. Dann jagt ihr auf sie zu, und ich stelle mich ihnen in den Weg."

„Nein, das darfst du nicht, Effendi! Du wirst uns nicht verlassen. Wir bleiben beisammen, holen sie ein, und dann werde ich so mit ihnen reden, daß wir schnell fertig werden."

„Ganz wie du willst! Sie haben nichts bei sich, was mir gehört."

Wir flogen wieder vorwärts. Der Krumir war gerade im Begriff gewesen, wieder aufzubrechen, als wir ihn erblickten. Bevor er mit den Seinen hinter den Felsen verschwand, schaute er sich um und musterte uns, doch nur einen kurzen Augenblick, dann bog er schnell um die Steine. In zehn Minuten hatten wir diesen Punkt erreicht. Da sahen wir die Hamema im Galopp über die Ebene brausen.

„Nach, ihnen nach, und wenn die Pferde stürzen!" rief der Scheik.

[1] Sanddünen

Er hob sich im Sattel, um sich leichter zu machen, und brachte es wirklich fertig, mit mir Schritt zu halten. Der Krumir blickte um sich und erkannte, daß wir ihn einholen würden. Er ließ nur einen kurzen Augenblick halten. Das Kamel sank nieder, so daß die Atuscha von den Reitern verdeckt wurde, es erhob sich wieder, und dann stob der Trupp auseinander — der Krumir geradeaus, das Hedschîn nach rechts und die andern Reiter nach links.

„Herr", rief der Scheik, „sie wollen entkommen. Nimm du das Hedschîn mit Mochallah, ich nehme meine Stute!"

„Überlaß die Stute mir, du erreichst sie nicht!" antwortete ich, während wir über den Boden schossen.

„Ich brauche sie nicht zu erreichen. Ich brauche nur so nahe zu kommen, daß sie meine Stimme hört. Sie hat ein Geheimnis, und wenn ich das Wort rufe, so kehrt sie um und kommt zu mir."

„Sag lieber mir dieses Geheimnis!"

„Kein Mensch soll es erfahren."

Er spornte seinen Fuchs, daß das Tier fast das Unmögliche leistete. Ich wandte mich nach rechts, um ihm den Willen zu tun. Achmed blieb hinter mir, und nach dem Engländer blickte ich mich nicht um. Ich schnalzte nur leise mit der Zunge, da war es, als gewänne mein Rappe doppelte Kraft. Seine Hufe fraßen die Entfernung, und in fünf Minuten war ich neben dem Hedschîn, das wie der Sturm dahinjagte.

„Rreeh, rreeh — halt, halt!" rief ich.

Bei diesem Ruf hielt das Kamel im Lauf inne. Im selben Augenblick aber krachte ein Schuß aus der Atuscha, und die Kugel flog an meinem Kopf vorbei. Ah, der Krumir war listig gewesen. Er hatte Mochallah zu sich aufs Pferd genommen und einen der Hamema auf das Kamel gesetzt. Der Kerl hatte nur eine einläufige Flinte, er war mir nicht mehr gefährlich.

„Khee, khee!" gebot ich dem Kamel, indem ich es beim Halfter faßte.

Dies ist der bekannte Befehl zum Niederknien. Das Tier gehorchte, aber der Hamema sprang auf der andern Seite zur Sänfte hinaus. In demselben Augenblick hatte Achmed mich erreicht.

„Wo ist Mochallah?" fragte er erschrocken.

„Bei dem Krumir auf dem Pferd", entgegnete ich. „Ich eile ihm nach. Nimm das Hedschîn!"

Ich hörte bereits nicht mehr, was er erwiderte, denn ich hatte mein Pferd herumgeworfen und jagte wieder nach links zurück.

Dort sah ich den Scheik und in weiter Entfernung draußen vor ihm den Krumir. Sir Percy war an der Seite Ali en Nurabis geblieben. Jetzt galt es im Ernst die Kräfte meines Pferdes zu erproben. Ich trieb es zur Höchstleistung an. Die Schnelligkeit, mit der alles hinter mich wich, war geradezu unheimlich, und ich saß, ohne eine Bewegung zu spüren, wie auf einem Pfeil, der durch die freien Lüfte saust. So erreichte ich nach einigen Augenblicken den Scheik.

„Allah akbar", hörte ich seinen erschrockenen Ruf, aber schon war ich an ihm vorüber. Es war, als brauchte ich die Wüste nur so an mir vorüberzuwinken. Doch auch die Milchstute tat ihre Schuldigkeit, allerdings ohne mir entgehen zu können. Fünf Minuten vergingen — zehn Minuten — eine Viertelstunde, da war ich nur noch fünf Pferdelängen hinter dem Krumir.

„Halt!" rief ich ihm zu.

Er drehte sich um.

„Giaur!" knirschte er.

Im nächsten Augenblick sah ich sein Messer blitzen. Schon hob ich die Pistole, um ihn vom Pferd zu schießen, denn ich glaubte, die Klinge sei für Mochallah bestimmt. Aber ich ließ sie wieder sinken, denn der Stoß galt dem Pferd. Er versetzte ihm einen leichten Stich, um es zu größerer Anstrengung anzuspornen. Es gelang ihm. Der Schimmel machte einige krampfhafte Sätze und legte eine Pferdelänge mehr zwischen sich und meinen Rappen. Dennoch mußte ihn der Rappe erreichen, das war außer allem Zweifel. Sollte ich den Menschen erschießen? Das widerstrebte mir. Er konnte sich nur schwer verteidigen, da er das Mädchen zu halten hatte, und ich sah auch nicht, daß er nach einer Waffe griff. Außerdem bestand die Gefahr, daß auch Mochallah vom Pferd stürzen werde.

Da plötzlich stieß er einen lauten Schrei aus und bog nach links hinüber. Während unsres Gewalttritts hatte der Sandboden aufgehört, und ein, erst dünner, dann aber immer dichterer Graswuchs war an seine Stelle getreten, ohne daß ich darauf geachtet hatte. Jetzt gewahrte ich plötzlich da drüben Herden und im Hintergrund Zelte. Der Krumir war wahrscheinlich gerettet, wenn er dieses Lager erreichte. Schon sah ich Reiter uns entgegenkommen.

„Halt, sonst schieße ich dich vom Pferd!" rief ich, abermals die Schußwaffe hebend.

Da faßte er Mochallah und setzte ihr das Messer an die Brust.

„Schieß, Hund, wenn du sie töten willst!" antwortete er.

Ich durfte es nicht wagen. Wir galoppierten zwischen den Herden und den Reitern hindurch, ich sah die Zelte mit Gedankenschnelligkeit näherfliegen. Jetzt, jetzt war ich an seiner Seite, jetzt faßte ich ihn am Arm, da riß er sein Pferd in die Hachsen, und ich flog weiter, durch die Wucht des Rittes von ihm weggerissen.

Ein lautes Hohngelächter erscholl. „Sâdis el Chabir!" hörte ich rufen. Ich zügelte den Lauf meines Pferdes, riß es herum und kehrte um. Ich befand mich inmitten eines großen Beduinenlagers, und hundert Gewehre waren auf mich gerichtet, zwanzig Fäuste streckten sich nach mir aus. Ich war in der Lage eines Falken, der bei Verfolgung einer Taube durch ein Fenster in die Stube geraten ist.

„Schießt ihn nieder!" schrie der Krumir. „Er ist ein Hund, ein Giaur, ein Verräter, der mich töten wollte."

Ein Blick sagte mir, daß Gegenwehr nichts fruchten könne. Diese Leute waren Bekannte des Krumir, hier konnte mich nur das retten, was auch ihn bei den Sedira gerettet hatte. Nicht weit von mir hatte sich ein Zelt geöffnet, und unter dem Eingang erschien eine Frau, an ihrer Seite ein vielleicht siebzehnjähriges Mädchen. Dieses Mädchen trug weiße weite Beinkleider und ein kurzes ärmelloses Jäckchen. Goldene Krollkralls[1] schmückten ihre Hand- und Fußgelenke, um den Hals hing eine Kette von Silberstücken und Gewürznelken, und die langen Dafirah[2] waren mit Perlen und kleinen Münzen durchflochten. In der einen Hand führte sie die lange Habaja[3] und in der andern ein mit Flittern gesticktes Kiladh[4]. Sie war also wohl gerade beim Ankleiden gewesen, als sie der Lärm aus dem Zelt rief. Sofort schwang ich mich vom Pferd, warf die Umstehenden auseinander und sprang auf die beiden Frauen zu.

„Fi hard el harime — ich bin unter dem Schutz der Frauen!" rief ich laut und huschte in das Zelt hinein.

Draußen hörte ich ärgerliche Rufe. Die beiden Beduininnen waren mir gefolgt und blickten mich ratlos an.

„Bist du ein Weib?" fragte ich das Mädchen.

„Nein."

„Bist du die Braut eines Jünglings?"

„Nein."

„So sollst du meine Schwester sein, wie ich dein Bruder bin!"

Ich zog sie an mich und küßte sie auf die Stirn. Das war

[1] Spangen   [2] Zöpfe   [3] Überkleid   [4] Langes Halstuch

214

Verwegenheit. Wenn das Folgende nicht glückte, war ich verloren. Ich band den Schal, der mir als Gürtel diente, ab, ihn benutzte ich als Aufbewahrungsort verschiedener Kleinigkeiten, die ich zu gelegentlichen Geschenken bestimmt hatte.

Es waren verschiedene Schmuckstücke, billige Sachen, die man für kaum eine Mark bekommt, die aber in jenen Gegenden einen hohen Wert besitzen. Rasch zog ich eine Halskette von unechten Korallen, sowie zwei Haarnadeln hervor, an denen große Perlmutterschmetterlinge befestigt waren, hängte ihr die Kette um den schönen Hals und steckte ihr die Nadeln in das dunkle Haar.

„Willst du diese Gaben nehmen und meine Schwester sein? Sage ja, du lieblichste unter den Blumen dieses Landes!"

Sie wandte sich errötend ab, und ich neigte besorgt das Ohr zu ihr herab.

„Soll das wirklich mir gehören?" fragte sie leise.

„Ja, es ist dein. Darf ich nun dein Bruder sein?"

„Du darfst!" hauchte sie.

„So nimm deine Habaja und folge mir!"

Jetzt war ich sicher. Ich hatte ihre Stirn mit meinen Lippen berührt, und sie hatte mein Geschenk angenommen.

„Willst du mir deinen Namen sagen?" bat ich.

„Ich heiße Dschumeila."

„So komm mit, Dschumeila! Wo wohnt der Scheik dieses Urdi[1]?"

„Hier."

„Hier? Ist er dein Vater?"

„Nein, er ist der Bruder meines Vaters, der Scheik der Mescheer von Hadscheb el Aïun und Hamra Kamuda ist."

„So bist du selber Gast in diesem Zelt?"

„Ja."

Das war mir noch lieber, denn der Freund eines Gastes muß noch mehr geachtet werden als der eigne Freund und Gast. Ich warf dem Mädchen die Habaja über und zog sie aus dem Zelt. Draußen stand mein Pferd, bereits bis auf das Fell ausgeplündert, es war von vielen Beduinen umringt, die seinen Gliederbau prüften. Und da vorn am Eingang des Lagers erschienen soeben der Scheik Ali en Nurabi und der Engländer, beide als — Gefangne.

„Seit wann haben sich die tapferen Beni Mescheer angewöhnt, ihre Gastfreunde auszuplündern?" rief ich mit lauter Stimme. „Wo ist der Bei el Urdi, der Herr und Anführer dieses Lagers?"

[1] Lager

215

Ein alter Beduine trat vor.

„Ich bin es. Was willst du?" sagte er.

„Sieh hier Dschumeila, die Rose von Hamra Kamuda! Sie nennt mich ihren Bruder und trägt meine Geschenke. Sie hat mich in dein Zelt aufgenommen, und du erlaubst deinen Männern, mein Pferd zu berauben? Sieh hier den Schatten deines Zelts, o Scheik! Wenn er um eine Handbreit fortgerückt ist bis hierher, wo ich das Messer in die Erde stecke, so wird der an dem Messer sterben, der dann noch etwas besitzt, was mir gehört!"

Ein lautes Murren erhob sich ringsum, und aus dem Haufen rief eine Stimme: „Glaube ihm nicht, o Scheik! Er ist ein Lügner, ein Giaur, in dessen Leib der Scheitan wohnt!"

Es war der Krumir, der diese Worte sprach. Ich beachtete sie nicht. Der Scheik fragte das Mädchen: „Tochter meines Bruders, hast du diese Geschenke von ihm genommen?"

„Ja, er ist ein Diff rebbi[1], der unter deinem Schutz steht."

„Du häufst Sorgen auf mein Haupt. Aber dein Wort ist mein Wort, und dein Bruder ist mein Bruder. Gebt ihm alles zurück, was ihr genommen habt. Er ist wie ein Sohn der Uëlad Mescheer!"

Dann trat er zu mir und reichte mir die Hand.

„Habakek — sei uns willkommen! Dein Fuß mag bei uns ein- und ausgehen, wie es ihm gefällig ist. Dein Freund ist mein Freund und dein Feind ist mein Feind. So will es das Gastrecht."

„Ich glaube es und vertraue dir, o Scheik. Aber warum nimmst du dann meine Freunde gefangen?" fragte ich, auf Ali en Nurabi und den Engländer deutend.

„Sind diese Männer deine Freunde?"

„Sie sind es."

„Noch weiß ich nicht, wie sie in dieses Lager kommen. Ich war bei den Herden und bin erst hier eingetroffen, als du aus dem Zelt tratest. Nun werde ich untersuchen, was recht und billig ist. Man rufe die Ältesten zur Beratung zusammen!"

Da erhob sich am Eingang des Lagers ein Angstgeschrei. Ich blickte hin und sah Achmed es Sallah auf dem Hedschîn zwischen den Zelten herbeigestürmt kommen, daß alles auseinanderflog. Er hatte die Hähne seiner Pistolen gespannt und rief: „Sihdi, Sihdi! Wo ist mein Effendi? Hier ist Achmed es Sallah!"

Ich sprang vor und winkte ihm. Sofort hielt er sein Dschemmel an, ließ es knien, sprang herab und umarmte mich. Der brave Kerl hatte mich wirklich tief in sein treues Herz geschlossen.

[1] Von Gott gesandter Gast

„Bist du gefangen, Sihdi?" fragte er.

„Nein."

„Sind es die andern?"

„Nur einstweilen."

„Wo ist Mochallah, die Geraubte?"

„Sie ist hier, denn dort steht der Räuber."

Ich zeigte auf den Krumir, der mit finstern Blicken bei einigen Mescheer stand. Achmed wollte sich auf ihn stürzen.

„Ich werde ihn zermalmen!" drohte er.

„Halt", gebot ich, ihn festhaltend. „Er ist so gut der Freund der Beni Mescheer wie ich. Die Dschemma wird über ihn entscheiden."

„So entscheide sie schnell, sonst verschlingt ihn meine Rache!"

Die beiden Gefangenen waren in ein Zelt gebracht worden, wo man sie bewachte. Achmed wurde nicht angerührt. Die Mescheer standen in Gruppen beisammen, teils finster und drohend, teils mit neugierigen Gesichtern. Das Hedschîn lag unversehrt am Boden und bei meinem Pferd fand ich jetzt alles wieder, was man fortgenommen hatte. Ich zog den Dolch aus der Erde.

Dschumeila war in das Zelt getreten, doch sah ich, daß sie uns durch einen Spalt des Vorhangs beobachtete. Nun trug ich nur noch Sorge um die Sedira, die wir zurückgelassen hatten.

„Wo hast du dein Pferd?" fragte ich Achmed.

„Draußen auf der Ebene. Ich wußte, daß ich dir Mochallah überlassen könnte. Darum band ich mein müdes Tier an einen Stein und folgte den Hamema, die nach diesem Lager wollten."

„Allah kerîm, was hast du getan? Hast du einen getötet?"

„Nein, denn ich dachte daran, daß sie Freunde dieser Menschen sind. Sie flohen in die Wüste hinein, und ich habe sie gejagt, soweit ich konnte. Dann wollte ich nach dir und Mochallah sehen, und nun werde ich umkehren, um mein Pferd zu holen."

Dieser Achmed es Sallah hatte wirklich einen kleinen Teufel im Leib.

„Geh, und hole es!" sagte ich. „Aber bring es nicht her!"

„Wohin sonst, Sihdi?"

„Ich weiß noch nicht, wie es hier gehen wird. Reite den Gefährten entgegen und führe sie so weit herbei, daß sie das Dorf sehen können! Dort mögen sie warten und zum Kampf gerüstet sein!"

Er bestieg das Hedschîn wieder. Als es sich erhob, trat der Krumir hervor. „Halt!" rief er. „Dieser Mann ist ein Gefangener, er darf nicht fort!"

Ich nahm die Büchse vom Sattel und legte auf ihn an. „Achmed es Sallah, reite fort!"

Er tat es, und ich senkte das Gewehr erst dann, als er nicht mehr zu erblicken war. Aber ich merkte, daß mein Verhalten die Mescheer noch mehr zu erzürnen schien. Einige von ihnen stiegen zu Pferd und folgten meinem Diener. Jetzt band ich mein Tier hart am Eingang des Zelts fest und trat dann wieder ein. „Es-selâm 'alëikum — Friede sei mit euch! Ich hatte vorhin keine Zeit, den Gruß zu sagen", entschuldigte ich mich.

Die beiden Araberinnen antworteten nicht. Die Frau schien dem Mädchen Vorwürfe gemacht zu haben.

„Mich dürstet", sagte ich einfach, indem ich mich niedersetzte.

Sogleich brachte mir Dschumeila Wasser. „Trink!" bat sie. „Willst du auch essen?"

„Nein, ich esse nicht eher, als bis die Dschemma gesprochen hat."

„Von welchem Stamm seid ihr?"

„Der eine Gefangene ist der Scheik der Uëlad Sedira; der andre ist ein Emir aus dem Bilâd Elingelîs, und ich bin ein Bei aus Almanja."

„Ist Almanja ein fernes Land?"

„Es liegt im Norden weit über dem Meer drüben, wohl über achtzig Tagesreisen von hier."

Sie schlug vor Verwunderung die Hände zusammen. „So weit kommst du her! Was willst du hier bei uns?"

„Ein Mädchen befreien, das ein böser Mann der Mutter raubte."

Das erweckte auch die Teilnahme der Alten. Ich schenkte ihr ein Fünfpiasterstück und erzählte dann so viel von dem Raub Mochallahs, wie mir nötig schien. Damit hatte ich ihre Herzen vollends erobert. Dschumeila nahm sich sogleich vor, Mochallah aufzusuchen, und die Alte gab ihre Zustimmung dazu.

Eben als das Mädchen ging, trat der Scheik herein, um mich zur Dschemma abzurufen. Die Ältesten hatten sich auf einem freien Platz versammelt. Der Krumir war dabei, ebenso der Engländer und Ali en Nurabi. Im Lauf der Verhandlung kamen auch die Hamema, die sich unterdessen zum Lager gefunden hatten.

Der Fall lag nach den dortigen Verhältnissen schwierig. Der Krumir war Gastfreund der Mescheer, ich war es ebenso, und infolgedessen wurden auch Ali en Nurabi und der Engländer für freie Gäste erklärt. So weit standen sich die Parteien gleich.

Als aber der Scheik seine Tochter und sein Pferd zurückforderte, geriet er auf heftigen Widerspruch. Es wurde ihm erklärt, die Entführung eines Mädchens sei eine ritterliche Tat, und ein solches Mädchen gehöre dem Helden, sobald er die Grenzen ihres Stammes mit ihr überschritten habe. Auch gestand der Krumir in aller Seelenruhe ein, daß er die Milchstute mitgenommen habe, weil er in der Eile der Entführung nicht gleich sein Pferd finden konnte; übrigens sei das seine von ganz gleichem Wert gewesen. Darauf erklärte die Dschemma, daß sie in dieser Sache nicht zuständig sei, sie habe nur dafür zu sorgen, daß ihre Gäste das Lager auf denselben Tieren verlassen könnten, auf denen sie hier angekommen seien. Daß der Krumir einen Schwur abgelegt und dann gebrochen habe, leugnete er entschieden.

Die Verhandlung wurde von Minute zu Minute stürmischer. Der Scheik war mehr auf unsrer Seite, die andern aber auf der des Krumir. Schon wollte man den Beschluß verkünden, daß Sâdis el Chabir mit seinem Raub ungehindert ziehen könne und wir hingegen zurückgehalten werden sollten, bis er ihn in Sicherheit habe, da erhob ich mich. Ich winkte Schweigen, nahm, ohne ein Wort zu sagen, meinen Henrystutzen zur Hand, den ich mir zu diesem Zweck mitgebracht hatte, legte an und zielte auf einen Speer, der in beträchtlicher Entfernung vor einem Zelt in der Erde steckte. Ich hatte dieses Mittel schon öfters angewandt, um Leute einzuschüchtern, die mit der Einrichtung eines Gewehrs, mit dem ich fünfundzwanzig Schüsse hintereinander abgeben konnte, nicht vertraut waren. Dieser Stutzen hatte auf die Apatschen und Komantschen Eindruck gemacht. Warum sollte er hier nicht auch seine Schuldigkeit tun?

Ich drückte zwölfmal nach dem Takt, in gleichen Zwischenräumen, los und zielte bei jedem Schuß einige Linien tiefer. Dann setzte ich ab und zeigte stumm auf die Lanze. Alle erhoben sich und eilten, sie zu betrachten. Selbst der Krumir ging mit. Laute Rufe des Erstaunens erhoben sich, während ich die Frist benutzte, schnell wieder zu laden. Die Lanze zeigte zwölf Löcher in gleicher Entfernung voneinander. So etwas hatten diese Beduinen noch nicht gesehen. Der Speer wurde aus der Erde gezogen, er ging von Hand zu Hand und wanderte dann durch das ganze Lager.

Mit scheuen Blicken auf mich und mein Gewehr nahmen die Ältesten wieder Platz.

„Emir, was für eine Flinte ist das?" fragte mich der Scheik. „Ist sie von einem Zauberer gemacht?"

„Du weißt, daß man von einem Zauberer nichts erzählen

darf", erwiderte ich ausweichend. Mit dieser Flinte treffe ich
den Chattâf[1] und den Büdsch[2], den Chinsîr[3] und den Nimr[4], den
Namir[5] und sogar den Sejjid es selsele[6]. Jedes Wahesch[7] und
jeder Mensch, der mein Feind sein will, ist verloren, wenn ich
sie erhebe. Ich habe jetzt zwölfmal mit ihr geschossen. Soll ich
noch zehnmal, fünfzehnmal, zwanzigmal mit ihr schießen?"

„Herr, diese Flinte ist kostbarer als alle Gewehre, die ich
gesehn habe. Darf man sie angreifen?"

„Nein. Niemand als ich weiß, wie sie angefaßt wird. Was sind
alle eure Flinten, Lanzen und Messer gegen dieses Zaubergewehr? Und blickt hier zwischen den Zelten hindurch! Seht
ihr die Köpfe unsrer Reiter? Und dennoch wollt ihr diesen Räuber beschützen? Dennoch soll er die Stute und das Mädchen
behalten, die dem Scheik der Sedira gehören? Allah kerîm —
Gott ist barmherzig; er möge euch gnädig sein und eure Gedanken lenken, damit unsre Kugeln euch nicht dahinsenden, von
wo keine Wiederkehr ist. Wir sind als eure Freunde gekommen;
sollen wir eure Feinde eines Räubers wegen sein? Ich will nicht
haben, daß sich ein Klagegeschrei erhebt in diesem Tal und daß
der Dschebel Schefara widerhallt von dem Totenruf der
Mescheer. Eure Ohren hören meine Worte. Öffnet auch eure
Herzen für meine Rede, mit der ich euch gewarnt habe!"

Ich setzte mich nieder. Ich hatte einen tiefen Eindruck hervorgebracht, und er wurde noch verstärkt, als die Männer, die vorher hinter Achmed das Lager verlassen hatten, zurückkehrten,
um zu melden, daß eine große Anzahl Reiter vor dem Duar
halte. Man konnte von unserm Platz aus ihre Köpfe und die
Spitzen ihrer Lanzen sehen. Jetzt wurde die Beratung wieder
aufgenommen, leider aber hatte sie doch nicht das Ergebnis, das
ich erwartet hatte. Man beschloß nämlich, nach Hadscheb el
Aïun, Hamra Kamuda, Caraat el Aatasch und Sihdi bu Ghanem
zu senden, um die Ältesten der andern Mescheerstämme herbeizurufen. Sie sollten helfen, die schwierige Angelegenheit zu
entscheiden, und bis dahin sollte alles in der gegenwärtigen Lage
bleiben. Einige Vorteile erreichten wir allerdings doch: der
Krumir durfte das Lager nicht verlassen; Ali en Nurabi und
Achmed es Sallah konnten Mochallah besuchen, und die sechzig
Sedira erhielten die Erlaubnis, in das Duar einzureiten, mußten
sich aber selbst verpflegen. Die Milchstute freilich blieb noch
des Chabirs Eigentum, auch behielt er die Aufsicht über
Mochallah, die ihr Zelt nicht verlassen durfte. Ich selbst galt

---

[1] Schwalbe   [2] Geier   [3] Eber   [4] Panther   [5] Tiger   [6] ,Herr des Erdbebens = Löwe   [7] Wildes Tier

als der Gast des Scheik, während der Engländer es vorzog, mit den Uëlad Sedira im Freien zu lagern. Das Hedschîn war wieder in den Besitz von Ali en Nurabi übergegangen.

Die Verhandlung hatte lange Zeit in Anspruch genommen. Als die Sedira eingeritten waren und alles sich in Ordnung befand, neigte sich die Sonne bereits dem westlichen Sehkreis zu, und ich bemerkte, daß man große Haufen des scharfen Halfagrases und stacheliger Mimosen herbeischaffte, um beim Einbruch der Dunkelheit zahlreiche Feuer anzuzünden. Vor seinem Zelt stand der Scheik — Mohammed er Rahman war sein Name — im Kreis vieler junger Männer; er hielt eine Anzahl Grashalme in der Hand und ließ die Männer davon ziehen. Ich trat hinzu.

„Worüber zieht ihr das Los?" erkundigte ich mich.

„Über eine schlimme Sache, Herr. Oh, wenn uns deine Wunderflinte helfen könnte!"

„Erzähle! Gegen wen soll sie euch helfen?"

„Das darf ich dir nur ganz leise sagen." Er näherte sich meinem Ohr, hielt die Hand vor den Mund und flüsterte:

„Gegen Areth, den Löwen!"

Der Beduine hat nämlich einen eigentümlichen Aberglauben: er sagt das Wort Areth, Löwe, nur ganz leise, er glaubt, wenn er es laut ausspreche, so höre es der Löwe und komme in der nächsten Nacht herbei.

„El Areth ist hier?" fragte ich. „Wo hält er sich auf?"

„Allah, Allah! Rede leise, Emir, sonst kommt er herbei und verschlingt uns", rief er erschrocken. „Gott hat uns schrecklich heimgesucht. Wir weideten am Dschebel Tiuasch, da kam der Herr mit dem dicken Kopf[1] und fraß unsre Rinder und Schafe, wir flohen nach dem Dschebel Semata, er folgte uns und fraß sogar unsre Söhne, nun flohen wir nach dem Dschebel Rökada, er ging mit uns und würgte grimmiger als zuvor."

„Warum habt ihr ihn nicht getötet?"

„Wir zogen gegen ihn aus zu hundertzwanzig Mann. Wir haben ihn verwundet, aber vier unsrer Krieger hat er zerrissen. Die andern rannten fort vor ihm. Oh, Emir, er ist schrecklich! Nun flohen wir hierher zum Dschebel Schefara. Wir glaubten, es werde ihm hier nicht gefallen, weil hier wenig Wasser ist, denn der König des Donners[1] trinkt sehr gern. Aber er folgte uns dennoch nach. Nun hat er sich eine Frau genommen, die ihm Kinder gegeben hat. Darum braucht er viel Fleisch und kommt alle Nächte, um es sich zu holen. Allah hat sein Angesicht von

[1] Löwe

221

uns abgewendet. Wir werden verderben, wenn wir nicht tiefer in die Wüste ziehen. Und wenn wir dies tun, so müssen unsre Herden verdursten."

Ich glaubte ihm seine Klage Wort für Wort. Der Araber wird es niemals wagen, sich dem Löwen allein gegenüberzustellen, wie es der kaltblütige Nordländer tut, die sichere Büchse in der Hand. Erst wenn ihm der König der Tiere einen beträchtlichen Teil seiner Herde abgewürgt hat, ruft er seine Genossen zur Jagd. Dann tun sich möglichst viele Beduinen zusammen, um das Tier in seinem Lager aufzusuchen. Man erhebt ein höllisches Geschrei und wirft dem Löwen die beleidigendsten Schimpfwörter an den Kopf. Wenn er sich dann sehen läßt, so reitet und jagt alles wirr und aufgeregt durcheinander. Man schießt aufs Geratewohl; man wirft mit Speeren, man sendet nutzlos Pfeile aus der Ferne. Bestenfalls verblutet sich der Löwe an der Menge kleiner Wunden, nie fällt er von einer einzigen, kaltblütig gezielten Kugel, und meist wird sein Tod mit dem Leben mehrerer Menschen bezahlt.

„Bleibt hier und tötet ihn!" sagte ich ruhig.

„Wir haben es versucht, Effendi, aber er stirbt nicht. Und hier ist es schlimmer als zuvor. Wir haben zu Asad Bei, dem Herdenwürger, einen noch viel schlimmeren Feind erhalten."

„Welchen?"

„Weißt du, welches Tier noch viel fürchterlicher ist als der Herr mit der langen Mähne?"

„Der Panther, der schwarze Panther. Er ist das schrecklichste der Tiere."

„Du hast recht. Der schwarze Panther, den wir Abu 'l Ifrid[1] nennen, ist entsetzlicher als der König der Tiere. Dieser nimmt nur so viel Fleisch, wie er braucht, auch kehrt er um, wenn er falsch gesprungen ist. Der Panther aber mordet so lange, wie es ihm beliebt, er ist blind vor Blutgier, und wenn er einmal das Fleisch eines Menschen gefressen hat, so mag er kein andres mehr."

„Und diesen Abu 'l Ifrid habt ihr hier?"

„Ja, ihn und den Herrn des Erdbebens."

„Beide zusammen? Das ist selten."

„Oh, Emir, sie wohnen nicht beisammen an einem Ort. Der König des Donners hat seinen Palast draußen in den Felsen der Ebene, der Panther aber kommt weit her, vom Dschebel Berberu herab. Erst mordete er vier Schafe, dann eine Kuh, nachher ein Pferd. Als ihm dies nicht mehr schmeckte, holte er sich einen Menschen, und nun will er nur noch Menschenblut trinken.

[1] Vater des obersten Teufels

222

Niemand mag mehr bei den Herden wachen. Wir sind zu dem großen, berühmten Marabut[1] nach Semela de Feraschisch geritten und haben ihn um Rat gefragt. Er hat gesagt, wir sollen losen, wer die Wache haben soll, alle Abend sieben Männer, zwei bei den Schafen, zwei bei den Rindern und drei bei den Pferden. Für einen jeden von uns hat er ein Zauberschutzmittel gegeben, und dennoch hat Abu 'l Ifrid wieder einen jungen Mann gefressen, und der ‚Herr mit dem dicken Kopf' hat sich ein Kamel geholt."

„Stehen die Kamele bei den Schafen?"

„Ja, denn so ist es bei uns Sitte."

„Und nun lost ihr hier, wer heut abend wachen soll?"

„Ja. Das erste Los hat meinen Sohn getroffen."

„Welcher ist es?"

„Er ist nicht hier, ich habe an seiner Stelle gezogen. Er ist nach Kas bu Falha geritten und wird bald wiederkehren."

„Ich werde mitwachen."

„Emir, ist es wahr?"

„Ja, ich und der Emir aus dem Bilâd Elingelîs."

„Mit deiner Zauberflinte?"

„Ich habe noch eine andre, mit der man den Sejjid es selsele und Abu 'l Ifrid tötet. Es wird bald dunkel sein. Führe uns an die Orte, wo sich des Nachts die Herden befinden!"

„Erlaube, daß ich erst das Losen beende!"

Ich suchte sogleich Lord Percy auf. Er saß bei Achmed es Sallah und radebrechte mit ihm ein schauderhaftes Arabisch.

„Holla, Sir, es gibt ein Abenteuer!" rief ich ihm zu.

„Well! Ist mir recht! Was für eins?"

„Wir sollen den ‚Herrn des Erdbebens' schießen."

„Wen?" fragte er erstaunt.

„Und den ‚Vater des obersten Teufels'."

„Geht selbst zum Teufel mit Eurem Scherz, Sir!"

„Es ist kein Scherz. ‚Herr des Erdbebens' wird hier der Löwe genannt, und der ‚Vater des obersten Teufels' ist ein schwarzer Panther."

„Werden geschossen, die Tiere, Sir! Halloo! Huzza! Aber wann und wo?"

Er war vor Freuden aufgesprungen, schlenkerte die ewigen Beine und fuhr mit den unendlichen Armen umher, daß ihn die Beduinen mit furchtsamem Erstaunen anblickten.

„Heute nacht", erwiderte ich. „Scheik Mohammed er Rahman wird uns sogleich die Orte zeigen."

[1] Mohammedanischer Heiliger

Ich teilte ihm nun alles mit, was der Scheik mir erzählt hatte. Er war voller Freude und lachte, daß sein großes gelbes Gebiß ständig sichtbar blieb. Trotz aller seiner Eigentümlichkeiten war er ein tüchtiger, mutiger Jäger. Wir hatten miteinander auf Ceylon den Elefanten und in Indien den Tiger gejagt, und Lord Percy hatte sich in den gefährlichsten Lagen als ein kühner Mann und sicherer Schütze bewährt. Er befand sich heut ganz am rechten Platz.

Der Scheik suchte uns auf und führte uns vor das Lager, wo man gerade im Begriff stand, die Tiere zusammenzutreiben. Auch hier war viel Brennstoff aufgehäuft, um die Würger der Herden durch die Feuer abzuschrecken. Das Gelände war eben und von Felsen frei.

„Ihr habt die Tiere stets in drei einzelne Haufen zusammengetrieben?" fragte ich den Scheik.

„Ja."

„Wenn wir Abu 'l Ifrid oder den Sejjid es selsele schießen sollen, so mußt du tun, was ich begehre."

„Ich werde es tun."

„Du wirst zunächst die Pferde längs des Lagers in einer langen Linie aufstellen, dann die Rinder, dann die Kamele und dann die Schafe. Der Platz, auf dem die Tiere ruhen, soll ein Dreieck bilden. Die eine Seite dieses Dreiecks stößt dicht an das Lager, und die beiden andern Seiten bilden eine Spitze, die gerade vom Lager absteht. Diese beiden Seiten werden nur von den Schafen gebildet, die andern Tiere kommen nach innen, denn sie sind kostbarer. In dem Mittelpunkt des Dreiecks wird ein einziges, großes Feuer entzündet, das den ganzen Platz beleuchtet."

„Wohin kommen die Wächter?"

„Mitten unter die Herden hinein. Sie dürfen sich so aufstellen, daß sie von dem ‚Herrn des Erdbebens' nicht erreicht werden können. Dieser Emir und ich aber werden uns draußen vor die Herden lagern, ein jeder an eine Seite des Dreiecks. Den Wächtern sagst du, daß sie auf keinen Fall schießen dürfen, außer wenn sie selbst angegriffen werden."

„Herr, dein Plan ist gut, er ist weise wie der eines Feldherrn."

Natürlich war dieser Plan sehr vorteilhaft für ihn und die Beduinen. Von der einen Seite wurden die Herden durch die Lagerzelte und von den beiden andern Seiten durch Percy und mich gedeckt. Die Araber konnten sehr zufrieden sein, daß wir zwei alle Gefahr auf uns nehmen wollten.

Als wir in das Lager zurückkehrten, wurden wir von jedermann mit Staunen betrachtet. Es war diesen Leuten unbegreiflich, daß zwei Männer es wagen wollten, es allein mit dem Löwen und einem schwarzen Panther aufzunehmen. Als wir an dem Krumir vorüberschritten, fing ich einen schadenfrohen Blick auf, den er auf uns warf. Vielleicht hoffte er, durch Abu 'l Ifrid oder el Areth von zwei schlimmen Feinden befreit zu werden.

Der Scheik wollte mich nach seinem großen Zelt führen, das neben dem beschriebenen Frauenzelt stand. Achmed es Sallah hielt mich auf.

„Sihdi, du willst wirklich den Nimr und den Herrn mit dem dicken Kopf töten?" fragte er besorgt.

„Ja."

„O Sihdi, ich weiß zwar, daß du drüben in Algier bereits beide erlegt hast. Aber hier bei uns sind beide noch gefährlicher als anderswo. Ich bitte dich, bleibe hier! Gehe nicht hinaus!"

„Was ich versprochen habe, muß ich halten."

„So nimm mich mit, Sihdi!"

„Du kannst mir nichts nützen, sondern nur schaden."

„So werde ich zu Allah und dem Propheten beten, daß er die Augen des Nimr und des Vaters der Mähne blende, damit sie andre Wege gehen."

Er wandte sich betrübt von mir. Als ich an dem Frauenzelt vorüber wollte, hörte ich eine leise Stimme rufen: „Emir!"

Ich trat ein. Dschumeila war allein.

„Herr, du willst mit dem Sejjid es selsele kämpfen?" fragte sie angstvoll.

„Ja."

„Und mit dem Vater des Teufels?"

„Ja."

„Allah, Allah! Tu es nicht!"

„Warum nicht?"

„Du wirst sterben!"

Es prägte sich eine herzliche Besorgnis in ihrer zitternden Stimme aus. Ich ergriff ihr braunes Händchen.

„Hast du Angst um mich, Dschumeila?"

„Sehr!"

Ich zog sie leise an mich.

„Hab keine Sorge! Ich fürchte el Areth nicht."

„Aber ich fürchte ihn. Hast du nicht gesagt, daß du mein Bruder bist?"

„Ich bin es."

„Warum willst du mich dann durch deinen Tod betrüben?"

„Würde er dich betrüben?"

Sie antwortete nicht, aber sie lehnte das Köpfchen fester an mich. Es kam eine seltsame, fremde Regung über mich. Dieses Mädchen war die einzige Seele unter den Uëlad Mescheer, die es aufrichtig mit mir meinte. Ich legte ihr die Hand unter das Kinn, hob ihr Gesicht empor und küßte sie auf die warmen, nicht widerstrebenden Lippen.

„Allah segne dich, du Rose von Aïun, für die Freundlichkeit deiner Rede! Aber weißt du nicht, daß das Schicksal des Menschen im Buch geschrieben steht? Ich habe schon oft mit el Areth gekämpft und bin stets Sieger gewesen. Er wird auch heut unterliegen."

„Herr, mein Mund ist still, aber meine Seele bebt für dich. Kehre wieder, sonst wird Dschumeila lange um dich weinen!"

Ich ging. Dieses Naturkind handelte rein nach der Eingebung ihres Herzens. Sie hatte keine Ahnung davon, daß ihr Verhalten ein ,gegen die gute Sitte verstoßendes' genannt werden könne. Wäre ich ein Beduine gewesen, so hätte es leicht sein können, daß sie meine Mochallah geworden wäre.

Als ich in das Zelt des Scheiks trat, fand ich sein Weib beschäftigt, die Vorbereitung für das Mahl zu treffen. Diesem Umstand hatte ich es zu verdanken, daß ich Dschumeila allein getroffen hatte. Auch hier war der Hauptbestandteil ein gebratenes Lamm, doch gab es wenig Nebenspeisen. Zuallererst brachte Dschumeila noch eine Mischung von getrockneten Wein- und Maulbeeren, mit süßer Sahne übergossen, ein Gericht, das mir auch um der Hände willen mundete, die es bereitet hatten. Nach dem Essen traten wir wieder ins Freie hinaus und nahmen an einem der Feuer Platz, die innerhalb des Lagers angezündet worden waren. Es ging da sehr lebhaft zu, denn Achmed es Sallah saß dort und berichtete von unsern Erlebnissen. Man machte uns ehrerbietig Platz und vergnügte uns mit einem seltsamen Tanz, den einige Beduinen in weiblicher Kleidung aufführten. Dann wurden allerlei Jagdabenteuer erzählt, die uns in die richtige Stimmung brachten, und als es ungefähr anderthalb Stunden vor Mitternacht war und ich mich mit dem Engländer erhob, erklang von allen Seiten die Versicherung, daß niemand schlafen würde.

Das glaubte ich gern. Stand ihnen allen doch ein Ereignis bevor, das sie noch niemals erlebt hatten. Ich übergab meine Waffen, außer dem Bärentöter und dem Bowiemesser, Achmed, der auch die Sorge für mein Pferd und meine andern Habseligkeiten übernommen hatte. Lord David Percy bewaffnete sich mit seiner vortrefflichen Elefantenbüchse und steckte einen vergifteten malaiischen Kris[1] zu sich.

„Auf welche Seite geht Ihr, Sir?" fragte er mich.

„Wollen wir losen?"

„Yes!"

„Dreht Euch um! Ich halt mein Messer so, daß das Heft rechts und die Klinge links ist, oder umgekehrt. Was wählt Ihr?"

„Die Klinge."

„Seht her. Sie zeigt nach der rechten Seite, Ihr geht also rechts. Zuvor aber wollen wir Umschau halten!"

Die Büchsen über die Schulter geworfen, traten wir zwischen den Zelten hinaus auf den Lagerplatz der Tiere. Meine Anordnungen waren genau befolgt worden. In der Mitte brannte ein mächtiges Feuer, dessen Schein die Herden in der Nähe hell beleuchtete, während die ferneren Gruppen in phantastische Schatten gehüllt lagen. Die sieben Wächter saßen in der Nähe des Feuers, wo sich diese gewaltigen Helden am allersichersten wußten. Auch die Hunde hatten sie bei sich, so daß also die große Herde der Tiere allein der Obhut von uns beiden anvertraut blieb. Wir trennten uns, Percy ging nach rechts und ich nach links hinüber. Jetzt war weder der Löwe noch der Panther bereits zu erwarten. Ich lief also meine Strecke noch unbesorgt ab, um zu sehen, ob die Tiere zusammenhielten. Zum Glück wurden sie schon vom Instinkt in der Nähe des Feuers festgehalten. Die Kamele und Rinder inmitten des Dreiecks lagen ruhig wiederkäuend da, und die Schafe, die die gefährlicheren äußeren Seiten einnahmen, hatten sich so dicht zusammengedrängt, als ob sie bereits die Stimme ihres gewaltigen Feindes gehört hätten.

4. Eine gefährliche Jagd

Es war um die Zeit des Neumonds, die Sterne strahlten hell hernieder. Aber ihr Schein verirrte sich in die flackernden Lichter des Lagerfeuers. Doch konnte ich, als ich an der Spitze des Dreiecks anlangte, wo mein Bereich zu Ende ging, den Engländer noch erkennen, der ebenso wie ich beschäftigt war, seine Strecke einmal abzulaufen. Wir hatten beide unsre weißen Burnus- und Turbantücher im Lager gelassen, um nicht schon von weitem die Augen des gefährlichen Wildes auf uns zu lenken.

Ich hielt es für angezeigt, meinen Standpunkt nicht gar zu

[1] Dolch

sehr in der Nähe der Herden zu nehmen, sondern zog mich so weit von ihnen zurück, daß mich der Schein des Feuers nicht mehr störte und ich die ganze Linie, die ich zu bewachen hatte, mit einem Blick zu überschauen vermochte. Hier legte ich mich platt auf den Boden, Büchse und Messer griffbereit, und wartete der Dinge, die da kommen sollten.

Der Löwe geht ebenso wie der Panther erst zur Tränke, bevor er sich sein Fleisch holt. Dabei werden beide laut. Die Ebene, in der der Herr des Erdbebens seinen ‚Palast' hatte, lag auf des Engländers Seite, es stand zu vermuten, daß er durch das Brüllen des Löwen gewarnt und benachrichtigt wurde. Meine Lage dagegen war gefährlicher. Der Panther, der wahrscheinlich schon am Dschebel Berburu zur Tränke ging, von woher man seine Stimme nicht hören konnte, kam dann jedenfalls lautlos angeschlichen, so daß er mich sehr leicht überraschen konnte. Glücklicherweise waren mein Gesicht und Gehör während meiner vielen Irrfahrten zur Genüge geschärft worden. Auch war mir jenes eigentümliche Witterungsvermögen eigen geworden, das der Bewohner des wilden Westens in so hohem Grade besitzt. Endlich verließ ich mich einigermaßen auf das unerklärliche Ahnen, das uns die Nähe einer Gefahr verkündet, wenn sie von unseren Sinnen noch gar nicht bemerkt werden kann. Der Mensch ist dem Tier gegenüber in den meisten Fällen besser ausgerüstet, als er anzunehmen pflegt.

So verging die Zeit in lautloser Stille. Da — endlich erscholl drüben in der Ferne jenes tiefe, grollende Rollen, das der Araber ‚Rrad'[1] nennt, und das dem Löwen den Namen Sejjid es selsele — Herr des Erdbebens — gegeben hat. Der ‚Herr mit dem dicken Kopf' stand an der Tränke und benachrichtigte die Herden mit königlicher Aufrichtigkeit, daß er Hunger habe. Ein- und zweimal wiederholte sich das Brüllen, dann wurde es still.

Wohl eine Viertelstunde verging, da — ich schrak zusammen — erscholl die Stimme des Fürsten der Tiere in der Nähe, jenseits der Herde. Er konnte keine tausend Schritt von ihr entfernt sein. Wäre er auf meiner Seite gewesen, so hätte keine meiner Wimpern gezuckt, so aber zitterte ich beinahe vor Erwartung, was jetzt erfolgen werde.

Die Schafe drängten sich womöglich noch dichter zusammen. Kein Tier gab einen Laut von sich, sogar die Hunde verhielten sich still. Die Furcht vor dem gewaltigen Herrscher hatte das Lebendige gepackt. Ich lauschte. Da, noch ein kurzer Ton, daß die Erde zu erbeben schien, und gleich darauf ein Geräusch, als

[1] Donnerrollen

ob jemand von hoch oben herab auf die Erde springe — ein scharfes Prasseln und Krachen von Knochen, ein Schuß und noch einer, dann war es wieder still. Ich aber konnte mich nicht halten, so unvorsichtig es auch war. Ich mußte wissen, wie es stand.

„Mylord!" rief ich laut.

„Yes!" ertönte es herüber.

„Unverletzt?"

„Well."

„Er war da?"

„Er selber!"

„Was hat er geholt?"

„Junges Kamel."

„Ist er getroffen?"

„Hoffe es!"

„Bleibt! Madame könnte mit ihm sein."

„Well!"

Der alte David Percy hatte also schlecht gezielt. Wie kam dies nur? Er war doch sonst zuverlässig! Wenn nun auch ich nicht gut zum Schuß kam, so waren wir zwei Jäger mit unserm Selbstbewußtsein bei diesen Beduinen in alle Ewigkeit bloßgestellt.

Sollte sich wirklich auf meiner Seite nichts sehen lassen?

Doch was war das? Ich legte mein Ohr auf die Erde. Wirklich! Ich vernahm ein Geräusch, ähnlich dem, wenn jemand mit einem Stock schnell über einen verschlossenen Fensterladen fährt. Diesen Ton kannte ich. So klingt es, wenn der Panther in weiter Ferne seine Stimme übt. In der Nähe hat sie freilich einen andern Klang.

War dies der Panther, der vom Dschebel Berberu herniederstieg? Ich zog mich noch etwas weiter zurück, um völlig im tiefen Schatten zu liegen. Eine Viertelstunde verging und noch eine.

Es ist eine schwierige Aufgabe, so lange Zeit auszuhalten mit Sinnen und Nerven, die auf das höchste angespannt sind. Hatte ich mich getäuscht? Oder hatte sich das Tier nach einer andern Gegend gewandt? Herrgott, da unten beim ersten Zelt des Lagers bewegt sich etwas! Ich blickte schärfer hin — ah, es war ein Mensch, eine weibliche Gestalt, die sich in den Schatten des Zelt kauerte. Wer war es? Was wollte sie dort?

Ich hatte keine Zeit nachzudenken, denn im selben Augenblick fühlte ich in der Luft jenen eigentümlichen Geruch, den jedes größere Raubtier um sich verbreitet. Schnell wandte ich das Gesicht zur Seite. Himmel! Ich erfaßte mit einem einzigen Blick zwei Körper, die unhörbar über den Boden hinschlichen. Der eine näherte sich, von mir abgewandt, der Spitze des Dreiecks, der andre aber hatte mich bereits bemerkt, und drehte sich leise mir zu. Der Panther hatte auch ein Weibchen, beide waren da, hier auf meiner Seite. Heimtückisch, ohne sich durch einen Laut zu verraten, waren sie herbeigekommen, echt teuflisch — Abu 'l Ifrid!

Der Panther war noch ungefähr zwanzig Schritte von mir entfernt. Ich lag platt auf dem Boden. Schnell nahm ich das Bowiemesser zwischen die Zähne, stützte mich langsam auf den linken Ellenbogen, hob den Lauf und zielte.

Der Panther merkte diese Bewegung und hielt inne. Sich auf die Hinterpranken erhebend, duckte er sich vorn nieder. Seine Augen rollten groß in grünlichgelber Glut, sie wurden kleiner, schmaler. Ich wußte, in dem Augenblick, da sie nur noch einen Strich bildeten, würde er springen. Sorgsam hielt ich auf sein rechtes Auge, drückte ab und schnellte mich sofort mit solcher Gewalt vom Boden auf und nach der Seite hin, daß ich erst einige Schritte von der Stelle entfernt, wo ich gelegen hatte, zum Halten kam.

Meinem Schuß folgte ein brüllender Laut, so markerschütternd, daß drüben am Feuer die Hunde vor Angst zu heulen begannen.

Ein Blick genügte mir, um zu erkennen, daß die Kugel ihre Schuldigkeit getan hatte — der Panther war tot.

Aber der andre? Ich blickte nach der Spitze des Dreiecks hinauf. Dort stand er, nach der Gegend herüberstarrend, in der er den Todesschrei seines Gefährten gehört hatte. Er besann sich, er schien noch einen zweiten Schrei zu erwarten. Das gab mir Zeit, den abgeschossenen Lauf in fieberhafter Eile wieder zu laden. Dann zog ich mich weiter zurück und kniete nieder.

Ich hielt mein Auge auf den zweiten Feind gerichtet, und nur einen Gedanken lang schweifte es hinüber nach dem ersten Zelt. Ich erschrak. Dort stand eine weibliche Gestalt, hell vom Feuer beschienen, und starrte herüber zu mir. Was wollte sie? Wenn der zweite Panther sie erblickte, war sie verloren. Und wahrhaftig, er sah sie. Er begann, sich zu bewegen, er schlich sich auf sie zu. Sollte ich rufen — sie warnen?

Da hielt er plötzlich an, der Geruch des Blutes hatte ihn erreicht. Mit drei, vier, fünf weiteren Sätzen war er bei dem toten Tier. Nur einen Augenblick beroch er es, dann schnellte er sich mit einem wuträchelnden Gebrüll auf das Weib zu. In langen Sätzen sprang ich hinterdrein und ich habe nie solche Sprünge fertiggebracht. Hundert Schritt vor mir erreichte er sie und riß sie nieder, aber Gott sei Dank, sein Sprung war zu weit gewesen — er stürzte über sie hinweg. Im Nu stand ich fest, im Nu drehte er sich nach seinem Opfer zurück, im Nu auch krachte mein Schuß. Er zuckte zusammen. Es war ein gefährlicher Schuß gewesen, denn wie leicht konnte ich das Weib treffen. Doch das Wagnis glückte. Der Panther hatte im Aufleuchten des Schusses meine Gestalt gesehen, er wußte, daß ich es war, der ihn verwundet hatte, und beachtete seine Beute nicht weiter, sondern schnellte sich auf mich zu.

Ich hatte nur noch einen Schuß. Fehlte ich jetzt, dann war ich verloren. Machte das Tier nicht noch einmal halt vor mir, so konnte ich nicht sicher zielen. Es waren nur Augenblicke, aber fürchterliche. Doch, es sollte nicht so arg werden. Acht, neun Schritt vor mir hielt das Tier an, um zum Sprung anzusetzen. Es war nur eine Sekunde lang, aber sie genügte. Das Auge des ergrimmten Tiers flammte in der Dunkelheit, es bot mir ein Ziel, wie ich es besser nicht haben konnte. Der Schuß krachte. Ich schnellte mich abermals seitwärts, fühlte aber dennoch ein Etwas meinen Oberarm streifen, ließ die Büchse fallen und griff nach dem Messer. Nur zwei Schritt vor mir wälzte sich der Panther am Boden — ein kurzes ersticktes Röcheln, ein krampfhaftes Schlagen der Pranken — dann war es aus.

Diese fünf Minuten — denn in so kurzer Zeit war das alles geschehen — waren schwer und gefährlich gewesen, aber ich hatte wohl schon schwerere Minuten und Stunden überstanden. Zunächst lud ich meine beiden Läufe wieder, dann eilte ich zu dem Weib. Es war Dschumeila! Sie lag ohnmächtig am Boden, aber kein Tropfen Blut, keine Spur einer Verwundung war zu erblicken. Der Panther hatte sie mit seinem Leib niedergerissen. Ich hob ihren Kopf empor, und bei dieser Bewegung schlug sie die Augen auf. Sie war bei voller Besinnung und hatte nur vor Angst die Augen geschlossen, weil sie jeden Augenblick erwartete, von dem fürchterlichen Tier zerrissen zu werden.

„Emir!" jubelte sie laut und legte die Arme um meinen Hals.

„Dschumeila! Was tust du hier?"

„Ich hatte Angst um dich."

Welch eine Unvorsichtigkeit! Aber sollte ich ihr zürnen? Durfte ich schelten?

„Wenn dich nun der Panther getötet hätte!"

„Allah war bei mir und du, Emir!" Da aber richtete sie sich plötzlich auf und faßte mich beim Arm.

„Hier ist Blut! Du bist verwundet, Herr?"

Ich hatte es noch gar nicht bemerkt. Beim Todessprung hatte eine Kralle des Tiers meinen Oberarm ein wenig aufgerissen.

„Es ist nichts, nur eine kleine Wunde, Dschumeila", beruhigte ich sie.

„Ist's wirklich nicht viel? Schmerzt es dich nicht?"

„Nein. Aber willst du dich hier blicken lassen? Man wird bald kommen. Weiß die Frau deines Oheims, daß du nicht im Zelt bist?"

„Nein. Sie schläft hinter dem Vorhang. Sie hüllt sich in ihre Tücher, denn sie fürchtet sich vor Abu 'l Ifrid und dem Sejjid es selsele."

„Abu 'l Ifrid wird euch nichts mehr tun. Ich habe ihn und sein Weib getötet."

„Beide, Herr?" fragte sie erstaunt.

„Beide. Nun aber kehre ins Zelt zurück, denn ich muß fort."

„Herr, du bist ein großer Krieger, du bist ein Held wie keiner hier. Dschumeila wird dich nie vergessen."

Sie schlich sich fort. Warum war ich kein Beduine! Oder warum war sie nicht die Tochter eines andern Landes! Auch ich habe sie bis heute nicht vergessen.

Ich untersuchte nun zunächst die beiden Tiere. Das zuletzt getroffene war das Männchen. Sie waren beide erstaunlich groß und konnten sich mit einem ausgewachsenen, bengalischen Tiger messen.

Meine zwei Schüsse und die darauffolgende Stille schienen den Engländer besorgt zu machen, denn er tat wie auch ich vorhin:

„Halloo, Sir!" ertönte seine Stimme.

„Yes!" ahmte ich ihn nach.

„War er da?"

„Well!"

„Getroffen?"

„Nein!"

„Bad luck — Pech!"

„Yes."

„Kommt Ihr herüber, oder soll ich — —?"

„Macht Ihr Euch auf die Beine!"

In zwei Minuten sah ich ihn oben um die Ecke biegen, nach der dritten stand er bei mir.

„Verfluchte Katzen!" brummte er.

„Scheußlich!"

„Mein Kater kommt auch nicht wieder."

„Wie groß war das junge Kamel? Ein Füllen oder Fohlen?"

„Hm, vielleicht zweijährig."

„Na, Master", lachte ich, „da kommt Euer Kater allerdings nicht wieder, denn an einem zweijährigen Dschemel kann er sich samt seiner Familie satt fressen. Aber, old shooter, warum habt Ihr denn das Tierchen nicht getroffen?"

„Tierchen? Reitet Euch der Teufel? Der Kerl war ja so groß wie ein achtzigjähriger Elefant."

„Hopphopp!"

„Yes! Habe nie geglaubt, daß ein Löwe ein solcher Kerl sein kann, habe immer nur an die Katzen gedacht, die man in zoologischen Gärten und Tierbuden zu sehen bekommt. Er fiel zu weit links von mir in die Herde ein, und das Feuer, dessen Schein dazwischen lag, blendete mich. Aber getroffen habe ich ihn, das weiß ich genau."

„Habt Ihr den Schweiß gesehen?"

„Nein. Bin gar nicht von meinem Ort fortgekommen."

„Obwohl er so unglücklich gewählt war? Hättet Euch einen besseren wählen sollen — ungefähr so wie ich, dann hättet Ihr auch etwas geschossen."

„Auch? Pshaw! Ihr habt ja auch nichts."

„Hm! Kommt einmal hierher! Was ist das?"

„'s death! Ein Vieh!" rief er, sich niederbückend.

„Ja, ein schwarzer Panther. Und nun kommt noch einige Schritte weiter! So! Was ist das?"

„Zounds! Abermals ein Vieh!"

„Abermals ein schwarzer Panther, Männchen und Weibchen, Abu und Umm el Ifrid — Vater und Mutter des obersten Teufels, sagen die Mescheer."

„Aber Ihr behauptet doch, Ihr hättet nichts getroffen?"

„Wollte nur sehen, was Ihr dazu meinen würdet. Da Eure Kugeln nichts ausrichteten, so mußte doch wenigstens ich meine Schuldigkeit tun, sonst wären wir erbärmlich ausgelacht worden."

„Hm! Könnte mich eigentlich ärgern. Habe verteufeltes Pech gehabt!"

„Grämt Euch nicht, Sir! Wir werden morgen am Tag den Vater des Erdbebens nebst Familie in seinem Heim aufsuchen. Seid Ihr dabei?"

„Yes! Well!" nickte er freudig. „Werde mich dann besser halten. Aber wo habt Ihr diese Kerle getroffen? Diese Tiere sollen ein noch zäheres Leben haben als der Löwe."

„Ins Auge."

„Alle Achtung! Erzählt!"

Ich berichtete ihm das Abenteuer ausführlich, und nur von Dschumeila erwähnte ich nichts.

„Mensch", rief er, als ich fertig war, „das ist ja recht spannend gewesen!".

„Nur spannend? Hm, ich dächte, es sei noch etwas mehr gewesen."

„Ja, Ihr konntet allerdings von diesem Vater und dieser Mutter des Teufels ein wenig zerrissen werden, aber daran muß man sich gewöhnen."

„Gewöhnen? Ich denke, das lernt man gleich beim erstenmal. Aber meint Ihr nicht, daß wir jetzt Lärm schlagen wollen?"

„Meinetwegen."

Er ärgerte sich gewaltig, daß er nicht so glücklich gewesen war wie ich, und schritt kleinlaut mit mir dem Lager zu, das jetzt völlig menschenleer war, denn selbst die Männer, die dort die Feuer zu unterhalten hatten, saßen während der Zwischenzeit in ihren Zelten. Es war ja immer möglich, daß der Löwe oder der Panther statt zu den Herden seinen Weg ins Lager nahm. Ich trat in das Zelt des Scheik. Er lag auf dem Serir, im Schein einer kleinen Tonlampe.

„Emir!" rief er aufspringend.

„Hole deine Männer!"

„Hast du den Herrn des Erdbebens besiegt?"

„Er ist nur verwundet, er wird erst morgen sterben. Aber Abu 'l Ifrid und seine Frau sind tot."

„Hamdulillah — Lob, Preis und Dank sei Allah, dem Allmächtigen, der Stärke und Segen in deine Hand gegeben hat! Denn daß du Abu 'l Ifrid und seine Frau getötet hast, das ist noch ein größeres Wunder, als wenn du zehn Herren mit dem dicken Kopfe getötet hättest. Erlaube, daß ich gleich die Tabl[1] anschlage!"

Er zog einen kupfernen Kessel hervor, über den ein Trommelfell gezogen war, und trat damit vor das Zelt. Kaum waren die ersten Schläge erklungen, so öffneten sich alle Zelte, und sämtliche Insassen, Männer, Frauen und Kinder, kamen herbei. Jetzt sah man, daß kein einziger Mensch geschlafen hatte. Unsre fünf Schüsse waren wohl gehört worden, und nun hatte ein jeder mit Spannung das Ergebnis erwartet. Alle kamen wißbegierig und lautlos herbei, um zu hören, was der Scheik zu verkünden habe.

„Im Namen des allbarmherzigen Gottes! Wahrlich, wir haben dir einen offenbaren Sieg verliehen", begann er mit dem Anfang der achtundvierzigsten Sure des Koran, „auf daß dir Gott deine

[1] Kesselpauke

früheren und späteren Sünden vergebe und seine Gnade an dir vollende und dich leite auf den richtigen Weg und dir beistehe mit seinem mächtigen Beistand! So steht es im heiligen Buch geschrieben, und so ist es heut an uns erfüllt worden durch die Taten dieser Fremdlinge aus dem Abendland. Hört, ihr Gläubigen, ihr Söhne und Töchter der Mescheer, daß Abu 'l Ifrid getötet worden ist mit seinem Weib, der Mutter des obersten Teufels. Nehmt Fackeln und feste Stricke von Palmenfasern und laßt euch von diesen beiden Helden zur Stätte des Todes führen, daß man die toten Leiber des Teufelsvaters und der Teufelsmutter hereinschleife in das Duar und ihnen die Haut abziehe von den Gliedern, die in der Hölle brennen mögen. La ilâha illa 'llah, we Mohammed rasûl Allah — Es gibt keinen Gott außer Allah, und Mohammed ist Allahs Prophet!"

Der Sturm des Jubels, der auf diese Rede losbrach, ist nicht zu beschreiben. Man umarmte sich, man beglückwünschte sich, man brüllte zu Allah, Mohammed, zu allen Kalifen, zu mir, zu dem Engländer, es war ein Lärm, der seinesgleichen suchte. Man brachte eine Menge Fackeln herbei und zündete sie an, Stricke wurden herangeschafft, und dann ging es hinaus vor das Lager, Percy und ich an der Spitze, neben mir aber auch Achmed es Sallah, der vor Glück und Freude außer sich war, daß er mich lebend wieder hatte. Der ungeheure Lärm machte auch die Herden aufrührerisch. Pferde wieherten, Kamele kreischten, Rinder brüllten, Schafe blökten, und Hunde bellten und heulten. Und nun erst, als wir an dem Platz anlangten, wo die beiden Panther nicht weit voneinander lagen!

Zunächst getraute man sich nicht an sie heran. Als ich sie aber nach allen Seiten drehte und man sich überzeugte, daß sie wirklich tot seien, stürzte sich alles auf sie. Man trat sie mit Füßen, man schlug sie mit Fäusten, man spuckte ihnen ins Gesicht, man ergoß eine Flut von Schimpfworten und Grobheiten über sie, wie sie nur das Morgenland in dieser Reichhaltigkeit aufweist. Ich mußte wirklich alle meine Kräfte aufbieten, um die schönen Felle vor dem Zerrissenwerden zu bewahren.

Endlich beruhigte man sich, und ich wurde vom Scheik aufgefordert, zu erzählen. Ich tat es in aller Kürze, und als man sich dann überzeugte, daß jedes Tier wirklich ins Auge getroffen sei, war des Staunens kein Ende. Die Panther wurden nun nach dem Duar geschleift, während ich mit Lord Percy, Ali en Nurabi, Achmed, dem Scheik und einigen Fackelträgern nach der andern Seite des Duar schritt, um nach den Spuren des Löwen zu schauen.

Ja, er war getroffen, er war sogar gefährlich getroffen, denn er hatte bedeutend geschweißt, und der Scheik stimmte gern ein, als ich ihm vorschlug, am Tag die Fährte des gewaltigen Räubers zu verfolgen. Daß es ein mächtiges Tier sei, war an der Größe der Spuren zu erkennen. Das fortgeschleppte Kamel hatte dem Scheik gehört.

Als wir in das Duar zurückkehrten, war man bereits mit dem Abziehen der Felle beschäftigt. Sie wurden mir als mein wohlerworbenes Eigentum vorgelegt. Der Scheik betrachtete sie mit lüsternem Auge. Das kam mir sehr gelegen.

„Scheik Mohammed er Rahman, willst du mir eine Bitte erfüllen?" fragte ich ihn.

„Rede. Ich höre!" antwortete er.

„Nimm dir von diesen Fellen das, was dir am besten gefällt, und behalte es! Sooft du es erblickst, magst du meiner gedenken, wenn ich nicht mehr bei dir bin!"

„Emir, ist es wahr? Wolltest du mir wirklich diese kostbare Haut von Abu 'l Ifrid schenken?"

„Ich verschenke sie beide."

„Wem soll die andre gehören, Herr?"

„Dschumeila."

„Dschumeila? Warum?" fragte er verwundert.

„Ist sie es nicht, die mich unter ihren Schutz nahm, als die Gefahr über mir zusammenschlug? Allah vergilt alles Gute und alles Böse. Warum sollte der Mensch nicht dankbar sein? Gib das andre Fell der Tochter deines Bruders! Die Blume von Hamra Kamuda mag darauf ruhen und an den Fremdling denken, der heut ihr Freund und Bruder geworden ist!"

„Ich danke dir, Emir! Dein Herz ist voll Güte und deine Hand voll Segen. Darum sollst du auch die Stute und die Tochter erhalten, die dem Scheik der Sedira geraubt worden sind." ———

Bevor ich mich zur Ruhe legte, verband mir der Scheik die kleine Armwunde. Auch ließ er sich meine Jacke geben, um den darin entstandenen Riß von seinem Weib ausbessern zu lassen. Im Duar herrschte die ganze Nacht hindurch ein reges Leben, so daß ich nur wenig schlafen konnte. Man sprach von der bevorstehenden Löwenjagd und von den Heldentaten, die man dabei verrichten wollte. Die Mescheer waren jetzt, da sie uns bei sich wußten, auf einmal sehr mutige und unternehmende Löwenjäger geworden.

Kaum hatte mich das laute Summen des Morgengebets aus dem Schlaf geweckt, so trat der Scheik wieder herein, um mir zu melden, daß alles zum Aufbruch bereit sei.

„Geht der Krumir mit?" fragte ich ihn.

„Nein. Du weißt, Herr, daß er das Lager nicht verlassen darf."

„Und dennoch wäre es mir lieber, ihn dabei zu sehen."

„Warum, Emir?"

„Bist du sicher, daß er in unsrer Abwesenheit nichts unternehmen wird, was ihm verboten ist?"

„Er hat sein Wort gegeben."

„Er wird es nicht halten, ebenso wie er es bei den Sedira gebrochen hat. In seinem Herzen wohnt die Falschheit und auf seinen Lippen die Lüge."

„Ich verspreche dir, daß die Männer, die zurückbleiben, ihn beobachten sollen. Die Tochter Ali en Nurabis und sein Pferd werden sicher sein."

„Das erwarte ich bestimmt! Komm, laß uns gehen!"

„Wirst du deinen Hengst reiten?"

„Ja."

„Erlaube, daß ich dir eins meiner Pferde anbiete! Der Herr mit dem dicken Kopf liebt es, auf die Pferde zu springen, um den Reiter zu töten. Dein Hengst ist zu kostbar, um gefährdet zu werden."

„Ich bin nicht gewohnt, den Löwen zu Pferd zu jagen, um vor ihm besser fliehen zu können. Ich pflege abzusteigen, um ihn stehenden Fußes zu erwarten. Habe also Dank für deine Güte. Aber ich werde doch mein Pferd reiten. Wie viele Krieger nimmst du mit?"

„Die Hälfte meiner Leute."

„So werde ich auch die Sedira teilen. Die eine Hälfte von ihnen mag uns begleiten, und die andern dreißig sollen hier im Lager bleiben, um darüber zu wachen, daß der Krumir nichts Böses tut."

„Was du vornimmst, ist mir recht, Effendi. Du bist mein Bruder und mein Freund, du hast uns von Abu 'l Ifrid und seinem Weib errettet, und ich wünsche, daß du in Liebe und in Frieden von uns scheidest."

Ich traf, als wir das Zelt verlassen hatten, mit dem Scheik Ali en Nurabi die jetzt besprochene Vorkehrung, und dann brachen wir auf, gefolgt von etwa zweihundert Beduinen.

Die Spur des Löwen war bald gefunden. Sie war nicht schwer zu verfolgen, da er viel Blut verloren hatte. Trotzdem aber hatte das gewaltige Tier das Kamel wohl an die fünfhundert Schritte weit fortgeschleppt, bevor es eine kurze Rast gemacht hatte. An diesem Ort nun erblickten wir eine große Blutlache, für uns eine erfreuliche Feststellung.

„Ihr habt den Kerl nicht schlecht getroffen", meinte ich zu dem Engländer. „Die Menge Blut, die er verloren hat, läßt vermuten, daß er keine ungefährliche Wunde erhalten hat."

„Und dennoch hat er die Kraft besessen, das Kamel noch weiter fortzuschleppen", antwortete Percy. „Sollte er es bis zu seinem Lager getragen haben?"

„Das glaube ich nicht. Der Löwe hat, wenn er in Familie lebt, die Eigentümlichkeit, nur in Gesellschaft auf Raub zu gehen. Die Löwin folgt ihm mit den Jungen, falls diese laufen können, und bleibt mit ihnen an einem geeigneten Ort zurück, um ihn mit seiner Beute zu erwarten, die er auf diese Weise nicht so weit zu schleppen braucht. Da wird das gemeinschaftliche Mahl gehalten, und dann kehrt die gesättigte Familie in ihr Lager zurück, die übriggebliebenen Knochen und Brocken dem Schakal, der Hyäne und dem Geier überlassend. — Reiten wir weiter!"

Die Spur führte jetzt auf einen dunklen Strich zu, der sich beim Näherkommen als ein dünnes und verkümmertes Feigen- und Tamarindengestrüpp erwies. Die Mescheer machten Miene, einzudringen. Ich hinderte sie daran:

„Halt! Wir wissen nicht, was sich in dem Gebüsch befindet. Bleibt zurück, bis ich wiederkomme!"

Ich umritt mit dem Engländer das Gestrüpp, er nach rechts und ich nach links. Dahinter stießen wir zusammen und trafen dort auf die Spur der Löwin und zweier Jungen. Die Fährte war eine doppelte: die ältere führte ins Gebüsch und die jüngere wieder heraus und zurück. Es war also klar, daß sich der Löwe noch darin befand. Jedenfalls war er infolge seiner Verwundung nicht imstande gewesen, seiner Familie zum Lager zu folgen.

Jetzt kehrten wir zu den Beduinen zurück, denen wir die Weisung erteilten, das ganze Gestrüpp zu umstellen und die mitgenommenen Hunde loszulassen, um den angeschossenen Löwen aufzujagen. Es geschah, die Hunde, die bisher nur mit Mühe zu halten gewesen waren, drangen vor, und bald hörten wir ihr wütendes Geheul aus einer der Tamarindengruppen.

„Sir, ich bitte Euch, ihn mir zu lassen!" sagte Percy.

„Nehmt ihn!" erwiderte ich. „Ich werde nur dann schießen, wenn es nottun sollte."

Wir stiegen ab und übergaben Achmed es Sallah unsre Pferde mit der Weisung, sie zurückzuführen. Die Gewehre schußbereit, warteten wir. Aber der Löwe ließ sich nicht blicken und die Jagd stand auf demselben Fleck.

„Sollte er verendet sein?" meinte ich.

„Wollen sehen!" meinte der Engländer, indem er sich nach dem Gebüsch in Bewegung setzte.

„Keine Unvorsichtigkeit, Sir!" rief ich. „Die Sache ist gefährlich."

„Pshaw!" meinte er, in das Gebüsch eindringend.

Es blieb mir also nichts übrig, als ihm zu folgen. Er arbeitete sich zu den Tamarinden hin, und ich blieb ihm auf der Ferse. Wir erreichten die Meute, die das Gestrüpp umstellt hielt, sich aber nicht weiter getraute.

„Was nun?" fragte Percy. „Geben wir eine Kugel hinein?"

Ich legte mich auf den Boden nieder, wo kein Gezweig den Einblick erschwerte. Da sah ich den Fürchterlichen liegen, zur Seite geneigt, mit gebrochenem Auge und alle viere von sich streckend.

„Sir, Euer Schuß war doch gut. Er ist tot."

Bei diesen Worten trat ich vor und bog die Zweige auseinander. Es war ein außergewöhnlich großes Tier. Die volle, schwärzliche Mähne umfloß wirr den mächtigen Kopf; die kräftigen, fest geschlossenen Lefzen waren von blutigem Schaum gerötet, und die gewaltigen Tatzen hatten sich im Todeskampf nach einwärts gekrümmt. Eine große, tiefe Lache geronnenen Blutes umgab ihn, und neben ihm lagen die Überreste des Kamels, die von der Löwin und ihren Jungen zurückgelassen worden waren.

„Heigh-day!" rief der Engländer. „Da endlich liegt der alte Kater! Wo habe ich ihn denn getroffen, Sir?"

„Seht her! Hier hinter der Vorderpranke zwischen den Rippen. Die Kugel muß ihn während des Sprungs erreicht haben."

„Ist ihm also doch ans Leben gegangen. Na, ist mir lieb. Brauche mich nun doch nicht auslachen zu lassen. Yes!"

Jetzt getrauten sich auch die Hunde herbei, und wir hatten alle Mühe, sie von dem Löwen abzuhalten, den sie gewiß arg zugerichtet hätten. Die Beduinen wurden gerufen, und als sie gekommen waren, erhob sich ein ebenso großer Lärm wie während der Nacht an den Leichen der beiden Panther. Als der König der Tiere endlich genug verhöhnt und beschimpft worden war, wurden die Hunde wieder angekoppelt, und wir brachen auf, um die Löwin aufzusuchen. Bei dem Löwen blieben einige Männer zurück, um aus Ästen eine Schleife zu verfertigen und ihn dann mittels ihrer Pferde nach dem Duar zu ziehen.

Die Löwin hatte ihren entschlafenen Gemahl erst vor kurzer Zeit verlassen, denn ihre Spuren waren noch frisch. Vielleicht hätte sie bei dem Toten ausgehalten, wenn sie nicht von der Sorge für ihre Jungen getrieben worden wäre. Sie hatte einen weiten Weg zurückzulegen gehabt, denn wir ritten wohl an die dreiviertel Stunden, ehe wir das Felsental erreichten, in dem sich der ‚Palast‘ des Herrn mit dem dicken Kopf befand.

Als wir das Tal zu Gesicht bekamen, hielt der Scheik Mohammed er Rahman sein Pferd an und deutete auf das wüste Steingewirr.

„Hier ist das Batn el Hadschâr[1], Emir, wo der König der Mähne sein Weib und seine Kinder hat", sagte er. „Meinst du, daß sein Weib so mutig sein wird wie er selbst?"

„Sicher! Wenn eine Löwin ihre Jungen verteidigt, ist sie doppelt zu fürchten."

„Wer wird sie schießen, wir oder Ihr?"

Aha, der Mescheer schien bei dieser doppelten Fürchterlichkeit doch bedenklich zu werden.

„Wir!" antwortete ich. „Ihr sollt nur das Tal so umstellen, daß sie uns nicht entkommen kann. Bleibt zurück, bis wir uns den Ort genau betrachtet haben!"

Ich stieg mit dem Engländer wieder ab. Wir übergaben unsre Pferde wieder Achmed, nahmen unsre Büchsen und folgten der Fährte.

Das Tal bildete einen länglichen Kessel, der nur einen einzigen Zugang hatte. Es erweckte den Eindruck, als sei es durch den jähen Einsturz einer unterirdischen Klüftung entstanden. Seine Wände stiegen steil empor, und seine Sohle war von wirren Felstrümmern angefüllt, zwischen denen einige harte Gräser dürsteten, während im Hintergrund schlanke Farne und nackte Dornen ein schwer zu durchdringendes Dickicht bildeten.

„Da drin stecken die Katzen. Nicht, Sir?" fragte Percy.

„Höchst wahrscheinlich. Wenigstens führen alle Spuren, deren es hier genug gibt, dahinein."

„Hier können wir die Hunde nicht gebrauchen. Werden die Tiere mit Steinen heraustreiben. Well!"

„Soll ich die Löwin nehmen, Sir?"

„Nein. Laßt sie mir!"

„Meinetwegen. Sie ist beinah ohne Gefahr zu erlegen. Wir lassen die Pferde zurück und umzingeln das Tal. Ihr könnt Euch da links auf dem Vorsprung aufstellen, wo sie gleich beim Austritt aus dem Dickicht zu treffen ist, und ich verlege ihr den Ausgang aus dem Tal. Solltet Ihr sie fehlen, so wird sie mein. Die Jungen sind uns nicht gefährlich. Sie sind noch täppisch, wie die Fährte zeigt."

[1] Bauch der Steine

Wir kehrten zu den Beduinen zurück, um ihnen unsre Anweisung zu erteilen. Leider brachten wir sie nicht so weit, von den Pferden zu steigen. Sie dachten an die Möglichkeit einer Flucht, ohne zu berechnen, daß die Löwin schnell genug ist, auch den besten Renner einzuholen. Sie umringten das Tal von allen Seiten und stellten sich hart an seinem Rand auf. Nur einige, die am rückwärtigen Teil zu halten kamen, stiegen ab, um die Tiere von oben herab mit Steinen aus dem Lager zu treiben.

Die linke Talwand hatte einen hohen, schmalen, kanzelähnlichen Vorsprung, der von unten gar nicht, und von oben nur mit Vorsicht zu erreichen war. Percy kletterte zu ihm hinab und konnte von da aus mit seiner Büchse das Gelände bestreichen. Ich legte mich am Eingang der Schlucht hinter einen Felsen. Die Hunde wurden von einigen Mescheer in gehöriger Entfernung zurückgehalten. In meiner Nähe, da wo der Rand sich niedersenkte und die Wand eine nicht mehr steile Böschung bildete, hielt Scheik Mohammed er Rahman. Er hatte wohl diesen Punkt gewählt, um bei aller Sicherheit doch einen Schein des Mutes zu behaupten.

Als diese Aufstellung beendet war, gab Percy das Zeichen, und sofort wurden große Steine von oben in das Dickicht hinabgeworfen. Ein lautes Fauchen und Knurren antwortete, jedenfalls von den Jungen ausgehend; dann ließ sich auch die Stimme der Alten vernehmen. Es war nicht das mächtige Brüllen eines männlichen Löwen, aber doch so erschütternd, daß die Menschen erblaßten und die Pferde erzitterten.

Der Steinhagel wurde wiederholt. Percy lag platt auf dem Vorsprung, zum tödlichen Schuß bereit. Da regte es sich vorn unter den Dornen, und eins der Jungen kroch hervor; die Alte aber ließ sich noch nicht blicken. Nach einigen Augenblicken kam auch das andre Junge nach.

„Zielt auf die Kleinen, ihr Männer!" rief der Scheik hinauf. Man gehorchte ihm. Ein Stein traf die kleine Löwin. Sie kreischte schmerzlich auf, und sofort erschien die Alte, aber nicht mit majestätischen Schritten und verächtlichem Blick, wie es der männliche Löwe getan hätte, sondern leise und vorsichtig zu Boden geduckt, echt katzenmäßig. Von meinem niedrigen Standpunkt aus konnte ich sie erblicken, während sie dem Engländer durch die Farnwedel, unter denen sie sich noch befand, verhüllt wurde. Ihre Augen glühten grimmig auf die Reiter, die die vordere Seite des Kessels besetzt hielten; sie schien die Entfernung zu messen und zu überlegen, ob an den steilen Wänden emporzukommen sei.

Auch Mohammed er Rahman konnte sie nicht wahrnehmen. Er trieb sein Pferd bis an den Rand heran und rief: „Noch einmal auf die Jungen, ihr Männer! Wenn ihr sie —"

Er konnte den angefangenen Satz nicht vollenden. Er hatte sich zu weit hervorgewagt. Der lockere Sand gab nach; sein Pferd verlor auf dem losen Steingeröll den Halt und rutschte. Mitten im Sturz warf er sich aus dem Sattel, aber ohne seine Absicht zu erreichen — Pferd und Reiter rollten in den Kessel hinab, und zu gleicher Zeit erscholl rundum ein hundertstimmiger Schrei des Entsetzens. Kaum erblickte nämlich die Löwin den herabstürzenden Beduinen, so schnellte sie unter den Farnwedeln mit einer Schnelligkeit hervor, die es dem Engländer unmöglich machte, einen sicheren Schuß anzubringen. Zwar drückte er ab, aber die Löwin war ebenso flink wie die Kugel, von der sie nicht getroffen werden konnte. In unbeschreiblichen Sätzen kam sie unter heiserem Gebrüll dahergestürzt, um sich auf den Scheik zu werfen. Dieser versuchte gerade, sich von dem Fall zu erheben.

„Allah, Allah!" rief er in verzweifelter Angst und warf sich wieder zur Erde.

Jetzt war sie bei ihm — jetzt berührten die Tatzen zum letztenmal die Erde — da drückte ich ab. Die Löwin erhielt die Kugel im Sprung und wurde von ihr ein wenig zur Seite gerissen. Augenblicklich krachte auch mein zweiter Schuß — der Scheik stieß einen Schrei des Schmerzes aus. Das Tier kam gerade neben ihn zu liegen und hatte mit der Kralle seinen Schenkel berührt. Mit einer unwillkürlichen Bewegung rollte er sich seitwärts. Die Löwin riß den Boden auf, stieß ein letztes, ersterbendes Brüllen aus und streckte dann verendend die gewaltigen Glieder.

Ich hatte kaum zwölf Schritt von ihr entfernt gelegen und sprang herbei, um mit dem Messer bereit zu sein. Es war nicht notwendig; sie war tot.

„Steh auf, Scheik", sagte ich. „Sitt Areth ist gestorben."

„Ist sie wirklich tot?" fragte er, indem er sich von der Erde aufraffte.

„Ja."

„Emir, sie wollte mich fressen."

„Allerdings. Nun aber ist sie selber in allen ihren Sünden von hinnen gefahren."

„Sie wird in der Hölle wohnen, heut und in alle Ewigkeit, Effendi."

Nach dem letzten Angstschrei aller hatte bis jetzt ringsum

das Schweigen des Entsetzens geherrscht. Nun aber brach von allen Seiten ein betäubender Jubel los, und alles kam von rechts und links herbeigeeilt, um in die Schlucht zu gelangen, die dem Anführer der Mescheer beinahe so verhängnisvoll geworden wäre.

Glücklicherweise hatte sich der Scheik keinen Schaden getan; die Verwundung seines rechten Schenkels bestand nur in einem leichten Riß, der ihn ein Stückchen Fleisch gekostet hatte. Auch sein Pferd war wohlbehalten davongekommen. Schlimm dagegen erging es wieder der toten Löwin, deren Ehre durch die verächtlichsten Worte und Gebärden beschmutzt wurde. Ihre Jungen wurden gefangengenommen und gefesselt, um unsern Siegeszug zu verherrlichen.

Ein jeder war mit dem Ergebnis unsres Jagdzugs zufrieden, nur der Engländer nicht. Auch er hatte sich eingefunden und stand jetzt an meiner Seite.

„Vexatious, immense vexatious — ärgerlich, ungeheuer ärgerlich!" brummte er. „Läuft mir diese armselige Katze unter der Kugel weg!"

„Tröstet Euch, Sir!" erwiderte ich. „Sie ist doch noch getroffen worden."

„Das ist's ja eben. Getroffen worden, aber nicht von mir. Ich könnte sie totprügeln, wenn sie noch nicht tot wäre. Yes."

„Ich gebe Euch die aufrichtige Versicherung, Sir, daß ich sie auch nicht getroffen hätte, wenn ich an Eurer Stelle gewesen wäre. Sie fuhr ja so gedankenschnell aus dem Dickicht hervor, daß sie an Euch vorüber war, bevor Ihr nur den Finger anlegen konntet. Glaubt mir, deshalb wird kein Mensch gering von Euch als Schütze denken."

„Will's hoffen! Würde einen jeden niederboxen, der es wagen wollte, sich über mich lustig zu machen. Well. Ist aber ein gewaltiges Viehzeug, diese Katze. Wer unter solche Handschuhe gerät! Brrr!"

Da es hier keine Hilfsmittel zum Wegschleifen gab, wurde der Löwin die Haut abgezogen; das Fleisch blieb liegen. Dann brachen wir auf. Scheik Mohammed er Rahman ritt neben mir.

„Emir", meinte er, „ich habe dir mein Leben zu verdanken. Allah segne dich dafür! Sage mir, was ich tun soll, um dir zu zeigen, wie lieb ich dich gewonnen habe!"

„Wenn du wirklich glaubst, mir etwas schuldig zu sein, so sorge dafür, daß der Scheik Ali en Nurabi sein Kind und seine Stute zurückerhält!"

„Das habe ich dir bereits versprochen, und ich werde mein

Wort halten. Aber du wirst mir erlauben, nachzudenken, welche Liebe ich dir noch erweisen kann. Was wäre ich jetzt ohne deine Kugel! Ihr habt uns gerettet von Areth und seiner Frau, von Abu 'l Ifrid und Umm el Ifrid. Nun können meine Herden ruhig grasen, und die Söhne der Mescheer werden nicht mehr zerrissen und gefressen werden. Wir werden heut eine große Diffa[1] halten, dir zu Ehren und zu Ehren des Emir aus dem Bilâd Elingelîs. Mein Leben ist dein Leben, und mein Tod ist dein Tod. Dein Wohlergehen soll mir sein wie das Auge, das ich nicht verlieren will."

Als wir auf dem Rückweg das Gesträuch erreichten, worin wir den Löwen gefunden hatten, war er bereits fortgeschafft worden. Eine breite Spur, die von der Schleife gezogen worden war, bezeichnete den Weg, den die Mescheer mit dem toten ‚Wüstenkönig' genommen hatten. Übrigens habe ich nicht gefunden, daß die Bezeichnung ‚Wüstenkönig' richtig sei. In der eigentlichen Wüste ist der Löwe nie zu sehen; er würde dort weder die notwendige Nahrung noch auch das Wasser finden, wovon er als Fleischfresser täglich eine sehr ansehnliche Menge verbraucht. Er kommt nur in der Steppe und den Oasen vor. Wunderbar war es, daß es uns gelang, einen Löwen und einen Panther samt den beiden Weibchen auf einem so engen Raum und in so kurzer Zeit zu erlegen. Wären die Mescheer unternehmender gewesen, so hätte ein solcher Fall wohl kaum eintreten können.

Als wir das Duar erreichten, wurden wir mit lautem Jubel bewillkommt. Ich ritt sofort vor das Zelt des Scheik, und war eben im Begriff abzusteigen, als es sich öffnete. Ein Mann trat heraus und eilte auf den Scheik zu, der an meiner Seite geblieben war.

„Allah akbar — Gott ist groß; er tut Wunder!" rief Mohammed er Rahman. „Mein Bruder! Kann dich mein Bote, den ich gestern zu dir sandte, bereits getroffen haben?"

„Dein Bote? Es hat mich kein Bote getroffen. Ich war in Feschia und komme zu dir, um Dschumeila, meine Tochter, zu holen."

Dieser Mann also war Omar Attantawi, der Anführer der Mescheer von Hadscheb el Aïun und Hamra Kamuda, der Vater Dschumeilas und der Bruder Mohammed er Rahmans. Sie sahen einander sehr ähnlich. Ich hatte noch nie gefunden, daß zwei Brüder Anführer zweier verschiedener Stämme seien. Der eine von ihnen hatte also diese Würde jedenfalls nicht dem Her-

[1] Gastmahl, Gelage

kommen oder der Geburt, sondern seinen persönlichen Eigenschaften zu verdanken. Sie umarmten sich; dann fragte Mohammed er Rahman: „Hast du Dschumeila bereits gesehen?"

„Ja. Allah sei gepriesen, daß ich sie lebend gefunden habe!"

„Lebend? Dachtest du, sie tot zu finden?"

„Oh, wie leicht konnte ihr Leben zerronnen sein! Sie hat es dir verschwiegen, mir aber hat sie es gleich erzählt, nachdem ich angekommen war."

„Was?"

„Sie ist gestern vor dem Zelt gewesen, und Abu 'l Ifrid hat sie verschlingen wollen —"

„Allah, Allah! Davon weiß ich kein Wort."

„Aber der fremde Emir hat sie errettet. Zeige ihn mir, daß ich ihm Dank sagen kann!"

„Dies ist der Emir aus Almanja", erklärte daraufhin der Scheik, auf mich zeigend, „der Held, der Abu l' Ifrid und Umm el Ifrid getötet hat."

Da faßte mich der andre bei beiden Händen.

„Herr", rief er, „ich bin Omar Attantawi, der Scheik der Mescheer von Aïun und Kamuda. Du hast meiner Tochter das Leben erhalten. Verlange mein Leben, und ich gebe es dir!"

„Ist es wahr?" fragte mich Mohammed.

„Ich habe Abu 'l Ifrid allerdings geschossen, als Dschumeila, die Rose von Aïun, von ihm zerrissen werden sollte", antwortete ich.

„Und heut rettest du mir das Leben, Herr? Hamdulillah — Allah sei gepriesen, der dich in mein Zelt geführt hat! Aber du hast mir das verschwiegen. Tritt herein in das Zelt, und erzähle es!"

„Erlaube mir vorher, daß ich mich überzeuge, ob der Krumir während unsrer Abwesenheit keinen Verrat begangen hat!"

„Was sollte er getan haben?"

„Welchen Krumir meinst du?" erkundigte sich Omar Attantawi.

„Herr, zürne nicht mir, wenn ich dir eine üble Botschaft sage!"

„Eine üble? Sprich!"

„Dieser Krumir ist fort."

„Fort? Unmöglich! Er wurde ja bewacht. Er hat geschworen, hierzubleiben!" rief ich bestürzt.

„Er ist fort. Ich sandte einen Boten voraus, der meine Ankunft melden sollte. Darüber freuten sich die Männer des Duar, und sie kamen mir weithin entgegen, um mich mit einer Fantasia zu begrüßen. Kein einziger blieb im Lager zurück, und auch die dreißig Uëlad Sedira waren dabei. Sie dachten nur an mich und nicht an den Krumir, und als wir das Duar erreichten, war er fort."

„Allein?"

„Mit Mochallah, dem gefangenen Mädchen."

Ich war außer mir und hätte mich am liebsten gleich auf mein Pferd geworfen, um ihm nachzujagen, mußte mich aber doch weiter erkundigen: „Welches Pferd hatte er?"

„Allah verzeihe mir auch die zweite böse Botschaft, die ich euch sagen muß! Aber die Männer fürchteten sich; sie erzählten mir alles und baten mich, es euch zu sagen. Er hat auf der Milchstute gesessen, und das Mädchen auf dem Falben. Die Frauen haben es gesehen. Das Mädchen war gefesselt und festgebunden."

„Auf dem Falben?" fragte Mohammed er Rahman. „Auf welchem?"

„Auf dem, der dir gehört."

Der Scheik stand starr vor Schreck, denn der Falbe war sein Lieblingspferd, das der Milchstute Alis an Wert wohl gleichkam. Dann aber bekam er wieder Leben. Mit einem einzigen Satz war er ins Zelt, und im Augenblick erschien er mit der Kesselpauke. Zwei Minuten später waren alle männlichen Bewohner des Dorfes versammelt. Ein kurzes Verhör genügte, um uns die Lage klarzumachen.

Einige Zeit nach unserm Wegritt war ein Aïun-Mescheer gekommen und hatte verkündet, daß Omar Attantawi im Begriff stehe, die Gastfreundschaft des Duar in Anspruch zu nehmen. Dieser Scheik war überaus beliebt im Lager, und daher hatte seine Ankunft die Männer alle zu einer Fantasia begeistert. Keiner hatte sich ausschließen wollen, und selbst der Krumir war mitgeritten. Unterwegs hatte er erklärt, daß er den Scheik Mohammed er Rahman aufsuchen wolle, um ihn von der Ankunft seines Bruders zu benachrichtigen. An diese Benachrichtigung hatte bisher gar niemand gedacht, und daher ließ man ihm seinen Willen. Da seine Uëlad Hamema mit bei der Truppe blieben, so hegte man nicht den geringsten Argwohn gegen ihn.

Er war aber, sobald er sie aus dem Gesicht verloren hatte, geradewegs nach dem Duar geeilt und hatte den Falben des Scheiks gesattelt, ohne daß dies von einer Frau beobachtet worden wäre. Plötzlich hatte sich ein lautes Geschrei erhoben, und als man nachsah, von wem es herrührte, hatte man den Krumir erblickt, der mit der gefesselten Mochallah zu den Pferden eilte. Die Frauen hatten ihn zurückhalten wollen; als er sie jedoch mit seinen Waffen bedrohte, entsank ihnen der Mut. Nun hatte er dem Mädchen einen Knebel in den Mund gesteckt, es auf das Pferd gebunden und noch ein Säckchen mit Datteln mitgenommen. Dann war er fortgeritten, und zwar in südlicher Richtung nach dem Dschebel Tiuasch zu.

Mittlerweile hatten die Mescheer und die Sedira den Scheik Omar Attantawi getroffen und eine große Fantasia begonnen. Während dieses fröhlichen Scheingefechts hatten die wenigen Hamema, die mit waren, einen wilden Erneb[1] aufgejagt, den sie zum Scherz zu verfolgen begannen. Sie entfernten sich während dieser Verfolgung auf ihren leichtfüßigen Pferden immer mehr von den andern und waren ihnen endlich gar aus den Augen verschwunden. Als die andern dann mit ihrem Gast im Lager anlangten, erfuhren sie die Flucht des Krumirs und ahnten sofort, daß das Verschwinden der Uëlad Hamema eine List gewesen sei. Der Plan ging wohl von dem Krumir aus, und der Hase war ihnen recht willkommen gewesen, ihre Absicht zu bemänteln.

Nun hatte ein ungeheurer Schreck die Männer erfaßt. Einige rieten, dem Krumir sofort nachzujagen, andre meinten, man müsse zuvor uns benachrichtigen, noch andre glaubten, es sei am besten, so zu tun, als wisse man gar nichts. Man stritt hin und her, darüber verging die kostbare Zeit. Dann wurde der Löwe gebracht, dessen Erscheinen das Lager so in Anspruch nahm, daß man darüber den Krumir vergaß. Als man endlich wieder an ihn dachte, wurde beschlossen, dem Scheik Omar Attantawi die Sache vorzustellen und ihn zu bitten, uns schleunigst aufzusuchen und damit die ersten Schläge des zu erwartenden Gewitters auf sich zu lenken. Unterdessen aber waren wir selber eingetroffen. So war eine ganze Reihe von Fehlern begangen worden, die nun leider nicht wieder ungeschehen gemacht werden konnten.

Mohammed er Rahman wütete vor Zorn wie ein angeschossenes Wild. Er fluchte auf den eidbrüchigen Krumir und schimpfte auf seine nachlässigen Mescheer. Scheik Ali en Nurabi schwur bei allen Bärten der Welt, daß er seine Uëlad Sedira erschlagen werde. Mein armer Achmed es Sallah suchte Trost und Hilfe bei mir, der ich allerdings auch nicht gerade voll salbungsvoller Ergebenheit war. Der Ruhigste von allen war der Engländer. Er lag bequem auf seinem alten Teppich, kreuzte seine ewig langen Beine und meinte mit schadenfrohem Lachen: „Schön! Ausgezeichnet! Nun geht das Abenteuer wieder los. Es wäre ja sonst zu Ende gewesen. Verteufelter Schurke, dieser Krumir! Gefällt mir sehr, dieser Spitzbube. Yes."

[1] Hase

5. Der „Geist der Sebkha"

Südlich vom Dschebel Aures und der östlichen Fortsetzung dieser Bergmasse dehnt sich eine leicht gewellte, weite Ebene aus, deren Senken mit Salzablagerungen bedeckt sind: Sie sind die Überreste von einstigen großen Binnengewässern und führen in Algerien den Namen Schott und in Tunesien den Namen Sebkha. In der Hauptsache bestehen sie, von West nach Süd aufgezählt, aus den drei großen Schotts Melghir, Rharsa und Dscherid. Da das Gebiet el Areg[1] nahe heranreicht, von wo aus der feine, leichte Flugsand vor dem Südwind stetig nach Norden treibt, sind die Einsenkungen des Schotts zum großen Teil mit tiefen, losen Sandmassen ausgefüllt, und nur in der Mitte des Schotts hat sich eine beträchtliche Wassermenge erhalten. Diese ist von einer Salzkruste bedeckt, unter der das hellgrüne Wasser keinen ganzen Meter tief unvermischt bleibt, und dann folgt bis zu einer Tiefe von fünfzig und noch mehr Metern ein mehlartiger, flüssiger Sand, der alles, was durch die salzige Kruste bricht, lautlos und mit teuflischer Sicherheit festhält und begräbt.

Diese Salzkruste bildet nicht etwa, wie Eis es tun würde, eine gleiche, ebene Fläche, sondern sie zeigt wellenförmige Erhöhungen und Vertiefungen. Sie ist im Durchschnitt vielleicht zwanzig, oft aber auch nur zehn und noch weniger Zentimeter dick und hat eine Farbe, die dem bläulich schimmernden Spiegel geschmolzenen Bleis gleicht. Bewegt man sich auf ihr, so erwecken die Schritte einen Ton, der dem Klang des Bodens der Solfatara in Neapel gleicht. Der unablässig sich in Bewegung befindende Flugsand gibt den Krustenrändern ein dunkleres Kleid. Er wird mit der Zeit schwerer und schwerer, bricht endlich durch und läßt hinter sich eine neue, weiße Stelle entstehen. Weht der Samum von Süden her, so kracht und knackt das Salz an allen Ecken und Enden, die Hitze brennt Blasen und reißt Löcher und Risse hinein, so daß sich das ganze Gefüge verändert. Noch schlimmer aber wirkt die Regenzeit. Die Niederschläge lösen die Salzdecke an ihren niedrigen Stellen auf. Die Kruste sinkt in das Wasser ein, wird aber von dem schwimmenden Sand gehalten. Oder aber dieser Sand ist so fein und leicht, daß er nach oben steigt und nun der Stelle das Aussehen größter Festigkeit verleiht. Darum kann man nur einzelne Stellen dieser Schotts, aber auch nur mit Lebensgefahr, betreten. Und dennoch, man sollte es kaum glauben, führen einzelne Wege quer über die

[1] Sanddünen

heimtückische Salzdecke, und zwar infolge des regen Verkehrs zwischen Tunis und den durch ihren Dattelreichtum berühmten Ländern Suf und Beled el Dscherid. Aber diese Wege sind wenigstens, ich sage wenigstens, ebenso gefährlich wie die verräterischen Pfade über einen bodenlosen lappländischen Sumpf. Sie haben eine Breite von höchstens einem halben Meter, erleiden unvorhergesehene und nur schwer bemerkbare Veränderungen und erwecken in dem Wanderer das Gefühl, als müsse er zur Winterszeit über einen glatt beeisten, viele Stockwerke hohen Dachfirst, mühsam das Gleichgewicht haltend, hinlaufen. Oft sinkt dieser Pfad so tief in das Wasser ein, daß es dem Pferd bis über den Leib reicht. Oft auch wird man von einer trügerischen Fata morgana in den sicheren Tod gelockt. Gewöhnlich wird eine solche Furt durch kleine Steinhaufen bezeichnet, die der Beduine ,Gmaïr' nennt. Aber diese Zeichen werden öfters vom Wasser verschlungen, oder der Wüstensohn gibt ihnen, um eine Rache auszuüben, eine andre Stellung, und wehe dann dem Ahnungslosen, der nur einen einzigen Schritt seitwärts tut — die Sebkha öffnet sich, der Mann verschwindet, der Schwimmsand umklammert ihn mit seinen schweren, nassen Armen, und über ihm schließt sich die breiartige, fest und hart scheinende Kruste, um auf ein ferneres Opfer zu lauern.

Wer sich einem solchen Pfad anvertrauen will, muß einen sicheren und geistesgegenwärtigen Führer haben, sonst ist er unrettbar verloren. Als solche Führer oder Chabirs sind die im Süden des Schotts wohnenden Merasig berühmt. Will eine Gesellschaft oder gar eine Karawane die Sebkha überschreiten, so wird vorher zu Allah um Schutz gefleht. Dann schreitet der Führer voran, jeden Zollbreit genau erforschend, bevor er den Fuß darauf setzt. Dann folgen die Kamele mit ihren Treibern, eins hinter dem andern, das folgende mit dem Kopf an den Schwanz des vorhergehenden gebunden. Kommen gefährliche Stellen, so zaudert der Führer, die Kamele und Pferde schnauben ängstlich, aber vorwärts, nur immer vorwärts muß es gehen, keinen Augenblick darf der Fuß auf dem dünnen, wankenden Boden haltenbleiben, wenn er nicht versinken will. Es ist ein Hinübertaumeln über das Grab, über die Hölle, und wenn das andre Ufer erreicht ist, so atmet alles tief auf, und die Männer wenden ihre Gesichter gen Osten, um ein ,Hamdulillah' zu rufen und Gott auf ihren Knien zu danken, daß er den Rachen des Ungeheuers verschlossen gehalten hat. Zu Anfang dieses Jahrhunderts schritt eine Karawane von über tausend Kamelen und vielen Menschen über den Schott el Dscherid. Unglücklicherweise waren mehrere

Gmaïr versunken. Das Leitkamel irrte von dem fußbreiten Pfad ab und verschwand in der Tiefe, ihm folgten alle andern, alle verschwanden in der zähen, breiigen Masse. Sie schloß sich über der Karawane, und eine halbe Stunde später hatte sich der Abgrund wieder zugetan, und die Salzdecke hatte wieder ihre frühere Gestalt. So sind Hunderte und aber Hunderte in den seifigen Schlund gesunken, und wenn sie nicht mehr zum Duar kamen, so beteten die Ihrigen die Sure des Todes und sagten: „Der Ruh es Sebkha, der Geist des Schotts, hat sie irregeleitet; sie sind hinunter in den schwimmenden Sandgarten, Allah erlöse sie!"

Denn nach dem Glauben der Umwohner der Schotts wohnt der Ruh es Sebkha in den Tiefen des Wassers und öffnet die Pforten des Todes, wenn ein Mensch die Sebkha betritt, ohne betend sein Antlitz gen Mekka zu wenden. Wenn ein Ungläubiger oder ein großer Sünder über die gähnende Tiefe hinschreitet, so erhebt sich der Geist des Schotts und läßt über den salzig glitzernden Stellen eine schimmernde Stadt oder eine blühende Oase erscheinen, und wenn der Getäuschte dann auf das Trugbild zueilen will, sinkt er dem Engel des Todes in die Arme. —

An all das mußte ich denken, als wir auf der Höhe des Dschebel Schahia hielten, um unsre Pferde ein wenig ausschnaufen zu lassen. Unser Zug bestand nur noch aus zehn Reitern. Bevor wir nämlich vom Duar der Mescheer aufbrachen, hatte sich Ali en Nurabi endlich von mir überzeugen lassen, daß uns seine sechzig Sedira keinen Nutzen bei der Verfolgung des Krumirs bringen könnten. Sie kehrten nach Seraïa Bent zurück. Dafür wurde uns in Mohammed er Rahman und Omar Attantawi, die uns als Führer dienen konnten, ein vollwertiger Ersatz. Ein weiterer Vorteil bestand darin, daß wir, da sich die Gesellschaft nur noch aus zehn Teilnehmern zusammensetzte, vorzüglich beritten waren. Ali en Nurabi hatte sein ermüdetes Pferd gegen ein frisches eingetauscht, das gleiche hatte ich für Achmed es Sallah erreicht, und die Tiere der beiden Mescheerscheiks und weiterer vier Mescheerbeduinen, die uns begleiteten, waren die besten des ganzen Stammes.

Trotzdem war es uns aber nicht geglückt, die Räuber noch am ersten Tag zu erreichen, obgleich der Krumir Mochallahs wegen nicht die höchste Eile entfalten konnte. Aber dieser Nachteil wurde für ihn dadurch wettgemacht, daß wir viel Zeit auf das Spurenlesen verwenden mußten. Außerdem mußten wir während der Nacht aussetzen, der Krumir dagegen konnte die Nachtstunden benützen, um den Abstand von uns zu vergrößern.

Sobald es uns aber die Morgendämmerung gestattete, die

Fährte des Krumir zu erkennen, brachen wir auf. Wir näherten uns jenen wenig besuchten Ländereien, in denen die Grenze zwischen Algerien und Tunesien noch heute strittig ist. Die hüben und drüben lebenden Beduinen befehden sich unablässig; es ist eine unheimliche Gegend, in der die Blutrache alljährlich mehr Opfer frißt, als man glauben möchte. Wir mußten sehr vorsichtig sein.

Der Krumir war es auch. Dieser Mann entwickelte eine erstaunliche Ortskenntnis, und es zeigte sich, daß er seinen Beinamen el Chabir in der Tat verdiente. Die kleinste Vertiefung, der einzelne Felsen oder Busch waren von ihm benutzt worden, unbemerkt zu bleiben, Deckung gegen das Auge eines Unberufenen zu suchen. Und dabei hatte er alle Hindernisse mit einer vorhersehenden Sicherheit überwunden, die Bewunderung verdiente und das sicherste Zeugnis dafür ablegte, daß er diese Gegenden nicht zum erstenmal durchritt. Dazu mußten wir die Schwierigkeiten rechnen, die ihm Mochallah jedenfalls bereitete; es war zu vermuten, daß er sie so an das Pferd gebunden hatte, daß sie sich völlig in seiner Gewalt befand.

So erreichten wir um die Mittagszeit die Berge von Schania, von denen aus man über den Dra el Haua hinweg in das gefährliche Gebiet Tunesiens hinabblicken kann — in das Gebiet der Schotts und Sebkhas.

Aus der Richtung der Fährte des Krumir hatten wir den Schluß gezogen, daß er sich nach dem Süden, über den Dra el Haua und Dschebel Tarfaui nach Seddada wenden wolle. Doch schien er einen Grund gefunden zu haben, die Richtung zu ändern, denn die Spur sprang nach Südwesten um und führte endlich gerade nach Westen.

Wir folgten ihr zwischen dem Schahia und Dra el Haua, und zur Abenddämmerung erreichten wir eine Stelle, wo die Fährte wieder eine südwestliche Richtung annahm. Wir hatten uns und unsre Tiere wirklich angestrengt; und eine genaue Untersuchung der Fährte ergab, daß der Verfolgte einen Vorsprung von nur noch einer Stunde vor uns hatte. Das veranlaßte uns, beim Einbruch der Dunkelheit anzuhalten. Wie leicht war er während der Nacht zu verfehlen! Wie leicht konnte er uns zu früh gewahren und dann für uns verloren sein! Am nächsten Vormittag mußten wir ihn auf jeden Fall einholen.

Wir sattelten also die Pferde ab, als wir ein Johannisbrotgesträuch erreichten, und bereiteten uns in seiner Nähe mit Hilfe der Sättel und Decken ein Lager.

„Er hat uns doch getäuscht", meinte Mohammed er Rahman.

„Er wird nicht über Seddada und Nefta, sondern über die Enge von Asludsch nach Tuggurt gehen."

„Kennt er auch diesen Weg?" fragte ich.

„Er kennt hier alle Pfade, er ist ja el Chabir. Sogar auf der Sebkha weiß er jeden Gmaïr und jede Untiefe. Ihn kann der Ruh es Sebkha nicht irreführen; er hat bereits Wanderer über den Schott Rharsa und auch auf el Toserija und es Suida[1] geleitet. Ich bin mit ihm über er Rharsa geritten, und nie hat der Fuß seines Pferdes einen Fehltritt getan."

„Führen über die Sebkha Rharsa auch Pfade?"

„An dieser Sebkha gibt es wenige Orte, darum sind auch keine sicheren Pfade da. Man reitet am Rand hin, und nur ein kühner Bedâwi wagt sich auf das böse Salz."

„Wie weit ist es von hier bis zur Enge von Asludsch, die die beiden Schotts Melghir und Rharsa scheidet?"

„Du müßtest von früh bis zum Abend reiten."

„Und bis zum nächsten Punkt des Rharsa?"

„Den kannst du schon in drei Stunden erreichen."

„So müssen wir versuchen, den Flüchtling von dem Schott abzubringen. Sonst wagt er sich auf das Salz, und wir können ihm nicht folgen."

„Er wird es nicht wagen."

„Warum nicht?"

„Er hat ein Pferd zu führen, und für zwei Tiere ist der Pfad zu schmal."

„So meinst du, wenn wir ihn an den Schott treiben, kann er uns nicht entgehen?"

„Sicher nicht."

„Er wird das eine Pferd mit dem Mädchen opfern und den Schott allein betreten. Dann entkommt er uns mit dem Falben, den er reitet."

„So schießen wir ihn herab."

Das klang so zuversichtlich, daß ich es selber glaubte.

„Sihdi", fragte Achmed es Sallah, „willst du mir eine Bitte erfüllen?"

„Ja, wenn ich kann. Was willst du?"

„Du schießt besser als wir andern alle. Nimm du den Krumir und überlaß mir Mochallah!"

„Gern, wenn es möglich ist. Aber wenn es die Not nicht erfordert, werde ich nicht schießen. Man soll nicht unnötig Menschenblut vergießen, und es ist besser, wenn wir den Krumir lebend in die Hand bekommen."

[1] Die zwei Hauptpfade über den Schott Dscherid

„So verwunde ihn! Wir werden dann Gericht über ihn halten."

Aus solchen und andern Reden war zu ersehen, daß ein jeder von uns überzeugt war, daß morgen unser Ritt ein Ende nehmen werde. Auch der Engländer hegte die gleiche Zuversicht.

„Hm!" meinte er, als ich ihm die Absicht der übrigen mitteilte. „Morgen geht es zu Ende? Schade!"

„Wieso?"

„Woher nachher ein andres Abenteuer nehmen?"

„Wird sich schon finden. Übrigens müssen es ja nicht immer Abenteuer sein."

„Was denn sonst? Reiten kann jeder, essen und trinken auch. Yes! Laßt mir den Kerl, den Krumir! Werde an ihm meine Büchse versuchen."

„Das lassen wir bleiben, Sir! Es ist wünschenswert, wir erwischen ihn unverletzt."

„Aber wie das? Er wird doch nicht so dumm sein und sich ruhig hinstellen, wenn Ihr ihn fangen wollt."

„Hier läßt sich nichts vorher bestimmen. Man muß den Verlauf der Dinge abwarten."

„Richtig! Aber — hm! Da fällt mir etwas ein."

„Was?"

„Ihr kennt doch die alten Lederschnüre, die man Lasso oder Lariat nennt. Könnte man sich nicht so ein Ding machen und den Kerl damit fangen?"

„Sir, dieser Gedanke ist nicht übel. Riemen gibt es hier zwar nicht, aber feste Schnüre aus Leff[1] haben wir genug. Ein Lariat verstehe ich zu führen. Wollen wir eins drehen?"

„Well!"

Eine Viertelstunde später hatte ich ein festes Lasso, und um zu sehen, ob ich noch sicher sei, übte ich mich damit trotz der Dunkelheit an den Zweigen des Johannisbrots. Es ging. Nun besaß ich allerdings eine Waffe, die es mir möglich machte, den Krumir unverletzt in die Hände zu bekommen.

Auch heut wurde eine Wache ausgestellt, und wir überließen uns dem Schlaf in der frohen Hoffnung, morgen um diese Zeit unsre Aufgabe gelöst zu haben. Da wir zeitig zur Ruhe gingen, waren wir am andern Morgen bereits vor Tagesanbruch munter, und kaum konnten wir die Fährte mehr ahnen als bereits erkennen, so wurde aufgebrochen.

Wir hatten unsern Weg noch nicht dreiviertel Stunden lang verfolgt, so erreichten wir ein Tal, das von Akaziensträuchern bestanden war. Hier hatte der Krumir mit seiner Gefangenen die

---

[1] Dattelfaser

Nacht zugebracht. Er hatte sich so sicher gefühlt, daß er sogar ein Feuer angebrannt hatte. Mochallah war an eine Akazie gebunden worden, wie wir deutlich sehen konnten. Die letzten Spuren, die die beiden und ihre Pferde hinterlassen hatten, waren so frisch, daß der Krumir kaum eine halbe Wegstunde Vorsprung haben konnte.

Nun ging es mit erneutem Eifer vorwärts. Das Tal stieg eine Anhöhe empor. Als wir den Kamm erreichten, hielten wir unwillkürlich unsre Tiere an. Dort, gegen Mittag, blitzte es am fernen Himmelsrand hell und kristallisch auf; das war der Schott Rharsa. Der Ruh es Sebkha lockte uns durch den reichen Schimmer seiner Wohnung, hinabzueilen von der Höhe, auf der wir standen. Von der Sebkha aus zog sich ein weites Sandmeer bis zu uns heran, außer einigen rauhen Koloquinten ganz ohne Pflanzenwuchs, und dort zu unsrer Rechten trabten zwei Pferde, ein Schimmel und ein Falbe. Auf dem Schimmel saß eine weibliche Gestalt und auf dem Falben eine männliche, der Krumir, den wir sofort erkannten.

„Allah, Allah!" rief Ali en Nurabi mit lauter jubelnder Stimme, riß seine Flinte vom Sattelriemen und sprengte im Galopp den Abhang hinab.

Diese Unvorsichtigkeit sollte sich sofort rächen. Die Morgenluft trug den Schall bis zum Ohr des Krumir. Er wandte sich um und erblickte uns. Auch er mußte uns erkennen. Nur einen Augenblick zögerte er erschrocken, dann aber flog er mit beiden Pferden davon.

Alle waren dem Scheik der Uëlad Sedira gefolgt. Nur Achmed hielt noch neben mir.

„Warum reitest du nicht?" fragte ich ihn lächelnd.

„Weil auch du hier halten bleibst, Sihdi", antwortete er. „Du wirst wissen, was du tust."

„Ich weiß es allerdings. Sieh, wie die Sebkha einen Bogen nach rechts beschreibt! Diesen Bogen werden sie reiten, wir aber machen es uns leichter und halten in gerader Linie auf die Spitze des Berges zu. So nehmen wir dem Krumir den Vorsprung ab, den er jetzt noch hat. Vorwärts!"

Wir ritten in der beschriebenen Richtung fort, zunächst Trab, dann Galopp, endlich aber in vollem Lauf. Die Hamemastute Achmeds war ausgezeichnet, ich strengte meinen Rappen nicht zu sehr an, und so blieben die beiden Pferde stets in gleicher Höhe. Nach und nach wurde der Sand noch tiefer, doch wir minderten unsre Schnelligkeit nicht. Der Krumir achtete nur auf die andern Verfolger. Wir waren von ihm noch gar nicht bemerkt worden, obgleich wir ihm gefährlicher werden mußten als jene. Es war vorauszusehen, daß sie ihn nicht erreichen würden, die Milchstute und der Falbe waren ihnen überlegen, obwohl diese beiden braven Tiere sehr harte Anstrengungen hinter sich hatten.

Da, jetzt wandte er sich einmal nach rechts hinüber und erblickte uns. Ich sah, wie er den Kopf trotzig in den Nacken warf und seine Pferde zu vergrößerter Schnelligkeit anspornte. Er ritt gleichlaufend mit dem Ufer des Schotts, er hatte tieferen Sand als wir, und darum war es für uns nicht notwendig, die äußerste Schnelligkeit zu entfalten. Er war uns immer voraus. Aber da wir die Sehne seines Bogens ritten, war es gar keine Frage, daß wir ihn erreichen würden.

So verging wohl eine halbe Stunde. Wir näherten uns dem glänzenden Spiegel des Schotts immer mehr. Die Spitze des Bogens flog förmlich auf uns zu, und die andern hatten wir längst hinter uns gelassen. Jetzt langten wir an dem Busen an, den der Schott in das Land hineinschob, der Krumir hart daran, ich in gleicher Höhe, aber vielleicht einen Kilometer von ihm entfernt, Achmed noch immer an meiner Seite. Damit aber veränderte sich das Bild vor uns. Der Schott trat plötzlich wieder zurück und machte einer breiten Landzunge Platz, die in ihn hineinragte. Der Krumir erhob sich im Sattel, stieß einen lauten Schrei der Freude aus und warf den rechten Arm verächtlich empor. Dann riß er die Pferde plötzlich nach links und sauste dem Schott gerade entgegen.

„Allah kerîm", rief Achmed. „Er will auf das Salz!"

Ich antwortete nicht, sondern warf meinen Hengst in dieselbe Richtung und trieb ihn zur höchsten Eile an. Ich ahnte, daß der Krumir eine Stelle suchte, wo ein Pfad über den Schott mündete. Kam Mochallah auf das Salz, so war sie verloren. Ich mußte ihren Entführer also erreichen, noch ehe er am Rand der Sebkha anlangte. Es war, als würde mir die Entfernung entgegengeworfen. So lang sich auch die Landzunge in den Salzsee erstreckte, sie flog doch zusehends zurück, und ich kam dem Verfolgten stetig näher. Noch zehn, noch acht, vier, drei Pferdelängen, jetzt nur noch eine.

Ich schwang das Lariat in der Rechten. Aber den Reiter durfte ich nicht treffen, sonst wäre das kostbare Pferd verloren gewesen, das seinen rasenden Lauf hinaus auf das Salz fortgesetzt hätte. Ich mußte die Schlinge dem Falben um den Kopf werfen. Jetzt hatte ich den Krumir erreicht.

„Halt!" rief ich.

„Hier, du Teufel!" schrie er.

Er hob die Hand mit der Pistole — mein Lariat flog, und auch sein Schuß krachte. Ich hatte mich augenblicklich zurückgebogen und mein Pferd zur Seite gerissen, um die Schlinge sich zusammenziehen zu lassen, und diese Bewegung rettete mir das Leben — die Kugel sauste vor mir vorüber. Da mein Schwarzer auf Lasso nicht eingeritten war, durfte ich ihn nicht plötzlich zum Stehen bringen, sonst wäre er umgerissen worden. Ich zügelte vielmehr nur seinen Lauf. Die Schlinge saß, der Falbe stieg und stürzte.

Der Krumir hatte wohl noch nie ein Lariat gesehen. Es entging ihm daher auch die Geistesgegenwart, mir durch einen Schnitt seines Messers zuvorzukommen, aber so gewandt war er doch, sich während des Sturzes aus dem Sattel zu werfen. Er erreichte unbeschädigt den Boden, und da er die Milchstute am Zügel führte, wurde er von ihr eine Strecke mit fortgerissen. Dann aber stand sie. Er sprang hinter Mochallah auf und jagte weiter.

Das alles geschah so schnell, wie man es denkt, und ich konnte es nicht hindern, weil ich das Ende des Lariats an meinem Sattelknopf befestigt hatte und nun mit dem gestürzten Falben zusammenhing. Bevor ich meinen Hengst wieder sicher hatte und das Messer zog, um das Lasso zu durchschneiden, saß der Krumir bereits auf der Stute. Einige Sekunden später schoß er auf die unter den Hufen seines Pferdes hell erklingende Salzdecke hinaus, ich hinter ihm her. Ich dachte nicht an die Gefahren dieses Wagnisses, ich dachte nur an den, der pfeilschnell vor mir über die spiegelnde Fläche schoß — der Ruh es Sebkha hatte mir gewinkt. Mir allein? Ich hörte hinter mir Hufschlag und blickte mich um. Herrgott, auch Achmed war auf das Salz gejagt, seine Stute schoß hinter mir her! Der kurze Aufenthalt mit dem gestürzten Falben hatte es ihm ermöglicht, uns einzuholen.

„Kehre um!" brüllte ich.

„Allah akbar — — Sihdi, ich verlasse dich nicht!"

Ich konnte mich nicht weiter um ihn bekümmern, denn ich hatte genug für mich zu tun. Bis jetzt war die Salzdecke fest und von gleicher Stärke gewesen, nun aber sah ich eine Reihe von Gmaïrs auftauchen, ein untrügliches Zeichen, daß die Gefahr beginne. Die bisher ebene Decke begann sich wellenförmig zu heben und zu senken, die Höhen leuchteten metallisch, und in den Tiefen lag der tückische Flugsand. Über diese Höhen und Tiefen sausten wir dahin. Der Boden dröhnte, wankte, knirschte und prasselte unter uns. Er gab nicht mehr jenen vollen Ton, der so beruhigend klingt, sondern es war ein eigentümlich wimmernder, pfeifender Klang, bei dem einem die Zähne ‚eilig' werden konnten. Und darauf wurde es noch schlimmer. Die Wellentäler bekamen ein schwammiges Aussehen, fast wie geschmolzener Schnee, sie standen oft unter Wasser, das über unsre Köpfe emporspritzte. Große Flächen wankten unter den dahinrasenden Hufen unsrer Pferde. Der Tod flog mit uns, vor, neben, unter uns. Ich verwandte kein Auge von Sâdis el Chabir, den wir fangen wollten, und der doch unser Führer, unser einziger Chabir war, der uns retten konnte. Wo er sein Pferd emporgerissen hatte, tat ich es auch. Ich ahmte jede seiner Bewegungen nach. So tat auch Achmed hinter mir. Ich befand mich mehr im Traum als im Wachen. Meine Pulse klopften, und meine Schläfen brannten. Es war, als hätte mich das Fieber gepackt, als hetzte ich mit dem wilden Jäger über haltlose ineinandergehäufte Wolkenballen dahin. Und längst waren ringsum die Ufer verschwunden. Wir befanden uns inmitten eines grenzenlosen Verderbens, und jeder Schritt brachte mir die Überzeugung, daß wir unbedingt versinken würden, wenn die Schnelligkeit unsrer Pferde nur im geringsten nachließ. Die Salzdecke war stellenweise so widerstandslos, daß sie den darüber fliehenden Huf nicht zwei Augenblicke lang zu tragen vermochte. So mochten wir wohl zwanzig Minuten lang dahingeflogen sein; sie erschienen mir aber wie zwanzig Ewigkeiten.

Da sah ich, daß die Milchstute müde wurde. Sie hatte eine doppelte Last zu tragen. Auch der Krumir fühlte es. Er beschloß, sie zu erleichtern, aber auf eine Art, die mir die Haare in die Höhe trieb. Seine Gestalt hatte mir bisher Mochallah verdeckt. Jetzt sah ich, daß er, während er mit der Linken das Pferd lenkte, mit der Rechten die Fesseln löste, die das Mädchen auf dem Tier hielten. Dann hörte ich einen Schrei der Todesangst. Er hatte Mochallah aus dem Sattel gerissen und wollte sie vom Pferd schleudern; sie aber klammerte sich mit der Kraft der Verzweiflung an ihn. Sie hing mit ihren Armen an seinem rechten Oberschenkel und wurde mit fortgeschleift. Da hob er die Faust und schlug sie dem Mädchen auf den Kopf. Ihre Hände lösten sich von ihm, sie stürzte hinab, neben den schmalen Pfad. Ihre Füße fanden keinen Halt, das flüssige Salz gab nach, sie sank. Doch in diesem Augenblick schoß mein Pferd an ihr vorüber, ich beugte mich tief hinab und — faßte sie mit der Rechten am Oberarm. Ich hielt fest, und die Schnelligkeit des Ritts unterstützte die Kraft meines Arms. Die leichte Gestalt des Mädchens beschrieb einen weiten Bogen durch die Luft und fiel quer über meinen Sattel nieder.

Das war das Werk nur zweier Augenblicke gewesen. Hinter mir erscholl ein lauter, jubelnder Ruf. Achmed es Sallah hatte ihn ausgestoßen. Der Schimmel war erleichtert, und mein Rappe schien nichts von der vermehrten Last zu empfinden. Die Jagd auf Leben und Tod ging weiter. Aber wie lange noch war dies auszuhalten?

Kein Zeichen, kein Steinhäufchen war zu erblicken, nichts als wogende Salzfelder, kochender Sandschaum, spritzendes Wasser und fliegender Gischt.

Da endlich bemerkte ich weit vor uns einen dunklen Streifen. Gott sei Dank! Der Krumir hatte einen Weg eingeschlagen, der nur einen Teil der Sebkha abschnitt. Hätte er quer über den hier gegen dreißig Kilometer breiten Schott setzen wollen, so wären wir verloren gewesen. Eine Minute und noch eine verging. Der Streifen war ganz nahe. Noch wankte, schäumte und wich der Boden unter uns — jetzt aber gab er einen harten, sicheren Ton, und wir flogen über eine feste Kruste dem zuverlässigen Erdboden zu.

„Allah, Allah!" rief der Krumir.

„Hussah, spring mit, Achmed!" schrie ich.

Mein Rappe flog wie ein Vogel über den breiten, tief sumpfigen Rand hinweg, der die Salzkruste vom festen Boden trennte, und gleich hinter mir landete auch Achmed glücklich. Unsre Pferde schossen noch einige Längen vorwärts, ehe sie zum Stehen kamen und — wo war der Krumir? Die Milchstute steckte mit dem Hinterleib im Sumpf, und mehrere Schritte vor ihr lag Sâdis el Chabir regungslos im Sand.

Wir stiegen ab und halfen zunächst dem Pferd heraus. Dann traten wir zu dem Reiter. Die ermüdete Stute war zu kurz gesprungen, und der aus dem Sattel geschleuderte Krumir hatte, mit dem Kopf zuerst aufschlagend, den Hals gebrochen.

„Gott sei seiner Seele gnädig!" seufzte ich tiefaufatmend.

„Allah jenahrl el barrâsch — Gott verdamme den Aussätzigen!" fügte Achmed hinzu und trat dann schleunigst zu Mochallah, die ich in den Sand gelegt hatte. „Sihdi, sie ist tot!" rief er erschrocken.

Ich untersuchte sie.

„Sie lebt, sie ist nur ohnmächtig", erklärte ich ihm.

Da nahm er sie in seine Arme und küßte sie auf Augen, Mund und Wangen, bis sie erwachte. Unterdessen kümmerte ich mich um die Pferde, die mit schlagenden Flanken und weit geöffneten

Nüstern daneben standen. Wir durften sie nicht so stehenlassen. Ich rieb sie kräftig ab und wandte mich wieder Achmed zu. Dem guten Kerl standen dicke Tränen im Auge, er wollte mit Mochallah sprechen, aber er erhielt keine Antwort. Sie hing wortlos an seinem Hals, und was wir hörten, waren nur unverständliche Laute.

„Schone sie, Achmed es Sallah!" bat ich. „Sie hat zu viel gelitten, und die letzte halbe Stunde war fürchterlicher, als ein Weib ohne schwere Folgen ertragen kann."

„Ja, Sihdi, sie war entsetzlich! Oh, was ist el Areth, und was ist Abu 'l Ifrid gegen diese Sebkha! Der Ruh es Sebkha hat uns entkommen lassen, weil wir keine Sünder sind, aber den Krumir hat er doch zuletzt noch festgehalten. Möge seine Seele in der Dschehennem wohnen bei den Teufeln, die am schlimmsten sind! Ich werde diesen Ritt niemals vergessen."

„Ich auch nicht, darauf kannst du dich verlassen."

„Und, Sihdi, ich danke dir, daß du Mochallah, die ‚Perle der Töchter', gerettet hast, als sie der Krumir in den Abgrund schleudern wollte."

„Sprich jetzt nicht davon! Auch wir sind beide noch zu sehr angegriffen, es muß eine Zeit vergehen, bis wir zur Ruhe gekommen sind. Hilf mir den Krumir auf die Stute binden. Dann nimmst du Mochallah zu dir aufs Pferd, und wir wollen sehen, ob wir unsre Leute finden."

„Kennst du die Richtung, in der wir sie suchen müssen, Sihdi?"

„Ja, unser Ritt ist nach Südwest gegangen. Wir müssen nach Nordost zurück."

In kurzer Zeit befanden wir uns auf dem Rückweg. Ich trabte voran, die Milchstute am Zügel führend, und hinter mir folgte der glückliche Achmed es Sallah, aus seinem Wortschatze die süßesten Ausdrücke suchend, um seiner ‚Perle der Töchter' zu zeigen, wie unendlich selig er sich fühle. —

Es war kurz nach Mittag, als wir jene Landzunge erreichten, von der aus unser fürchterlicher Ritt begonnen hatte. Als wir um die letzte Ecke des Ufers bogen, waren wir noch immer nicht bemerkt worden, denn alle die Unsrigen saßen am Ufer und verwandten kein Auge von der weiten, glitzernden Fläche, auf der wir verschwunden waren. Da schoß ich einen Lauf meiner Büchse ab. Sie fuhren empor, und als sie uns erblickten, erscholl ein unbeschreibliches Jubelgeschrei. Bald waren wir umringt und mit tausenderlei Fragen bestürmt. Nur einer stand abseits von uns, die wiedergefundene Tochter in seinen Armen, und betrachtete mit leuchtenden Augen seine Stute — Ali en Nurabi.

„Hamdulillah, ich habe beide wieder!" rief er endlich. „Achmed es Sallah, du hast dein Wort gehalten, und so erfülle ich denn auch das meinige: Mochallah, die Tochter meines Herzens, sei dein. Nun aber erzählt uns doch, wie Allah euch geleitet hat, und wer die Seele dieses Räubers genommen hat, an dem man keine Wunde sieht!"

„Laß mich erzählen, Sihdi!" bat Achmed.

„Tu es!" erwiderte ich.

Ich gönnte dem braven, treuen Mann diese Genugtuung. Unterdessen saß ich bei dem Engländer, um ihm in seiner Muttersprache von unserm Ritt zu berichten. Er zog die ewig langen Beine an sich und legte die unendlichen Arme um die Knie, während er mir mit Spannung zuhörte. Als ich geendet hatte, holte er tief Atem und gestand aufrichtig: „Ihr wißt, Sir, daß ich mir gern ein Abenteuer wünsche. Aber ein solches denn doch nicht. Man hat am liebsten ein wenig feste Erde unter den Hufen, wenn man spazierengeht. Yes! Dieser Achmed ist ein verteufelter Kerl. Reitet Euch da auf dem alten Teich nach! Nun hat er endlich doch seine Mochallah — Verlobung, Hochzeit und Ausstattung. Wißt Ihr auch, was ich ihm versprochen habe?"

„Ja."

„Nun?"

„Fünfzig Pfund."

„Und die soll er auch haben, denn er hat sie redlich verdient. Well!"

Eine Stunde später standen wir alle auf der festen Salzkruste des Schott, in die wir ein Loch gebrochen hatten.

„So nehmt denn seinen Leib, ihr Männer", sagte Omar Attantawi mit ernster Stimme, „und werft ihn in den Abgrund des fliegenden Sandes, wohin er das Kind unsres Bruders schikken wollte! Der Ruh es Sebkha soll seine Gebeine haben bis zum Tag der Auferstehung. Seine Seele aber sehe zu, ob sie über die Brücke komme, die zum Paradiese führt. Denn er hat seinen Schwur gebrochen und Gott und den Propheten gelästert. Das ist die schwerste aller Sünden. La ilâha illa'llah, we Mohammed Rassûl Allah!"

1. In den Felsengrotten der Sahara

Die Sonne hatte ihren Tageslauf fast vollendet. Darum lag ich nach der glühenden Hitze etwas entfernt vom Brunnen vollständig im Schatten meines Reitkamels, während sich die andern Mitglieder der Karawane rund um das brackige, schlecht schmeckende Wasser niedergelassen hatten und den überschwenglichen Reden meines Châdim[1] Kamil lauschten. Ich konnte jedes Wort verstehen und hörte mit heimlichem Vergnügen, welche Mühe er sich gab, alle meine unzähligen guten Eigenschaften ins richtige Licht zu setzen.

„Nicht wahr, du heißest Aram Ben Sakir und bist ein reicher Mann?" fragte er den neben ihm sitzenden Handelsherrn aus Mursuk. „Wieviel bezahlst du jedem deiner Begleiter auf dieser Reise für den Tag?"

„Zweihundert Kauris[2]", antwortete der Gefragte bereitwillig. „Ist das nicht genug?"

„Für deinen Besitz, ja. Aber mein Sihdi[3] ist viel reicher als du. Er heißt Kara Ben Nemsi, und in den Oasen seines Vaterlandes weiden 1000 Pferde, 5000 Kamele, 10.000 Ziegen und 20.000 Schafe mit fetten Schwänzen, die ihm gehören. Er gibt mir täglich einen Abu 'n Nokta[4], so daß ich reicher als du sein werde, wenn ich von ihm in mein Duar[5] zurückgekehrt bin. Sag, was bist du gegen ihn?"

Der Aufschneider log gewaltig, denn ich zahlte ihm nicht täglich, sondern wöchentlich einen Mariatheresientaler. Er bekam also nach deutschem Geld täglich ungefähr 50 Pfennig. Der reiche Handelsherr hob die Schultern.

„Allah gibt, und Allah nimmt, die Menschen können nicht alle gleich wohlhabend sein."

„Du hast recht", nickte Kamil, „und weil mein Herr der Liebling Allahs ist, hat er viel von ihm bekommen. Ahnst du viel-

---

[1] Diener
[2] Eine kleine Seemuschel, die im ganzen Sudan als Scheidemünze gilt
[3] Anrede: Mein Herr
[4] Wörtlich: „Vater des Punktes" = Mariatheresientaler   [5] Zeltdorf

leicht, wie berühmt der Name Hadschi Kara Ben Nemsi in allen
Ländern und bei allen Völkern der Erde ist? — Er spricht alle
viertausendundfünfzig Sprachen der menschlichen Zunge, kennt
die Namen aller achtzigtausend Tiere und Pflanzen, heilt alle
zehntausend Krankheiten und schießt den Löwen mit einer einzigen Kugel tot. Seine Mutter war die schönste Frau der Welt.
Die Mutter seines Vaters wurde der Inbegriff der Tugenden genannt, und die sechsunddreißig Frauen, die er besitzt, sind folg-
sam, lieblich und nach Ambra duftend wie die Blumen des Paradieses. Er hat die Heere aller Helden besiegt. Vor seiner Stimme
zittert sogar der schwarze Panther, und wenn, um uns zu überfallen, die räuberischen Tuareg kämen, in deren Gebiet wir uns
leider jetzt befinden, so genügte allein seine kleine Flinte, sie in
die Flucht zu treiben. Blick hin zu ihm! Siehst du, daß er zwei
Gewehre hat, ein großes und ein kleines? Mit dem großen schießt
er eine ganze Kal'a[1] über den Haufen, und mit dem kleinen
kann er hunderttausendmal schießen, ohne zu laden, darum wird
es eine Bundukîjet et tekrâr[2] genannt. Fast wünsche ich, daß
diese Halunken kämen, dann solltet ihr sehen — — —"

„Sei still, um Allahs willen!" unterbrach ihn der Schêch el
Dschemâli[3] rasch. „Wenn du die Mörder herbeiwünschst, so
kann es dem Scheïtan[4] leicht einfallen, sie wirklich herzuführen,
und dann wären wir verloren!"

„Verloren? Wenn mein Effendi hier ist und auch ich bei euch
bin?"

Er hätte in dem Ton wohl noch weitergesprochen, da aber
deutete der Schêch el Dschemâli auf die Sonne.

„Seht, ihr Männer, daß die Sonne den Himmelsrand berührt!
Das ist die Stunde des Abendgebets. Gebt Allah Preis, Lob und
Ehre!"

Sie sprangen alle auf, tauchten ihre Hände ins Wasser, knieten dann, mit dem Gesicht gen Mekka gewendet, nieder und beteten unter den vorgeschriebenen Verbeugungen und Handbewe-
gungen dem alten Schêch die heilige Fâtiha nach.

Auch ich kniete währenddem im Sand und verrichtete mein
christliches Abendgebet, natürlich ohne ihre Bewegungen nach-
zuahmen, denn ich hatte ihnen nicht verschwiegen, daß ich kein
Mohammedaner sei. Ich war gestern, gleich nachdem ich mit
meinem Kamil ihre Handelskarawane eingeholt hatte, so aufrichtig gewesen, ihnen das zu sagen, und sie hatten mir dennoch
erlaubt, mich ihnen anzuschließen.

[1] Festung   [2] „Flinte der Wiederholung" = Repetiergewehr
[3] Anführer der Karawane   [4] Teufel

Als das Gebet beendet war und wir uns von den Knien erhoben hatten, sahen wir von Norden her einen einzelnen Kamelreiter kommen. Sein Hedschîn[1] war ein vorzüglicher Schnelläufer, und seine Waffen bestanden aus einer langen, arabischen Flinte und zwei Messern, die er an Armbändern an seinen Handgelenken hängen hatte. Diese Art, die Messer zu tragen, ist für den Gegner sehr gefährlich: man umarmt ihn im Ringkampf und sticht ihm dabei die beiden Klingen von hinten in den Rücken.

„Salâm!" grüßte er und sprang dabei aus dem Sattel, ohne sein Kamel niederknien zu lassen. „Erlaubt mir, hier mein Hedschîn zu tränken und euch vor den Feinden zu warnen, denen ihr entgegengeht!"

Er war in einen langen, weißen Burnus gehüllt, unter dessen Kapuze sein dunkles, stark eingefettetes Haar hervorquoll. Groß und kräftig war seine Gestalt. Er hatte ein volles Gesicht mit einer Abplattung in der Gegend der Backenknochen, eine kurze, fast stumpfe Nase, kleine Augen und ein rundes Kinn. Hätte er das Litham getragen, einen Gesichtsschleier, der nur die Augen frei läßt, so wäre ich überzeugt gewesen, einen Targi[2] vor mir zu haben.

„Du bist uns willkommen", antwortete der Schêch, als das Tier des Fremden von selbst zum Wasser lief. „Wen aber meinst du, indem du von Feinden redest?"

„Die Imoscharh", erwiderte der Gefragte.

Dieses Wort ist gleichbedeutend mit dem Wort Tuareg, dessen sich nur die Araber bedienen, während die Angehörigen des betreffenden räuberischen Volkes sich als Imoscharh bezeichnen.

„Du meinst die Tuareg? Befinden sich welche auf unserm Weg?"

„Sehr viele sogar, und zwar in der Oase Seghedem."

„Allah! Dorthin wollten wir in dieser Nacht reiten!"

„Das könnt ihr nicht. Wir waren eine Karawane von über dreißig Männern mit achtzig Kamelen. Wir kamen vom Bir Ishaja und hielten uns für sicher. Kaum aber hatten wir Seghedem erreicht, so wurden wir von den Imoscharh, die sich dort versteckt hielten, überfallen und trotz der tapferen Gegenwehr niedergemetzelt. Ich bin der einzige, der entkommen ist."

„Allah!" rief der Alte betroffen aus. „Die Hunde hat uns der Scheïtan in den Weg geführt! Sie werden in Seghedem liegenbleiben. Was tun wir da? Sollen wir hier warten, bis sie fort sind, hier am Bir[3] Ikbar, dessen Wasser für Menschen kaum zu genießen ist und für unsre Tiere keinen Tag mehr ausreichen würde?"

---

[1] Reitkamel   [2] Einzahl von Tuareg   [3] Brunnen

Er sah sich ratlos im Kreis um. Abram Ben Sakir, der Handelsherr, machte ein bedenkliches Gesicht.

„Können wir die Oase Seghedem nicht umgehen?"

„Nein", entgegnete der Schêch. „Nach Osten ist das unmöglich, denn der nächste Brunnen liegt dorthin drei volle Tagereisen von hier im Gebiet der Tibbu, und der Umweg nach Westen würde uns in die Berge der Maghâwir eß ßuchûr[1] führen, in denen ich mich nicht auskenne."

„Aber ich weiß dort Bescheid", erklärte der Angekommene.

„Du?" fragte der Schêch erstaunt. „So wärest du ja ein Chabir[2], der in dieser Gegend weit erfahrener ist als ich, und doch zähle ich das doppelte deiner Jahre."

„Es ist so, ich bin Chabir. Das Alter spielt keine Rolle dabei. Ich kenne diese Gegend, weil ich mehrere Male dagewesen bin. Ich war auch der Chabir der Karawane, die von den Imoscharh überfallen wurde, und hätte mich nicht retten können, wenn mir der Wüstenweg unbekannt gewesen wäre. Ich bin ein Krieger der Beni Riah und werde Omar Ibn Amarah genannt."

Der arabische Stamm der Beni Riah wohnt allerdings in Fessan, aber es wurde mir schwer, diesen Chabir für einen Araber zu halten, zumal er die Tuareg als Imoscharh bezeichnete, was ein Araber nicht getan hätte. Meinen Zweifel hegte der Schêch aber nicht, denn er sagte:

„Ich weiß, daß die Beni Riah Männer sind, die den Weg von Mursuk nach Bilma genau kennen. Und du glaubst, daß wir auf diesem Wege die Oase Seghedem und die Tuareg umgehen können?"

„Ja, es ist leichter, als du denkst. Wenn wir von hier aus einen Bogen um die Oase reiten, lassen wir die Gefahr rechts von uns liegen und kommen glücklich beim Bir Ishaja an. Ich will euch führen, denn ich denke, daß auch alle deine Begleiter den Wunsch hegen."

„Sie hegen ihn. Setz dich zu uns, und sei unser Gast! Wir werden jetzt essen und nach dem Abendgebet von hier aufbrechen."

„Ich bin bereit, euer Führer und Gast zu sein, doch wirst du mir erst sagen, wer die Männer sind, deren Schêch el Dschemâli du zu sein scheinst."

„Du siehst hier Abram Ben Sakir, den Handelsherrn aus Mursuk, dem all die Diener und Lastkamele gehören. Ich soll ihn von Bilma nach Mursuk bringen. Und dort stehen zwei Fremde, die sich gestern zu uns gesellt haben. Est ist Hadschi

[1] Felsengrotten   [2] Führer

264

Kara Ben Nemsi aus dem Abendland, mit Kamil Ben Sufakah, der sein Diener ist."

Der Chabir sah uns mit scharfem, stechendem Blick an und fragte dann Kamil grollend:

„Dein Name ist Kamil Ben Sufakah? Zu welchem Volk gehörst du?"

„Ich bin ein Dscherar von der Ferkat[1] Ischelli."

„Und als Muslim bist du der Diener eines Ungläubigen geworden? Schande und Fluch über dich! Möge dich die Dschehennem[2] verschlingen!"

Er spuckte ihn an, was sich mein Kamil ruhig gefallen ließ, denn er war nur mit dem Mund tapfer, in der Tat aber ein Feigling, der seinesgleichen suchte. Das einzige, was er wagte, war, sich mit vorwurfsvoller Frage an mich zu wenden:

„Sihdi, kannst du es dulden, daß dein treuer Diener so beleidigt wird, du, der Held aller Helden, der zwei Gewehre hat?"

„Der Held der Helden?" lachte der Chabir verächtlich. „Wie kann ein Giaur ein Held sein! Ich werde dir zeigen, wie man mit so einem stinkenden Hund zu sprechen hat."

Er kam auf mich zu, blieb drei Schritt vor mir stehen und funkelte mich mit lodernen Augen an.

„Du bist ein Christ?"

„Ja", erwiderte ich in aller Ruhe.

„Und du glaubst, daß ich dich wirklich nach Mursuk bringen werde?"

„Nein!"

„Nicht?" klang es erstaunt. „Du hast es erraten. Ein gläubiger Sohn des Propheten wird sich nie dazu hergeben, der Chabir eines Christen zu sein, dessen Seele für die Hölle bestimmt ist."

„Du irrst. So, wie du denkst, hab ich es nicht gemeint. Ich wollte nur sagen, daß es überhaupt nicht dein Wille ist, jemanden nach Mursuk zu führen."

„Maschallah! Was hindert mich, dich für diese Beleidigung niederzuschlagen!"

„Laß dich nicht auslachen! Ein Targi, wie du bist, schlägt mich nicht nieder."

Er hob schon die Faust zum Hieb, ließ sie aber vor Erstaunen wieder sinken.

„Wie? Für einen Targi hältst du mich? Warum?"

„Darüber hab ich dir keine Rechenschaft abzulegen. Aber warum willst du jetzt nicht nach Bilma weiterreiten, sondern nach Mursuk umkehren? Warum bist du nicht gleich umgekehrt,

[1] Ferkat = Unterabteilung eines Stammes   [2] Hölle

als deine Karawane in der Oase Seghedem überfallen wurde, sondern eine ganze Tagereise hierher weitergeritten?"

„Weil — weil —"

Er stockte. Meine Frage brachte ihn so in Verlegenheit, daß er erst nach einiger Zeit fortfahren konnte:

„Weil die Imoscharh mir den Rückweg verlegt hatten."

„Das war kein Grund, einen ganzen Tag lang weiter zu reiten. Ich schenke keinem deiner Worte Glauben. Daß die Tuareg irgendwo stecken, daran will ich nicht zweifeln, in Seghedem aber wahrscheinlich nicht. Ich nehme vielmehr an, daß du uns zu ihnen bringen willst. Du bist ihr Rasûl[1], ihr Dschasûs[2], der uns in ihre Hände liefern soll. Wahrscheinlich stecken sie im Gebiet der Felsengrotten, weil du uns dorthin führen willst."

Ich sagte das in einem so überzeugten Ton, daß er einige Zeit brauchte, seine Bestürzung zu überwinden, dann aber brach er los:

„Allah! Ein Dschasûs werde ich genannt, ein Dschasûs, zum Dank dafür, daß ich die Männer hier retten will! Hund von einem Giaur, du stinkst mich an wie ein Aas, in dem die Würmer wimmeln! Ich werde — — —"

„Halt!" unterbrach ich ihn. „Kein solches Wort weiter! Als Christ bin ich zu deinen Beleidigungen bisher ruhig geblieben. Ich werde auch ferner ruhig bleiben, aber dafür sorgen, daß du auch ruhig wirst, falls du noch ein solches Wort aussprichst. Hast du bis jetzt noch keinen Christen gekannt, so sollst du einen kennenlernen, und kein Prophet wird mich hindern, dir zu zeigen, daß du gegen mich ein Knabe bist!"

„Ein Knabe!" schrie er wütend auf. „Das sollst du büßen! Hund, da hast du beide Messer!"

Er tat einen Sprung auf mich zu, indem er die Arme ausbreitete, um sie um mich zu schlingen und mir die Messer in den Rücken zu stoßen; aber meine Faust kam ihm zuvor. Ich schlug sie ihm von unten herauf unters Kinn, daß er zurückflog und in den Sand stürzte. Im nächsten Augenblick war er wieder auf und legte die Flinte, die er festgehalten hatte, auf mich an. Eben als der Hahn knackte, griff ich zu, riß sie ihm aus den Händen, sprang zwei Schritte zurück und richtete den Lauf auf ihn.

„Keine Bewegung weiter, Knabe, sonst trifft dich deine eigne Kugel! Geh heim zu den Deinen, und bitte deine Mutter um ein Spielzeug, das besser für deine Hände paßt als diese Flinte!"

Ich drückte den Schuß ab und schlug dann den Kolben des Gewehrs schief gegen den Boden, daß er abbrach. Bei dem

[1] Abgesandter   [2] Spion

kleinen Krach, den das verursachte, stieß der Chabir einen wilden Schrei aus und sprang abermals auf mich ein. Er achtete nicht darauf, daß ich das Bein hob, und er bekam einen Fußtritt in die Magengegend, der ihn zu Boden warf. Sofort kniete ich auf ihm und gab ihm einen Fausthieb gegen die Schläfe, der ihn so ruhig machte, wie ich es ihm angedroht hatte. Er rührte sich nicht.

„Was hast du getan!" fuhr mich der Schêch an. „Wir haben dich bei uns aufgenommen und dir erlaubt, mit uns zu reiten, du aber vergiltst uns die Gastlichkeit damit, daß du den Mann tötest, der unser Retter sein will."

„Nicht euer Retter, sondern euer Verderber will er sein. Übrigens ist er nur betäubt. Untersuch ihn!"

Er kniete bei dem Chabir nieder und überzeugte sich, daß ich recht hatte, was aber seinen Zorn keineswegs minderte. Er grollte weiter.

„Er ist zwar nicht tot, aber du hast ihn geschlagen und sein Gewehr zerbrochen. Das fordert nach dem Gesetz der Wüste dein Blut. Wir werden über dich zu Gericht sitzen müssen."

„Haltet lieber Gericht über ihn! Ich behaupte, daß er ein Targi ist, der euch verderben will. Wenn ihr es nicht glaubt, so wird euch vielleicht schon der kommende Tag beweisen, daß ich mich nicht geirrt habe. Um mein Schicksal hab ich keine Sorge. Eure Entscheidung fürchte ich nicht. Wer will mich hindern, mich auf mein Hedschîn zu setzen und fortzureiten? Ihr seid zusammen zwölf Männer. Diese beiden kleinen abendländischen Tabandschâ[1], Revolver genannt, haben zweimal sechs Schüsse, das allein genügt, euch von mir fernzuhalten, ohne daß ich zu den Gewehren greife. Wie ich vermute, bist du der einzige, der sich mir feindlich gesinnt zeigt. Abram Ben Sakir kann nicht die Absicht haben, sein Leben und die Ladungen seiner Kamele in die Hände der Tuareg fallen zu lassen, und seine Leute werden der gleichen Meinung sein."

„Sprich, was du willst! Du wirst die Folgen doch nicht anders machen. Faßt an, ihr Leute! Wir wollen den Chabir zum Brunnen tragen und sein Gesicht mit Wasser befeuchten, daß seine Seele ins Leben zurückkehrt."

Sie schafften ihn hin. Mich ging er für den Augenblick nichts mehr an. Ich setzte mich wieder bei meinem Hedschîn nieder und nahm, um auf alles vorbereitet zu sein, einen der Revolver zur Hand. Kamil war neugierig mit zum Brunnen gegangen und schaute zu, welchen Erfolg ihre Bemühungen um den Fremden

[1] Pistolen

haben würden. Die Menschen dort bildeten einen dichten Haufen, in dem man jetzt, da es dunkel geworden war, keine Einzelbewegung mehr erkennen konnte. Dann bemerkte ich, daß der Chabir zu sich gekommen war, und daß sie beratend um ihn saßen. Zwei standen abseits und sprachen leise miteinander. Es war mein Kamil, der mit dem Handelsherrn redete und ihm, wie ich später erfuhr, auseinandersetzte, daß ich klüger sei als alle die andern, und daß er ja nicht auf sie, sondern auf mich hören solle. Seine eifrigen Worte fanden Gehör, denn Abram Ben Sakir kam zu mir.

„Sihdi, dein Diener sagt, daß ich mich nicht auf den Schêch el Dschemâli, sondern auf dich verlassen solle. Ist es wirklich wahr, daß du den Mann für einen Spion der Räuber hältst?"

„Ja. Ich habe dazu mehrere Gründe, die du, wenn ich sie dir auch mitteilte, doch nicht verstehen würdest. Ich will dir nur sagen, daß ich nicht zum erstenmal in es Sahar[1] bin und auch anderswo mit Menschen seines Schlages meine Erfahrungen gesammelt habe. Ich habe keine Lust, mit nach den Bergen der Felsengrotte zu reiten und dort den Tuareg in die Hände zu fallen."

„Allah, wallah, tallah! Was soll ich tun? Ich habe versprochen, mich nach den Anordnungen des Schêch el Dschemâli zu richten. Das wurde ausgemacht, als ich ihn mietete, und meine Leute haben mehr Vertrauen zu ihm als zu deinen Worten. Man wird mich überstimmen, und ich werde meine Genehmigung geben müssen, daß wir von dem Chabir geführt werden. Willst du die Güte haben, Sihdi, mir eine Bitte zu erfüllen? Verlaß mich nicht, wenn ich mit nach den Felsen muß!"

„Du hast nicht nötig, um meine Hilfe zu bitten, du brauchst nur zu erklären, daß du unbedingt nach Seghedem willst."

„Man wird mich überstimmen. Die Leute sind ja keine Diener, sondern ich habe sie nur für diese Reise gemietet, und du wirst vielleicht wissen, daß nach dem Brauch der Wüste die Stimme des Gehorchenden in Zeiten der Gefahr von derselben Wichtigkeit ist, wie die des Befehlenden. Also verlaß mich nicht!"

„Ich will mir die Sache überlegen."

„Ja, überlege sie dir, und laß mich dann hören, was du beschlossen hast! Ich möchte dem Chabir trotz deines Verdachts auch jetzt noch trauen, denn ich halte es für unmöglich, daß ein gläubiger Muslim einen so gräßlichen Meineid schwören kann."

„Es ist aber kein gläubiger Mohammedaner, das kann ich beweisen. Wir haben gebetet, als die Sonne ins Sandmeer tauchte,

[1] Die Sahara

268

der Chabir hat nicht gebetet, denn er war während der Gebets-
zeit unterwegs und kam, als unser Gebet eben beendet war. Wer
das vorgeschriebene Gebet versäumt, ist kein gläubiger Anhänger
des Propheten, und wer das nicht ist, dem darf man wohl einen
falschen Schwur zutrauen. Meinst du nicht?"

„Sihdi, du bist scharfsinniger als ich."

„Und warum hat er nicht am Kampf teilgenommen, als seine
Karawane überfallen wurde? Warum sitzt er jetzt ruhig dort am
Wasser und führt nur Reden gegen mich, während er zu Taten
den Mut nicht besitzt? Im Zorn hat er mich vorhin angegriffen,
nun aber seine Wut verrraucht ist, verzichtet er darauf, sich an
mir zu rächen, denn er weiß, daß er sich ohne Gefahr rächen
kann, wenn wir ihm in die Grottenberge folgen. Dort werden wir
überfallen, und wenn wir dann gefangen sind, kann er mich
töten, ohne für seine Tuareghaut den kleinsten Ritz zu wagen."

„Wenn man dich so sprechen hört, Sihdi, muß man glauben,
daß du das Richtige triffst. Das Klügste ist, dich zum drittenmal zu bitten, mich unter deinen Schutz zu nehmen."

„Wenn ich das tue, begebe ich mich höchst wahrscheinlich in
eine Lage, in der ich selbst des Schutzes bedarf. Deine Bitte ist
also eine Aufforderung an mich, mich deinetwegen einer Gefahr
auszusetzen . . ."

Ich wurde in meiner Rede unterbrochen, denn in dem Augenblick ertönte die laute Stimme des Schêch el Dschemâli:

„Auf, ihr Gläubigen, zum Nachtgebet, denn es ist dunkel geworden, und der letzte Schein des Tages versank vollständig
hinter den Enden der Erde!"

Die Männer knieten, nach der Gegend von Mekka gerichtet,
abermals nieder, befeuchteten Hände, Brust und Stirn mit Wasser und beteten ihm nach. Als das Gebet, das letzte des Tages,
zu Ende war, stand der Schêch el Dschemâli auf und befahl
den Leuten, die Kamele zu beladen, weil jetzt aufgebrochen werden sollte.

„Wohin?" fragte der Handelsherr.

„Nach den Felsengrotten natürlich", lautete die Antwort.

„Wäre es nicht besser, wenn wir doch nach der Oase Seghedem ritten?"

„Das sagst du, weil Kara Ben Nemsi lieber dorthin will?"

„Ja."

„Wenn du auf die Ansicht eines Giaur mehr gibst, als auf das
Wort eines gläubigen Muslim, so reite hin, es wird dich niemand
halten. Wir aber wählen den Umweg über die Grottenberge, weil
uns unser Leben teurer ist als die Dummheit eines Ungläubigen."

„Meine Diener müssen mit mir gehen!"

„Müssen? Sie sind freie Männer, und du hast mir versprechen müssen, dich nach meinen Weisungen zu richten. Wir stimmen ab, und dann wirst du sehen, ob sie dir und dem Christen oder ihrer Klugheit folgen wollen."

Die Abstimmung wurde vorgenommen, und es stellte sich heraus, daß alle außer dem Kaufmann, mir und meinem Diener bereit waren, dem Chabir zu folgen. Abram Ben Sakir kam zu mir, um sich zu entschuldigen und mich zum viertenmal zu bitten, ihn nicht zu verlassen.

Eben als er sich von mir entfernte, hörten wir ein Geräusch, das sich uns von Westen her näherte. Es waren die Schritte von Kamelen, und bald sahen wir trotz der Dunkelheit eine Reiterschar vor uns auftauchen. Auch wir wurden bemerkt, denn eine laute Stimme rief:

„Wakkif — halt! Es sind schon Leute am Brunnen. Greift zu den Gewehren!"

Unser alter Schêch el Dschemâli übernahm das Antworten.

„Es ist Friede. Wir sind weder Krieger noch Räuber. Kommt herbei, und labt eure Tiere und euch selbst an der Flüssigkeit des Wassers!"

„Seid ihr eine Kâfila[1]?"

„Ja."

„Woher und wohin?"

„Von Bilma nach Mursuk."

„Wieviel Männer zählt ihr?"

„Vierzehn."

„So macht uns Raum! Aber wenn du gelogen hast, so wird dir dein Kopf vom Rumpf fallen."

Sie kamen vorsichtig heran. Der Sprecher ritt einige Kamellängen voran, überschaute den Platz und winkte dann seinen Leuten.

„Es ist wahr, es sind nur vierzehn Männer. Wir können ohne Sorge sein. Kommt herbei!"

Er bediente sich der arabischen Sprache, aber in einer Weise, die in ihm einen Tedetu[2] vermuten ließ. Als sie von ihren Kamelen stiegen, zählte ich sie, es waren grad zwanzig Mann. Sie schienen eine Frau oder ein Mädchen bei sich zu haben, denn eins ihrer Kamele trug einen Tachtirewan[3], eins jener verhangenen, leichten Bambusgestelle, deren lange, bebänderte und bewimpelte Stangen des Nachts eine gespenstische Erscheinung bilden.

[1] Handelskarawane   [2] Einzahl von Tibbu   [3] Frauensänfte

Der Anführer der neu angekommenen Karawane schien ein kriegerischer Mann zu sein, denn er stellte seine Leute so auf, daß sie im Fall feindlicher Absichten von unsrer Seite im Vorteil waren. Seine Waffen bestanden aus einer langen Flinte, zwei Wurflanzen, einem Säbel und wahrscheinlich auch Messern oder Pistolen. Der Schêch el Dschemâli begrüßte ihn mit einem Salâm.

„Du siehst, daß du nichts bei uns zu fürchten hast, und wirst uns verzeihen, daß wir wissen möchten, wer ihr seid."

Der Gefragte entgegnete stolz:

„Wir sind Tibbu vom Stamm der Reschade und wollen nach Abo reiten."

„Vom Stamm der Reschade? So seid ihr doch die Todfeinde der Tuareg von Asben?"

„Ja, das sind wir. Allah verdamme sie!"

„Und kommt aus Westen, wo sie wohnen?"

„Ja, daher kommen wir."

„So müßt ihr sehr mutige Männer sein. Wenn sich eine so kleine Zahl von Kriegern ins Land ihrer Todfeinde wagt, so..."

Er wurde durch einen Ruf unterbrochen, der aus dem Tachtirewan erklang. Dieser Ruf bestand aus drei oder vier Worten, die ich nicht verstand, es schien berberisch zu sein. Da mir aber nur die Mundart der Beni-Mesab-Berber bekannt war, so vermutete ich, daß die Worte der Tuaregsprache angehörten. Und ganz eigentümlich, kaum waren sie verklungen, so stand der Chabir, dem ich mißtraute, nach einigen schnellen Schritten bei dem Tachtirewan und sprach seinerseits eine Frage aus, die ich auch nicht verstand. Eine weibliche Stimme, es konnte aber auch die eines Knaben sein, antwortete hinter den Vorhängen. Da sprang der Anführer der Tibbu hin, faßte den Chabir beim Arm, riß ihn fort und fuhr ihn zornig an:

„Was hast du hier bei dem Sitz meiner Umm Bent zu suchen? Weißt du nicht, daß das verboten ist? Mach dich fort von dieser Stelle!"

Umm Bent heißt Mutter der Tochter und soll Frau bedeuten, denn das eigentliche Wort für Ehefrau spricht ein Mohammedaner niemals aus. Der Chabir stand eine Weile unbeweglich, als hätte er eine innere Erregung niederzukämpfen. Sein Gesicht war wegen der Dunkelheit nicht zu erkennen. Dann antwortete er in einem Ton, der ruhig sein sollte, dem ich aber den Zwang anhörte:

„Umm Bent? Ich habe die Stimme da drin für die eines Knaben gehalten."

„Es ist kein Knabe, und wenn es einer wäre, meinst du, daß er dich gerufen hätte? Wer und was bist du denn?"

„Ich heiße Omar Ibn Amarah und bin der Chabir der Karawane."

„Wann reitet ihr fort von hier?"

„Wir standen eben im Begriff, aufzubrechen."

„Auch wir wollen uns nicht verweilen, denn wir haben Eile, nach Abo zu kommen. Da ihr friedliche Leute seid, können wir bis in die Oase zusammen reiten, denn bis dahin ist unser Weg der gleiche."

„Wir reiten nicht nach Seghedem, weil die Tuareg die Oase und die ganze östlich vor ihr liegende Gegend besetzt haben."

Der Tedetu schien zu erschrecken, denn er fuhr einige Schritte zurück.

„Die Tuareg, diese Hunde? Weißt du das gewiß?"

„Ja, denn ich komme vom Seghedem. Ich war der Chabir einer Kâfila, die sie dort überfallen haben, und bin der einzige, der entkommen ist. Wir werden Seghedem vermeiden und in einem Bogen nach Westen den Brunnen Ishaja erreichen. Ostwärts können wir nicht ausweichen, weil dort die Imoscharh auch streifen."

Wieder sagte er Imoscharh statt Tuareg. Es fiel mir auf, daß er den letzten Satz besonders stark betonte. Der Weg der Tibbu führte ostwärts. Warum warnte er sie vor dieser Richtung? Er hatte doch erst nicht gesagt, daß die Tuareg auch diese Gegend besetzt hielten. War es vielleicht seine Absicht, die Tibbu zu veranlassen, mit uns nach den Grotten zu reiten? Und wenn es so war, welchen Grund hatte er dazu? Hatte er den Ruf aus dem Tachtirewan verstanden? Dann war er gewiß das, wofür ich ihn hielt, also ein Targi. Der Chabir wurde mir immer verdächtiger.

Der Tedetu fragte ihn weiter aus und erfuhr von ihm dasselbe, was jener uns erzählt hatte. Dann winkte er seine Leute zusammen, beriet sich eine Weile mit leiser Stimme mit ihnen, so daß wir nichts verstehen konnten, und wendete sich dann wieder an den Chabir:

„Weißt du, von welchem Stamm die Tuareg sind, von denen du sprichst?"

„Nein. Ich verstehe auch kein Wort von der Sprache dieser Imoscharh. Aber als sie uns überfielen, hörte ich zwei Worte rufen, und ich habe gehört, daß beim Angriff stets der Name des Stamms und des Anführers gerufen wird: Kelowi und Rhagata."

„Allah, Allah, das stimmt! Rhagata heißt der Amghar[1] der östlichen Kelowi-Tuareg, und ich weiß, daß er mit seinen Kriegern auf Raub ausgezogen ist. Allah sei Dank, daß er mir erlaubt hat, mit dir zusammenzutreffen, denn sonst wären wir alle trotz unsrer Tapferkeit von den Tuareg getötet worden! Ihr wollt also durch die Maghârat eß Buchûr? Das ist ein schlimmer Weg! Glaubst du, daß wir glücklich und unbelästig nach dem Brunnen Ishaja kommen können?"

„Ich bin überzeugt, daß uns auf diesem Wege kein einziger Targi begegen wird."

„Ich könnte mich dann von Ishaja aus ostwärts wenden und so der drohenden Gefahr entgehen. Ehe ich mich aber entschließe, mit euch zu reiten, muß ich wissen, wer ihr seid."

„Mich kennst du schon. Unsere Kâfila gehört diesem Handelsmann aus Mursuk, der Abram Ben Sakir heißt. Die Leute, die sich bei ihm befinden, sind friedliche Kameltreiber, die er gemietet hat. Dort sitzt ein Mann, der erst gestern mit seinem Diener zu ihnen gestoßen ist. Er ist ein Giaur, ein Christ, und wird Kara Ben Nemsi genannt."

„Pfui! Ein Christ ist unter euch? Wie kann man da mit euch reiten! Wer einen solchen Hund bei sich duldet, der fordert Allahs Zorn heraus! Ich werde mir diese stinkende Bakk[2] einmal betrachten."

Er kam herbei, beugte sich zu mir nieder und starrte mir ins Gesicht. Ich blieb sitzen, ohne mich zu bewegen. Da trat er wieder zurück und spuckte aus.

„Er hat das Angesicht eines Mannes, aber die Seele eines Feiglings, sonst hätte er nicht geduldet, daß ich ihm den Blick der Verachtung gab. Der Löwe läßt den Schakal in seiner Fährte gehen und ist zu stolz, sich nach ihm umzudrehen. So mag der Giaur mit uns reiten, sich aber hinter uns halten, wenn er nicht will, daß ich ihn wie ein Ungeziefer mit meinem Fuß zertrete!"

Ich ließ die Beleidigung ruhig über mich ergehen, weil ich es nicht für angebracht hielt, auch ihm zu zeigen, daß ich nicht der war, für den er mich hielt.

Jetzt ließ Abram Ben Sakir seine Kamele beladen. Während das geschah, nahm er Gelegenheit, sich an den Chabir zu machen. Ich sah sie miteinander sprechen, dann kam er zu mir.

„Sihdi, er kennt die Haussasprache, er hat mir in ihr mehrere Antworten gegeben."

„So ist er ein Targi."

„Ich möchte es doch noch nicht glauben. Der Anführer der

[1] Oberster Scheik   [2] Wanze

Tibbu würde ihn durchschauen. Ihm sieht man doch an, daß er ein großer Krieger ist."

„Irre dich nicht! Der Tedetu muß selber froh sein, wenn er nicht durchschaut wird."

„Wie meinst du das?"

„Räuber und Räuber sind Todfeinde und von gleichem Wert."

„Ich versteh dich nicht."

„Ist auch nicht notwendig. Du würdest doch nichts ändern können."

„Wirst du mit uns reiten, obgleich du dich nur in unsern Spuren halten darfst?"

„Wer sagt das?"

„Der Tedetu."

„Er hat mir nichts zu befehlen. Ich bin ein freier Mann und werde reiten, wie mir's beliebt."

Er ging kopfschüttelnd davon. Ich aber führte mein Hedschîn zum Wasser, um es noch einmal tüchtig trinken zu lassen. Die Tibbu, die sich dort befanden, wichen vor mir wie vor einem Aussätzigen zurück.

Das Aufladen verging unter dem häßlichen Geschrei der Lastkamele, dann bestiegen die Reiter ihre Tiere und der Zug setzte sich in Bewegung, indem ein Kamel hinter dem anderen den Brunnen verließ. Die Lasttiere waren in der Weise zu einer Einzelreihe vereinigt, daß man das Halfter jedes nachfolgenden an den Schwanz des vorangehenden gebunden hatte. An der Spitze ritt der Chabir. Ihm folgte der Schêch el Dschemâli und diesem der Tedetu, der sich neben dem Tachtirewan hielt. Hinter ihm kamen seine Tibbu, und an diese schloß sich Abram Ben Sakir, der Kaufmann, mit seiner langen Kâfila. Ich wartete, bis sie eine Strecke fort waren, und ritt ihnen dann mit Kamil langsam hinterdrein. Die Sterne leuchteten jetzt so, daß ich die Karawane nicht aus den Augen verlieren konnte.

„Nun sind wir gezwungen, hinter diesen Leuten zu reiten!" klagte mein tapferer Diener. „Warum hast du dir diesen Befehl erteilen lassen, Sihdi? Bin ich nicht ein Dscherar von der Ferkat Ischelli und sollte stolz an der Spitze des Zuges reiten?"

„Wer hindert dich daran? Reite vor, wenn du Lust hast!"

„Ohne dich nicht! Du weißt, daß ich dich in mein Herz geschlossen habe und dich nicht allein in der Verachtung stecken lasse. Aber sag, denkst du wirklich, daß wir's mit jenen Menschen zu tun bekommen werden?"

„Ja, und zwar schon bald, zunächst mit dem Chabir."

„Du bist also überzeugt, daß er ein Targi ist?"

„Ja. Er hat die Absicht, die Kâfila ins Verderben zu führen. Ich bin überzeugt, daß die Tuareg in den Maghâwir eß ßuchûr stecken und den Zug überfallen wollen. Die Leute rennen blind in ihr Verderben, aber es ist möglich, daß sie noch im letzten Augenblick auf meine Warnung hören."

„Wenn sie aber nicht hören?"

„So will ich versuchen, wenigstens Abram Ben Sakir zu retten. Die Gefahr, in die ich mich begebe, ist groß, denn der Chabir brennt darauf, sich an mir zu rächen. Aber ich hoffe doch, daß wir durch die Tibbu den Weg zur Rettung finden, falls wir in die Hände der Tuareg geraten sollten."

„Meinst du? Die Tibbu sollten dich retten? Sie werden doch selbst überfallen werden, wie du meinst!"

„Ja, aber sie haben etwas bei sich, was uns zur Hilfe dienen kann, wenn wir sie brauchen sollten, nämlich den Tachtirewan."

„Die Sänfte könnte uns von Nutzen sein?"

„Sie weniger als ihr Inhalt. Wahrscheinlich sitzt ein Knabe drin."

„Allah! Was hast du für Gedanken, Sihdi! In dem Tachtirewan sollte ein Knabe sein?"

„Ja, ein Tuaregknabe, der von den Tibbu geraubt worden ist."

Er wollte etwas sagen, brachte aber vor Erstaunen keinen Ton hervor. Erst nach einiger Zeit fand er die Rede wieder.

„Ein Tuaregknabe! Oh, Sihdi, du bist ein Schâ'ir[1], der sich Dinge ausdenkt, die unmöglich sind!"

„O nein! Die Tibbu leben in Todfeindschaft mit den Tuareg. Wenn sich zwanzig von ihnen so heimlich ins Gebiet der Gegner geschlichen haben und mit einem so strenge und eng verhängten Tachtirewan zurückkehren, weiß man, wie man sich das zu erklären hat. Oder meinst du, daß der Tedetu zu einem so gefährlichen Ritt ins Feindesland seine Umm Bent, sein Weib, mitgenommen hat?"

„Nein, das sicher nicht."

„Er hat einem Scheik der Tuareg den Sohn geraubt. Das ist das Allerschlimmste, was man einem Feind antun kann, der Chabir hat es auch entdeckt."

„Welch ein Ereignis, welch ein Abenteuer! Willst du den Knaben befreien?"

„Was ich tun werde, weiß ich jetzt noch nicht, der geeignete Augenblick wird es entscheiden. Ich will Abram Ben Sakir glücklich nach Mursuk bringen und ihn, wenn er in Gefahr gerät, herausholen. Warten wir ab, wie unser Ritt verlaufen wird!

[1] Dichter

Wenn du Angst hast, kannst du dich von mir trennen und nach Seghedem reiten."

„Angst? Was denkst du von mir, Sihdi! Auch wenn die Tuareg und die Tibbu nicht wären, müßtest du zugeben, daß ich viel für dich wage, weil es keine gefährlichere Gegend als die Felsengrotten geben kann. Mitten in der Wüste liegt Er Raml el helâk, der ‚Sand des Verderbens', ein See, der statt mit Wasser mit so leichtem Sand gefüllt ist, daß jedes Geschöpf, das hineingerät, viele hundert Fuß zur Tiefe sinkt und wie in einem Meer ertrinken oder ersticken muß."

„Wirklich?" fragte ich überrascht. Ich glaubte, was er sagte, denn der Reisende Adolf von Wrede hat im Bahr eß Ssafi in der Wüste el Ahkaf einen ähnlichen Sandsee gefunden, in dem ein Kilogewicht an einer sechzig Faden langen Schnur verschwand. Kamil erzählte mir noch viel von Menschen und Kamelen, die in diesem Raml el helâk untergegangen seien, und von den Geistern, die in den Maghâwir eß Ssuchûr ihr Wesen treiben sollten. Dabei verging die Zeit, und es wurde Mitternacht, als ich die Entfernung absichtlich kürzte, die uns bisher von der Kâfila getrennt hatte. Ich wollte jetzt zeigen, daß es nicht meine Absicht sei, immer hinter der Karawane herzureiten. Wir trieben unsre Tiere an und erreichten bald die hintersten Kamele. An ihrer langen Reihe vorüberreitend, kamen wir an den Tibbu vorbei, die uns zornige Rufe zuwarfen. Der Tedetu hörte die schnellen Schritte unsrer Kamele und drehte sich um. Er sah uns kommen und rief uns befehlend zu:

„Zurück mit euch!"

Wir gehorchten nicht.

„Zurück, zurück", wiederholte er, „sonst zeig ich euch, wohin ihr gehört!"

Er hatte die Drohung noch nicht ausgesprochen, so hatten wir ihn schon hinter uns und waren auch an dem Chabir und dem Schêch el Dschemâli vorübergeschossen. Einige Augenblicke später krachte es hinter uns, und ich fühlte den Luftdruck einer an meinem Kopf vorbeifliegenden Kugel. Sofort hielt ich mein Hedschîn an, und Kamil folgte meinem Beispiel. Wir warteten, bis die Spitze des Zugs uns einholte.

„Wer hat auf mich geschossen?" fragte ich.

„Ich", antwortete der Tedetu. „Wenn ihr nicht augenblicklich zurückweicht, bekommst du die zweite Kugel!"

„Die mich ebensowenig treffen wird wie die erste. Du kannst nicht schießen, ich werde dir zeigen, wie man's machen muß. Kamil, steig von deinem Tier!"

Er sprang herunter. Der Tedetu war mir jetzt bis auf einen Schritt seines Kamels nahe gekommen, an dessen Sattelknopf die beiden Wurflanzen hingen. Ich streckte den Arm aus und griff nach ihnen.

„Hund, was willst du mit meinen Lanzen!" schrie er mich an.

„Dir zeigen, wie man schießen muß. — Paß auf!"

Ich gab Kamil die eine Lanze, er mußte sich so weit entfernen, bis ich Halt gebot, und sie dann emporhalten. Dann zog ich die beiden Revolver und gab alle zwölf Schüsse auf die Lanze ab, die Kamil nun dem Tedetu bringen mußte.

„Schau sie an!" forderte ich diesen auf. — „Zwölf Schüsse und zwölf Löcher."

Er betrachtete den Schaft und brachte vor Erstaunen kein Wort hervor. Der Zug war halten geblieben. Jetzt mußte Kamil die zweite Lanze so weit von mir in den Sand stecken, daß ich sie im Sternenschein eben noch erkennen konnte. Mein Kamel stand unbeweglich, es war das Schießen gewohnt und ich brauchte nicht abzusteigen.

„Zähl die Schüsse!" gebot ich dem Tedetu und legte den Henrystutzen an, der fünfundzwanzig Patronen enthielt. Ich zielte sorgfältig und gab Schuß um Schuß ab, einen immer ein wenig höher als den andern.

„Wieviel Kugeln?" fragte ich.

„Fünfzehn", antwortete der Tedetu, der sich nicht erklären konnte, daß ich sovielmal hatte schießen können, ohne zu laden.

„Schau nun die Lanze an!"

Sie wurde ihm gebracht. Er fühlte mit den Fingern nach den Löchern und zählte sie.

„Maschallah! Fünfzehn Löcher!" rief er erschrocken. „Dieser Christ ist ein Sâhir[1], und seine Flinte ist eine Bundukîjet el mu'dschîse[2]. Sie hat Kugeln ohne Zahl in ihrem Lauf!"

„Du hast recht gesprochen", stimmte ich bei. „Und soviel Male ich schießen kann und so sicher ich treffe, so weit gehen meine Kugeln auch. Was sind eure Waffen gegen meine Gewehre! Du hast mir nach dem Leben getrachtet und auf mich geschossen. Ich will dir diesmal verzeihen, weil ich ein Christ bin, der selbst seinem Feind Gutes erweist. Aber wagst du ein zweitesmal, mir Böses zu tun, so öffne ich dir und den Deinen die Pforte zur Brücke des Todes, und kein Prophet und kein Kalif wird euch das Leben retten können. Ich bin Kara Ben Nemsi, und du sollst mich kennenlernen!"

Er antwortete mit keiner Silbe, tiefes Schweigen beobachteten

[1] Zauberer   [2] Wunderflinte

auch die andern. Auf meinen Wink bestieg Kamil wieder sein Tier, und wir ritten weit voran, ohne daß uns jemand zu hindern wagte. Natürlich lud ich die Revolver sofort und ergänzte auch die fünfzehn Patronen des Stutzens.

Von jetzt an ritten wir, wie es uns beliebte, bald voran, bald seitwärts, bald hinterdrein, doch immer so, daß uns keine hinterlistige Kugel in den Rücken kommen konnte. Bis zum Morgengebet ging es durch sandige Wüste, dann wurde haltgemacht. Als wir nach zwei Stunden der Ruhe wieder aufgebrochen waren, veränderte sich das Gelände. Die Wüste blieb uns zur Linken liegen, rechts aber wuchsen nach und nach immer höhere sonderbare Felsengebilde empor, die sich bald wie Buchten, bald wie Vorgebirge aneinander schlossen und uns, da wir uns ihnen nicht weit genug näherten, in Zweifel ließen, ob sie ganz aus Naturgebilden bestanden oder ihre Form teilweise auch menschlichen Händen zu verdanken hatten. Es gab da Mauern, Säulen, Zinnen, Erker, Fensteröffnungen und große, bogenförmige Toreingänge. Gern wäre ich hinübergeritten, aber ich wollte mich von der Karawane nicht weit entfernen, weil ich ahnte, daß wir uns bald da befanden, wohin der Chabir uns haben wollte.

Die fremdartigen Felsen begleiteten uns fort und fort zur rechten Hand, sie wollten kein Ende nehmen. Eine Stunde vor Mittag war die Hitze so groß geworden, daß Menschen und Tiere nach Ruhe lechzten. Da schoben sich die Felsen so weit vor, daß wir ihren weitesten Ausläufer berührten. Seine Spitze war ausgebuchtet und bildete eine hufeisenförmige Rundung, die von allen Mitgliedern der Karawane außer mir für besonders geeignet zum Lagern gehalten wurde. Die Reiter stiegen ab und befreiten die Packkamele von ihren Lasten. Ich freilich konnte zu diesem Ort kein Vertrauen haben, denn falls hier ein Überfall beabsichtigt war, so brauchten die Angreifer nur die Öffnung des Hufeisens zu verschließen, dann waren alle, die sich im Innern der Bucht befanden, in ihre Hände gegeben. Ich sagte aber nichts, denn ich wußte, daß doch niemand auf mich hören würde.

Als alle lagerten, trieb mich die Vorsicht eine Strecke hinaus in die Wüste, von wo ich die Umgebung des Lagerplatzes überblicken konnte. Es fiel mir sofort etwas auf. Nördlich von uns, vielleicht eine gute Viertelstunde entfernt, schwebten über den Felsen mehrere Musûr eß Ḅahrâ[1], die abwechselnd auf und nieder gingen, sich aber nicht entfernten. Ich kehrte schnell ins Lager zurück und ging zu dem Chabir, neben dem der Tedetu stand.

[1] Wüstengeier

„Wir müssen fort", sagte ich. „Die Tuareg halten nicht weit von hier, um uns zu überfallen."

„Wer hat dir das gesagt?"

„Die Geier, die über ihnen schweben."

„Können Geier sprechen?" fragte er höhnisch.

„Für mich ja, denn ich verstehe ihre Sprache."

„Ich werde dich beruhigen. Ich bin der Chabir und habe für die Sicherheit der Kâfila zu sorgen, ich werde gehen und nach den Feinden suchen, die du dir einbildest. Komm mit!"

Das war sehr pfiffig von ihm, denn wenn ich mitging, fiel ich noch vor den anderen in die Hände der Tuareg. Ich setzte List gegen List.

„Das ist Sache der Anführer. Der Tedetu mag dich begleiten, er ist ein berühmter Wüstenkrieger, ich aber bin hier fremd. Seinem scharfen Auge kann man Glauben und Vertrauen schenken, und er wird mir bei eurer Rückkehr sagen, ob ich recht oder unrecht gehabt habe."

Ich erreichte meinen Zweck. Der Tedetu erklärte sich bereit dazu, und dem Chabir schien es gleich zu sein, wer der erste war, der in die Hände der Tuareg fiel. Sie entfernten sich miteinander, um auszukundschaften. Das Ergebnis ihres Nachforschens wußte ich im voraus: Der Tedetu wurde ergriffen, und dann kamen die Tuareg, um das Lager zu überfallen.

Ich ging nun zu Abram Ben Sakir, um ihn zu warnen und aufzufordern, den gefährlichen Platz mit mir zu verlassen. Es war vergeblich, er lachte über meine Besorgnis. Ich ließ ihn also sitzen und war nur auf mich, auf Kamil und auf einen dritten bedacht, nämlich auf den Insassen des Tachtirewan, denn wenn mich meine Ahnung nicht betrog, so hatte die „Umm Bent" bei der Befreiung des Kaufmanns eine Rolle zu spielen.

2. Schrecken der Wüste

Die Tibbu hatten den Tachtirewan vom Kamel genommen und an den Felsen gestellt, wo zufälligerweise ein tiefer Riß, der bis zur Erde niederreichte, in das Gestein einschnitt. Tierspuren, die ich auf den ersten Blick bemerkte, bewiesen mir, daß der Riß gangbar war. Ich durfte mich der Sänfte nicht nähern, sie wurde streng bewacht. Das, was ich tun wollte, mußte also heimlich geschehen. Ich verließ das Lager, wendete mich nach der Außenseite des Felsens und ging an ihm hin, bis ich eine Spalte entdeckte, in die ich eindrang. Sie hatte eine fast gerade Richtung und war so breit, daß ich ihr unschwer folgen konnte. Bald bemerkte ich, daß ich mich nicht geirrt hatte. Es war derselbe Riß, an dem im Innern des Hufeisens der Tachtirewan stand. Niemand beachtete das, und ich konnte, hinter einer Ecke kauernd, die Sänfte deutlich sehen.

Ich kehrte wieder ins Lager zurück und führte mit Kamil unsre Kamele hinaus und so um die Ecke, daß sie von den Tuareg, wenn sie kamen, nicht gesehen werden konnten. Wir banden ihnen die Vorderbeine zusammen, aber nur leicht, damit die Schlingen im Notfall schnell zu lösen waren.

„Was hast du vor, Sihdi?" fragte mich Kamil.

„Flucht", antwortete ich. „Ich will aber den Knaben mitnehmen, der in dem Tachtirewan gefangen und wahrscheinlich auch angebunden ist. Also hör, was ich dir sage! Ich rechne, daß es nicht mehr lang dauert, bis die Tuareg kommen, eher kann ich mich des Knaben nicht bemächtigen. Siehst du dort den Riß? Er führt durch den Felsen zu der Sänfte. Ich verstecke mich jetzt darin. Du aber gehst um die Ecke und ein Stück vom Lager in die Wüste hinaus. Von da aus mußt du die Tuareg kommen sehen. Du verrätst kein Wort, auf wen du wartest! Aber sobald du sie kommen siehst, schlägst du Lärm und läufst hierher. Die Ankunft der Feinde wird eine große Verwirrung hervorbringen, die ich dazu benütze, den Knaben aus der Sänfte zu holen. Wenn ich mit ihm hier erscheine, hast du den beiden Tieren bereits die Fesseln von den Beinen gelöst und stehst nicht bei deinem, sondern bei meinem Kamel, weil ich mit dem Knaben, der sich wahrscheinlich wehren wird, nicht in den hohen Sattel kann. Ich gebe ihn dir, du hältst ihn fest, bis ich oben sitze, und reichst ihn mir dann hinauf. Hab ich ihn, so kletterst auch du in den Sattel und wir reiten davon. Wenn dich nun jemand fragt, wo ich bin, wirst du sagen, daß ich — — —"

„Ich weiß schon, was ich sage, Sihdi", unterbrach er mich. „Hab keine Sorge um meine Geistesgegenwart!"

Er ging, und ich kroch wieder in den Spalt, dem ich soweit folgte, bis ich, wieder hinter der Ecke versteckt, den Tachtirewan vor Augen hatte.

Zufälligerweise kam Kamil in meinen Gesichtskreis. Ich sah, daß er sich langsam schlendernd in die Wüste hinaus entfernte und dort, nach Norden blickend, stehen blieb. Eben wollte ich mich fragen, wie lange ich wohl zu warten haben würde, da drehte er sich um, kam in weiten Sprüngen zurückgerannt und schrie:

„Reiter, viele Reiter kommen! Eilt herbei, ihr Leute, und seht, wer sie sein mögen! Doch nicht etwa die Tuareg, von denen mein Sihdi gesprochen hat!"

Alle Insassen des Lagers liefen hinaus, und der Tachtirewan stand unbewacht. Im nächsten Augenblick war ich dort und riß die Vorhänge auseinander. Meine Vermutung bestätigte sich. Ich sah einen dunkelhäutigen, schwarzhaarigen Knaben, der vielleicht fünf Jahre alt sein mochte und gefesselt war. Einige schnelle Messerschnitte machten ihn frei, dann faßte ich ihn, zog ihn heraus und eilte in den Spalt zurück. Und schon hörte ich hinter mir schreien:

„Die Tuareg, die Tuareg! Schnell auf die Kamele!"

„Sei still, und hab keine Angst, ich rette dich!" raunte ich dem Knaben arabisch zu, weil ich der Sprache der Tuareg nicht mächtig war. Entweder verstand er mich doch, oder es geschah aus Angst, daß er keine Bewegung machte.

Ich glitt so rasch wie möglich durch den Spalt. Draußen stand Kamil schon bei meinem Kamel. Ich reichte ihm den Knaben und kletterte in den Sattel. Da hörten wir die ersten Schüsse fallen. Er gab mir den Knaben hinauf und sprang zu seinem Tier. Dann ritten wir, von niemandem gesehen, davon, während das Getöse des Kampfes hinter uns erscholl.

Wir folgten der vorgestreckten Felsenspitze zu den Bergen hin und wandten uns, als wir sie erreicht hatten, an ihrem Fuß zwei Stunden lang hin, bis wir eine Stelle erreichten, die mir für meine Zwecke passend erschien. Es gab da eine natürliche Rampe, die zwar schmal war, aber so allmählich zur Höhe führte, daß sie von unsern Kamelen begangen werden konnte. Sie führte uns auf eine Felsenbastei, von der ich zu meiner Freude erkannte, daß sie weder von einer andern Höhe beherrscht wurde, noch auf einem andern Weg, als der erwähnten Rampe, betreten werden konnte. Hier waren wir sicher, denn wir hätten uns hier gegen eine ganze Schar von Feinden leicht verteidigen können, gar nicht gerechnet, daß wir in dem Knaben einen Geisel besaßen, durch den wir alles erzwingen konnten, was wir wollten.

Ich wandte meine Aufmerksamkeit dem Knaben zu, der auf einem Stein saß und mich halb ängstlich, halb vertrauend anblickte. Es war ein hübscher, dunkler Junge mit Glutaugen, deren Glanz allerdings jetzt vor Durst, Hunger, Angst und Leid erblichen war.

„Sprichst du arabisch?" fragte ich ihn.

„Ja", antwortete er zu meiner Freude.

„Wie nennt man dich?" forschte ich weiter.

„Chaloba."

„Wer ist dein Vater?"

„Rhagata, der oberste Scheik der Kelowi."

So hatte mich meine Ahnung also nicht getäuscht. Er war der Häuptlingssohn der Tuareg, die uns überfallen hatten. Ich erfuhr von ihm, wie er in die Hände der Tibbu geraten war. Als sein Vater mit den Kriegern fortgeritten war, hatte sich ein angeblicher Haussa eingestellt und um Gastfreundschaft gebeten. Man hatte sie ihm gewährt, aber des Nachts, als alles schlief, hatte er sich des Knaben bemächtigt und ihn bis zu einer Stelle fortgeschafft, wo neunzehn andre Männer mit einem Tachtirewan gewartet hatten. Der Knabenräuber war der Anführer der Tibbu, der nicht nur mit den Kelowi-Tuareg in Todfeindschaft, sondern außerdem mit ihrem Scheik in Blutrache stand und darum den allerdings verwegenen Streich ausgeführt hatte, sich des einzigen Sohns seines Blutfeindes zu bemächtigen. Der Kleine fragte mich, ob ich ihn zu seinem Vater zurückbringen wolle, und ich bejahte. Mein Plan war folgender: Ich nahm mit Sicherheit an, daß die Tuareg in unserm Lager geblieben waren, und wollte heut abend hin, um ihrem Anführer zu sagen, daß sein Sohn in meiner Gewalt, ich aber bereit sei, ihn gegen den Kaufmann Abram Ben Sakir, seine Leute und alles was ihm gehörte, auszutauschen. Ich war überzeugt, daß er darauf eingehen würde. Kamil sollte indessen den Knaben bewachen, den ich nicht eher auszuliefern beabsichtigte, als bis meine Bedingung erfüllt und mir die Gewißheit zugesprochen war, daß man mich und Kamil als Freunde des Stamms behandeln werde.

Nachdem wir ein bescheidenes Mahl zu uns genommen hatten, legte ich mich schlafen. Kamil mußte wachen und mich bei Einbruch der Dämmerung wecken. Ich bestieg mein Kamel und ritt fort.

Ohne ein störendes Erlebnis erreichte ich mein Ziel. Um das Feuer saßen die Sieger, gegen achtzig Tuareg, und in der Nähe lagen die gefesselten Gefangenen, unter denen sich auch der unverletzte Kaufmann Abram Ben Sakir aus Mursuk befand. Ich ging furchtlos auf das Feuer zu, ohne die Aufregung zu beachten, die mein freiwilliges Erscheinen hervorbrachte. Am Feuer sprang einer auf und schrie:

„Das ist Kara Ben Nemsi, der Christenhund, der mich geschlagen hat! Ergreift und bindet ihn!"

Es war der Chabir. Vor Erstaunen über mich vergaß man, dieser Aufforderung Folge zu leisten. Da wollte er mich selber packen. Ich gab ihm einen Stoß, daß er zurückflog und fragte:

„Wo ist Rhagata, der Anführer dieser Tuareg?"

„Ich bin's", antwortete ein kühn und finster aussehender Mann, neben dem der Chabir gesessen hatte. „Bist du wirklich der Christenhund, von dem mir mein Kundschafter erzählt hat, so hat dich der Wahnsinn zurückgetrieben. Der Rächer wird dich fassen und unter Qualen töten."

„Urteile nicht zu schnell! Ein Christ fürchtet nicht die Rache eines Muslim, denn Isa Ben Marjam[1] ist mächtiger als Mohammed."

Die Worte verursachten laute Rufe des Grimmes, und Rhagata schrie mich wütend an:

„Du wagst es, den Propheten zu lästern, gegen den euer Isa nichts ist als ein Lufthauch? Wir werden dich . . ."

„Schweig!" unterbrach ich ihn. „Hör erst, was ich dir zu sagen habe! Du hast einen Knaben, der Chaloba heißt?"

„Ja", antwortete er erstaunt.

„Dieser Knabe ist dir geraubt worden, und niemand kann ihn dir wiedergeben als ich allein, der Christ. Kein Mohammed kann ihn dir bringen und keiner eurer Kalifen weiß ihn zu finden. Jetzt töte mich, wenns dir's beliebt!"

Ich ging zwischen den Tuareg hindurch und setzte mich neben ihrem Anführer nieder. Man kann sich denken, welchen Eindruck mein Verhalten und meine Botschaft hervorbrachten! Man wollte mir nicht glauben, aber ich erzählte und zeigte dann einen kupfernen Suwâr[2] vor, den ich dem Knaben abgestreift und als Beweis mitgenommen hatte. Nun fand ich Glauben, und der Grimm der Tuareg richtete sich gegen die Tibbu, die aber alles leugneten und von einem Tuaregknaben nichts wissen wollten. Es begann nun eine lange Verhandlung, bei der ich alles aufbieten mußte, um meinen Zweck zu erreichen. Endlich kam ich zum Ziel. Meine und Kamils Person sollten unantastbar sein wie auch all unser Eigentum. Abram Ben Sakir und seine Leute sollten die Freiheit und alles, was ihnen abgenommen worden war, zurückerhalten, für die Tibbu aber konnte ich nichts erreichen. Dafür aber sollte ich jetzt in Begleitung einiger Tuareg fortreiten und den Knaben holen. Das Übereinkommen wurde von den Tuareg mit so heiligen Schwüren belegt, daß ich unmöglich an eine Hinterlist glauben konnte. Das einzige Bedenken bereitete mir der Chabir, weil er so bereitwillig einstimmte, obgleich er vorher eine so große Rachgier gezeigt hatte.

Wir ritten fort und brachten nach vier Stunden den Knaben zu seinem Vater. Natürlich hatte ich Kamil jetzt bei mir. Die

[1] Jesus, Sohn Mariens   [2] Armring

Freude, die Rhagata über das Wiedersehen mit seinem Sohn zeigte, vergrößerte mein Vertrauen und verminderte meine Vorsicht. Den Tibbu wurde blutige Rache geschworen, und ich bekam nur Dank zu hören und freundliche Blicke zu sehen. Ich schenkte den Tuareg, die zuweilen hinter mir vorübergingen, keine Beachtung mehr und bekam plötzlich einen Kolbenhieb auf den Kopf, der mir die Besinnung raubte.

Als ich wieder zu mir kam, lag ich mit Kamil gefesselt und ausgeraubt bei den andern Gefangenen, und vor mir stand der Chabir, der mir höhnisch zurief:

„Jetzt hast du, was dir gehört, verfluchter Christenhund! Du bist mein und sollst sterben, wie tausend Teufel dich nicht sterben lassen könnten!"

Der Scheik hörte die Worte, kam herbei und sagte mit demselben Hohn:

„Jetzt behaupte noch einmal, daß dein Isa mächtiger sei als Mohammed. Ruf ihn doch an, daß er dich befreien und vom Tod erretten soll!"

Mein Kopf schmerzte. Ich versuchte, das zu überwinden und antwortete:

„Sprich die beiden Namen nicht nebeneinander aus! Isa Ben Marjam ist Gottes Sohn, der Heiland der Welt und der göttliche König der Wahrheit und Gerechtigkeit. Schande aber über einen Propheten, bei dem ihr die heiligsten Eide schwört, um sie dann zu brechen!"

Ich schloß die Augen und achtete weder auf die Fußtritte, die ich erhielt, noch auf die Drohungen, die mir zugerufen wurden. So lag ich lange Zeit, als plötzlich etwas Weiches über meine Wange strich und eine leise Stimme mir ins Ohr flüsterte:

„Ente taijib — du bist gut!"

Ich öffnete die Augen und sah den Knaben neben mir knien, der meine Wange mit der Hand liebkost hatte. Das durfte nicht gesehen werden, und er huschte daher schnell wieder fort. Ente taijib, wie wohl tat mir das Wort aus einem Kindermund! — Wie lange aber, so flucht auch dieser Mund mit auf das Christentum!

Mein tapferer Kamil jammerte mir die Ohren voll, er lag neben mir. Ich hörte nicht auf sein Jammern, und so wurde er endlich still, und wir beide schliefen ein, wurden aber durch das Morgengebet bald wieder geweckt. Da sahen wir, daß die Vorbereitungen zum Weiterritt getroffen wurden. Man hob uns auf Reitkamele und band uns fest, dann ging es fort, in langsamem Schritt, weil wir Lasttiere bei uns hatten.

Der Weg ging südwestlich mitten in die Wüste hinein. Es regte sich kein Lüftchen, der Himmel war rein und ließ einen gewöhnlichen Saharatag erwarten, es sollte aber anders kommen. Noch zu Mittag ahnte niemand, welche Gefahr sich hinter uns zusammenzog. Wir hatten soeben haltgemacht, um die heißesten Stunden vorübergehen zu lassen, da kam der Scheik zu mir, sah mir mit frechem Blick ins Gesicht und deutete mit der Hand weit nach links.

„Da draußen liegt Er Raml el Helâk, das fürchterliche Meer des Sandes, das keinen Menschen wiedergibt, dessen Fuß hineingerät. Wir haben beschlossen, dich dort versinken zu lassen, und sind begierig zu erfahren, ob dein Isa Ben Marjam seinen Anbeter erretten wird."

War es wirklich seine Absicht, mich dieses fürchterlichen Todes sterben zu lassen, oder wollte er mir nur Angst machen? Ich würdigte ihn keines Wortes, und er ging enttäuscht und mich verfluchend davon.

Als sich die Sonne zu neigen begann, wurde wieder aufgebrochen. Wir waren noch keine halbe Stunde unterwegs, da bemerkte ich, daß alle Kamele von selbst einen schnelleren Schritt annahmen, worauf außer mir niemand acht zu haben schien. Gewohnt, meinen Augen nichts unbeachtet zu lassen, sah ich dann, daß sich die Tiere ohne Ausnahme südlicher wenden wollten, als sie geleitet wurden. Es gab also nordwärts hinter unserm Rücken etwas, was sie beirrte. Ich drehte mich um, soweit es mir die Bande zuließen, und erblickte in der angegebenen Richtung ein kleines, spinnwebeartiges Gewölk. Ich wußte sofort, was uns drohte, denn ich kannte die Anzeichen der verschiedenen Wüstenwinde.

„Auf, ihr Männer!" rief ich nach vorn. „Beeilt euch, an einen geschützten Ort zu kommen, denn der Sandsturm naht hinter uns!"

Meine Mahnung wurde zuerst belacht, aber schon nach zwei, drei Minuten wurden die Gesichter ernster. Das Wölkchen war größer und dunkler geworden. Nun wurde zu den Peitschen gegriffen, und die Karawane bewegte sich so schnell, wie die Kamele laufen konnten, vorwärts. Die Wolke nahm bald den ganzen Himmel hinter uns ein. Herrgott, wir waren auf den Tieren festgebunden! Was sollte aus uns werden, wenn sie sich niederwarfen!

„Losbinden, losbinden!" schrie ich überlaut.

„Nein, nicht losbinden!" ertönte die Stimme des Scheik. „Mögen sie alle im Sand umkommen und hinab zur Dschehennem fahren!"

Da erfaßte mich ein Grimm, der mir doppelte Kräfte verlieh. Ein Druck der angespannten Muskeln, und der eine Strick riß entzwei, gleich darauf auch der andre, wahrscheinlich hatten sie schadhafte Stellen gehabt. Ich war nicht mehr gefesselt und trieb mein Tier zur äußersten Anstrengung an. Vor mir ritt der Chabir. Ich holte ihn ein, die Leiber unsrer Kamele berührten sich fast, ich packte ihn mit der Linken, zog ihn herüber, riß ihm mit der Rechten das Messer aus dem Gürtel und gab ihm dann einen Stoß, daß er vom Kamel stürzte, das ohne ihn weiterjagte. Eine Minute später war ich bei Kamil, den ich im vollen Vorwärtsstürmen losschnitt, dann bei Abram Ben Sakir, bei dem auch nur zwei Schnitte genügten, ihn von den Stricken zu befreien. An andre noch zu denken, gab es keine Zeit mehr, denn hinter uns erklang ein brausender Tubaton, und als ich mich umblickte, sah ich eine scheinbar von der Erde bis zum Himmel reichende dunkle Mauer, die uns bald einholen mußte. Das war der aufgewühlte Sand, der uns begraben konnte.

Schon begann es, auch vor uns finster zu werden. Jetzt hatte mich der Sturm erreicht! Er packte mich, als wollte er mich von dem Kamel stürzen. Er trieb das Tier fast noch schneller vorwärts, als es laufen konnte. Ich hielt mich am Sattelknopf fest. Noch war aber der Sand nicht da, sondern nur erst der Sturm. Vielleicht gab es noch Rettung. Und da, da sah ich vorn die fliehenden Reiter sich zerstreuen, sie hatten den Saum des Wa'r erreicht. Es gab da großes Gestein und Felsstücke, hinter denen man sich verbergen und Atem holen konnte. Ich brauchte mein Tier gar nicht zu lenken, es wurde von seinem Naturtrieb geführt. Es rannte nach einem solchen Felsen und warf sich dahinter so schnell nieder, daß ich kaum vorher aus dem Sattel springen konnte. Ich schob mich zwischen das Kamel und den Stein hinein, steckte den Jackenzipfel in den Mund und wickelte das Turbantuch um den Kopf. Kaum war das geschehen, so hatte mich der Sand erreicht, er fiel wie eine zusammenstürzende Wand auf mich, dann gab es keine Empfindung mehr, als nur das Bedürfnis, Atem zu holen.

Wie lange das währte? Das weiß ich nicht. Aber plötzlich war es unheimlich ruhig um mich her, und neben mir begann das Kamel sich zu bewegen. Ich versuchte mich aufzurichten, es ging schwer. Als ich stand, sah ich, welche Last von Sand auf mir gelegen hatte. Er steckte auch in allen Öffnungen des Körpers, in der Nase, in den Ohren, sogar im Munde, fein wie Pudermehl, trotz der Umhüllung. Ich hatte die Augen unter dem Tuch fest zugehabt, und doch war mir dieses Mehl auch unter die Lider gekommen. Ich hatte lange zu tun, wenigstens so viel davon zu entfernen, daß ich keine Schmerzen mehr fühlte. Dann sah ich mich um.

Überall Steine und hinter ihnen Kamele und Menschen, die sich aus dem Sand wühlten. Mein Tier war auch aufgestanden. Gefährlich war die Lage der Gefangenen, die festgebunden gewesen waren. Ihre Kamele hatten sich mit ihnen niedergeworfen, und jetzt, nach dem Aufstehen hingen die Armen in allen möglichen halbsbrecherischen Stellungen an ihren Tieren. Ich watete durch den Sand, um sie, einen nach dem andern, zu befreien, indem ich sie losschnitt. Die Tuareg ließen das geschehen: sie hatten mit sich selbst zu tun. Wenn mich jemand hätte hindern wollen, es wäre vergeblich gewesen. Ich war nicht mehr gefesselt und besaß ein Messer. Freilich, wenn ich meine Gewehre gehabt hätte, so — — — ah, meine Gewehre! Die hatte der Scheik. Wo steckte er? Ich suchte ihn und sah ihn hinter einem Felsen hervortreten. Er war ohne Waffen und hatte sich eben erst aus dem Sand gewühlt. Er ging von einem seiner Leute zum andern. Ich vermutete, daß er sich nach seinem Sohn erkundigte, der nicht zu sehen war, und nutzte die Gelegenheit. Je weiter er sich von seinem Kamel entfernte, desto mehr näherte ich mich dem Tier. Binnen einer Minute war ich im Besitz aller meiner Gegenstände und entfernte mich. Es fehlte nur noch der Haik, den ich auch noch bekommen mußte.

Der Sandsturm war glücklicherweise kein gefährlicher gewesen und hatte nur kurze Zeit angehalten. Es war niemand zu Schaden gekommen, und bald sahen wir sogar draußen von Nordosten her eine bewegliche Linie, die sich uns näherte, das waren die Lastkamele mit ihren Treibern, die den Sturm auch leidlich überstanden hatten.

In Angst und Sorge befand sich nur einer, nämlich der Scheik, der seinen Sohn nicht fand. Er fragte und jammerte überall herum, ohne ihn zu entdecken. Der Sand konnte den Tachtirewan mit seinem hochaufragenden Stangenwerk unmöglich bedeckt haben, man hätte ihn also sehen müssen.

Ich fand mich mit Kamil, Abram Ben Sakir und seinen Leuten zusammen. Jeder von ihnen hatte Grausiges zu berichten, doch mußten wir dem Sandsturm dankbar sein, weil er unser Befreier geworden war. Es stand bei uns fest, uns keinesfalls wieder gefangen zu geben, obgleich ich bis jetzt der einzige war, der seine Waffen wieder hatte.

Eben langten die Lasttiere an, als sich der Scheik uns näherte.

„Ihr seid frei, und du hast deine Gewehre?" fragte er betroffen. „Ich werde euch sogleich wieder fesseln lassen, ihr Hunde!"

Er wandte sich zurück, um seine Tuareg herbeizurufen, ich aber ließ es nicht soweit kommen, sondern faßte ihn von hinten, riß ihn nieder, kniete auf ihn, setzte ihm das Messer auf die Brust und befahl ihm drohend:

„Schweig, Schurke! Bei dem geringsten Laut fährt dir meine Klinge ins Herz! Du sollst jetzt die, die du Hunde nennst, kennen lernen!"

Das war ihm so überraschend gekommen, daß er sich nicht rührte und kein Wort hören ließ.

„Wenn ihr nicht wieder in die Hände der Tuareg fallen wollt, so gehorcht mir augenblicklich!" befahl ich den um uns stehenden Leuten des Handelsherrn. „Ich halte ihn fest. Bindet ihm die Arme und die Beine!"

Als das geschehen war, fragte ich den Scheik:

„Hat dir dein Kundschafter, der unser Chabir sein wollte, gesagt, daß ich Zaubergewehre besitze?"

„Ja", stieß er zornig, aber doch nicht ohne Angst hervor.

„So wißt, daß ihr verloren seid, wenn du es wagst, mir jetzt zu widerstreben. Ich will weder euer Leben noch sonst etwas von euch, ich fordere nur, daß ihr das Versprechen haltet, das ihr mir gestern abend gegeben habt. Bist du dazu bereit, so laß ich dich wieder frei und krümme keinem deiner Tuareg ein Haar. Weigerst du dich aber, so bekommst du das Messer, und dann schieß ich jeden Targi nieder, der uns näher als fünfhundert Schritt kommt. Entscheide dich schnell! Ich zähle bis zehn, bei zehn ist die Frist vorüber, und ich stoße zu."

Ich entblößte seine Brust, setzte ihm die Messerspitze fühlbar auf die nackte Haut, legte ihm die Linke um den Hals und zählte:

„Wâhid — — isnên — — selâs — — arba — — chams — — — — —"

„Halt ein, halt ein!" rief er aus. „Du bist kein Muslim, aber auch kein Christ, sondern ein Teufel! Daher muß ich dir gehorchen."

„Wir sind also frei und bekommen alles wieder, was uns gehört?"

„Ja."

„Denke nicht, daß du uns jetzt abermals ein Versprechen gibst, das du später nicht zu halten brauchst! Du erteilst jetzt den Befehl, daß sich deine Leute wenigstens tausend Schritt weit von uns entfernen. Zehn von ihnen dürfen einzeln herkommen, um uns unsere Kamele und alles übrige Eigentum zu bringen. Erst wenn das geschehen ist, gebe ich dich frei, und ihr setzt euern Weg fort, während wir zurückreiten. Bist du einverstanden oder nicht? Bedenke, daß ich nur bis fünf gezählt habe! Ich zähle jetzt weiter."

Ich drückte ihm die Messerspitze fester auf die Brust, bis er bat:

„Tu das Messer weg! Ich werde ausführen, was du von mir gefordert hast."

„Das Messer bleibt auf deiner Brust, bis ich sehe, daß meine Bedingungen erfüllt sind."

Die meisten der Tuareg hatten sich um die Lastkamele versammelt. Einer von ihnen lief herbei und rief uns von weitem zu:

„Wo ist der Scheik? Es ist — —"

Er hielt mitten in der Rede inne und blieb erschrocken stehen, denn auf einen Wink von mir hatte sich unser Kreis gegen ihn geöffnet, und er sah den Scheik gebunden im Sand liegen und mich mit dem Messer auf ihm knien.

„Allah kerîm!" stieß er hervor. „Ihr seid nicht mehr gefesselt, und da liegt — — —"

„Euer Scheik, wie du siehst", unterbrach ich ihn. „Wenn du sein Leben und das eure retten willst, so komm herbei, und höre, was er dir zu sagen hat!"

Er näherte sich vollends, und es war nun mehr als sehenswert, wie der eine, bebend vor Grimm, seine Befehle erteilte, und der andre sie ebenso wütend entgegennahm und sich dann entfernte, um sie auszuführen. Wir sahen die Tuareg beisammenstehen, indem sie unter lautem Geschrei miteinander berieten. Dann kamen zehn von ihnen in einer Einzelreihe, um uns unser Eigentum, wozu natürlich auch die Kamele gehörten, zu bringen, während sich die andern weit über die von mir geforderte Entfernung zurückzogen. Als wir alles beisammen hatten, sagte der Scheik:

„Nun könnt ihr nichts mehr von uns fordern, und ich werde erfahren, ob du dein Wort hältst oder nicht. Laß mich los!"

„Ein Christ hält stets sein Wort", antwortete ich. „Ein Mohammedaner aber beschmutzt die Bärte seines Propheten und seiner Kalifen mit Lügen und falschen Schwüren. Du siehst, daß diese Männer ihre Gewehre wieder erhalten und geladen haben, wenn du sie zwingst, loszugehen, wird jede Kugel einen von euch treffen. Macht also, daß ihr uns schnell aus den Augen kommt."

„Wir müssen noch bleiben, denn mein Sohn fehlt."

„So suche eiligst, denn wir verlassen das Wa'r auf keinen Fall eher, als bis wir uns überzeugt haben, daß ihr nicht die Absicht habt, zurückzukehren."

Bei diesen Worten band ich ihn los. Er stand auf, um sich zu entfernen, blieb aber schon nach einigen Schritten stehen, drehte sich nach mir um, hob die rechte Hand wie zum Schwur empor und sagte im Ton des unversöhnlichsten Hasses:

„Du bist der erste Ungläubige, der mich bezwungen hat, und wirst der einzige bleiben. Flieh fort aus diesem Land! Denn sobald mein Auge dich wieder trifft, wird mein erster Blick den Tod für dich bedeuten. Allah verfluche dich!"

Er ging. Als er seine Tuareg erreichte, schienen sie ihn mit Vorwürfen zu empfangen. Dann zerstreuten sie sich, um nach dem kleinen Chaloba zu suchen. Wir freuten uns des glücklichen Ausgangs unseres Abenteuers, lagerten mit unseren Kamelen zwischen den Steinen und sahen zu, wie die Tuareg vergeblich nach dem verschwundenen Knaben suchten. Ich hätte ihnen dabei gern geholfen, denn sein freundliches „Ente taijib — du bist gut", klang mir noch immer in den Ohren, aber ich durfte es nicht wagen, mich unter die rachsüchtigen Menschen zu mischen. Sie schienen endlich eine Spur gefunden zu haben, denn sie rannten zu ihren Kamelen, stiegen auf und jagten in südlicher Richtung davon. Wir hörten dabei ihre Rufe, verstanden aber wegen der Entfernung die einzelnen Worte nicht.

Als sie fort waren, warteten wir noch eine halbe Stunde, dann nahmen wir an, daß sie nicht zurückkehren würden, und machten uns zum Aufbruch bereit. Eben wollte ich mein Kamel besteigen, da rief Kamil, indem er mit der Hand südwärts deutete:

„Warte noch, Sihdi! Da unten kommen Reiter."

Es war so, wie er sagte. Wir sahen acht oder zehn Männer auf Kamelen, die sich im eiligsten Lauf näherten. Bald erkannten wir sie. Es waren Tuareg, deren Scheik voranritt. Was wollten sie? Uns etwa eine Falle stellen? Ich nahm meinen Stutzen zur Hand, um sie nicht heranzulassen.

„Schieße nicht, es ist Friede!" rief der Scheik mit überlauter Stimme.

Seine Begleiter hielten, er allein kam herbei. Da senkte ich den Lauf des Gewehrs. Er war uns unschädlich. Ungefähr fünfzig Schritt von uns hielt er sein Kamel an und bat:

„Laß mich hin zu dir, Sihdi! Ich komme nicht als Feind, sondern als Flehender, denn du allein kannst Hilfe bringen, nur du allein!"

290

Er trieb sein Tier vollends heran, blieb aber im Sattel. Ich war gespannt auf das, was er von mir wollte. Es konnte nichts Belangloses sein, denn die Züge seines Gesichts waren vor Angst verzerrt, und seine Brust rang nach Luft.

„Steig auf und komm schnell mit mir!" rief er mir zu. „Wir wissen nicht, was wir tun sollen, nur du kannst Chaloba, meinen Knaben, retten!"

„Was ist mit ihm geschehen? Wo befindet er sich?"

„Mitten im Sand des Verderbens. Der Sturm der Wüste hat ihn in den Raml el Helâk getrieben, aus dem kein Allah und kein Prophet ihn retten kann."

„Und da soll ich ihn retten können, ich, der Giaur?"

„Ja! Ihr Christen wißt alles, ihr kennt alle Höhen und Tiefen der Möglichkeit, eure Augen erblicken das Unsichtbare, und von euren Händen kann nichts verschwinden, was sie halten wollen."

Sprach er die Wahrheit, oder log er, um mich ins Garn zu locken? Ich sah ihn forschend an. Nein, dieses Gesicht konnte nicht lügen. Die Todesangst, die darin lag, war echt. Da gab es kein Mißtrauen und kein Zaudern. Ich stieg auf mein Kamel. Zwar wollte mich das Mißtrauen wieder beherrschen, aber „ente taijib, ente taijib — du bist gut, du bist gut", so klang die Stimme des Knaben lauter noch als die Stimme des Zweifels und Verdachts in meinem Herzen und wir flogen vorwärts, der Rettung des Verunglückten oder — dem neuen Verderben entgegen. Bald erreichten wir die Stelle, wo die Felsen auseinander traten. Da hielten die Tuareg. Ihre Kamele lagen im Sand, mit den Köpfen zu uns gewendet. Der erste Blick zeigte mir die Lage. Vor mir sah ich die Ränder einer fast kreisrunden, riesigen Felsschüssel, deren Durchmesser ungefähr zwei Kilometer betrug. Ihre Tiefe war mir nicht bekannt, mußte aber bedeutend sein, denn die Steinränder fielen fast senkrecht ab. Welche Flüssigkeit die Schüssel enthielt, war nicht zu sagen. Ihr Inhalt schien aus einem nassen, feinen und leichten Sand zu bestehen, der keine Last zu tragen vermochte. Man denke sich, daß dieses Riesengefäß erst nur Wasser oder sonst eine Flüssigkeit enthalten hatte. Dann war der Sand von den Wüstenstürmen hineingetrieben worden. Der schwere untere Teil einer solchen Sandsturmmauer, wie die heutige, war von den hohen Felsrändern abgehalten worden, der hoch oben in den Lüften fliegende, leichte, fast unwägbare Staub aber war über sie hereingedrungen und auf die Flüssigkeit niedergesunken, ohne unterzugehen, weil er nicht schwerer war als sie. So dachte ich mir das Entstehen dieses Sandsees, und ich glaubte nicht, daß ich mich dabei irrte.

Wehe dem, der hineingeriet! Ich sah, wohl fünfundzwanzig Meter vom „Ufer des Verderbens" entfernt, den Tachtirewan liegen. Die dünnen Stoffe, aus denen er bestand, und die langen, bewimpelten Stangen, die zu beiden Seiten weit hinausragten, verhinderten, daß er unterging. Drin saß Chaloba, der Tuaregknabe. Er war so klug, sich nicht zu bewegen, rief aber unausgesetzt um Hilfe. Kaum erblickte er mich, so jammerte er mir zu:

„Ta'al, ta'al, jâ Sihdi! Hallisni min el môt, meded, meded — komm, komm, o Sihdi! Rette mich vom Tod, zu Hilfe, zu Hilfe!"

„Ich komme!" antwortete ich, indem ich aus dem Sattel sprang. „Halte dich ruhig, damit du das Gleichgewicht nicht verlierst!"

Die Tuareg standen stumm. Sie hielten ihre Augen erwartungsvoll auf mich gerichtet, finstre Augen zwar, in denen aber jetzt nichts von Haß und Rachgier zu sehen war. Ihr Anführer hatte sich gleichfalls vom Kamel geschwungen. Als er meine Worte hörte, faßte er voll Entzücken meine beiden Hände.

„Du willst zu ihm? Du hältst es für möglich, ihn zu retten?"

„Bei Gott ist alles möglich", entgegnete ich. „Die Gefahr ist allerdings groß, aber wenn der Allmächtige mir beisteht, bring ich dir deinen Sohn herüber. Sollte es jedoch in seinem Ratschluß anders bestimmt sein, so werde ich mit dem Knaben untergehen."

„Du wirst nicht untergehen, sondern Chaloba retten. Allah ist allmächtig, und Mohammed ist groß. Betet ihr Männer, betet mit mir!"

Dieser Aufforderung Folge leistend, wendeten sich die Tuareg gegen Osten, erhoben ihre Hände und riefen dreimal:

„Allah 'l chudret el ilahîje, we Mohammed kebîr — Allah ist die Allmacht, und Mohammed ist groß!"

Ich hatte nichts sagen wollen. Aber Mohammed als groß preisen und dabei auf die Hilfe des Christen bauen, das behagte mir nicht, darum wendete ich mich, als die Tuareg schwiegen, mit lauter Stimme zum Scheik:

„Mohammed kebîr? Er ist groß? So bin ich also umsonst hergekommen? Wohlan, so wollen wir warten und zusehen, wie Mohammed deinen Knaben herüberholen wird!"

Ich setzte mich gemächlich in den Sand. Da ergriff mich der Scheik bei der Schulter.

„Ne'ûsu billah! Um Gottes willen! Du setzt dich nieder und hast doch selbst gesagt, daß kein Augenblick zu verlieren ist!"

„Das ist auch jetzt noch meine Meinung, und ich hoffe, daß Mohammed, dessen Hilfe ihr angerufen habt, nicht anders denkt.

Er mag sich beeilen, sonst ist dein Sohn verloren! Was ich vermag, das vermag ich nur als Werkzeug eines Höheren, und dieser Höhere heißt nicht Mohammed, sondern Isa Ben Marjam."

„So sei barmherzig, und rette meinen Sohn im Namen deines Isa Ben Marjam!"

„Nachdem ihr Mohammed angerufen habt? Nein! Soll en Nißr[1] sich herniedersenken, wenn el Ußfûr[2] gerufen worden ist? Da draußen schwebt ein junger Anhänger Mohammeds über dem Rachen des Todes, und hier stehen achtzig Muminin[3], denen kein Prophet die Kraft und den Mut gibt, ihn zu retten, während ein einzelner Christ im Vertrauen auf Isa Ben Marjam das grauenvolle Werk wagen will. Und da fragst du noch, wer mächtiger und größer sei, Isa oder Mohammed? Du scheinst die Lehren eures Propheten nicht zu kennen. Hat er nicht gesagt, daß Isa Ben Marjam am Ende der Tage herniederkommen werde auf die Moschee der Ommajaden in Damaskus, um zu richten alle Lebendigen und alle Toten? Ist da nicht Seligkeit und Verdammnis in die Hand meines Isa gelegt? Nenne mir dagegen die Macht, die eurem Mohammed gegeben ist! Keine!"

„Sihdi, wie quälst du mich! Du streitest über den Glauben, und dort schwebt mein Sohn — o Allah, Allah! Siehst du nicht, daß der Tachtirewan wankt, daß er umstürzen und versinken wird?"

Er rief diese Worte nicht, sondern er brüllte sie in der größten Angst. Der Knabe sah, daß ich mich niedergesetzt hatte. Er schrie lauter als vorher um Hilfe und bog sich dabei so weit aus der Sänfte heraus, daß sie beinahe das Gleichgewicht verlor. Die Tuareg fielen als in den Schreckensruf des Vaters ein, der mich jetzt bei den Schultern packte und flehte:

„Steh auf, steh auf und hilf, Sihdi! Wenn du den Sohn unsres Stammes rettest, werden wir Isa Ben Marjam die Ehre geben!"

„Ruft ihn an, so wird er helfen!"

Da wendete er sich an seine Leute:

„Ihr habt gehört, was dieser Franke von uns fordert. Mohammed hat selbst gesagt, daß Isa Ben Marjam alle Lebendigen und alle Toten richten werde. Er ist also der Herr des Gerichts und des ewigen Lebens. Stimmt mit mir dreimal ein in den Ruf: Isa Ben Marjam akbar[4]!"

Ich hatte viel verlangt, aber die Angst um den Knaben erfüllte alle Anwesenden, und so erhoben sie wie vorhin die Hände. Dreimal erklang der Ruf im Chor, der bisher keinem von ihnen über die Lippen gekommen war. Nun erst stand ich auf.

[1] Adler [2] Sperling [3] Gläubige [4] Kebir = groß, akbar = größer

„Kein Strick kann bis dorthin geworfen werden, ich muß mir ein Kellek[1] bauen, das mich hintragen wird."

„Ein Kellek? Woraus?" fragte der Scheik erstaunt.

„Hast du nicht darüber nachgedacht, warum ich vorhin das Zelt Abram Ben Sakirs mitnahm? Das Floß muß leicht, lang und breit sein, wenn ich nicht versinken will. Das mitgebrachte Zelt und das deinige werden mir das leichte Leinen liefern, und aus den Zeltstangen fertigen wir das Gerippe des Floßes. Vorher aber muß ich sehen, wie tief die Flut des Sandes ist und welche Tragkraft sie besitzt."

Ich nahm eine Zeltstange und ging auf den Rand des Sees zu, den man, weil eben alles hier Sand war, nicht genau erkennen konnte. Jeder unvorsichtige Schritt mußte mir den Tod bringen. Bald fühlte ich, daß der Boden vor mir schwand. Ich kniete nieder und fuhr mit der Stange in die Sandflut. Es gab keinen Halt. Hierauf wurden mehrere Seile zusammengebunden, mit einem Stein an dem einen Ende. Ich ließ den Stein hinab. Die Seile hatten eine Länge von wenigstens zwanzig Metern, sie liefen ab, ohne daß der Stein Grund fand. Der Sandsee war also gleich an seinem Rande sehr tief. Es wurde mir nun doch unheimlich zumute, denn wenn sich das Floß nicht bewährte und ich in den Sandbrei geriet, war ich verloren, weil mir die Beschaffenheit dieses Breis keine Schwimmbewegungen erlaubte.

Nun ging es an die Herstellung des Floßes. Ich mußte die geeignetste Bauart dieses Fortbewegungsmittels selbst erfinden. Auch ein passendes Ruder mußte ich mir ausdenken. Die gewöhnliche Form konnte mir gefährlich werden. Ich fertigte mir ein nur hinten anzuwendendes Stoßruder, das aus einer Zeltstange bestand, an die rechtwinkelig ein Leinwandrahmen befestigt war. Dieses Ruder war mir nur zur Hinfahrt nötig, bei der Rückfahrt sollte ich mittels einer langen Leine gezogen werden, die ich an das Floß festband, während ihr andres Ende in den Händen der Tuareg blieb.

Die Herstellung des Floßes und des Ruders erforderte eine lange Zeit, und es kostete uns unzählige Zurufe an den Knaben, ihn bei Geduld und Mut zu erhalten. Endlich waren wir fertig. Aber das Schwierigste kam erst: die Einschiffung. Das Leinwandfloß war notwendigerweise sehr biegsam, es gab nach und „schwappte" in allen seinen Teilen. Sein Besteigen war allein ein lebensgefährliches Wagnis. Aber es gelang. Sie schoben das Floß mit Stangen vom Ufer ab, und ich konnte das Ruder anwenden. Wie glücklich war ich, als es sich bewährte! Fünfund-

[1] Floß

zwanzig Meter weit! Mit einem Boot im Wasser eine Kleinigkeit, hier aber in dem zähen Höllenbrei eine angstvolle Arbeit von einer halben Stunde! Ich hatte mich oft in Gefahren befunden, aber nie dabei gefühlt, was ich jetzt empfand. Dieses teuflische, nervenzerreißende Schmatzen, Klatschen, Pfauchen und Blasenwerfen der schlammigen Masse, durch die ich mich fortzuschieben hatte, ließ mir die Haare zu Berge stehen. Auch die Tuareg hatten Angst, das zeigte mir ihr Wehgeschrei, wenn mein haltloses Fahrzeug einmal das Gleichgewicht zu verlieren drohte.

Endlich war ich dem Tachtirewan so nah, daß ich beinah mit ihm zusammenstieß.

„Rette mich, Sihdi!" flehte der Knabe.

„Hab keine Sorge!" beruhigte ich ihn. „Wenn du nur ruhig sitzen bleibst und das Gleichgewicht nicht verlierst, bringe ich dich glücklich zum Vater. Sollte der Tachtirewan schwanken, so neigst du dich schnell nach der Seite, die ich dir zurufe."

Ich hatte einen dünnen Strick an der Vorderseite meines Rahmens befestigt und aus dem andern Ende eine Schlinge gemacht. Diese warf ich nach der unteren Querstange des Tachtirewan. Sie faßte gleich beim erstenmal.

„Zieht, ihr Männer, aber nur sehr langsam!" rief ich zum Ufer hin.

Sie folgten meiner Aufforderung. Das Seil spannte sich an, mein Floß bewegte sich rückwärts, und der Tachtirewan folgte nach. Er war zwar zu leicht gewesen, als daß er hätte untergehen können, aber als Fortbewegungsmittel taugte er nicht. Er schwankte und wäre gewiß gekentert, wenn ich nicht auch an diesen Umstand gedacht und zwei weitere Schnüre mitgebracht hätte. Ich warf die Schlingen rechts und links um die äußeren Enden der oberen Querstange und konnte nun, bald hüben und bald drüben ziehend, der Sänfte einen besseren Halt verleihen. Glücklicherweise war der Knabe besonnen genug, sich nach Bedürfnis so zu neigen, wie ich es ihm zurief. Er erleichterte mir dadurch, den Tachtirewan im Gleichgewicht zu halten.

Dennoch ging die Fahrt zurück viel langsamer als meine Herfahrt. Wir brauchten eine Dreiviertelstunde, bis mein Floß das Ufer erreichte. Der Vater riß den Knaben an sein Herz und die Tuareg jubelten. Ich aber ging still zur Seite und faltete die Hände. Da hörte ich hinter mir die Stimme des Scheiks:

„Er betet. Er ist ein Christ und gibt Allah zuerst die Ehre, wir aber schreien wie die Wahnsinnigen und denken nicht an den Herrn der Allmacht, der die Errettung sandte. Ist er nicht

frömmer als wir? Laßt uns ihn erfreuen, indem wir seinem großen Mu'awin danken!"

Und dreimal erscholl es laut aus achtzig Kehlen:

„Isa Ben Marjam akbar!"

Dann kam er zu mir, umarmte und küßte mich.

„Sihdi, wir haben viel an dir verbrochen. Sag mir, wie wir es
sühnen können! Wir werden es tun. Verlang meine beste Stute,
meine zehn besten Kamele, verlang was du willst, du sollst alles
haben!"

Mir seine beste Stute anzubieten, das war eine wirklich großartige Dankbarkeit! Alle lauschten, was ich verlangen würde.

„Ja, ich werde etwas von dir erbitten", antwortete ich, „und
wenn du mir das gewährst, wirst du meinen Dank und Allahs
Wohlgefallen haben."

„Sag, was es ist!"

„Verdamme niemals wieder einen Christen! Glaub mir, der
Himmel steht uns weiter offen als euch! Mohammed hat euch
den Haß und die Rache, Isa uns aber die Liebe und die Versöhnung gebracht. Jener war ein Mensch und Sünder so wie wir,
dieser aber wahrer Gott von Ewigkeit zu Ewigkeit. Ihr watet in
Blut und vernichtet um eines Wortes willen eure eignen Brüder,
wir aber lieben selbst unsre Feinde und wagen unser Leben für
die, die nach dem unsrigen trachten. Denke immer an das, was
du heut erlebtest! Der Glaube der Christen muß doch besser und
schöner sein als der, den Mohammed euch brachte. Wir
nennen Mohammed den Nebî kâsib, den falschen Propheten.
Ich kann nicht verlangen, daß du von ihm auch so denkst, aber
ich bitte dich, wenigstens nicht mehr zu glauben, daß ein Muslim
hoch über einem Christen stehe. Die Liebe ist das Erkennungs-
zeichen des wahren Glaubens. Wer sie besitzt und übt, der ist
weit sicherer Gottes Kind als der, dessen Herz im Haß und in
der Rache lebt."

Er sah lange still vor sich nieder und reichte mir dann die
Hand.

„Deine Worte sind wie Perlen, die ich nie gekannt habe und
nun plötzlich finde; ich will sie in meinem Herzen aufbewahren.
Ich sagte dir, du seist der erste Christ, der mich besiegt hat, und
solltest der einzige und letzte sein, dem das gelungen ist. Jetzt
hast du mich abermals besiegt, erst durch die Waffen, nun durch
die Versöhnung. Ich danke dir für diese Niederlage, denn sie
demütigt mich nicht und gibt mir einen Freund. Willst du mein
Bruder sein, geehrt von meinem Stamm und willkommen in
unsern Hütten und Zelten?"

„Ja!"

„So wollen wir den Ort des Verderbens verlassen und zu
Abram Ben Sakir zurückkehren, um dort Lager zu machen und
nach den Gesetzen der Wüste Freundschaft zu schließen. Dein
Gebet hat meinen Sohn vom Tod errettet. Dein Freund ist mein
Freund, und mein Feind sei auch dein Feind, du hast mein Herz,
und ich habe das deinige, denn du hast mir die Liebe anstatt
der Rache gebracht. Allah jebârik fîk — Gott segne dich!"

1. Der „Vater des Windes"

Wir hatten einen anstrengenden Ritt hinter uns, denn wir kamen vom Dar Abu Uma herüber, das über siebenhundertfünfzig Kilometer vom Nil entfernt ist, und mußten höchstens noch eine halbe Tagereise bis zu seinem westlichen Arm, dem Bahr el Abiad, machen. Wenn ich sage ‚wir', so meine ich außer mir meinen tapferen Diener und Begleiter Ben Nil und einen echten Fori-Neger namens Marrabah. Dieser hatte das Gelübde getan, allein nach Mekka zu pilgern, und uns gebeten, ihn mitzunehmen, weil er bei uns Sicherheit vor den Sklavenjägern erwartete. Ich hatte ihm diese Bitte erfüllt, und da er die Gegend bis zum Nil genau kannte, so konnte er uns als Führer von Nutzen sein. Marrabah war als armer Teufel nur mit einem baumwollenen Hemd bekleidet und saß auf unserm Lastpferd, das während dieses Rittes kein Gepäck zu tragen hatte. Von seinen Waffen, einem alten Messer und einem noch älteren Spieß, war ich überzeugt, daß sie keinem Menschen schaden würden, da ihr Träger und Besitzer sich schon am ersten Tag als ein zwar guter Kerl, aber außerordentlicher Hasenfuß entpuppt hatte. Ben Nil und ich ritten junge kräftige Fadasihengste, Pferde, die im tiefen Wüstensand große Schnelligkeit entwickeln und im Wasser wie die Fische schwimmen.

Seit heut früh hatten wir den jetzt wasserlosen Nid en Nil weit von uns zur rechten Hand, und so nahm ich an, daß wir den Bahr el Abiad ungefähr in der Gegend der Insel Abu Nimul oder der Mischrah[1] Om Oschrin erreichen würden. Die Gegend war eben; zur Regenzeit grünende Steppe, bot sie uns jetzt als kahle, ausgetrocknete Fläche nicht einen einzigen Grashalm, über den sich unsre Augen hätten freuen können. Dazu brannte die Sonne mit einer so verzehrenden Glut auf uns hernieder, daß wir um die Mittagszeit haltmachten, um den Pferden Erholung zu gönnen und die größte Tageshitze vorüberzulassen.

Wir saßen still beisammen und aßen einige Datteln. Da deutete Ben Nil gegen Osten und sagte:

[1] Landestelle am Fluß

„Effendi, da draußen am äußersten Gesichtskreis sehe ich einen weißen Punkt. Ob das wohl ein Reiter ist?"

Da ich der angegebenen Richtung den Rücken zukehrte, stand ich auf und drehte mich um.

„Siehst du ihn?" forschte er weiter.

„Ja", antwortete ich; „der Punkt, den du meinst, bewegt sich auf uns zu. Was so hell schimmert, ist ein weißer Burnus. Die Bewegung ist so rasch, daß es nur ein Reiter sein kann."

„Ist er etwa bewaffnet?" fragte da der Fori-Neger ängstlich.

„Natürlich! Jedermann geht hier mit Waffen, wie du weißt."

„O Allah, Allah, bewahre mich vor dem neunmal geschwänzten Teufel! Meinst du, Herr, daß dieser Reiter uns feindselig angreifen wird?"

Die Furcht vergrößerte seine Augen, und er spreizte alle zehn Finger aus, als ob er die Gefahr damit abwenden wolle. Da fuhr ihn der wackere Ben Nil zornig an:

„Schweig, Hasenfuß! Wie kann ein einzelner es wagen, uns, die wir zu dreien sind, zu überfallen! Und wenn es zwanzig wären, wir würden uns nicht fürchten. Wir haben den Elefanten und das Nilpferd gejagt, mein Effendi und ich, wir ganz allein haben gegen hundert Feinde gestanden, ohne daß es unsern Herzen eingefallen ist, schneller zu schlagen. Ich sage dir, solang du bei uns bist, wird es keinem Feind gelingen, dir nur ein einziges Haar zu krümmen. Aber leider wächst auf deinem Kopf nur die Wolle des Schafes anstatt des schönen Schmucks der tapfern Männlichkeit."

Das war von meinem sonst so wortkargen Ben Nil nicht höflich gesprochen. Aber er haßte nichts so sehr wie Furchtsamkeit. Während der Zurechtweisung war der fremde Reiter näher gekommen. Er sah uns und hielt an. Jedenfalls überlegte er, ob er uns ausweichen oder sich zu uns wenden solle. Er entschloß sich für das zweite und kam auf uns zugeritten. Der Fremde saß auf einem falben Beni-Schankol-Pferd und hatte den weißen Burnus so um sich geschlagen, daß wir nur die lange, arabische Flinte erblickten, die er in der Hand hielt, nicht aber die andern Waffen, die er im Gürtel trug. Kurz vor uns hielt er sein Pferd an und musterte uns mit Augen, die nichts weniger als freundlich auf uns blickten. Dann fragte er kurz:

„Wer seid ihr?"

Es fiel mir nicht ein zu antworten, auch Ben Nil schwieg. Der Fori-Neger duckte sich zusammen wie ein Huhn, über dem der Habicht schwebt.

„Wer seid ihr?" wiederholte der Beduine strenger als vorher.

Da stand Ben Nil vom Boden auf, zog sein Messer und sagte:
„Komm herab, ich werde dich unterweisen, höflich zu sein!
Man grüßt, wenn man sich begegnet, und spricht erst dann eine
Frage aus, wenn man den Willkommen gegessen und getrunken
hat."

„Dazu habe ich keine Zeit", murrte der Fremde, „ich bin ein
Krieger der tapferen Baggara, ihr befindet euch auf unserm Gebiet, und so habe ich ein Recht zu wissen, wer ihr seid."

„Das sollst du nun erfahren, da du uns vorher gesagt hast, wer
du bist. Dieser Mann da hinter mir kommt aus Dar Fur und will
nach der heiligen Stadt Mekka, um dort Allah und den Propheten zu verehren. Dieser hohe Herr da neben mir ist der weltbe-
rühmte Hadschi Kara Ben Nemsi Effendi, und ich bin sein Diener und Begleiter Ben Nil."

Der Baggara erwiderte in ruhigem, kaltem Ton:

„Ich komme vom Wasser des Nils und will in die Wüste, wo
meine Gefährten sind, um Gazellen zu jagen. Nun wißt ihr es
und werdet mir wohl auch sagen, woher ihr kommt und wohin
ihr wollt."

„Wir kommen vom Dar Abu Uma und wollen nach dem Fluß."

„Nach welcher Stelle?"

„Das wissen wir noch nicht."

„Wollt ihr etwa den fremden Muallim el Millet el Mesihije
aufsuchen?"

Diese arabischen Worte bedeuteten zu deutsch ‚Lehrer des
Christentums'. War vielleicht ein Missionar hier in der Nähe?
Das mußte natürlich mein Augenmerk auf sich ziehen, und dar-
um antwortete ich an Ben Nils Stelle:

„Das wollen wir allerdings. Kannst du uns sagen, wo er zu
finden ist?"

„Ja. Er hat sich auf der Dschesîre[1] Aba niedergelassen, um
die dort wohnenden Gläubigen zu verführen. Allah verderbe
ihn!"

„Aus welchem Land ist er gekommen?"

„Aus dem Bilâd el Ingelîs[2]. Wenn ihr von hier aus gegen Nordost reitet, werdet ihr morgen bei ihm sein. Seid ihr etwa auch
verdammte Christen?"

„Ich bin einer", antwortete ich ruhig.

„So lasse dich Allah in der tiefsten Hölle schmoren! Du be-
sudelst mich!"

Er gab seinem Pferd die Sporen und ritt davon, in die Steppe
hinein, die Richtung verfolgend, die er vorher eingehalten hatte.

[1] Insel   [2] England

300

„Effendi, soll ich nachreiten und ihn verprügeln?" fragte mich Ben Nil zornig, indem er seine Nilpferdhautpeitsche aus dem Gürtel zog.

„Nein. Ein solcher Mann kann mich nicht beleidigen."

„Ja, du stehst viel zu hoch, als daß du es bemerken könntest, wenn so ein Taugenichts dich anquakt, der noch nicht einmal gelernt hat, sein Pferd zu behandeln. Hast du auch bemerkt, daß dieses ein Eisen verloren hatte?"

„Ja, am rechten Hinterhuf. Bekümmern wir uns nicht weiter um diesen Menschen!"

Die Baggara sind ausgezeichnete Reiter und wilde, verwegene Jäger, Krieger und Räuber. Man hält sie für die gefürchtetsten Araber des oberen Nils, und dies durchaus nicht mit Unrecht, wie sie in neuerer Zeit des öfteren bewiesen haben, denn bei den Aufständen im Sudan haben sie stets die hervorragendste Rolle gespielt. Daß dieser eine, der jetzt hier bei uns gewesen war, ein Pferd mit nur drei Eisen ritt, galt mir als ein Zeichen, daß er sein Tier nicht schonte; bald jedoch sollte dieser Umstand mir wichtiger werden.

Wir brachen zwei Stunden nach Mittag wieder auf, ritten aber nicht nach Nordost, wie uns geraten worden war, sondern ostwärts, in unsrer früheren Richtung weiter, weil wir da eher an den Fluß kamen. Wenn wir ihm abwärts folgten, konnten wir die Insel Aba und den englischen Missionar auch erreichen.

Der Weg ging wie bisher über öde, vertrocknete Steppe; sie war hart, malmte aber unter den Hufen unsrer Pferde leicht in Staub. Darum war es kein Wunder, daß wir nach ungefähr einer Stunde eine Fährte, die aus Südwesten kam, gleich bemerkten. Sie war breit, und ich stieg von meinem Pferd, um sie zu untersuchen. Bei genauer Prüfung zeigte es sich, daß diese Spur von wenigstens sechzig Pferden und Kamelen herstammte und grad in der von uns beabsichtigten Richtung zum Nil führte.

Das waren jedenfalls Baggara gewesen. Diese bedienen sich der Ochsen zum Reiten und steigen nur bei Jagd- oder Kriegszügen zu Pferde. So blieb nur zu raten, ob es ein Kriegs- oder Jagdzug gewesen war. Die Entscheidung war leicht zu treffen, denn auf die Jagd nimmt man nicht so viele Kamele mit. Die hier geritten waren, kehrten also vom Krieg zurück, und da in jenen Gegenden Krieg gleichbedeutend mit Raub, besonders Sklavenraub, zu sein pflegt, so hegte ich die Überzeugung, daß wir die Fährte einer Ghaswa vor uns hatten, eines Kriegszugs also, zum Zweck, Schwarze zu überfallen und Sklaven zu machen.

Noch hielten wir an derselben Stelle, da bemerkten wir im

Südwest, also da, woher die Fährte kam, einen Trupp von vielleicht zwanzig Reitern erscheinen, die sich im Galopp näherten.

„Effendi, das sind Neger", sagte Ben Nil. „Ich sehe schon von weitem die schwarze Farbe ihrer Gesichter. Von welchem Stamm werden sie wohl sein? Hier in dieser Gegend gibt es außer den Schilluk keine Schwarzen."

„Schilluk sind es nicht, denn die bewohnen nur die Ufer des Nils, während diese hier aus der inneren Steppe kommen. Da sie sich genau auf der Fährte halten, möchte ich annehmen, daß sie die Verfolger der hier vorübergekommenen Sklavenräuber sind."

„Dann können wir uns auf eine feindselige Begegnung gefaßt machen!"

„Allerdings. Wir bleiben trotzdem, um sie zu erwarten."

„Nein, nein, wir fliehen, wir reißen aus!" rief der Fori-Neger. „Ich muß nach Mekka, ich will am Leben bleiben, ich mag nicht erschossen oder erschlagen werden! Allah behüte und bewahre mich vor dem neunmal geschwänzten Teufel! Ich reite fort."

Ben Nil griff ihm in die Zügel und hielt ihn zurück, indem er zornig rief:

„Wenn du ausreißen willst, so lauf mit deinen eigenen Beinen, aber nicht mit denen dieses Pferdes, das uns gehört, Feigling! Wir bleiben da!"

„Aber sie werden uns töten!" zeterte der furchtsame Schwarze.

„Fällt ihnen nicht ein."

„Doch, doch! Siehst du denn nicht, daß sie uns umzingeln wollen? O Allah, Allah! O Schreck, o Unglück, o Herzeleid! O Mohammed, o ihr heiligen Kalifen, begnadet meinen Leib und mein Leben mit eurem Schutz!"

Er warf sich vom Pferd und kroch darunter, wo er sich wimmernd niedersetzte, um das Ende seiner Tage zu erwarten. Den Spieß und das Messer hatte er weggeworfen, damit man ihn ja nicht für einen feindlich gesinnten Menschen halten sollte.

Es war allerdings so, wie er gesagt hatte: die Schwarzen teilten sich und kamen dann von zwei Seiten auf uns zugaloppiert, um uns einzuschließen. Ich ließ dies ruhig geschehen. Nur ein einziger von diesen Reitern war in ein Wollhemd gekleidet, die andern trugen lediglich einen schmalen Hüftenschurz. Ihre Tiere waren abgetrieben und taugten überhaupt nicht viel; jedenfalls kamen sie aus den sumpfigen Niederungen des Bahr el Seraf, Bahr el Ghasal oder Bahr el Dschebel, wo Pferde gar nicht oder nur sehr schlecht gedeihen. Ihre Waffen bestanden aus Messern, aus schweren Hegelikholz-Keulen und langen Kocab-Lanzen. Nur der mit dem Hemd Bekleidete hatte eine

Flinte. Dieser Mann war ein wahrer Riese an Gestalt. Tiefe Blatternarben, die sein Gesicht zerrissen hatten und die Schwärze rot durchzogen, gaben ihm ein schreckliches Aussehn. Sie alle hatten drei Narben auf der Stirn, die von Messerschnitten herrührten und als Schmuck und Auszeichnung dienen sollten. Ihre Köpfe waren mit einem Teig aus Asche und Kuhharn so dick und hoch beschmiert, daß die Haare vollständig darunter verschwanden und es aussah, als ob sie Mützen trügen. Dies hat den doppelten Zweck, die männliche Schönheit zu erhöhen und das Ungeziefer fernzuhalten. Diese Teighelme und die Stirnnarben sagten mir, daß die Neger zum Volk der Nuehr gehörten.

Wir ließen es also ruhig geschehen, daß sie uns umzingelten, doch hatte ich meinen Revolver gelockert und den Henrystutzen schußbereit quer über die Knie gelegt. Ich war nämlich wieder in den Sattel gestiegen. Die Schwarzen schwenkten unter gräßlichem Geheul ihre Lanzen, es war ein gefährlicher Augenblick. Da, als sie uns vollständig eingeschlossen hatten, schwiegen sie, und der Blatternarbige blieb vor mir halten und fuhr uns in einem verdorbenen Arabisch, wie es von jenen Negern gesprochen wird, grimmig an:

„Wer seid ihr? Was tut ihr hier? Rede schnell, sonst erwürge ich dich!"

„Wir sind Fremde und ziehen auf friedlichen Wegen", entgegnete ich.

„Du lügst, ihr seid Baggara", zischte er mir zu und trieb sein Pferd näher.

„Ich sage die Wahrheit, wir gehören nicht zu den Baggara, und ich bin überhaupt kein Araber, sondern ein Europäer."

„Hund, wagst du, mich täuschen zu wollen? Die Europäer haben Gesichter wie die Farbe des Wasserschaums, du aber bist dunkel und willst mich mit einer Lüge betrügen, ich erwürge dich!"

Bei diesen Worten trieb er sein Pferd hart an das meinige und streckte die Fäuste nach meinem Hals aus. Es galt, mich zu wehren, ohne ihn zu verletzen oder gar zu töten, und dabei in der Weise Herr der Lage zu bleiben, daß sich niemand an mir vergreifen durfte. Ich warf also, um die Hände freizubekommen, Ben Nil blitzschnell meinen Stutzen zu, richtete mich hoch in den Steigbügeln auf und schlug dem Schwarzen, eben als er mich packen wollte, die Faust mit solcher Gewalt gegen die Schläfe, daß er zurückflog. Das war der wohlgeübte Jagdhieb, der mir drüben in den amerikanischen Steppen den Ehrennamen Old Shatterhand[1] eingetragen hatte. Er verfehlte auch hier seine

[1] Schmetterhand

Winkung nicht: dem blatternarbigen Riesen schwand die Besinnung, ebenso schnell, wie er den Faustschlag erhalten hatte, faßte ich ihn beim Gürtel, riß ihn daran zu mir herüber, so daß er quer vor mich zu liegen kam, hielt ihn mit der linken Hand, zog mit der rechten mein Messer, zückte es über ihm und rief seinen Leuten drohend zu:

„Bleibt still! Rührt euch nicht, sonst ersteche ich ihn! Wenn ihr Frieden haltet, wird ihm nichts geschehen. Ich bin ein Freund der Nuehr, ich habe viele Wochen lang bei den Stämmen der Lau, Eliab und Agong gewohnt und bin ein Bruder von ihnen geworden, euch aber kenne ich nicht. Wie ist der Name eures Stammes?"

Diese Frage richtete ich an einen jungen, sehr kräftigen Reiter, der der mutigste zu sein schien, denn er hatte seine Lanze gegen mich gezückt und diese drohende Bewegung nur deshalb unterbrochen, weil mein Messer über dem Blatternarbigen schwebte.

„Wir gehören zu den Eliab", erwiderte er finster.

„Dann müßt ihr mich kennen, denn ich bin bei euch am Bahr el Dschebel gewesen."

„Unsre Abteilung ist nach dem Bahr el Ghasal gezogen", erklärte er.

„Ich habe davon gehört. Euer Anführer wird Abu djom, Vater des Windes, genannt, weil er im Kampf mit der Schnelligkeit des Windes zu siegen pflegt. Er ist der stärkste und tapferste Krieger aller Stämme der Nuehr."

„Und doch hast du ihn mit noch viel größerer Schnelligkeit überwältigt."

„Ich? Wie?" fragte ich verwundert. „So ist der Gefangene hier in meinen Händen wohl Abu djom?"

„Ja, er ist's, und ich bin sein Sohn. Du bist stark und schnell wie Abu es Sidda[1], von dem uns unsre Brüder vom Bahr el Dschebel erzählt haben."

„Abu es Sidda? Der bin ich, die Eliab haben mir diesen Namen gegeben, das stimmt."

Da machte der junge Neger eine Bewegung der Überraschung und rief aus:

„Ja, das stimmt! Heißt dein Begleiter nicht Ben Nil?"

„Allerdings", bestätigte ich.

„So seid ihr unsre Freunde und werdet nicht nur meinen Vater wieder freigeben, sondern uns auch gegen die Baggara helfen. Erlaubt mir, euch im Namen aller unsrer Krieger zu begrüßen!"

[1] Vater der Stärke

Er kam erst zu mir und dann zu Ben Nil, um uns erst in das Gesicht und dann in die rechte Hand zu spucken, welche Höflichkeit wir ihm sofort zurückgaben. Wir durften den Speichel nicht wegwischen, sondern mußten ihn eintrocknen lassen, denn so ekelhaft diese Art der Begrüßung ist, es wird dadurch der Bund auf Tod und Leben abgeschlossen und besiegelt. Wer mit wilden Völkern auf du und du freundschaftlich verkehren will, muß sich auf vieles gefaßt machen, was er daheim wahrscheinlich mit Ohrfeigen vergelten würde.

Es verstand sich von selbst, daß wir alle abstiegen und ich dabei den Anführer sorgfältig zu Boden gleiten ließ. Die Seinen befürchteten, ich hätte ihn erschlagen, er kam aber bald wieder zu sich und verzieh mir gern den Hieb, als er erfuhr, wer wir waren. Das Anspucken erlebte jetzt eine zweite Auflage.

Niemand war über das so unerwartet hergestellte gute Einvernehmen so erfreut wie unser Fori-Neger Marrabah. Er lachte vor Entzücken übers ganze Gesicht, drehte dabei das Weiße der Augen fast aus den Lidern und zeigte ein Gebiß, das einem Jaguar alle Ehre gemacht hätte.

Wir erfuhren nun, daß meine Vermutung in Beziehung auf die Ghaswa richtig gewesen war. Wir befanden uns auf der Fährte eines Sklavenraubzugs, den die Baggara zum Bahr el Ghasal unternommen hatten. Die dort wohnende Abteilung der Eliab-Nuehr war nicht zahlreich, und ihre erwachsenen Männer waren auf der Jagd abwesend gewesen. Darum hatten die Baggara, als sie das Dorf überfielen, keinen nennenswerten Widerstand gefunden. Die alten Leute und kleinen Kinder waren nach der gräßlichen Art und Weise, in der die Sklavenjagd betrieben zu werden pflegt, einfach umgebracht worden, die jüngeren Frauen, die Knaben und Mädchen aber hatte man fortgeschleppt, um sie an Händler zu verkaufen.

Das ist freilich keine leichte und gefahrlose Sache, denn der Sklavenhandel ist verboten, aber es gibt selbst heute[1] noch Gelegenheiten und Wege genug, die ‚Waren‘ an den Mann zu bringen. Wenn der Zug den Nil überschritten hat und sich auf dem östlichen Ufer befindet, wird er als geglückt betrachtet. Dort gilt der Schwarze nach unserm Geld durchschnittlich fünfzig Mark, je weiter man ihn dann nach Norden bringt, desto höher steigt sein Wert. Der Zug zum Nil ist zwar mit Schwierigkeiten verknüpft, aber nicht eigentlich gefährlich. Von wirklicher Gefahr ist erst dann die Rede, wenn er den Fluß erreicht und ihn zu überschreiten hat, da dort Beamte aufgestellt sind, die mit

[1] Die vorliegende Erzählung wurde 1893 geschrieben

Hilfe von Truppen Jagd auf die Sklavenjäger und Sklavenhändler machen. Wer jedoch die Pflichttreue dieser Leute kennt, der weiß, daß sie einem goldnen oder auch nur silbernen Händedruck meist nicht zu widerstehen vermag. Das Schrecklichste bei einer Ghaswa ist, daß auf jeden brauchbaren Sklaven, den sie ergibt, durchschnittlich drei andre Menschen kommen, die dabei ermordet werden. Afrika verliert auf diese Weise jährlich zwei Millionen Geschöpfe, die ebenso Gottes Ebenbild sind und Freude und Leid nicht weniger tief empfinden als wir.

Die Eliab-Nuehr hatten, als sie von der Jagd heimkehrten, ihr Dorf verbrannt und verwüstet gefunden und zwischen den Trümmern lagen Leichen oder deren verkohlte Reste. Entsetzen hatte sich ihrer bemächtigt, und grimmige Wut und der Durst nach Rache waren gefolgt. Sie hatten sich, so gut es ging, für einige Zeit mit Lebensmitteln versorgt und waren dann auf ihren von der Jagd ermüdeten Pferden aufgebrochen, den Sklavenräubern nachzueilen. Leider, oder wie ich dachte, glücklicherweise war es ihnen nicht gelungen, diese einzuholen. Ich war überzeugt, daß sie den kürzeren gezogen hätten, denn sie zählten nur zwanzig Männer, während die Baggara weit zahlreicher gewesen waren.

Abu djom, der Anführer, erzählte mir das alles, während seine Leute in stillem Grimm rundum saßen. Als er geendet hatte, sprang er auf und rief:

„Nun steigt wieder auf die Pferde, ihr Männer! Wir müssen weitereilen, sonst kommen wir zu spät."

„Halt, wartet doch", bat ich hingegen. „Ihr habt noch Zeit."

„Warten? Sihdi, ist das dein Ernst? Wenn die Gefangenen über den Fluß hinüber sind, so sind sie für uns verloren."

„Nein. Die Fährte, die wir hier sehen, ist über einen Tag alt. Der Zug ist gestern mittag hier vorübergekommen und hat also am Abend den Fluß erreicht. Hat man die Sklaven sofort über den Nil schaffen wollen, so ist dies bereits geschehen, und wir können es nun nicht mehr hindern, hat es aber Gründe gegeben, sie noch am diesseitigen Ufer zurückzuhalten, so können diese Gründe auch jetzt noch vorliegen, und eure Verwandten sind noch nicht hinüber."

„Eben darum müssen wir eilen! Meine Seele sehnt sich, das Messer in das Blut der Räuber und Mörder zu tauchen."

„Willst du, daß ihr Messer sich in dein Herz taucht? Wir befinden uns auf dem Gebiet der Baggara, deren hiesige Abteilung, die Selem, gewiß fünfhundert Krieger zählt; ihr aber seid nur zwanzig."

„Ich denke, du willst uns helfen, Effendi?"

„Ja, das werde ich, ihr seid ja meine Brüder."

„Nun, ich habe von euch vernommen, daß ihr niemals die Feinde zählt, wenn es auch Hunderte sind. Wenn ihr uns helft, brauchen wir uns nicht zu fürchten. Ich weiß, daß du ein Zaubergewehr hast, mit dem du immerfort schießen kannst, ohne laden zu müssen. Was sind da fünfhundert Baggara gegen uns!"

„Wir pflegen freilich unsre Feinde nicht zu zählen, weil wir uns weniger auf Gewalt als vielmehr auf unsre List verlassen. Mein Gewehr gibt mir ja eine große Übermacht, aber ich mag nicht Menschen töten, wenn es nicht unbedingt nötig ist und ich ohne Blut zum Ziel gelangen kann."

„Nicht töten?" fragte er erstaunt. „Was haben diese Hunde andres verdient als den zehnfachen Tod!"

„Ich bin ein Christ, und wir Christen rächen uns nicht, sondern überlassen die Strafe Allah und der Obrigkeit. Dazu haben diese Baggara nicht mir etwas getan, und es fällt mir also nicht ein, unnötigerweise ihr Blut zu vergießen. Willst du unsre Hilfe haben, so höre auf mich, und wenn die Rettung der Eurigen möglich ist, so werde ich sie retten; willst du dich aber nicht nach mir richten, so reite ohne uns weiter, und ich sage euch, daß ihr noch heut abend dem Tod in die Arme rennen werdet. Ihr wenigen werdet unter den vielen Baggara sein wie zwanzig Schakale unter fünfhundert Hyänen."

Er starrte lange finster vor sich nieder. Auch keiner seiner Leute sagte ein Wort. Die Nuehr sind Heiden. Abu djom konnte meine milden, christlichen Anschauungen nicht begreifen, nach seiner Ansicht schrie die Tat nach Blut, vergossen von seiner eignen Hand. Darum kam ich seinem Entschluß zu Hilfe, indem ich drängte:

„Wähle zwischen List oder Gewalt, zwischen mit uns oder ohne uns! Im ersten Fall wirst du die Sklaven wahrscheinlich retten, im andern sind sie aber verloren, und ihr seid es mit ihnen."

„Laß mich zuvor mit meinen Kriegern reden, Emir", bat er.

„Tu es, ich werde so lange warten", erwiderte ich, indem ich aufstand und mich mit Ben Nil eine Strecke entfernte, um nicht zu stören. Nach einiger Zeit wurden wir zurückgerufen. Die Nuehr hatten sich erhoben, und ihr Anführer sagte mir:

„Emir, wir bitten dich, uns nicht zu verlassen. Wir wollen unsre Frauen, Söhne und Töchter zurückhaben und werden tun, was du gebietest. Wir wollen kein Blut vergießen, sondern mit den Baggara über den Blutpreis verhandeln. Aber wenn sie beides verweigern, so werden wir kämpfen, auch wenn wir dabei untergehen. Was wirst du in diesem Fall tun?"

„Euch beistehen, denn ihr seid meine Brüder."

„So sei unser Anführer, Herr. Wir folgen dir!"

„Dann verlange ich aber, daß ihr allen meinen Weisungen Gehorsam leistet. Geschieht dies nicht, so endet das Wagnis, das wir unternehmen, mit unserm Verderben."

Wir stiegen alle in die Sättel und ritten fort, der Fährte nach, ich voran und Ben Nil an meiner Seite. Die Nuehr sprachen hinter uns leise miteinander, und wenn ich mich einmal zu ihnen zurückwandte, sah ich an ihren bezeichnenden Blicken und ehrfurchtsvollen Mienen, daß wir Gegenstand ihrer Unterhaltung waren. — — —

2. Der „Vater der Liebe"

Um den Eindruck zu begreifen, den Ben Nil und ich auf die Nuehr machten, und die Bereitwilligkeit, womit sie sich unter meinen Befehl stellten, muß man bedenken, daß der afrikanische, eingeborene Neger gewohnt ist, den Weißen und zumal den Europäer für ein höher begabtes, wohl gar höher stehendes Wesen anzusehen. Dazu kam, daß wir am Bahr el Dschebel einigemale Gelegenheit gehabt hatten, Mut zu zeigen. Das hatte sich herumgesprochen, und allerorts war mehr und mehr neue Luft in die sich immer vergrößernde Seifenblase unsres Ruhmes gegeben worden. Kein Wunder also, wenn die Nuehr Eliab sich uns so günstig gesinnt zeigten und bereit waren, ihren Willen dem meinen zu unterwerfen. Und das war zu ihrem Glück, denn wenn sie es nicht getan hätten, wären sie, wie ich ihnen ja ganz offen gesagt hatte, in ihr Verderben gerannt.

Seit unserm Aufbruch war ungefähr eine Stunde vergangen, als ich die Fährte eines einzelnen Reiters bemerkte, die von links her auf unsern Weg stieß. Ich stieg ab, um sie zu betrachten, und bemerkte sofort, daß dem Pferd dieses Reiters das rechte Hintereisen gefehlt hatte. Als ich dies Ben Nil mitteilte, rief er aus:

„So ist es der Baggara gewesen, mit dem wir gesprochen haben! Er ist nach dem Fluß zurückgekehrt. Warum aber hat er dabei einen solchen Umweg gemacht?"

„Um von uns nicht gesehen zu werden", entgegnete ich. „Wir sollen nicht wissen, daß er die Seinen auf uns aufmerksam machen, daß er sie vor uns warnen will."

„Dann müssen wir uns sehr in acht nehmen, Effendi, denn sie werden uns erwarten, um uns zu überfallen."

„Uns überfallen!" stöhnte da der Fori-Neger voller Angst. „O Allah, bewahre uns vor dem neunmal geschwänzten Teufel! Man wird uns erschießen, erstechen oder gar ermorden!"

„Keine Sorge", tröstete ich ihn. „Der Baggara glaubt, daß wir geradewegs zur Insel Aba zu dem englischen Missionar reiten. Man wird uns also diesen nordöstlichen Weg verlegen, und zwar vergeblich, weil wir ihn nicht einschlagen, sondern ostwärts reiten, grad dahin, wohin die Spur der Ghaswa, der wir folgen, führt. Reiten wir weiter!"

Wir setzten unsern Weg fort und sahen nach ungefähr einer halben Stunde abermals einen Reiter, der uns entgegenkam. Er saß auf einem Hedschîn und führte ein bepacktes Lastkamel neben sich. Unser Erscheinen schien ihn keineswegs zu beängstigen, denn er hielt keinen Augenblick an, sondern kam unbedenklich auf uns zugeritten. Die Pakete, die sein Kamel trug, waren in Schilfmatten eingeschlagen. Bei uns angekommen, hielt er an, legte die Hand grüßend auf die Brust und sagte:

„Salâm! Werdet ihr mir die Fragen erlauben, die mein Mund an euch zu richten hat?"

„Salâm!" antwortete ich, „wir sind bereit, dir Antwort zu geben."

„So sagt mir, wer ihr seid, und woher ihr kommt."

Er schien kein Beduine zu sein, und sein Gesicht war nicht das eines sehr begabten Menschen. Ich durfte ihm keinesfalls die Wahrheit sagen, daher antwortete ich:

„Wir gehören zum Stamm der Risekat, kommen vom Dschebel Tungur her und wollen über den Nil, um unsre Freunde, die Abu Rof, zu besuchen."

„Habt ihr vielleicht zwei einzelne Reiter gesehn, die mitten in der Steppe lagerten? Sie waren Weiße und hatten einen Neger bei sich."

Er meinte mich, Ben Nil und den Fori.

„Ja", nickte ich zustimmend. „Sie lagern aber nicht mehr da. Sie sind fortgeritten."

„Wohin?"

„Sie wollen zur Insel Aba, um einen Christen, der dort wohnt, aufzusuchen."

„Das stimmt, du sagst die Wahrheit. Diese Männer werden den, den sie suchen, nicht finden, denn er wohnt nicht auf der Insel Aba, sondern an der Mischrah Om Oschrin."

„Aber man hat sie doch nach der Insel gewiesen!"

„Weil sie Hunde sind, die beißen wollen, es ist aber dafür gesorgt, daß sie unschädlich gemacht werden."

„Weißt du genau, daß der Christ, von dem du redest, auf der Mischrah wohnt?"

„Natürlich weiß ich es, denn er ist ein Missionar, und ich bin sein Diener. Ich bin von Khartum mit ihm hierher gekommen, und heut sendet er mich nach Tassing hinüber, wo ich diese Pakete abzuliefern habe."

„Was enthalten sie?"

„Bibeln in arabischer Sprache."

„Wie heißt der Missionar?"

„Sein Name ist Gibson, hier aber wird er nur Abu 'l mawadda, Vater der Liebe, genannt, weil seine Lehre die Lehre der Liebe ist. Wenn ihr ihn sehen wollt, so werdet ihr ihn an der Mischrah finden."

„Wie weit ist es bis dorthin?"

„Ihr werdet mit der Dämmerung dort ankommen, wenn ihr der Spur weiter folgt, auf der ihr bisher geritten seid."

„Von wem stammt diese Fährte?"

„Von einer Ghaswa, die die Baggara zu den Nuehr unternommen haben, sie sind siegreich heimgekehrt."

„Wo befinden sich die Sklaven, die sie gemacht haben?"

„Auf einer kleinen Insel, die unweit der Mischrah im Fluß liegt. Ich würde euch dies nicht sagen, wenn ihr nicht zu den Risekat gehörtet, die Freunde der Baggara sind. Jetzt aber muß ich weiter. Châtirkum, fi amân allah — lebt wohl, ich befehle euch in Allahs Schutz!"

„Allah jekûn ma'ak, tarik es salâm — Allah sei mit dir, und glücklich sei deine Reise!" erwiderte ich seinen Abschiedsgruß.

Als er fort war, lachte Ben Nil behaglich vor sich hin und sagte: „Effendi, dieser Mensch war ein großer Dummkopf. Er konnte sich doch denken, daß wir die waren, nach denen er fragte, er aber hat uns nun alles gesagt, was wir wissen müssen. Ganz gewiß ist eine Abteilung der Baggara zur Insel Aba gegangen, um uns dort feindlich zu empfangen. Wie gedenkst du dich zu verhalten?"

„Das kommt auf die Umstände an, die ich auf der Mischrah vorfinde."

„Auf alle Fälle aber werden wir die gefangenen Sklaven befreien?"

„Ja. Kommt jetzt weiter!"

In jenen Gegenden geht die Sonne sechs Uhr nachmittags unter. Nach europäischer Zeit war es jetzt vielleicht halb fünf Uhr. Wir hatten also noch anderthalb Stunden bis zur Mischrah zu reiten.

Bald begann sich die Nähe des Nils bemerkbar zu machen, die Feuchtigkeit der Luft lockte aus dem Boden ein Grün hervor, das allerdings zunächst spärlich war, nach und nach aber dichter und saftiger wurde. Dann bemerkten wir einzelne Büsche, und am östlichen Sehkreis tauchte eine schwarze Linie auf, das war der Wald, der die Ufer des Nils besäumt.

Es durfte uns nicht einfallen, geradewegs nach der Mischrah zu reiten, wir wollten die Gefangenen ja durch List befreien. Darum wichen wir, als wir ungefähr noch eine halbe Stunde zu reiten hatten, von der Fährte rechts nach Süden ab, um oberhalb der Mischrah ans Wasser zu kommen, von wo aus ich den Ort heimlich beschleichen wollte.

Wir mußten uns nun vor jeder Begegnung hüten und freuten uns daher, als wir auf buschiges Gelände kamen, wo die Sträucher uns Deckung gewährten. Dann nahm uns ein Wald von hochwachsenden Sunutbäumen auf, wo wir uns ein Versteck suchten, in dem die Nuehr sich verbergen sollten. Wir fanden ein passendes, stiegen da ab und banden unsre Pferde an. Nachdem ich den Nuehr anbefohlen hatte, sich bis zu unsrer Rückkehr ruhig zu verhalten, entfernte ich mich mit Ben Nil in nördlicher Richtung, wo die Mischrah war. Unter Mischrah versteht man eine am Fluß liegende freie Stelle, die entweder bewohnt ist oder auch nur zum Landen der Fahrzeuge und Tränken der Herden dient. Die Mischrah Om Oschrin war bewohnt. Als wir den Rand des Waldes erreichten, sahen wir rechts von uns die breite Fläche des Nils, während grad vor uns die Hütten und Zelte der Baggara lagen. Eben jetzt wurden links vom hohen Ufer die dort weidenden Tiere nach dem Fluß getrieben, um getränkt zu werden. Ungefähr hundert Schritt vom Ufer entfernt lag eine Insel, deren Ufer von Schilf eingerahmt waren. Dort jedenfalls befanden sich die Gefangenen und ihre Hüter. Weiter oben war ein großes Floß am Ufer angehängt. Es war aus Ambagstämmen gebaut und konnte wohl fünfzig Menschen tragen.

Wir lagen unter einem Hegelikbaum, der seine Äste tief niedersenkte und dadurch ein gutes Versteck bildete. Darum sagte ich zu Ben Nil:

„Wir werden jetzt zu den Nuehr zurückkehren, dann reite ich nach der Mischrah, wo ich mich für einen Händler ausgeben werde. Du kehrst später zu diesem Hegelik hier zurück, und hier suche ich dich heimlich auf, um dir zu sagen, was ihr tun sollt."

„Effendi, das ist gefährlich! Willst du mich nicht lieber mitnehmen?"

„Nein, du mußt bei den Nuehr bleiben, weil ich mich sonst nicht auf sie verlassen kann."

„Aber wenn dir ein Unglück geschieht!"

„Sorge dich nicht um mich! Du kennst mich ja und weißt, daß ich mich zu bewahren verstehe."

„Das weiß ich, doch kann der Mutigste und Klügste sich verrechnen. Wehe aber dann diesen Baggara, sie würden es büßen!"

Zu unsern schwarzen Gefährten zurückgekehrt, vertauschte ich mein Pferd mit einem der ihrigen und meine Gewehre mit der langen Flinte ihres Anführers. Man sollte mich nicht erkennen, denn es war anzunehmen, daß der zurückgekehrte Baggara eine Beschreibung unsrer Bewaffnung und unsrer Pferde gegeben hatte. Ihn auf der Mischrah zu treffen, brauchte ich nicht zu befürchten, da er jedenfalls mit nach der Insel Aba geritten war.

Nachdem ich Ben Nil und den Nuehr gesagt hatte, wie sie sich in den verschiedenen möglichen Fällen verhalten sollten, ritt ich fort, aus dem Wald hinaus, zwischen den Büschen hindurch und dann auf die Mischrah zu. Als ich sie erreichte, tauchte eben die Sonne hinter dem westlichen Himmelsrand hinab.

Ich sah zunächst die Weideplätze der Pferde, Rinder und Schafe liegen und merkte mir besonders die ersten genau, da wir später für die befreiten Gefangenen Reittiere brauchten. Die Mischrah mochte gegenwärtig von vielleicht zweihundert Menschen bewohnt sein. Die Kinder kamen schreiend auf mich zugerannt, die Weiber blickten neugierig aus den Türöffnungen, und die Männer traten zusammen, um mich mit erwartungsvollen Blicken zu empfangen.

„Es-salâm 'aleïkum!" grüßte ich mit lauter Stimme. „Welcher von euch ist der Scheik dieses Lagers?"

„Der Scheik ist nicht hier", antwortete ein alter Graubart. „Was willst du von ihm?"

„Ich bin Selim Mefarek, der Händler aus Tomat am Setitfluß, und bitte, diese Nacht hierbleiben zu dürfen."

„Womit handelst du?"

„Mit allen Waren, die es gibt, und welcher Farbe sie auch seien."

Mit diesen Worten spielte ich auf Sklaven an.

„Auch schwarz?" fragte der Alte, indem er das rechte Auge bezeichnend zukniff.

„Ja, das am liebsten."

„So bist du uns willkommen und sollst beim vornehmsten Mann des Lagers wohnen. Steig ab, ich werde dich zu Abu 'l mawadda führen."

Das war es ja, was ich gewünscht hatte: ich sollte bei dem Missionar bleiben. Natürlich war ich neugierig, ihn zu sehen. Er bewohnte eine große, aus Nilschlamm erbaute Hütte, unter deren Eingang er mir entgegentrat. Welch ein langer, hagerer Mensch war das, und welche Salbung lag auf seinen harten, gemütlosen Zügen! Er war in einen schwarzen Burnus gekleidet, sah mich mit scharfen Augen prüfend an und sagte, als der Alte ihm meinen Namen, Beruf und Wunsch mitgeteilt hatte, in schlechtem Arabisch:

„Du bist mir willkommen, Selim Mefarek. Tritt ein! Vielleicht ist dein Kommen von Vorteil für uns und auch für dich."

Als wir uns miteinander allein in der Hütte befanden, ließ er die Schilfmatte, die die Tür bildete, herab und brannte eine Tonlampe an, die mit Sesamöl gespeist wurde.

Bei ihrem Schein erblickte ich an den Wänden ein Kreuz und verschiedene schlechte Bilder aus der heiligen Geschichte. Wir setzten uns nieder. Er gab mir eine Pfeife mit Tabak, brannte sich auch selbst eine an und begann dann ein Gespräch, dessen Zweck war, mich auszuhorchen. Es gelang mir, ihn vollständig zu täuschen. Er wurde überzeugt, daß ich ein Sklavenhändler sei, und war schließlich so vertrauensvoll, daß er mir sagte:

„Du bist der Mann, der grad jetzt für uns paßt. Wir haben achtundzwanzig Sklaven gemacht, die wir verkaufen wollen."

„Herr", entgegnete ich erstaunt, „man nennt dich den Vater der Liebe und sagt, du seiest Missionar. Ich denke, Christen dürfen nicht Sklaven machen und verkaufen."

Er lachte klanglos vor sich hin und meinte:

„Die Schwarzen sind keine Menschen wie wir, sie denken und fühlen nichts. Es ist eine Wohltat für sie, Sklaven zu sein. Ja, ich bin ein Christ, aber nicht ein Missionar. Ich lehre zwar, aber nur zum Schein, um die Häscher zu täuschen, die den Sklavenhändlern aufpassen. Keiner von ihnen wird glauben, daß da, wo ein Missionar wohnt, Sklaven gemacht werden. Seit ich hier bin, ist den Baggara jeder Fang gelungen, und ich stehe mich gut dabei. Sogar der berühmte Reïs Effendina hat sich von mir betrügen lassen. Hast du von ihm gehört? Er ist ein hoher Beamter des Vizekönigs und betreibt nur den Fang der Sklavenjäger und -händler. Viele, viele hat er schon gefangen, und ihr Los ist stets der Tod gewesen. Seine Helfershelfer waren vor einiger Zeit ein Deutscher, Kara Ben Nemsi genannt, und dessen Gefährte, der Ben Nil hieß. Diese beiden sind heut hier plötzlich aufgetaucht. Unser Scheik ist ihnen begegnet, er hat sie erkannt, weil sie ihm ihre Namen nannten. Natürlich ließ er sich nichts merken und hat sie an einen Ort gelockt, wo er sie fangen wird. Er ist mit einer Anzahl von Kriegern dorthin aufgebrochen."

Das war ja neu und merkwürdig! Also der Baggara, mit dem wir gesprochen hatten, war der Scheik selber gewesen. Welch ein Glück für mich, daß er sich jetzt nicht hier befand! Es läßt sich denken, welche Gefühle ich gegen diesen Mann hegte, doch hütete ich mich wohl, sie ihm durch irgendein Wort zu verraten. Er war dann so vertrauensselig, das Geschäft mit mir abzuschließen. Wir wurden einig um dreihundert Piaster für jeden der achtundzwanzig Gefangenen. Zehn Baggara sollten sie über den Fluß und nach Karkog bringen, wo ich den Kaufpreis und auch den ‚Treiberlohn' zu bezahlen hatte. Dies konnte aber erst nach der Rückkehr des Scheiks geschehen, weil dieser seine Genehmigung erteilen mußte. Dem Engländer hatte ich vor dem Aufbruch für jeden Sklaven zwanzig Piaster heimlich zu entrichten.

Als diese Verhandlung zu Ende war, begaben wir uns hinaus ins Freie, wo mehrere Feuer brannten, denn es war Nacht geworden. Die Baggara freuten sich, als sie von dem abgeschlossenen Handel hörten, es wurden einige Hammel geschlachtet und gebraten und große Krüge voll berauschender Merissah herbeigeschafft.

Den Gefangenen wurde ihr Essen auf einem kleinen Floß nach der Insel geschafft. Ich fuhr mit hinüber. Da ich sie gekauft hatte, hielt man es für selbstverständlich, daß ich sie sehen wollte. Sie waren an Pfähle gebunden und wurden von drei Baggara bewacht. Ihr Essen bestand aus harten Durramehlfladen.

An das Ufer zurückgekehrt, suchte ich unauffällig den Hegelikbaum auf, unter dem Ben Nil auf mich wartete. Ich gab ihm den Auftrag, mit vier Nuehr um Mitternacht hier zu sein, und ging dann ins Lager zurück.

Die Baggara aßen und tranken. Man glaubt nicht, welche Mengen solch ein Beduine vertilgen kann. Ich saß mit dem ‚Vater der Liebe' vor seiner Hütte, verzehrte ein Stück Fleisch und trank einige Schluck Wasser dazu. Er erzählte mir von sich, natürlich nur Rühmliches, ich hörte aber zwischen seinen Worten heraus, daß er ein verlorener Sohn und gewissenloser Abenteurer war, dem nichts, auch nicht der Glaube, heilig galt. Später kam das Gespräch wieder auf den schon erwähnten Reïs Effendina und seinen Helfer Kara Ben Nemsi. Der Engländer ahnte nicht, daß ich der eine war, sonst wäre er nicht in die zornige Drohung ausgebrochen.

„Wehe diesem Kerl und seinem Ben Nil! Morgen werden sie gefangen und sofort aufgehängt!"

„Hm!" meinte ich nachdenklich. „Nach allem, was ich von dir gehört habe, sind diese beiden sehr schlau und vorsichtig und also nicht leicht zu fangen. Wie nun, wenn sie den Scheik ergreifen, anstatt er sie?"

„Was fällt dir ein! Ich sage dir, ehe die Sonne morgen untergeht, sind sie in die Hölle gefahren!"

„Wünschest du das, der du ein Christ ebenso wie Kara Ben Nemsi bist?"

„Ja, ich wünsche es, ich will es, denn solches Ungeziefer muß unschädlich gemacht werden."

Wie hätte ich ihm geantwortet, wenn ich gedurft hätte! Aber ich mußte vorsichtig sein. Später ging er in die Hütte, um sich zur Ruhe zu legen. Es fiel ihm nicht auf, daß ich im Freien schlafen wollte, er hielt mich für einen Eingeborenen des Landes, dem die giftigen Nebel des Flusses nicht schaden können.

Gegen Mitternacht wurde es ruhig im Lager. Die Baggara krochen in ihre Hütten und Zelte, und nur die Wächter bei den Herden oben auf der Uferhöhe blieben wach. Ich wartete noch eine Weile und schlich mich dann nach dem Hegelik, wo ich Ben Nil mit den Nuehr vorfand. Ihnen teilte ich mein Vorhaben mit.

Außer dem großen Floß lagen am Ufer einige kleine Kähne von der Art, wie sie dort gebräuchlich sind, ihre Planken werden nur mit Baststricken zusammengebunden. Ich wollte mit einem solchen Kahn nach der Insel fahren, und Ben Nil sollte mir nach einiger Zeit in dem andern mit den Nuehr folgen und an der Südspitze der Insel anlegen. Die drei Wächter mußten unschädlich gemacht werden. War dies geschehen, so wollten wir die Gefangenen losbinden und auf dem großen Floß in Sicherheit bringen.

Die Sterne leuchteten hell hernieder, ihr verräterischer Schimmer konnte uns leicht verderblich werden, aber schon begann ein leichter Nebel zu wallen, der sich bald verdichtete und uns Schutz gewährte. Nachdem ich mich überzeugt hatte, daß ich nicht beobachtet wurde, stieg ich in das Boot und ruderte nach der Insel. Einer der Wächter rief mich an, beruhigte sich aber, als er mich erkannte. Ich war jetzt Besitzer der Sklaven und hatte das Recht, die Nacht über bei ihnen zu sein. Die beiden andern traten auch herbei, sie still zu machen, war nicht schwer, drei schnelle Kolbenschläge warfen sie ins Gras, wo sie betäubt liegenblieben. Sie wurden, als Ben Nil kam, gebunden und erhielten, um nicht rufen zu können, Knebel in den Mund. Darauf nahmen wir den Sklaven die Fesseln ab. Sie hatten fürchterlich gelitten, um so größer war ihr Entzücken, als sie hörten, daß die Ihrigen gekommen seien, sie zu befreien. Ich hatte große Mühe, sie zum notwendigen Schweigen zu bewegen.

Nun fuhren wir sechs zum Floß, um es herbeizuholen. Im Nebel gelang uns dies sehr leicht. Ruder waren genug vorhanden. Die Befreiten wurden aufgenommen, dann stießen wir das Floß von der Insel ab und ließen es abwärtsgleiten, um eine Strecke unterhalb der Mischrah am Ufer anzulegen. Dort durchdrangen wir trotz der herrschenden Dunkelheit den Wald, wendeten uns dann wieder aufwärts, schlugen einen Bogen um die Mischrah und blieben südlich davon zwischen den Sträuchern halten. Ben Nil ging, um die in unserm Versteck zurückgebliebenen Nuehr mit den Pferden zu holen. Nun erst, als diese kamen, konnte ich die Befreiung für gelungen betrachten. Jetzt sollte ein wirres Durcheinanderrufen mit Danksagungen und dergleichen beginnen, ich mahnte aber zur Ruhe, weil es galt, Pferde für den Abzug zu beschaffen. Ich schlich also mit Ben Nil fort, um die Gelegenheit dazu auszuspähen. Den Ort, wo sich die Pferde befanden, hatte ich mir gemerkt. Dort brannte ein Feuer, an dem die Wächter saßen, es waren nur zwei. Ein Kolbenschlag und noch einer, und sie waren betäubt. Ben Nil holte die Nuehr, und eine Viertelstunde später waren diese mit Pferden versehen, freilich aber nicht mit Sätteln, da diese sich in den Hütten und Zelten befanden, wohin wir unmöglich dringen durften.

Die Nuehr, selbst die Knaben und Mädchen, konnten alle gut reiten. Wir sorgten zunächst dafür, eine Strecke von der Mischrah fortzukommen. Dann hielten wir an, um den Geretteten Zeit zu geben, ihrem Jubel Luft zu machen. Das taten sie denn in so ausgiebiger Weise, daß mir die Ohren gellten. Als sie sich nach und nach beruhigt hatten, wurde Beratung gehalten über die Richtung, die einzuschlagen war.

Es war für die Nuehr völlig unmöglich, sich geradewegs nach ihrer Heimat am Bahr el Ghasal zu wenden. Zu einem so weiten Ritt waren sie in keiner Weise ausgerüstet. Dazu kam, daß ich sie dorthin nicht begleiten konnte, da mein Weg in die entgegengesetzte Richtung, nach Norden führte. Dort lag, zwei Tagesritte von der Mischrah entfernt, das Dorf Kaua, wo die Regierung die bedeutendste Niederlage am weißen Nil hatte. Da fanden die Nuehr sicherlich Schutz und Unterstützung, und so gingen sie auf meinen Vorschlag ein, nach Norden zu reiten.

Als wir uns in Bewegung setzten, brach der Morgen an. Wir ritten so schnell wie möglich, denn es war zu erwarten, daß uns die Baggara verfolgen würden. Leider beeinträchtigte das sattel-lose Reiten unsre Schnelligkeit bedeutend, daher kam es, daß wir schon nach drei Stunden die Verfolger hinter uns bemerkten. Es waren wohl gegen vierzig bewaffnete Reiter, die ihre Tiere mit Schlägen antrieben.

„Sie mögen kommen!" drohte Abu djom, der Blatternarbige, indem er seine lange Flinte schwang. „Wir werden sie alle töten!"

„Glaubt das nicht", antwortete Ben Nil. „Du bist ein tapferer Krieger, aber was sind eure Messer und Spieße gegen ihre Gewehre, deren Kugeln weiter reichen als ihr eure Speere werfen könnt? Da wird mein Effendi mit seinem Henrystutzen helfen müssen."

„Wie wird er das anfangen?"

„Das sollst du sogleich sehen", fiel ich ein, indem ich mein Pferd anhielt. „Laß deine unbewaffneten Frauen, Knaben und Mädchen geradeaus weiterreiten, die Männer bleiben hier bei uns. Wir nehmen die Baggara auf uns."

Die Genannten ritten davon, die zwanzig Bewaffneten blieben. Ich stieg vom Pferd und nahm den Stutzen zur Hand. Sobald die Baggara in Schußweite gekommen waren, zielte ich und gab schnell hintereinander fünf Schüsse ab, und die fünf vordersten Pferde stürzten. Auf die Reiter hatte ich nicht zielen wollen, denn Menschenblut vergießt man nicht ohne große Not. Die Verfolger ritten dennoch näher. Fünf oder sechs weitere Schüsse warfen ebensoviele Pferde nieder. Da hielten sie nun doch an. Sie erhoben ein wütendes Geheul und berieten sich. Ich füllte das Magazin wieder und hörte dabei, daß der Name Selim Mefarek, den ich mir beigelegt hatte, einigemal zornig genannt wurde. Dann kam der ‚Vater der Liebe', der bei ihnen war, langsam auf uns zugeritten und gab mit der Hand das Zeichen, daß er als Unterhändler komme. Wir ließen ihn nahe heran.

„Was soll das bedeuten?" fuhr er mich zornig an. „Erst kaufst du die Sklaven, ohne sie sofort zu bezahlen, und dann befreist du sie und stiehlst noch unsre Pferde dazu!"

„Du irrst", antwortete ich lächelnd. „Selim Mefarek hat sie gekauft, ich nicht."

„Du bist doch Mefarek!"

„Nein, der war ich gestern bei dir. Ich aber bin Kara Ben Nemsi, und hier neben mir siehst du Ben Nil. Wir sollen heut, ehe die Sonne untergeht, in der Hölle sein. Wißt Ihr vielleicht, Mister Gibson, wo Ihr Euch da befinden werdet?"

Er sah mich einige Augenblicke lang betroffen an, dann ging

eine plötzliche, gewaltige Bewegung über sein Gesicht. Er stieß einen grimmigen Fluch aus und fügte hinzu:

„Dieser deutsche Hund also! Da mußt du erst recht zur Hölle!"

Er legte blitzschnell sein Gewehr auf mich an, noch schneller aber krachte ein Schuß hinter mir. Die Waffe glitt ihm aus den Händen, er wankte und fiel aus dem Sattel zur Erde nieder — — Abu djom hatte ihn genau ins Herz getroffen.

Als die Baggara dies sahen, sprengten sie mit gellendem Geschrei wieder auf uns ein. Aber sie kamen nicht weit, mein Stutzen räumte unter ihren Pferden auf. Sechs, acht, zehn, zwölf stürzten, das half. Die auf ihnen gesessen hatten, rannten heulend davon, und auch die Reiter kehrten um und folgten ihnen. Wir waren sie nun sicher los. Das verdoppelte die Kampflust der Nuehr. Sie wollten ihnen nach, es gelang mir aber, sie davon abzuhalten. Als ich den ‚Vater der Liebe‘ untersuchte, stellte ich fest, daß der Tod augenblicklich eingetreten sein mußte. Ich will ihm wünschen, daß er nicht dahin gegangen ist, wohin, wie er gestern abend sagte, ich geschickt werden sollte. Wir ließen ihn für die Baggara, die später jedenfalls zu ihm zurückkehrten, liegen, und ritten weiter.

Am zweiten Abend kamen wir in El Kaua an, wo die Beamten sich der Nuehr Eliab annahmen. Sie sind später, wie ich erfuhr, glücklich am Bahr el Ghasal angekommen und haben dann auf einem siegreichen Kriegszug die Baggara gezwungen, den hohen Blutpreis für die bei dem Sklavenzug Ermordeten zu zahlen. Es ist seit jener Zeit den Baggara nicht wieder eingefallen, eine Ghaswa gegen die Nuehr zu unternehmen.

Karl May wurde am 25. Februar 1842 in Hohenstein-Ernstthal geboren und ist in ärmlichsten Verhältnissen aufgewachsen. Nach trauriger Kindheit und Jugend wandte er sich ursprünglich dem Lehrerberuf zu. Als Redakteur verschiedener Zeitschriften begann er ungefähr ab 1875 die Schriftstellerlaufbahn, und zwar zunächst mit kleineren Humoresken und Kurzgeschichten. Bald jedoch kam sein einzigartiges Talent zur vollen Entfaltung, als er mit den „Reiseerzählungen" seinen späteren Weltruhm begründete und sich eine nach Millionen zählende Lesergemeinde schuf. Seit Ende des vorigen Jahrhunderts gilt er als der wohl bedeutendste deutsche Volksschriftsteller. Die spannungsreiche Form seiner Erzählkunst, ein hohes Maß an fachlichem Wissen und eine überzeugend vertretene Weltanschauung verbanden sich überaus glücklich in seinen Schriften. Auch heute begeistern die blühende Phantasie und der liebenswürdige Humor des Schriftstellers in unverändertem Maß seine jungen und alten Leser. Karl May starb am 30. März 1912 in Radebeul bei Dresden. Seine Werke wurden in mehr als fünfundzwanzig Kultursprachen übersetzt. Allein von der deutschen Originalausgabe sind bis 1983, also 70 Jahre nach Gründung des Karl-May-Verlags, über 65 Millionen Bände gedruckt worden.

KARL MAYS GESAMMELTE WERKE

Jeder Band in grünem Ganzleinen mit Goldprägung und farbigem Deckelbild

KARL - MAY - VERLAG · BAMBERG